de Bibliotheek
Breda Centrum

Tegenspel

Van Lee Child zijn verschenen:

Jachtveld*
Lokaas*
Tegendraads*
De bezoeker*
Brandpunt*
Buitenwacht*
Spervuur*
De vijand*
Voltreffer*
Bloedgeld*
De rekening*
Niets te verliezen*
De sluipschutter
61 uur
Tegenspel

* Ook in POEMA POCKET verschenen

Lee Child

Tegenspel

Uitgeverij Luitingh

Uitgeverij Luitingh en drukkerij Bariet vinden het belangrijk om op milieu-vriendelijke en verantwoorde wijze met natuurlijke bronnen om te gaan

BIBLIOTHEEK BREDA
Wijkbibliotheek Brabantpark
Hooghout 65

© 2010 Lee Child
All Rights Reserved
© 2010 Nederlandse vertaling
Uitgeverij Luitingh ~ Sijthoff B.V., Amsterdam
Alle rechten voorbehouden
Oorspronkelijke titel: *Worth Dying For*
Vertaling: Jan Pott
Omslagontwerp: Edd, Amsterdam
Omslagfotografie: Arcangel Images / Hollandse Hoogte / Age Fotostock Spain

ISBN 978 90 245 3173 8
NUR 332

www.boekenwereld.com
www.uitgeverijluitingh.nl
www.watleesjij.nu

1

Eldridge Tyler reed over een lange rechte tweebaansweg in Nebraska toen zijn mobiele telefoon ging. Het was laat in de middag. Hij was op weg naar huis met zijn kleindochter met wie hij nieuwe schoenen had gekocht. Hij reed in een pick-up, een Silverado met een dubbele cabine en de kleur van de krant van gisteren, en het kind lag op haar rug op de smalle achterbank. Ze sliep niet. Ze lag klaarwakker met haar benen omhoog. Ze staarde gefascineerd naar de gigantische witte gymschoenen die een halve meter boven haar hoofd in de lucht heen en weer wiebelden. Ze maakte rare geluiden met haar mond. Ze was acht jaar oud. Tyler dacht dat ze een beetje achter was.

Tylers telefoon was eenvoudig, je kon er niets bijzonders mee, maar hij was wel zo geavanceerd dat je verschillende bellers verschillende beltonen kon geven. Bij de meeste bellers werd het standaardgeluid van de telefoon afgespeeld, maar bij vier nummers had Tyler een geluid gekozen dat klonk als een dringend laag loeien en dat het midden hield tussen het geluid van de sirene van een brandweerwagen en het alarm dat klinkt als een onderzeeër op het punt staat te duiken. Dat was het geluid dat Tyler hoorde, laat in de middag, op die lange, rechte tweebaansweg in Nebraska, vijftien kilometer ten zuiden van de outlet en dertig kilometer ten noorden van thuis. Hij pakte de telefoon onhandig van de middenconsole, drukte op de knop en hield het toestel bij zijn oor: 'Ja?'

Een stem zei: 'Misschien hebben we je nodig.'

Tyler zei: 'Mij?'

'Nou ja, jou en je geweer. Zoals eerder.'

Tyler zei: 'Misschien?'

'Op het moment is het alleen maar een voorzorgsmaatregel.'

'Wat is er aan de hand?'

'Er loopt iemand rond te snuffelen.'

'In de buurt?'

'Moeilijk te zeggen.'

'Hoeveel weet hij?'

'Iets. Maar nog niet alles.'

'Wie is het?'
'Niemand. Een vreemdeling. Gewoon iemand. Maar hij is erbij betrokken geraakt. Volgens ons heeft hij in het leger gezeten. Volgens ons als MP. Misschien denkt hij nog steeds als politieagent.'
'Hoe lang is dat geleden, dat hij in dienst zat?'
'Stenen tijdperk.'
'Banden?'
'Helemaal niets, voor zover we kunnen nagaan. Niemand zal hem missen. Het is een zwerver. Woont nergens. Is hier toevallig verzeild geraakt. Nu is het de bedoeling dat hij weer weg zeilt.'
'Beschrijving?'
'Een grote kerel,' zei de stem. 'Minstens een meter vijfennegentig, misschien wel honderdtien kilo. De laatste keer dat hij is gezien, had hij een oude bruine parka aan en een wollen muts op. Hij beweegt zich raar, alsof hij overal spierpijn heeft. Alsof het pijn doet.'
'Oké,' zei Tyler. 'Waar en wanneer?'
'We willen dat je de loods in de gaten houdt,' zei de stem. 'Morgen, de hele dag. Hij mag de loods niet in. Nu niet. Als we hem vanavond niet te pakken krijgen, komt hij er uiteindelijk achter. Dan gaat hij erheen om te kijken.'
'Hij loopt gewoon naar binnen? Zomaar, zonder meer?'
'Hij denkt dat we met zijn vieren zijn. Hij weet niet dat we met z'n vijven zijn.'
'Heel goed.'
'Als je hem ziet, schieten.'
'Dat doe ik.'
'Raak schieten.'
'Doe ik toch altijd?' zei Tyler. Hij beëindigde het gesprek en liet de telefoon op de console vallen en reed verder. De schoenen van het kleine meisje wiebelden in zijn achteruitkijkspiegel. Voor de pick-up strekten zich doodse, winterse akkers uit. Achter hem strekten zich doodse, winterse akkers uit. Links van hem viel de duisternis in, rechts ging de zon onder.

De loods was lang geleden gebouwd, toen bescheiden maten en bouwen in hout nog gangbaar waren in Nebraska. De functie die de loods ooit had gehad was allang overgenomen door gigantische metalen loodsen die werden opgetrokken op verafgelegen locaties die enkel en alleen werden uitgekozen op grond van logistieke argumenten. Maar de oude loods had de tand des tijds doorstaan, was langzaam kromgetrokken, langzaam weggerot, scheefgezakt en verweerd geraakt. Helemaal rondom liep een rand van asfalt, opgetild door vorst in de winter en gebarsten onder de zomerzon. Uit de scheuren kroop draderig onkruid. Voor de ingang hing een schuifdeur van balken die met ijzeren banden bij elkaar werden gehouden, met ijzeren wielen aan een ijzeren rail, maar het scheef wegzakken van het bouwwerk had de deur voor eens en voor altijd klemgezet. De enige manier om binnen te komen was via een gewone deur in de schuifdeur, een beetje links van het midden, een beetje klein.

Eldridge Tyler staarde naar dat kleine deurtje door het vizier van zijn geweer. Hij had zich een uur te vroeg geïnstalleerd, ruim voor het aanbreken van de dag, een voorzorgsmaatregel die hem gepast leek. Hij was een geduldig man. En hij was grondig. En nauwgezet. Hij had zijn pick-up van de weg af gestuurd en was in het donker de kronkelende tractorsporen gevolgd en had de pick-up geparkeerd in een oud schuurtje dat aan één kant open was en ooit was bedoeld om jutezakken met kunstmest te beschermen tegen de voorjaarsregens. De grond was bevroren, er was geen stof opgewaaid en hij had geen sporen achtergelaten. Hij had de zware v-8 uitgezet, was naar de ingang van het schuurtje gelopen en had er een draad voor gespannen van dun elektriciteitssnoer met een zwarte plastic mantel, op scheenbeenhoogte voor iemand van meer dan gemiddelde lengte.

Toen was hij teruggelopen naar de pick-up. Hij was in de laadbak geklommen en op het dak van de cabine, en hij had zijn geweer en een canvas-boodschappentas op een open zoldervloer geschoven, een soort vliering onder het puntdak van het schuurtje. Hij was zelf op die planken vloer geklommen, naar de gevel gekropen waar hij voorzichtig een latje had verwijderd uit de jaloezie voor het ventilatiegat in de gevel, zodat hij zodra het licht zou worden een onbelemmerd zicht zou hebben op de loods die precies honderdtwintig meter verderop stond. Dat was geen toeval. Hij had de omgeving al jaren geleden verkend, toen zijn vier vrienden voor

het eerst zijn hulp hadden ingeroepen, en hij had zich goed voorbereid, had de spijkers in het hout geslagen voor de struikeldraad, had de afstand tot de loods uitgemeten en had het latje losgewrikt. Nu had hij het zich opnieuw gemakkelijk gemaakt op de vliering, had zich zo goed mogelijk warm gehouden, en had hij gewacht tot de zon zou opkomen, wat uiteindelijk was gebeurd, bleek en flets. Zijn geweer was een Grand Alaskan, in Amerika gemaakt door Arnold Arms Company. Het had een kamer voor de .338 Magnum en was uitgerust met een 26-inch loop. De kolf was gesneden uit Engels notenhout. Het was een geweer van zevenduizend dollar dat vrijwel alles op vier poten aankon, laat staan alles wat op twee benen liep. Het telescoopvizier was een Leica, een Ultravid van negenhonderd dollar met standaard dradenkruisen. Tyler had ingezoomd tot ongeveer twee derden van de maximale vergroting zodat op een afstand van honderdtwintig meter een cirkelvormig stukje van de wereld te zien was met een doorsnee van ongeveer drie meter. De bleke ochtendzon stond laag in het oosten en het zachte, grijze licht viel bijna horizontaal in over het slaperige land. Later zou de zon iets hoger komen en naar het zuiden draaien, en dan zou hij in het westen weer wegzinken, allemaal zoals Tyler het wilde, want het betekende dat zelfs een doelwit met een oude bruine parka aan goed zou afsteken tegen het grijsbruin van de verweerde houten balken, de hele dag.
Tyler ging ervan uit dat de meeste mensen rechtshandig waren en dus zou zijn doelwit een beetje links van het midden staan om met zijn rechterhand bij de deurkruk te kunnen midden op het smalle deurtje. Hij ging er bovendien van uit dat iemand die stijf was en spierpijn had, dicht bij het deurtje zou staan om minder ver te hoeven reiken. Het deurtje zelf was net geen een meter tachtig hoog, maar omdat hij in de veel grotere schuifdeur was geplaatst, begon hij zo'n twintig centimeter boven de grond. Het middelpunt van het voorhoofd van een man van een meter vijfennegentig bevindt zich op een hoogte van ongeveer een meter vijfentachtig boven de grond, zodat het snijpunt van het dradenkruis zo'n vijftien centimeter onder de bovenrand van het deurtje moest liggen. Een man van honderdtien kilo zou breedgeschouderd zijn en dat plaatste het middelpunt van zijn voorhoofd

op het moment dat hij zou proberen het deurtje open te doen zo'n vijfenveertig centimeter links van zijn rechterhand en langs de horizontale as moest het snijpunt van het dradenkruis dan dus vijftien centimeter links van de rand van het deurtje liggen.
Vijftien centimeter omlaag en vijftien centimeter naar links. Tyler tastte achter zich en haalde twee zakken rijst met een lange korrel uit de boodschappentas. Vers uit de winkel, zakken van tweeënhalve kilo elk. Hij legde ze onder het voorste deel van de kolf van het geweer en drukte er het fijne notenhout in. Hij nestelde zich achter het geweer en keek door het vizier en richtte het dradenkruis op de linkerbovenhoek van het deurtje. Langzaam liet hij het dradenkruis zakken en schoof het naar links. Hij legde zijn vinger op de trekker. Hij ademde in en ademde uit. Achter en onder hem maakte het afkoelende metaal van zijn pick-up tikkende geluiden. De verse geur van benzine en koude uitlaatgassen dreef omhoog en mengde zich met de dode verschaalde lucht van stof en oud hout. Buiten klom de zon hoger aan de hemel, het licht werd scherper. De lucht was vochtig en zwaar, koud en dicht, het soort lucht waarbij geen homeruns geslagen worden, het soort lucht dat kogels als het ware inkapselt en ze op koers houdt.
Tyler wachtte. Hij wist dat hij misschien wel de hele dag zou moeten wachten en hij was erop voorbereid. Hij bracht de tijd door met zich voor te stellen wat er zou kunnen gebeuren. Hij zag voor zich hoe de grote man in zijn oude bruine parka in het beeld van zijn telescoopvizier zou stappen, zou stilstaan, zich zou omkeren en zijn hand op de deurkruk zou leggen.
Honderdtwintig meter.
Eén enkele hogesnelheidskogel.
Het einde van de weg.

2

Jack Reacher was de man in de bruine parka, en de weg die moest eindigen was voor hem zes kilometer eerder begonnen, midden op de avond, toen de telefoon begon te rinkelen in de lobby van een motel op een kruispunt, waar iemand die hem een lift had gegeven, hem had laten uitstappen voordat hij een richting insloeg waar Reacher niet heen wilde. Het land rondom was donker en vlak en doods en leeg. Het motel was het enige teken van leven dat te zien was. Het zag eruit alsof het veertig, vijftig jaar eerder was gebouwd tijdens een vlaag van economisch enthousiasme. Misschien hadden er geweldige vooruitzichten in het verschiet gelegen. Maar het was duidelijk dat het allemaal nooit was gerealiseerd. Misschien waren het om te beginnen wel luchtkastelen geweest. Op een van de vier kavels om het kruispunt lagen de verlaten resten van een tankstation. Op een andere kavel was beton gestort, misschien voor een wat grotere winkel, of misschien zelfs wel voor een klein winkelcentrum, maar er was nooit iets op gebouwd. De vierde kavel was volstrekt leeg.

Maar het motel had standgehouden. Het had een gewaagd ontwerp. Het zag eruit als op de tekeningen die Reacher als jongetje had gezien in stripboeken, van ruimtebases op de maan en op Mars. Het hoofdgebouw was cirkelvormig en had een koepeldak. Daarachter waren alle motelkamers stuk voor stuk eveneens cirkelvormige bouwwerken met een koepeldak, als een soort luie gekromde staart achter het moederschip; verder weg werden ze steeds kleiner om het perspectief te benadrukken. Gezinskamers in de buurt van het kantoor, eenpersoonskamers verder weg. Alle wanden waren zilverkleurig geschilderd en de kozijnen van ramen en deuren waren van aluminium. Indirect tl-licht in de daklijsten van de ronde daken zorgde voor een spookachtig blauw schijnsel. Op alle paden op het terrein lag grijs grind tussen bielzen die ook zilverkleurig waren geschilderd. De mast waarop het uithangbord van het motel was bevestigd, was aangekleed met geschilderd multiplex, zodat het geheel leek op een raket die rustte op drie staartvinnen. Het motel heette The Apollo Inn. De naam was geschilderd met het soort blokletters dat op cheques wordt gebruikt.

Binnen was het hoofdgebouw voornamelijk één open ruimte, waar een strook van was afgescheiden waarin zich een kantoor bevond, en waarschijnlijk twee toiletten. Er was een ronde balie en ertegenover, dertig meter verderop, een ronde bar. Het was in principe een lobby met een wigvormige dansvloer en zitjes van stoelen bekleed met rood velours om tafeltjes waarop een schemerlamp stond met een kap met kwastjes. De binnenzijde van het koepeldak was een hol cyclorama overspoeld met rood tl-licht. Waar maar mogelijk, was indirecte verlichting aangebracht, allemaal rood of roze. Ergens vandaan klonk tingelende pianomuziek uit verborgen luidsprekers. Het geheel was bizar, alsof een interieur uit het Las Vegas van de jaren zestig integraal was overgebracht naar een ruimtestation.

Het was er bovendien leeg, op één man na die aan de bar zat en één man achter de bar. Reacher wachtte bij de receptie. De man achter de bar haastte zich naar hem toe en leek oprecht verbaasd toen Reacher hem om een kamer vroeg, alsof dat een verzoek was dat zelden werd gedaan. Maar hij herstelde zich snel en produceerde een sleutel in ruil voor dertig dollar contant. Hij was de middelbare leeftijd net voorbij, een jaar of vijfenvijftig, zestig, niet groot, niet slank, en hij had een volle bos haar, geverfd in een roestrode kleur die Reacher meer associeerde met Franse dames uit een bepaald tijdperk. Hij stopte de dertig dollar die Reacher hem had gegeven in een la en maakte omslachtig een aantekening in een kasboek of een register. Waarschijnlijk de erfgenaam van de idioot die dit allemaal had laten bouwen. Had waarschijnlijk zijn hele leven nog nooit ergens anders gewerkt, knoopte waarschijnlijk de eindjes aan elkaar door tegelijkertijd de vijfvoudige rol te spelen van manager, receptionist, barman, klusjesman en schoonmaker. Hij sloeg het boek dicht en schoof het in een andere la en ging terug op weg naar de bar.

'Heb je daar koffie?' vroeg Reacher.

De man keerde zich om en zei: 'Tuurlijk,' met een glimlach en een zekere zelfvoldaanheid, alsof een ooit genomen besluit iedere avond een pot koffie te zetten, zich eindelijk uitbetaalde. Reacher liep achter hem aan door de gloed van het tl-licht en zette zich op een kruk drie plaatsen van de andere gast. De andere gast was een man van een jaar of veertig. Hij had een zwaar sportcolbertje van tweed aan, met leren stukken op de ellebogen. Met die ellebogen leunde hij op de bar. Zijn handen had hij beschermend om een tumbler vol ijs en amberkleurige vloeistof geslagen. Hij staarde ernaar met een wazige blik in de ogen. Het was waarschijnlijk niet zijn eerste glas van de avond. Misschien wel niet eens het derde of vierde. Hij had een klamme huid. Hij zag eruit alsof hij een behoorlijk eind heen was.

De man met het geverfde haar schonk koffie in een porseleinen beker met het NASA-logo erop en schoof die trots en met een ceremonieel gebaar over de bar. Misschien was het wel een onbetaalbaar stuk antiek.

'Melk?' vroeg hij. 'Suiker?'

'Geen van beide,' zei Reacher.

'Op doorreis?'

'Afslaan naar het oosten zo gauw het maar kan.'

'Hoe ver naar het oosten?'

'Helemaal,' zei Reacher. 'Virginia.'

De man met het haar knikte wijs. 'Dan moet je eerst naar het zuiden. Tot je bij de Interstate komt.'

'Dat is de bedoeling,' zei Reacher.

'Waar kom je vandaag vandaan?'

'Uit het noorden,' zei Reacher.

'Met de auto?'

'Liftend.'

De man met het haar zei niets meer, want er viel verder niets te zeggen. Barkeepers houden het graag opgewekt en hij zag geen enkele richting waarin hij het gesprek opgewekt kon voortzetten. Liften langs een weg achteraf in hartje winter in de staat die op de lijst met de vijftig staten van de VS de eenenveertigste plaats innam qua dichtheid van bevolking, was niet eenvoudig. De man was te beleefd om dat ronduit te zeggen. Reacher pakte de beker en probeerde hem zonder trillen vast te houden. Een test. Het resultaat was niet bemoedigend. Alle pezen en banden en spieren van zijn vingertoppen tot zijn ribbenkast trilden en brandden en de microscopische trillingen van zijn hand deden concentrische rimpelingen ontstaan op de koffie. Hij deed zijn uiterste best om de beker aan zijn lippen te zetten, hunkerend naar een voorzichtige teug, maar slaagde er slechts in een rukkerige, onverhoedse beweging te maken. Zijn dronken buurman keek er even naar en keek toen weg. De koffie was heet en een beetje doorgekookt, maar er zat cafeïne in, en daar ging het om. De dronken buurman nam een slok van zijn drankje en zette het glas weer neer op de bar en keek er mistroostig naar. Hij had zijn mond iets open en er vormden zich belletjes speeksel in zijn mondhoeken. Hij nam nog een slok. Reacher nam een tweede teug van de koffie, langzamer dit keer. Niemand zei iets. De dronken buurman dronk zijn glas leeg en liet het weer vullen. Jim Beam. Bourbon, minstens een driedubbele. Reachers arm voelde iets beter. Koffie, de beste medicijn bij elke kwaal.

Toen ging de telefoon.

Eigenlijk gingen er twee telefoons. Eén nummer, twee toestellen, een bij de receptie en de ander op een plank achter de bar. Vijfvoudige rol. De man met het geverfde haar kon niet overal tegelijk zijn. Hij pakte de telefoon en zei: 'U spreekt met de Apollo Inn,' even trots en opgewekt en enthousiast als het op de openingsavond van het motel bij het allereerste telefoongesprek geklonken moest hebben. Hij luisterde even, drukte de hoorn tegen zijn borst en zei: 'Het is voor jou, dokter.'

Automatisch wierp Reacher een blik over zijn schouder, op zoek naar een dokter. Niemand te zien. Naast hem zei zijn dronken buurman: 'Wie is het?'

De barkeeper zei: 'Mevrouw Duncan.'

De dronken buurman zei: 'Wat heeft ze?'

'Een bloedneus. Het houdt niet op.'

De dronken buurman zei: 'Zeg maar dat je mij niet hebt gezien.'

De man met het haar gaf de boodschap door en legde de hoorn weer op de haak. De dronken buurman zakte voorover en zat nu met zijn gezicht ter hoogte van zijn glas.

'Ben jij dokter?' vroeg Reacher hem.

'Wat kan jou dat schelen?'

'Is die mevrouw Duncan een patiënt van jou?'

'Theoretisch wel.'

'En je laat haar stikken?'

'Wie ben jij? De medische tuchtraad? Ze heeft alleen maar een bloedneus.'

'Die niet ophoudt met bloeden. Dat kan ernstig zijn.'

'Ze is drieëndertig en kerngezond. Ze heeft nooit hoge bloeddruk

gehad of andere ziektes die met haar bloed te maken hebben. Ze gebruikt geen drugs. Geen enkele reden om ongerust te zijn.' De man pakte zijn glas. Een teug, slikken, een teug, slikken.
Reacher vroeg: 'Is ze getrouwd?'
'Wat nu, krijg je bloedneuzen als je trouwt?'
'Soms,' zei Reacher. 'Ik heb bij de militaire politie gezeten. Soms werden we opgeroepen voor iets buiten het terrein, of bij de kwartieren voor getrouwde stellen. Vrouwen die veel klappen krijgen, slikken veel aspirine, vanwege de pijn. Maar aspirine is een bloedverdunner, dus de eerstvolgende keer dat ze een klap krijgt, houdt het bloeden niet meer op.'
De dronken buurman zei niets.
De barkeeper keek de andere kant op.
Reacher zei: 'Hoezo? Dit gebeurt vaak?'
De dronken buurman zei: 'Het is een bloedneus.'
Reacher zei: 'Ben je bang om verzeild te raken in een privéruzie?'
Niemand zei iets.
'Misschien zijn er nog wel andere verwondingen,' zei Reacher. 'Minder goed zichtbaar. Ze is wel jouw patiënt.'
Niemand zei iets.
Reacher zei: 'Bloeden uit je neus verschilt niet van bloeden uit andere wonden. Als het niet ophoudt, valt ze flauw. Alsof ze gestoken is met een mes. Je zou haar daar niet laten zitten met een steekwond, wel?'
Niemand zei iets.
'Nou ja, laat maar,' zei Reacher. 'Het is mijn zaak niet. En aan jou heeft ze toch niets. Je bent te bezopen om er in een auto heen te rijden, waar ze dan ook mag wonen. Je zou in ieder geval iemand moeten bellen.'
De dronken buurman zei: 'Er is niemand. Honderd kilometer verderop hebben ze een spoedpoli. Maar die sturen geen ambulance voor iemand met een bloedneus.'
Reacher nam nog een slok koffie. De dronken buurman liet zijn glas onaangeroerd staan. Hij zei: 'Natuurlijk zou ik moeite hebben om ernaartoe te rijden. Maar als ik er eenmaal zou zijn, zou er niets fout gaan. Ik ben een goede arts.'
'Dan zou ik niet graag een slechte tegenkomen hier,' zei Reacher.

'Ik weet bijvoorbeeld wat jou mankeert. Fysiek, bedoel ik. Wat er in jouw hersens niet deugt, daar zeg ik niets van.'
'Hou je gedeisd, vriend.'
'Of anders?'
Reacher zei niets.
'Het is een bloedneus,' zei de dokter nog een keer.
'Wat zou je eraan doen?' vroeg Reacher.
'Een beetje plaatselijk verdoven. De neusholten dichtzetten met verbandgaas. Door de druk zou het bloeden ophouden, aspirine of geen aspirine.'
Reacher knikte. Hij had het eerder op die manier zien doen, in het leger. Hij zei: 'Oké, dokter, laten we gaan. Ik rijd.'

3

De dokter stond niet erg stevig op zijn benen. Hij liep zoals de meeste dronken mensen over een vlakke vloer lopen. Het zag eruit alsof hij tegen een heuvel op zwoegde. Maar het lukte hem het parkeerterrein te bereiken en daar werd hij gegrepen door de koude lucht en kreeg hij even weer de controle terug. Genoeg om zijn autosleutels te vinden in ieder geval. Hij klopte op de ene zak na de andere en haalde uiteindelijk een grote bos sleutels tevoorschijn met een leren sleutelhanger waarop met afbladderende letters *Duncan Transportation* gedrukt stond.
'Dezelfde Duncan?' vroeg Reacher.
De man zei: 'Meer Duncans zijn er niet in deze *county*.'
'En die zijn allemaal patiënt van jou?'
'Alleen de schoondochter. De zoon heeft een dokter in Denver. De vader en de ooms behandelen zichzelf met kruiden en bessen of zo, weet ik veel.'
De auto was een Subaru stationwagon. Het was het enige voertuig op de parkeerplaats. Hij was redelijk nieuw en redelijk schoon. Reacher vond de afstandsbediening op de sleutelhanger en klikte de portieren open. De dokter maakte er een heel spek-

takel van om ostentatief naar de bestuurdersplaats te lopen en toen quasi zielig van richting te veranderen. Reacher stapte in, schoof de stoel helemaal naar achteren, startte de motor en deed het licht aan.
'Naar het zuiden,' zei de dokter.
Reacher hoestte.
'Probeer niet in mijn richting uit te ademen,' zei hij. 'En ook niet naar de patiënt.'
Hij legde zijn handen op het stuur alsof hij in de weer was met twee honkbalhandschoenen op een lange stok gestoken. Toen zijn handen het stuur bereikten, klemde hij er zijn vingers omheen en hield hij het stuur stevig vast om de druk op zijn schouders te verminderen. Hij reed voorzichtig van het parkeerterrein af en stuurde naar het zuiden. Het was volledig duister. Niets te zien, maar hij wist dat het land overal rondom oneindig vlak was.
'Wat verbouwen ze hier?' vroeg hij, alleen maar om de dokter wakker te houden.
'Maïs, natuurlijk,' zei de man. 'Maïs en nog eens maïs. Heel verschrikkelijk veel maïs. Meer maïs dan je ooit bij elkaar wilt zien als je verstand in orde is.'
'Kom jij hiervandaan?'
'Oorspronkelijk uit Idaho.'
'Aardappels.'
'Beter dan maïs.'
'Waarom zit je dan in Nebraska?'
'Mijn vrouw,' zei de dokter. 'Is hier geboren en getogen.'
Even zwegen ze. Toen zei Reacher: 'Wat mankeert mij?'
De dokter zei: 'Wat?'
'Je beweerde dat je wist wat mij mankeerde. Fysiek tenminste. Vertel maar eens dan.'
'Wat krijgen we nou, een beoordelingsgesprek?'
'Dat zou je wel kunnen gebruiken.'
'Val dood. Ik functioneer.'
'Bewijs het eens.'
'Ik weet wat je hebt gedaan,' zei de man. 'Ik weet niet hoe.'
'Wat heb ik gedaan?'
'Je hebt alles verrekt, van je flexor digiti minimi brevis tot je qua-

dratus lumborum, aan beide zijden van je lichaam, zo ongeveer symmetrisch.'
'Probeer het eens in het Engels in plaats van in het Latijn.'
'Je hebt alle spieren, pezen en bandweefsels in je lichaam die iets te maken hebben met het bewegen van je armen, beschadigd, het hele traject van je beide pinken tot waar ze vastzitten op je twaalfde rib. Je hebt pijn, je voelt je beroerd en je fijne motoriek is shit want alle systemen staan op tilt.'
'Prognose?'
'Het herstelt wel weer.'
'Wanneer?'
'Een paar dagen. Misschien een week. Je kunt een aspirientje slikken.'
Reacher reed door. Hij zette het raam op een kier om de walm van bourbon te laten ontsnappen. Ze passeerden een groepje van drie grote huizen die dicht bij elkaar stonden, honderd meter vanaf de tweebaansweg aan het einde van een gemeenschappelijke oprit. Ze stonden met z'n drieën binnen een houten hekwerk. Het waren oude huizen, ooit misschien wel statig, nu nog steeds robuust, maar misschien wel wat verwaarloosd. De dokter draaide zijn hoofd ernaartoe en keek er indringend naar. Toen keerde hij zijn hoofd weer af.
'Hoe heb je het gedaan?' vroeg hij.
'Hoe heb ik wat gedaan?' vroeg Reacher.
'Je armen zo beschadigd?'
'Jij bent dokter,' zei Reacher. 'Zeg jij het maar.'
'Ik heb die symptomen twee keer eerder gezien. Ik heb na een tornado in Florida gewerkt als vrijwilliger. Jaren geleden. Ik ben niet zo'n rotzak als het lijkt.'
'En?'
'Mensen die buiten worden overvallen door windvlagen van honderdtachtig kilometer per uur, worden over straat weggeblazen tenzij ze erin slagen om een of ander hek te grijpen om zich in veiligheid te brengen. Dan moeten ze hun eigen gewicht langs dat hek tegen de wind in in veiligheid slepen. Dat levert geweldige spanningen op de spieren op. Zo ontstaan dergelijke verwondingen. Maar zo te zien zijn die van jou maar een paar dagen oud.

En je zei dat je uit het noorden kwam. Daar hebben ze geen tornado's. En het is het verkeerde seizoen voor tornado's. Ik wil wedden dat er nergens op de wereld een tornado is geweest in de afgelopen week. Niet één. Dus ik weet niet hoe je jezelf pijn hebt gedaan. Maar ik wens je wel snel beterschap toe. Dat meen ik.'
Reacher zei niets.
De dokter zei: 'Linksaf bij het volgende kruispunt.'

Vijf minuten later stopten ze voor het huis van de Duncans. Het had buitenverlichting, waaronder twee spots die de brievenbus aan beide kanten beschenen. Op de brievenbus stond *Duncan.* Het huis zag eruit als een gerenoveerde boerderij. Het was bescheiden qua grootte. De voortuin was een gazon in winterslaap waarop een antiek rijtuigje stond. Grote spaakwielen, lange, lege assen. Er was een lange rechte oprit naar een bijgebouw, zo groot dat het vroeger waarschijnlijk een werkschuur van de boerderij was geweest. Nu was het een garage met drie deuren. De deuren van één garagebox stonden open, alsof iemand in volle haast was vertrokken.
Reacher stopte bij een pad dat naar de voordeur leidde.
'Tijd voor de show, dokter,' zei hij. 'Als ze er nog is.'
'Die is er wel,' zei de dokter.
Ze stapten uit.

4

De dokter pakte een leren tas achter uit de auto. Toen herhaalde hij zijn dronken strompelende beklimming op het tuinpad, dit keer verergerd omdat het grind op het pad het lopen bemoeilijkte. Maar hij haalde zonder hulp de deur, een mooi stuk oud hout, zorgvuldig glanzend wit geschilderd. Reacher drukte met een knokkel op een ronde koperen knop. Binnen hoorde hij het geluid van een elektrische bel, daarna een tijdje niets, en toen het geluid van trage voetstappen op vloerplanken. De deur ging op een kier en er verscheen een gezicht dat naar buiten keek. Nogal een gezicht. Het werd omlijst door zwart haar, de huid was bleek, de ogen stonden angstig, en daaronder werd een met bloed doordrenkte zakdoek tegen het gezicht gedrukt. Onder de zakdoek liep een rood spoor omlaag langs de mond en de hals naar de blouse. Om de hals hing een snoer bebloede parels. De blouse was van zijde en tot aan het middel doorweekt. De vrouw nam de zakdoek van haar neus. Haar lippen waren gescheurd en haar tanden hadden bloedrode randen. Uit haar neus lekte nog steeds bloed, een gestage stroom.

'Je bent gekomen,' zei ze.

De dokter knipperde twee keer met zijn ogen, werkte met zijn ogen om ze scherp te stellen, trok zijn mondhoeken omlaag in een frons en zei: 'We moeten daar maar even naar kijken.'

'Je hebt gedronken,' zei de vrouw. Toen keek ze naar Reacher en vroeg: 'Wie ben jij?'

'Ik heb gereden,' zei Reacher.

'Omdat hij dronken is?'

'Dat komt wel goed. Ik zou hem geen hersenoperatie laten doen, maar hij kan die bloedneus wel aan.'

De vrouw dacht even na en toen knikte ze en drukte de zakdoek weer tegen haar neus en deed de deur verder open.

Ze deden het werk in de keuken. De doktor was zo dronken als een tor, maar wat er moest gebeuren, was niet ingewikkeld en de man beschikte nog net over genoeg spierbeheersing om het voor elkaar te krijgen. Reacher drenkte doeken in warm water en gaf ze door, en de dokter maakte het gezicht van de vrouw schoon en propte haar neusgaten vol met verbandgaas, bracht vlinderpleisters aan op de gesprongen lippen. De verdoving rekende af met de pijn en ze zakte weg in een toestand van rust en dromerigheid. Het was moeilijk te zeggen hoe ze er eigenlijk uitzag. Haar neus was al eerder slachtoffer geweest. Dat was duidelijk. Afgezien daarvan had ze een gave huid en een fijne botstructuur en mooie ogen. Ze was slank en vrij groot, goed gekleed en ze straalde welvaart uit. Evenals het huis. Het was warm. De vloeren bestonden uit brede planken die glansden van honderd jaar boenwas. Er was veel be-

timmering en er waren subtiele details en pasteltinten. Boeken op de planken, schilderijen aan de wanden, kleden op de vloer. In de woonkamer stond een trouwfoto in een zilveren lijst. Er stond een jongere, ongehavende versie op van de vrouw, samen met een lange magere man in een grijs jacquet. Hij had donker haar, een lange neus en heldere ogen en keek nogal zelfgenoegzaam. Geen atleet, geen handwerksman, geen professor en geen dichter. Ook geen boer. Zakenman waarschijnlijk. Een soort manager of zo. Iemand die altijd binnen zit, zacht, wel energiek, maar niet sterk.
Reacher liep terug naar de keuken, waar de dokter boven de gootsteen zijn handen waste en de vrouw haar haar borstelde zonder spiegel in de buurt. Hij vroeg haar: 'Gaat het nu weer?'
Ze zei: 'Kon minder,' traag en nasaal en onduidelijk.
'Je man is er niet?'
'Hij heeft besloten om buiten de deur te gaan eten. Met zijn vrienden.'
'Hoe heet hij?'
'Hij heet Seth.'
'En hoe heet jij?'
'Ik ben Eleanor.'
'Heb je aspirine geslikt, Eleanor?'
'Ja.'
'Omdat Seth dit vaak doet?'
Ze zweeg lange, lange tijd en schudde toen haar hoofd.
'Ik struikelde,' zei ze. 'Over de rand van het kleed.'
'Een paar keer, in een paar dagen? Hetzelfde kleed?'
'Ja.'
'Als ik jou was, zou ik een ander kleed kopen.'
'Het gebeurt vast niet weer.'

Ze wachtten tien minuten in de keuken terwijl zij naar boven ging om te douchen en zich om te kleden. Ze hoorden het water stromen en toen hield het op en riep ze naar beneden dat alles in orde was en dat ze naar bed ging. Dus vertrokken ze. De voordeur klikte achter hen dicht. De dokter wankelde naar de auto en liet zich op de passagiersstoel vallen met zijn tas tussen zijn voeten. Reacher startte de auto en reed achteruit de oprit af naar de weg.

Hij draaide aan het stuur en gaf gas en reed terug in de richting waaruit ze waren gekomen.
'Goddank,' zei de dokter.
'Dat alles in orde is met haar?'
'Nee, dat Seth Duncan er niet was.'
'Ik heb zijn foto gezien. Weinig indrukwekkend. Ik wil wedden dat hij een poedel heeft als hond.'
'Ze hebben geen hond.'
'Bij wijze van spreken. Ik kan begrijpen waarom een plattelandsdokter zenuwachtig kan worden bij het idee verzeild te raken in een huiselijke twist als de man bier drinkt en een T-shirt zonder mouwen aanheeft, en een paar pitbullterriërs in zijn achtertuin met kapotte koelkasten en autowrakken houdt. Maar dat beeld kreeg ik niet van Duncan.'
De dokter zei niets.
Reacher zei: 'Maar toch ben je bang voor hem. Zijn macht komt dus ergens anders vandaan. Financieel, of politiek, of zo. Hij heeft een aardig huis.'
De dokter zei niets.
Reacher zei: 'Had hij dat gedaan?'
'Ja.'
'Dat weet je zeker?'
'Ja.'
'En dat heeft hij vaker gedaan?'
'Ja.'
'Hoe vaak?'
'Vaak. Soms zijn het haar ribben.'
'Heeft ze het aan de politie verteld?'
'We hebben geen politie. We zijn afhankelijk van de county *police*. Meestal zitten die honderd kilometer verderop.'
'Ze zou kunnen bellen.'
'Ze gaat geen klacht indienen. Dat doen ze nooit. Als ze het de eerste keer laten gebeuren, dan gaat er een deur dicht.'
'Waar gaat zo iemand als Duncan eten met zijn vrienden?'
De dokter gaf geen antwoord en Reacher vroeg het geen tweede keer.
De dokter vroeg: 'Gaan we terug naar het motel?'

'Nee, ik breng je naar huis.'
'Bedankt. Heel aardig, maar het is een heel eind lopen naar het motel.'
'Jouw probleem, niet het mijne,' zei Reacher. 'Ik houd de auto. Ga jij morgenvroeg maar lopen om hem op te halen.'

Acht kilometer zuidelijk van het motel staarde de dokter opnieuw naar de drie oude huizen die geïsoleerd aan het einde van hun gemeenschappelijke oprit stonden. Toen keek hij weer voor zich en leidde hij Reacher links en rechts langs donkere lege akkers naar een nieuwe bungalow op een paar honderd vierkante meter grond, afgezet met een houten hekwerk.
'Heb je een sleutel?' vroeg Reacher.
'Die zit aan die sleutelbos.'
'Heb je een reservesleutel?'
'Mijn vrouw laat me wel binnen.'
'Hoop je,' zei Reacher. 'Welterusten.'
Hij keek hoe de dokter de eerste zes meter over de oprit strompelde en keerde toen de wagen en zocht zijn weg terug naar de tweebaansweg, de hoofdweg van noord naar zuid. Als je twijfelt, links afslaan, was zijn motto, dus reed hij anderhalve kilometer naar het noorden en zette toen de auto langs de kant om na te denken. Waar zou een man als Duncan heen gaan om met zijn vrienden te gaan eten?

5

Een steakhouse, was zijn conclusie. Het platteland, boerenland, een stelletje welvarende boerenpummels die ouwe-jongens-krentenbrood speelden, hun mouwen oprolden, de stropdas lostrokken, een *pitcher* lokaal bier bestelden, de *sirloins* rood lieten bakken en snerende opmerkingen maakten over watjes van de oostkust die zich zorgen maakten over hun cholesterol. De county's in Nebraska waren waarschijnlijk oneindig groot en dunbevolkt, zodat

het van het ene naar het andere restaurant misschien wel vijftig kilometer was. Maar het was een donkere nacht en er bestond geen steakhouse zonder neonreclame. Deel van de cultuur. Ofwel het woord *Steakhouse* in antieke neonletters over de nok van het dak, ofwel een wat duurder uithangbord dat van alle kanten belicht werd door schijnwerpers.
Reacher deed de koplampen van de auto uit en klom uit de Subaru. Hij greep een van de beide rails op het dak en klom op de motorkap, hurkte en schoof op het dak. Hij ging staan en rekte zich zo ver mogelijk uit, ooghoogte nu drie meter vijfendertig boven de grond in een gedeelte van de wereld dat zo plat was als een pannenkoek. Starend in het duister draaide hij een keer helemaal rond. Hij zag het spookachtige blauw van het motel ver weg naar het noorden, en toen heel ver weg, misschien wel vijftien kilometer naar het zuidwesten een roze halo. Misschien alleen maar een tankstation, maar het was het enige licht dat hij zag. Reacher reed naar het zuiden en toen naar het westen. Hij stopte nog twee keer om poolshoogte te nemen. De gloed groeide aan toen hij dichterbij kwam. Rood neonlicht, een beetje roze verkleurd door nachtelijke nevel. Kon wel van alles zijn. Een drankwinkel, nog een motel, Exxon-tankstation.
Het was een steakhouse. Hij naderde het aan de kant van een korte gevel. Het was een lang laag gebouw met kaarsen op de vensterbanken en buitenwanden als van een schuur en een in het midden doorzakkend dak, als een oude merrie in de wei. Het stond in zijn eentje op een terrein van aangestampte aarde. Op de nok van het dak zat een constructie van glazen buizen, ondersteund door metalen stangen, die het woord *Steakhouse* vormde, in antieke letters, rood. Om het gebouw stonden auto's geparkeerd, allemaal met de neus ernaartoe, als biggen die werden gezoogd, of vliegtuigen bij een terminal van een luchthaven. Er stonden sedans en pick-ups en SUV's, een aantal nieuwe, een aantal oude, voornamelijk Amerikaanse merken.
Reacher parkeerde de Subaru van de dokter apart van de andere auto's vlak bij de weg. Hij klom eruit en bleef even staan in de kou, rolde met zijn schouders en probeerde een wat beter gevoel te krijgen in zijn bovenlichaam. Hij had nog nooit aspirine

geslikt en hij was ook niet van plan daar nu mee te beginnen. Hij had een paar keer gehavend in een ziekenhuis gelegen, met een infuus dat morfine in zijn bloedbaan druppelde. Dat was een herinnering die hij met plezier in zijn gedachten omhooghaalde. Maar buiten de ic vertrouwde hij liever op de klok en wilskracht. Voor hem was er geen andere optie.

Hij liep naar de ingang van het steakhouse. Binnen was een klein halletje met een tweede deur. Daarachter stond een kleine balie van de maître d' met een leeslampje en een boek met reserveringen. Naar rechts was een kleine zaal waar twee paren hun diner beëindigden. Links nog zo'n zaaltje. Recht vooruit een kort gangetje met een grotere zaal aan het einde daarvan. Lage plafonds, ruw houten wanden, koperwerk. Een warm, gemoedelijk restaurant.

Reacher liep voorbij de kleine balie en keek de grotere zaal in. Meteen binnen de deur stond een tafeltje voor twee. Er zat één persoon aan te eten. Hij had een rood jack van de Cornhuskers aan. De universiteit van Nebraska. Midden in de zaal stond een tafel voor acht man. Er zaten zeven mannen omheen, colberts en stropdassen, drie aan weerszijden tegenover elkaar en de man van de trouwfoto aan het hoofd. Hij was iets ouder dan op de foto, iets beniger, nog zelfgenoegzamer, maar het was dezelfde man. Zonder twijfel. Je kon je niet vergissen. Op de tafel lag uitgespreid wat er nog over was van een overvloedig maal. Borden, glazen, kartelmessen met versleten houten heften.

Reacher stapte de zaal in. Toen hij in beweging kwam stond de man die in zijn eentje aan de tafel voor twee had gezeten, soepel en snel op en deed een stap opzij om Reacher de doorgang te belemmeren. Hij hief zijn hand als een verkeersagent. Toen zette hij die hand op Reachers borst. Hij was groot. Bijna net zo groot als Reacher zelf, een stuk jonger, misschien wel iets zwaarder, in vorm, en in zijn ogen glom zelfs iets vaags wat aan intelligentie deed denken. Hersens en kracht. Een gevaarlijke mix. Reacher gaf de voorkeur aan vroeger, toen spieren geen hersens hadden. Het was de schuld van het onderwijs. Het eindpunt van sociale vooruitgang. Je betaalde een genetische prijs als je atleten verplichtte om de lessen bij te wonen.

Niemand aan de grote tafel keek op.
Reacher zei: 'Hoe heet je, dikzak?'
De man zei: 'Mijn naam?'
'Zo'n moeilijke vraag is het niet.'
'Brett.'
Reacher zei: 'Oké, luister, Brett. Jij haalt je hand van mijn borst, of ik haal hem van je pols.'
De man liet zijn hand zakken. Maar hij ging geen centimeter opzij.
'Wat?' vroeg Reacher.
De man zei: 'Komt u hier voor meneer Duncan?'
'Wat kan jou dat schelen?'
'Ik werk voor meneer Duncan.'
'Echt?' zei Reacher. 'Wat doe je voor hem?'
'Ik regel zijn afspraken.'
'En?'
'U hebt geen afspraak.'
'Wanneer kan ik die maken?'
'Wat dacht u van nooit?'
'Klinkt niet goed, Brett.'
'Meneer, tijd om te vertrekken.'
'Wat doe jij, beveiliging? Lijfwacht? Wat is dat voor meneer?'
'Hij is staatsburger van de Verenigde Staten. Ik ben een van zijn assistenten, meer niet. En nu wordt het tijd dat we u terugbrengen naar uw auto.'
'Loop je gezellig mee naar het parkeerterrein?'
'Meneer, ik doe alleen maar mijn werk.'
De zeven man rond de grote tafel zaten allemaal voorovergebogen, met de ellebogen op tafel. Zes van hen zaten te luisteren naar een verhaal dat door Duncan werd verteld. Ze lachten op commando en hadden het reuze naar hun zin. Elders in het gebouw klonken keukengeluiden en het heldere geluid van zilverbestek op porselein en het doffere geluid van glazen die werden neergezet op houten tafelbladen.
Reacher zei: 'Weet je het zeker?'
De jongeman zei: 'Ik zou het zeer op prijs tellen.'
Reacher haalde zijn schouders op.

'Oké,' zei hij. 'Laten we dan maar gaan.' Hij draaide zich om en liep terug om de balie heen de eerste deur door en de tweede deur door de koude nachtlucht in. Reacher wrong zich tussen twee pick-ups door en liep over het open terrein in de richting van de Subaru. De grote man volgde hem het hele eind. Reacher bleef drie meter van de auto staan en keerde zich om. De grote man stond ook stil en keek Reacher aan. Hij wachtte, stond er op zijn gemak bij, ontspannen, geduldig, vakbekwaam.
Reacher zei: 'Mag ik je een goed advies geven?'
'Waarover?'
'Je bent slim, maar geen genie. Je hebt zojuist een goede tactische positie opgegeven voor een veel slechtere. Binnen was weinig ruimte, daar waren getuigen en telefoons en van alles wat tussenbeide kon komen, maar hierbuiten is helemaal niets. Je hebt net een heel groot voordeel weggegeven. Hierbuiten kan ik rustig de tijd nemen om je een pak slaag te geven en er is niemand die je dan een handje helpt.'
'Niemand hoeft vanavond een pak slaag te krijgen.'
'Dat ben ik met je eens. Maar hoe dan ook, ik moet meneer Duncan wel een boodschap overbrengen.'
'Welke boodschap?'
'Hij slaat zijn vrouw. Ik moet hem uitleggen dat dat een slecht idee is.'
'Ik ben ervan overtuigd dat u zich vergist.'
'Ik heb de bewijzen gezien. En daarom wil ik Duncan spreken.'
'Meneer, word wakker. U gaat niemand spreken. Er gaat zo meteen maar een van ons tweeën weer naar binnen, en dat bent u niet.'
'Vind je het prettig om voor zo iemand te werken?'
'Ik mag niet klagen.'
'Straks misschien wel. Iemand heeft me vanavond verteld dat de dichtstbijzijnde ambulance honderd kilometer verderop staat. Je kunt hier zomaar een uur liggen wachten.'
'Meneer, het wordt tijd om in uw auto te stappen en te vertrekken.'
Reacher stopte zijn handen in zijn jaszakken om zijn armen stil te houden, om ze te beschermen tegen verdere schade. Hij zei:

'Luister, Brett. je kunt nog steeds weglopen. Je hoeft je niet te laten slopen voor dergelijk tuig.'
'Ik heb werk te doen.'
Reacher knikte en zei: 'Luister, jongen.' Hij zei het heel zacht en de grote man boog zich een fractie verder voorover om het vervolg te kunnen verstaan. Reacher trapte hem hard in het kruis, met de rechtervoet, een zware schoen aan het einde van een met kracht uitschietend been. Toen deed hij een stap achteruit terwijl de kerel negentig graden dubbel klapte en begon te kokhalzen en te kotsen en hijgend naar adem hapte en sputterde. Toen trapte Reacher hem opnieuw en raakte hem vol op de zijkant van zijn hoofd, als een voetballer die om zijn as draait om een pass vanaf de andere vleugel met een omhaal op goal te schieten. De man tolde rond op de bal van zijn voeten en stortte in alsof hij pogingen deed zichzelf de grond in te schroeven.
Reacher hield zijn handen in zijn zakken en liep voor de tweede keer naar de ingang van het steakhouse.

6

Het partijtje in de achterzaal was nog in volle gang. Nu geen ellebogen meer op de tafel. Nu leunden alle zeven breeduit achterover, ze vermaakten zich kostelijk, heer en meester over de ruimte. Ze waren allemaal wat rood aangelopen van de warmte en het bier. Zes van hen luisterden half naar de zevende die ergens over aan het opscheppen was, en alle zes stonden ze in de stijgbeugels om zijn verhaal te overtreffen met een volgende anekdote. Reacher wandelde naar binnen en ging achter Duncans stoel staan en haalde zijn handen uit zijn zakken. Hij legde ze op Duncans schouders. Het werd doodstil in het vertrek. Reacher leunde op zijn handen en trok ze iets naar zich toe tot Duncans stoel ongemakkelijk balanceerde op twee poten. Toen liet hij los en viel de stoel weer naar voren. Duncan krabbelde van de stoel

overeind, ging rechtop staan en draaide zich om, een mengeling van angst en woede op zijn gezicht, en een halfhartige poging onaangedaan te lijken onder het oog van zijn maten. Toen keek hij om zich heen en zag hij nergens zijn mannetje, wat een einde maakte aan de onaangedaanheid, en een deel van de woede en alle angst intact hield.
Reacher vroeg: 'Seth Duncan?'
De magere man zei niets.
Reacher zei: 'Ik heb een boodschap voor je, vriend.'
Duncan zei: 'Van wie?'
'De nationale vereniging van relatiecounselors.'
'Bestaat die?'
'Waarschijnlijk.'
'Wat is de boodschap?'
'Het is eigenlijk een vraag.'
'Oké, wat is de vraag?'
'De vraag is: hoe vind jíj het?' Reacher haalde uit, een rechtse directe midden op zijn neus, een harde gemene klap. Zijn knokkels gingen dwars door het kraakbeen en de botjes heen en sloegen het allemaal tot platte pulp. Duncan sloeg achterover op de tafel. Hij stuiterde een keer en borden braken en glazen vielen om en messen kletterden op de grond.
Duncan deed geen poging om overeind te komen.
Reacher liep weg, het gangetje door, voorbij de balie, terug naar het parkeerterrein.

De sleutel die de man met het rode haar hem had gegeven, was gemarkeerd met een grote zes, dus parkeerde Reacher bij de zesde hut, ging er naar binnen en trof daar een miniatuurversie aan van de lobby, een cirkelvormige ruimte waarvan een recht deel was afgescheiden voor badkamer en bergruimte. Het plafond was een koepel die baadde in het licht. Het bed stond tegen de wand op een platform dat aan de ronding van de wand was aangepast. Er stond een tonvormige leunstoel met een klein rond tafeltje ernaast. Dicht in de buurt stond een ouderwetse tv op een grotere tafel. Naast het bed was een ouderwets telefoontoestel. Met een kiesschijf. De badkamer was klein maar functioneel, een dou-

chekop boven het bad. De bergruimte was ongeveer even groot als de badkamer.
Alles wat hij nodig had, en niets wat hij niet nodig had.
Hij kleedde zich uit, liet zijn kleren op het bed liggen en ging onder de douche. Hij liet het water zo heet als hij maar kon verdragen over zijn nek, schouders, armen en ribben stromen. Hij tilde een arm op, toen de andere, toen allebei tegelijk. Ze bewogen, maar ze bewogen als een machine die zo van de tekentafel kwam en nog niet uitontwikkeld was. Het goede nieuws was dat hij zijn knokkels absoluut niet voelde.

De dokter van Seth Duncan bevond zich meer dan driehonderd kilometer verderop in Denver, Colorado. Ongetwijfeld een eersteklas medicus, maar vanzelfsprekend een niet al te handige constructie in noodgevallen. En de dichtstbijzijnde spoedpoli was honderd kilometer weg. En niemand die ze allemaal op een rijtje had, zou zich uitleveren aan de plaatselijke kwakzalver. Dus liet Duncan zich door een vriend naar zijn oom Jasper Duncan rijden. Omdat zijn oom Jasper Duncan het soort man was die voor de meest merkwaardige zaken op de meest merkwaardige tijdstippen een oplossing had. Hij woonde acht kilometer ten zuiden van het kruispunt met het motel, in het meest noordelijke van de drie oude huizen die helemaal geïsoleerd aan het einde van een gemeenschappelijke oprit stonden. Het huis was een doolhof, vol met van alles en nog wat, door de jaren heen bewaard voor de dag dat het nog eens van pas zou komen. Oom Jasper was zelf de zestig gepasseerd, had de bouw van de stam van een eik, bezat mysterieuze vaardigheden en was een onuitputtelijke bron van volkswijsheid en folkloristische kennis.
Jasper zette Duncan op een keukenstoel en bekeek de beschadigde neus. Toen liep hij weg en rommelde en zocht tussen zijn spullen en kwam terug met een injectienaald en plaatselijke verdoving. Het was een medicijn uit de veeartsenij, bedoeld voor varkens, maar zoogdieren waren zoogdieren, en het werkte.
Toen de verdoving naar behoren zijn werk deed, zette Jasper met een krachtige duim en wijsvinger de gebroken neus. Hij ging weer weg en kwam terug met een metalen aangezichtsspalk. Het was

het soort ding waarvan je zeker wist dat hij het ergens had liggen. Hij ging ermee aan het werk, paste de vorm aan en plakte hem over de neus van zijn neef. Hij propte de neusgaten vol dotten verbandgaas en sponsde het bloed weg met warm water. Toen pakte hij de telefoon en belde hij zijn buren op.

Naast hem woonde zijn broer Jonas Duncan, en naast Jonas Duncan woonde hun broer Jacob Duncan, de vader van Seth Duncan. Vijf minuten later zaten alle vier de mannen om Jaspers keukentafel en was het krijgsberaad in volle gang.

Jacob Duncan zei: 'Beginnen bij het begin, jongen. Wie was die kerel?'

Seth Duncan zei: 'Ik had hem nog nooit van mijn leven gezien.'

Jonas zei: 'Nee, beginnen bij het begin, waar was verdomme die Brett van jou?'

'Die kerel nam hem te grazen op het parkeerterrein. Brett begeleidde hem naar buiten. De man trapte hem in zijn ballen en toen tegen zijn hoofd. Liet hem daar gewoon liggen.'

'Is alles goed met hem?'

'Hij heeft een hersenschudding. Hij weet niet welke dag het is. Waardeloze klungel. Ik wil iemand anders.'

'Waar hij vandaan komt, zijn er nog zat,' zei Jonas.

Jasper vroeg: 'En wie was die kerel nou?'

'Het was een grote vent met een bruine jas aan. En een muts op. Dat is het enige wat ik heb gezien. Hij kwam binnen en begon te slaan.'

'Waarom?'

'Weet ik niet.'

'Zei hij helemaal niets?'

'Alleen wat stom geouwehoer. Maar Brett zei dat hij in de auto van de dokter reed.'

'Hij weet niet wat voor dag het is, maar hij herinnert zich wel in wat voor auto die man reed?'

'Hersenschuddingen zijn kennelijk onvoorspelbaar.'

'En je weet zeker dat het niet de dokter was die jou sloeg?'

'Dat zei ik, ik heb die man nog nooit eerder gezien. En ik ken de dokter. En die stomme dokter zou me sowieso geen klap verkopen. Dat durft hij niet.'

Jacob Duncan zei: 'Wat vertel je ons niet, jongen?'
'Ik heb koppijn.'
'Dat zal best. Maar je weet net zo goed als ik dat ik dat niet bedoel.'
'Ik heb geen zin om te praten.'
'Maar je weet dat je moet praten. Zoiets kunnen we niet ongestraft laten passeren.'
Seth Duncan keek naar links en toen naar rechts. Hij zei: 'Oké, ik had ruzie met Eleanor vanavond, voordat ik de deur uitging. Het was niet zo belangrijk. Maar ik moest haar een klap geven.'
'Hoe hard?'
'Misschien heb ik haar een bloedneus geslagen.'
'Erg?'
'Je weet dat ze teer gebouwd is.'
Het werd even stil in de keuken. Jonas Duncan zei: 'Laten we eens proberen alle eindjes aan elkaar te knopen. Je vrouw heeft de dokter gebeld.'
'Het is haar verteld dat ze dat niet moet doen.'
'Misschien heeft ze het toch gedaan. Omdat ze teer gebouwd is. En misschien was de dokter niet thuis. Misschien zat hij aan de bar in het motel, zoals gewoonlijk, met een halflege fles Jim Beam voor zijn snufferd, zoals gewoonlijk. Misschien heeft Eleanor hem daar te pakken gekregen.'
'Het is hem te verstaan gegeven dat hij niet bij haar in de buurt moest komen.'
'Maar misschien heeft hij daar niet naar geluisterd. Soms hebben doktoren rare ideeën. En misschien was hij te dronken om te rijden. Dat is hij meestal. Vanwege de bourbon. Dus misschien heeft hij iemand anders gevraagd om voor hem te rijden. Omdat hij zich zorgen maakte.'
'Wie dan?'
'Iemand anders in die lobby daar.'
'Dat zou niemand durven.'
'Niemand die hier woont, dat ben ik met je eens. Niemand die weet wat goed voor hem is. Maar een vreemdeling zou het misschien wel doen. En per slot van rekening is het een motel. Daar zijn motels voor. Vreemden, op doorreis.'

'Oké, en toen?'
'Misschien was die vreemdeling niet zo ingenomen met wat hij bij jou thuis aantrof en ging hij naar jou op zoek.'
'Eleanor heeft gepraat?'
'Dat moet wel. Hoe zou zo iemand anders moeten weten waar jij was? Als het een vreemdeling is, kent hij de omgeving hier niet.'
Jacob Duncan vroeg: 'Wat heeft hij precies tegen jou gezegd?'
'Iets stompzinnigs over relatiecounselors.'
Jonas Duncan knikte: 'Daar heb je het. Zo is het gegaan. We hebben te maken met een voorbijganger vol morele verontwaardiging. Een gast in het motel.'
Seth Duncan zei: 'Ik wil hem pijnigen.'
Zijn vader zei: 'Dat gaat gebeuren, zoon. Hij zal gepijnigd worden en dan sturen we hem weg. Wie hebben we?'
Jasper zei: 'Brett niet, denk ik.'
Jonas zei: 'Waar hij vandaan komt, zijn er nog zat.'
Jacob Duncan zei: 'Stuur er maar twee op af. Stuur ze eerst bij mij langs voor orders.'

7

Reacher kleedde zich weer aan na zijn douche, met jas en al want het was koud in de kamer. Toen deed hij de lichten uit en ging hij in de tonvormige leunstoel zitten wachten. Hij verwachtte niet dat Seth Duncan de politie zou bellen. De politie was kennelijk de county police, honderd kilometer verderop. Geen lokale banden. Geen lokale loyaliteiten. En voor het bellen van de politie zou hij een verhaal nodig hebben, en een verhaal zou direct uiteenrafelen in een bekentenis dat hij zijn vrouw had geslagen. Een zelfvoldaan kleinburgerlijk type zou er niet over peinzen om zoiets te doen.
Maar een zelfvoldaan kleinburgerlijk type dat net een lijfwacht was kwijtgeraakt, had misschien wel de beschikking over nog twee of drie lijfwachten. En hoewel het beroep van lijfwacht over

het algemeen een erg reactief karakter had, konden die twee of drie lijfwachten wellicht worden overgehaald om 's avonds voor één keer proactief op te treden, helemaal als het vrienden van Brett waren. En Reacher wist dat het niet moeilijk zou zijn om hem op te sporen. De Apollo Inn was waarschijnlijk de enige openbare accommodatie in een omtrek van driehonderd kilometer. En als de gewoonten die de dokter er qua drankgebruik op na hield, algemeen bekend waren in de omgeving, zou het geen moeite kosten om de keten van oorzaak en gevolg uit te pluizen. Het telefoongesprek, de behandeling, de ingreep.
Dus kleedde Reacher zich weer aan en strikte hij de veters van zijn schoenen en ging hij in het donker zitten, zijn oren open voor het geluid van banden op grind.

Meer dan zevenhonderd kilometer noordelijker dan waar Reacher zat, hielden de Verenigde Staten op en begon Canada. De langste grens tussen twee landen op de hele wereld volgde de 49e Parallel, over bergen en wegen en rivieren en beken, door steden en velden en bossen, het westelijke stuk kaarsrecht over een afstand van iets meer dan drieduizend kilometer, het hele eind van de staat Washington tot Minnesota, elke centimeter onverdedigd in militaire zin, voor het grootste deel zonder hek en niet gemarkeerd, maar beter bewaakt dan veel mensen wisten. Tussen de staat Washington en Minnesota waren vierenvijftig officiële grensovergangen, waarvan zeventien vierentwintig uur per etmaal bemand waren, zesendertig alleen overdag, en één volstrekt onbemand maar uitgerust met telefoons die in verbinding stonden met douanekantoren ver weg. De rest van de grenslijn werd bewaakt door een geheim aantal agenten, terwijl op meer geïsoleerde locaties camera's hingen en langs grote delen van de grens bewegingsmelders waren ingegraven. De regeringen aan beide zijden van de lijn hadden een aardig idee van wat er zich allemaal afspeelde.
Een aardig idee, maar geen absolute kennis. In de staat Montana, aan de oostkant van de Rocky Mountains, onder de boomgrens, deed het land er honderdvijftig kilometer over om af te vlakken van grillige pieken tot glooiende hellingen, voornamelijk

dichtbegroeid met naaldbomen, wouden die slechts onderbroken werden door stroompjes en zoetwatermeren en hier en daar een zanderig, met een tapijt van naalden bedekt, pad. Een van die paden sloot na kilometers keren en draaien vanwege een labyrint van bochten aan op een brandweg die van noord naar zuid liep en op zijn beurt aansloot op een kronkelige grindweg, die kilometers verder eindigde als een onopvallende afslag naar links vanaf een onbeduidend tweebaansweggetje een heel eind ten noorden van een volstrekt onbelangrijk stadje dat Hogg Parish heette.
Een kleine grijze vrachtwagen nam die afslag naar links. Hij reed langzaam over het grind, zacht knarsend, naar links en rechts hobbelend door gaten in de weg en het oneffen oppervlak. De veren kraakten, de koplampen waren uit, de parkeerlichten aan. De vrachtwagen boorde zich steeds maar dieper de bittere koude en het duister in, schier eindeloos. Tot hij uiteindelijk de brandweg op draaide, met vastgereden grond onder de wielen nu, kale, bevroren stammen links en rechts, een smalle strook nachtlucht boven het hoofd, veel sterren, geen maan, een ongehinderde verbinding met gps-satellieten duizenden kilometers boven de aarde, een koers zonder aarzeling, binnen de grenzen van het veilige.
De kleine grijze vrachtwagen kroop verder, vele kilometers, tot de brandweg vrijwel ongemerkt tot een einde kwam en het zandpad begon. De vrachtwagen kroop stapvoets voort en zocht de wielsporen op die hij op talloze eerdere trips over het zandpad had uitgesleten. Hij volgde ze naar links en naar rechts door willekeurige bochten, tussen beschadigde boomstammen door, waar weinig ruimte was en de stompen van afgezaagde takken over de lak krasten. Hij reed meer dan een uur door en bleef toen stilstaan op een ooit lang geleden uitgekozen plek, drie kilometer vanaf de grens. Niemand wist precies waar de bewegingsmelders waren begraven, maar de meesten gingen ervan uit dat zo'n anderhalve kilometer aan weerszijden van de grens logisch zou zijn. Als een mijnenveld. Daar hadden ze nog anderhalve kilometer aan toegevoegd om het zekere voor het onzekere te nemen, en daar was wat struikgewas weggekapt om de vrachtwagen ruimte te geven om te keren.
De vrachtwagen reed achteruit en bleef dwars op het zandpad

staan, naar het zuiden gekeerd, in positie, gereed. De motor werd afgezet en de lichten gingen uit.
De vrachtwagen wachtte.

Reacher wachtte in het donker in zijn tonvormige leunstoel, veertig minuten, een uur, en tekende in gedachten de route uit die hij de volgende ochtend zou volgen. Naar het zuiden naar de Interstate en dan naar het oosten. De Interstate zou gemakkelijk worden. Langs het grootste deel van de Interstates had hij zo langzamerhand wel staan liften. Er waren opritten en parkeerplaatsen en er was een grote reizende populatie, deels commercieel, deels particulier, maar vooral heel vaak alleen en in voor gezelschap. Het probleem lag in het stuk voor de Interstate, de weg ernaartoe door het niemandsland. Sinds het moment dat hij uit de auto was gestapt die hem hier op het kruispunt had afgezet, had hij geen enkel verkeer meer gehoord. 's Nachts was het altijd erger dan overdag, maar dan nog was het in Amerika heel bijzonder zo dicht bij een weg te zijn en geen verkeer voorbij te horen komen. Hij had eigenlijk helemaal niets gehoord, geen wind, geen nachtgeluiden, terwijl hij toch zijn oren gespitst had om maar banden op grind te horen. Het was alsof hij doof was geworden. Hij hief een hand, ongemakkelijk, en knipte met zijn vingers vlak bij zijn oor, voor de zekerheid. Hij was niet doof. Het was gewoon midden in de nacht, op het platteland. Meer niet. Hij stond op, ging naar het toilet, kwam weer terug en ging weer zitten.
Toen hoorde hij iets.
Geen voorbijrijdend voertuig, geen wind, geen nachtgeluiden.
Geen banden op grind.
Voetstappen in het grind.

8

Voetstappen in het grind. Eén paar voetstappen. Een lichte, wat aarzelende pas die dichterbij kwam. Reacher keek naar het raam

en zag een gestalte voorbijgaan. Klein, tenger, het hoofd tussen de schouders in de kraag van een jas.
Een vrouw.
Er werd op de deur geklopt, zacht en weifelend en gedempt. Een kleine, nerveuze hand, in een handschoen. Misschien een afleidingsmanoeuvre. Je hoefde geen genie te zijn om zoiets te bedenken. Iemand vooruitsturen, volstrekt onschuldig en niet-bedreigend, zodat de deur open zou gaan en het doelwit zich onterecht veilig zou wanen. Niet onwaarschijnlijk dat zo iemand nerveus zou zijn en zich niet erg op haar gemak zou voelen in haar rol.
Reacher liep geruisloos door de kamer naar de badkamer. Hij schoof het raam voorzichtig omhoog, maakte de hor los en zette die zonder geluid te maken in het bad. Toen boog hij zijn hoofd en klom hij naar buiten, schaarde zijn benen over de vensterbank en stapte op het grind. Hij liep over een van de bielzen die het pad afzoomden, als een koorddanser, geruisloos. Hij liep linksom om de ronde hut en naderde de vrouw van achteren.
Ze was alleen.
Er waren geen auto's op de weg, er was niemand op het terrein, niemand stond platgedrukt aan de ene of de andere kant van de deur van zijn kamer, niemand hurkte onder zijn raam. Alleen de vrouw stond daar, moederziel alleen. Ze zag eruit of ze het koud had. Ze droeg een wollen jas en een sjaal. Geen hoed of muts. Ze was een jaar of veertig, klein, donker en bezorgd. Ze hief haar hand en klopte opnieuw.
Reacher zei: 'Ik ben hier.'
Ze hapte naar adem, keerde zich op haar hakken om en sloeg een hand voor haar borst. Haar mond bleef openstaan en vormde een kleine o. Hij zei: 'Het spijt me dat ik je heb doen schrikken, maar ik verwachtte geen bezoek.'
Ze zei: 'Misschien had je daar wel op verdacht moeten zijn.'
'Nou ja, goed, misschien was ik dat ook wel, maar ik had jou niet verwacht.'
'Kunnen we naar binnen gaan?'
'Wie ben jij?'
'Sorry,' zei ze. 'Ik ben de vrouw van de dokter.'
'Aangenaam kennis te maken,' zei Reacher.

'Kunnen we naar binnen gaan?'
Reacher zocht de sleutel in zijn zak en maakte de deur van buiten open. De vrouw van de dokter stapte naar binnen, Reacher liep achter haar aan en sloot de deur achter hen. Hij liep door het vertrek en sloot de badkamerdeur om de koude nachtlucht die door het raam naar binnen kwam, buiten te sluiten. Toen hij zich omkeerde, stond ze midden in het vertrek. Hij maakte een gebaar naar de leunstoel en zei: 'Ga zitten.'
Ze ging zitten. Knoopte haar jas niet open. Ze was nog steeds nerveus. Als ze een tasje had gehad, zou ze die tussen beide knuisten op haar knieën hebben geklemd, als afweer. Ze zei: 'Ik ben het hele eind komen lopen.'
'Om de auto op te halen? Dat had je je man moeten laten doen, morgenvroeg. Dat had ik met hem afgesproken.'
'Hij is te dronken om te rijden.'
'Morgenvroeg gaat het wel weer, vast.'
'Morgenvroeg is te laat. Jij moet weg. Nu. Je bent hier niet veilig.'
'Denk je?'
'Mijn man zei dat je op weg was naar het zuiden, naar de Interstate. Ik zal je ernaartoe brengen.'
'Nu? Het is nog een paar honderd kilometer.'
'Honderdtwintig.'
'Het is midden in de nacht.'
'Je bent hier niet veilig. Mijn man heeft me verteld wat er is gebeurd. Je hebt je met de Duncans bemoeid. Je hebt dingen gezien. Ze zullen hem zonder meer straffen en volgens ons komen ze daarna achter jou aan.'
'Ze?'
'De Duncans. Ze zijn met z'n vieren.'
'Straffen, hoe?'
'O, geen idee. De laatste keer mocht hij van hen een maand lang niet hier komen.'
'Hier? In de bar?'
'Daar is hij het liefst.'
'Hoe kunnen ze hem tegenhouden?'
'Ze hebben meneer Vincent verboden hem te schenken. De eigenaar.'

'Waarom zou de eigenaar van dit hier doen wat de Duncans zeggen?'
'De Duncans hebben een transportbedrijf. Alle voorraden voor meneer Vincent worden door hen vervoerd. Hij heeft daarvoor een contract getekend. Hij werd min of meer gedwongen. Zo werken de Duncans. Als meneer Vincent niet meewerkt, worden er wat spullen te laat afgeleverd, dan gaat er wat verloren en dan raakt er wat beschadigd. Dat weet hij. Dan gaat hij failliet.'
Reacher vroeg: 'Wat zullen ze van plan zijn met mij?'
De vrouw zei: 'Ze huren *football*-spelers in die net van college komen. Cornhuskers. De jongens die goed genoeg waren voor een beurs, maar niet goed genoeg voor de NFL. Guards en tackles. Grote kerels.'
Brett, dacht Reacher.
De vrouw zei: 'Ze zullen de lijntjes tussen de puntjes trekken en ontdekken waar je zit. Ik bedoel, waar zou je anders kunnen zijn? Dan brengen ze je een bezoekje. Misschien zijn ze al onderweg.'
'Waarvandaan?'
'Het magazijn van de Duncans is hier dertig kilometer vandaan. De meeste van hun mensen wonen daar in de buurt.'
'Hoeveel football-spelers hebben ze?'
'Tien.'
Reacher zei niets.
De vrouw zei: 'Mijn man heeft gehoord dat je op weg was naar Virginia.'
'Dat is het plan.'
'Woon je daar?'
'Daar en overal.'
'We moeten gaan. Je zit diep in de problemen.'
'Alleen als ze alle negen in één keer sturen.'
'Alle negen wat?'
'Football-spelers.'
'Ik zei dat er tien waren.'
'Ik heb er al een ontmoet. Die is op dit moment onwel. Sinds vanavond hebben ze er een minder.'
'Wat?'
'Hij kwam tussen mij en Seth Duncan.'

'Wat heb je met Seth Duncan gedaan?'
'Ik heb zijn neus gebroken.'
'O, lieve heer. Waar zijn de autosleutels?'
'Wat gebeurt er met mevrouw Duncan?'
'We moeten weg. Onmiddellijk.'
'Eerst een antwoord op de vraag.'
'Mevrouw Duncan zal ook worden gestraft. Omdat ze mijn man heeft gebeld. Het is haar verboden om dat te doen. Net zo goed als het hem verboden is haar te behandelen.'
'Hij is dokter. Hij heeft geen keus. Ze leggen toch een eed af, of niet?'
'Hoe heet jij?'
'Jack Reacher.'
'We moeten gaan, Reacher. Nu.'
'Wat gaan ze doen met mevrouw Duncan?'
'Dat is jouw zaak niet,' zei de vrouw. Wat in Reachers ogen een rake opmerking was. Het was zijn zaak om in Virginia te komen en er werd hem een lift aangeboden voor het lastigste stuk van de reis, snel en gratis. De I-80 lag op hem te wachten, twee uur in de toekomst. Een oprit, de laatste nachtrijders, de eerste tekenen van een ochtendspits. Misschien wel een ontbijt. Misschien was er een parkeerplaats met een restaurant of een goedkoop chauffeurscafé. Bacon, eieren, koffie.
'Wat gaan ze met haar doen?' vroeg hij nog een keer.
De vrouw zei: 'Waarschijnlijk niets bijzonders.'
'Wat voor soort niets bijzonders?'
'Misschien zetten ze haar op een stollingsmiddel. Een van de ooms heeft blijkbaar medicijnen in voorraad. Of misschien zullen ze ervoor zorgen dat ze minder aspirine slikt. Zodat ze een volgende keer minder hard bloedt. En ze zullen haar wel een maand huisarrest geven. Meer niet. Geen al te serieuze aanpak. Niets waar jij je zorgen om hoeft te maken. Ze zijn tenslotte tien jaar getrouwd. Ze houden haar niet gevangen. Als ze zou willen, zou ze kunnen vertrekken.'
'Behalve dat ze er deze keer onbedoeld de oorzaak van was dat haar man zijn neus heeft gebroken. Hij zou dat wel eens op haar kunnen verhalen, als het hem niet lukt mij te grazen te nemen.'

De vrouw van de dokter zei niets. Maar het leek alsof ze het met Reacher eens was. Het werd stil in het vreemde ronde vertrek. Toen hoorde Reacher banden op grind.

9

Reacher keek uit het raam. Er waren in totaal vier banden. Grote bolle terreinbanden, die alle vier vastzaten aan een Ford pick-up. De pick-up had een verhoogde ophanging en schijnwerpers gemonteerd op een balk op het dak en een luchtinlaat met een snorkel en een lier voorop. In het duister van de cabine zaten twee grote gestalten. Gestalten met dikke nekken en gigantische schouders. De pick-up reed langzaam langs de rij hutten en stopte vijf meter achter de geparkeerde Subaru. De koplampen bleven branden. De motor draaide stationair. De portieren gingen open. Twee mannen klommen naar buiten.

Ze zagen er allebei uit als Brett, maar dan groter. Achter in de twintig, makkelijk een meter achtennegentig, twee meter, makkelijk honderddertig kilo. Een geweldig middel dat eruitzag als een wespentaille onder nog veel grotere borstpartijen en armen en schouders. Ze hadden gemillimeterd haar en een vlezig gezicht, hun ogen stonden dicht bij elkaar. Het was het soort dat twee maaltijden achter elkaar naar binnen werkte en dan nog steeds honger had. Ze droegen rode football-jacks van de Cornhuskers die er grijs uitzagen in het blauwe licht vanachter de daklijsten van de hutten.

De vrouw van de dokter kwam naast Reacher bij het raam staan.

'Lieve heer,' zei ze.

Reacher zei niets.

De twee mannen sloten de portieren van de pick-up en liepen als op commando naar de laadbak van de pick-up, waar ze een grote gereedschapskist openmaakten die dwars in de laadbak achter de cabine was gemonteerd. Ze tilden de deksel op, de een haalde er een bolhamer uit en de andere een dubbele ringsleutel van minstens een halve meter lang. Ze lieten de deksel openstaan en ze liepen naar voren het schijnsel van de koplampen van de pick-up in. Hun schaduw sprong voor hen uit. Ze liepen licht en wendbaar ondanks al het gewicht, zoals de meeste football-spelers. Ze bleven even staan en keken naar de deur van de hut. Toen keerden ze zich om.

In de richting van de Subaru.

Ze vielen de Subaru aan met een gewelddadige razernij, een absolute blitzkrieg, twee, drie minuten van onbeheerst rammen en slaan. Het lawaai was oorverdovend. Ze sloegen de voorruit er tot op de laatste scherf uit. Ze sloegen alle ruiten van de portieren in, de achterruit, de koplampen, de achterlampen. Ze sloegen rafelige deuken in de motorkap, in de deuren, in het dak, in de bumpers, in de vijfde deur. Ze staken hun armen door de gaten in de portieren waar ze het glas hadden weggeslagen en ramden de meters en de schakelaars en de radio tot gort.

Shit, dacht Reacher, daar gaat mijn lift.

'De straf voor mijn man,' fluisterde de vrouw van de dokter. 'Dit keer erger.'

De twee mannen stopten even plotseling als ze waren begonnen. Ze bleven staan, elk aan een kant van de vernielde stationwagon, zwaar hijgend, en ze rolden met hun schouders en lieten hun wapens omlaag hangen langs hun lichaam. Korrels veiligheidsglas glinsterden in het tl-licht en het doffe bulderen en galmen van het gehavende metaal echode weg tot het absoluut helemaal stil was.

Reacher trok zijn jas uit en liet hem op het bed vallen.

De twee mannen kwamen schouder aan schouder naar de deur van de hut. Reacher deed de deur open en liep naar buiten om de confrontatie met hen aan te gaan. Winnen of verliezen, als het gevecht binnen zou plaatsvinden, zou er niets van de motelkamer overblijven en Vincent, de eigenaar van het motel, had al kopzorgen genoeg.

De twee mannen stopten drie meter bij Reacher vandaan en bleven naast elkaar staan, symmetrisch, hun wapen in de buitenste hand, vier vierkante meter botten en spieren, meer dan tweehonderdvijftig kilo spierballen, met een gezonde blos en zwetend in de vrieskou.

Reacher zei: 'Hé jongens, onverwachte beurt. Jullie hebben vier jaar college achter de rug om een spelletje te leren spelen. Ik heb dertien jaar achter de rug om te leren hoe je mensen moet doodmaken. Dus hoe bang ben ik?'

Geen antwoord.

'En jullie waren er zo slecht in dat je aan het eind niet eens een profcontract in de wacht kon slepen. Ik was er zo goed in dat ik allerlei medailles kreeg, en promoties. Dus hoe bang zijn jullie?'

'Niet heel erg,' zei de man met de sleutel.

Verkeerde antwoord. Maar begrijpelijk. Als je op de *highschool* als guard of tackle goed genoeg was om een gratis reis te maken naar de grote school in Lincoln, had je iets in je mars. Zelfs als je in het Memorial Stadium niet meer dan een bijrolletje te spelen kreeg, zat je toch in de buurt van het beste van het beste. En het was niet echt een schande als je uiteindelijk de National Football League niet haalde. De scheidslijn tussen succes en mislukking in de topsport was vaak maar heel dun en de redenen waarom je aan de ene of de andere kant ervan viel, waren vaak arbitrair. Deze jongens hadden zo'n twintig jaar tot de elite behoord, vertegenwoordigden het beste wat eerst hun buurt, toen hun stad, toen de county en misschien zelfs wel de staat ooit had voortgebracht. Ze waren gefêteerd, ze hadden de vriendinnetjes voor het uitkiezen gehad. En ze hadden waarschijnlijk geen knokpartij meer verloren sinds ze acht waren.

Behalve dan dat ze nog nooit hadden gevochten. Niet in de zin van mensen die betaald worden om te vechten of te sterven. Een beetje heen en weer duwen op een schoolplein of op de stoep voor de cafetaria of diep in de nacht na een drankgelag tijdens midzomernacht, had net zo weinig met vechten te maken als twee vetzakken die in het plantsoen elkaar een balletje toegooien te maken heeft met de Superbowl. Dit waren amateurs, en wat nog erger was, dit waren zelfingenomen amateurs, die gewend waren hun zin te krijgen puur vanwege die spiermassa en hun reputatie. In de echte wereld zouden ze er geweest zijn voor ze nog maar een klap hadden kunnen uitdelen.

Een aardig voorbeeld was de slechte keuze van wapens. Het beste zijn wapens waarmee je kunt schieten. Dan komen wapens

waarmee je kunt steken, dan wapens waarmee je kunt snijden. Stompe wapens staan een heel eind lager op de lijst. Ze maken je traag. De ongecontroleerde beweging is een nadeel als je niet raak hebt geslagen. En als je ze dan toch moet gebruiken, is alleen een backhand effectief, omdat je dan versnelt en slaat in één vloeiende beweging. Maar deze kerels stonden schouder aan schouder met hun wapen in de buitenste hand, wat duidde op een forehand, waarvoor de hamer of de sleutel eerst naar achteren gezwaaid moest worden en dan worden gestopt en daarna nog weer eens naar voren. Het eerste deel van de beweging was een helder telegram. Geen betere waarschuwing mogelijk. Geen enkele verrassing. Ze zouden net zo goed een advertentie in de krant kunnen zetten, of een echt telegram versturen met Western Union.
Reacher glimlachte. Hij was opgegroeid op militaire bases over de hele wereld, had gevochten met het nageslacht van keiharde mariniers, had zijn vaardigheden bijgeslepen in gevechten met rancuneuze plaatselijke jeugdbendes in stoffige straten van tropische landen en vochtige stegen in Europa. Uit welk armzalig stadje in Texas, Kansas of Nebraska deze jongens ook afkomstig waren, vergeleken bij wat Reacher had meegemaakt, was het een gespreid bedje geweest. En terwijl zij hun speltactieken hadden bestudeerd en hadden leren hardlopen en springen en vangen, was hij gebroken en weer in elkaar gezet door het soort experts dat je nek zo snel kon breken dat je het pas doorkreeg op het moment dat je 'ja' wilde knikken en je je hoofd van je schouders over straat zag wegrollen.
De man met de sleutel zei: 'We hebben een boodschap voor je, maat.'
Reacher zei: 'Echt?'
'Het is eigenlijk meer een vraag.'
'Met moeilijke woorden? Heb je nog een beetje extra tijd nodig?'
Reacher deed een stap naar voren en iets naar rechts. Hij ging recht voor de twee mannen staan, even ver van elk vandaan, twee meter, zodat als hij op de wijzerplaat van een klok op zes uur zou staan, de twee mannen op elf uur en één uur zouden staan. De man met de sleutel stond links en de man met de bolhamer rechts.

De man met de sleutel kwam als eerste in actie. Hij bracht al zijn gewicht over op zijn rechtervoet en begon aan een korte, vastberaden zwaai naar achteren met het zware stuk gereedschap, een zwaai achteruit die bedoeld was om na een hoek van vijfenveertig graden, een halve meter, te stoppen en dan over te gaan in een lage, horizontale zwaai naar voren die Reachers arm zou moeten breken tussen de elleboog en de schouder. De man was geen volslagen idioot. Het was een alleszins acceptabele eerste poging. Maar hij werd nooit tot een goed einde gebracht.

Reacher had zijn gewicht overgebracht op zijn linkervoet en liet zijn rechtervoet omhoogschieten, een fractie van een seconde nadat de sleutel in beweging was gekomen, dezelfde kant op, met dezelfde snelheid, misschien zelfs wel iets sneller, en nog voordat de achterwaartse beweging van de sleutel was voltooid en moest overgaan in een voorwaartse beweging, kwam de hak van Reachers schoen in aanraking met de knie van de grote kerel en ging hij er dwars doorheen, joeg hij de knieschijf diep in het gewricht, dat uit elkaar barstte, waarbij banden afscheurden, pezen werden losgerukt, het gewricht ontwricht raakte, binnenstebuiten werd gekeerd, dubbelvouwde zoals een knie eigenlijk niet kan dubbelvouwen. De man begon te vallen en nog voordat hij ook maar drie centimeter in verticale richting had afgelegd en voordat het eerste gehuil uit zijn keel losbarstte, stapte Reacher om hem heen, aan de buitenkant, waarbij hij hem een schouderduw gaf, hem uit zijn geheugen wiste en vergat dat hij bestond. De man was nu in principe een ongewapende, eenbenige man, en eenbenige mannen hadden nooit hoog gestaan op het lijstje met zaken waar Reacher zich zorgen om maakte.

De man met de hamer kreeg niet meer dan een fractie van een seconde om een beslissing te nemen. Hij kon uithalen met een forehand, maar dan moest hij bijna een volledige slag om zijn as draaien, want Reacher was nu zo ongeveer achter hem, terwijl bovendien zijn kreupele vriend in de weg stond, hulpeloos wachtend en slechts in staat een bijdrage te leveren aan een frontale botsing waarbij ze elkaar diep in de ogen zouden kunnen kijken als hij die kant op draaide. Hij kon ook uithalen met een backhand, een blinde uithaal in de leegte achter zich, onder het motto God zegene de greep, hopend op een verrassingeffect, hopend dat hij iets zou raken.

Hij koos ervoor om achterom uit te halen.

Wat Reacher half en half had verwacht en waar hij helemaal klaar voor was. Hij zag de uitval komen, de arm bewegen, de plotse polsbeweging, de elleboog overstrekt, en trapte met zijn hakken in de grond en maakte een rukkende beweging vanuit de heupen en zette de muis van zijn hand op de punt van de elleboog, zodat de elleboog, gedwongen door die geweldige druk de ene kant op terwijl de bolhamer in volle armzwaai op weg was de andere kant op, niets anders kon dan breken, de verkeerde kant op boog, de pols overstrekt raakte, de hamer uit zijn hand viel, en de man meteen in elkaar kromp en weg danste en hupte en probeerde zijn lichaam ergens te krijgen waar zijn elleboog de goede kant op zou blijven buigen. Dat leidde tot een dansje in het rond, tegen de wijzers van de klok in, waarna hij onzeker en met zijn gezicht naar Reacher bleef staan, die minder tijd nodig had om zijn volgende actie uit te voeren dan de hamer om de grond te bereiken, en met een woeste, korte beweging een kopstoot uitdeelde, midden in zijn gezicht, bot tegen bot. Toen danste Reacher weg naar de vernielde Subaru waar hij zich omkeerde en een plan maakte voor de eerstvolgende tweeënhalve seconden.

De man van de sleutel lag op de grond, rollend, volgens Reacher niet zozeer van de pijn, die voor het merendeel nog moest komen, als wel in shock bij het doorbrekende besef dat het leven zoals hij het had gekend voorbij was, dat de angst die hij als sportman bij tijd en wijle in een flits had ervaren na een zware botsing op het veld, eindelijk bewaarheid werd, dat zijn toekomst nu uitsluitend nog bestond uit krukken en braces en hinken en pijn en frustraties en werkeloosheid. De man van de hamer stond nog, op zijn hakken, met knipperende ogen terwijl het bloed uit zijn neus spoot, met één arm lam en gevoelloos, zijn ogen op niets gericht, weinig hersenactiviteit.

Genoeg, zou je zeggen, als je tenminste in de beschaafde wereld leefde, de wereld van films en tv en fair play en zelfbeheersing. Maar dat was niet de wereld van Reacher. Hij leefde in een wereld waar je gevechten niet begon, maar waarin je ze wel, verdomd zeker weten, afmaakte, en waarin je een gevecht ook niet verloor, en hij was de erfgenaam van een wijze les geleerd in de harde leerschool van het leven, en van generatie op generatie doorgegeven, dat de beste manier om een gevecht te verliezen was ervan uitgaan dat het voorbij was als het nog niet voorbij was.

Hij stapte terug naar de man die de hamer had vastgehouden en riskeerde zijn handen en armen en plaatste een lage rechtse hoek in de driehoek onder de borstspieren van de man en boven diens buikspieren, een harde dreun, perfect getimed en uitgevoerd, op de plexus solaris, die hij raakte alsof hij op een lichtknopje drukte. De man onderging allerlei vormen van tijdelijke ellende en zakte voorover op de grond. Reacher wachtte tot hij voorovergebogen zat voordat hij de finale trap in het gezicht uitdeelde, hard maar genadig, in die zin dat gebroken tanden en een gebroken kaak minder erg waren dan hersenletsel.

Toen keerde hij zich naar de man van de sleutel en wachtte hij tot die de juiste kant op rolde zodat hij hem met een trap tegen het voorhoofd in slaap kon doen wegzakken. Hij pakte de sleutel op en brak er de pols van de man mee, *één*, en toen de andere pols, *twee*. Hij keerde zich om en deed hetzelfde bij de man van de hamer, *drie*, *vier*. De twee mannen waren iemands wapens, bewust ingezet, en als soldaat liet je nooit het in de steek gelaten geschut van je vijand klaar voor gebruik achter op het slagveld.

De vrouw van de dokter keek toe vanuit het deurgat van de hut, doodsangst afgetekend op haar gezicht.

'Is er iets?' vroeg Reacher haar.

10

De pick-up stond nog zachtjes stationair te draaien. De koplampen brandden nog. De twee mannen lagen als zielige hoopjes ellende in de schemering achter het heldere schijnsel, licht stomend, vier kubieke meter botten en spieren, driehonderd kilo biefstuk,

nu horizontaal, niet verticaal. Het zou lastig worden hen te vervoeren. De vrouw van de dokter zei: 'Wat gaan we nu in hemelsnaam doen?'
'Reacher zei: 'Waaraan?'
'Ik wou dat je dat niet had gedaan.'
'Waarom?'
'Omdat er niets goeds van kan komen.'
'Waarom niet? Wat is hier in vredesnaam aan de hand? Wat zijn dit voor mensen?'
'Dat heb ik je verteld. Football-spelers.'
'Zij niet,' zei Reacher. 'De Duncans. De mensen die hen hiernaartoe hebben gestuurd.'
'Hebben ze mij gezien?'
'Deze twee? Ik betwijfel het.'
'Goed. Ik moet hier niet bij betrokken raken.'
'Waarom niet? Wat is hier aan de hand?'
'Het is jouw zaak niet.'
'Dat moet je hun vertellen.'
'Je zag er heel kwaad uit.'
'Ik?' zei Reacher. 'Ik was niet kwaad. Amper geïnteresseerd. Als ik kwaad was geweest, zouden we nu de boel schoonspuiten met een brandslang. Zoals het er nu bij ligt, hebben we een vorkheftruck nodig.'
'Wat ga je met hen doen?'
'Vertel eens wat je weet van de Duncans.'
'Het is een familieclan. Meer niet. Seth en zijn vader, en twee ooms. Vroeger waren het boeren, nu hebben ze een transportbedrijf.'
'Wie van hen huurt de football-spelers in?'
'Ik weet niet wie de beslissingen neemt. Misschien stemmen ze wel. Of misschien gebeurt alles alleen als iedereen ermee instemt.'
'Waar wonen ze?'
'Je weet waar Seth woont.'
'En die andere drie? Die ouwe kerels?'
'Iets naar het zuiden van hier. Drie geïsoleerde huizen. Ieder zijn eigen huis.'
'Die heb ik gezien. Je man zat ernaar te staren.'

'Heb je zijn handen gezien?'
'Waarom?'
'Hij zat waarschijnlijk te duimen om geluk af te dwingen. Hopend op betere tijden.'
'Waarom? Wat zijn dat in vredesnaam voor lui?'
'Het is een nest met horzels, dat is het. En jij hebt er net met een stok in staan prikken en nu vertrek je.'
'Wat moest ik anders doen? Ze hun gang laten gaan met dat gereedschap?'
'Dat doen wij. We ondergaan onze straffen en we blijven glimlachen met het hoofd omlaag. We ondergaan het om overeind te blijven.'
'Waar heb je het verdomme over?'
Ze wachtte even. Schudde haar hoofd.
'Het stelt niet zoveel voor,' zei ze. 'Niet echt. Dat houden we onszelf voor. Als je een kikker in heet water gooit, springt hij er zo weer uit. Stop je hem in koud water en verwarm je dat langzaam, dan laat hij zich dood koken zonder dat hij het ooit doorheeft.'
'En dat zijn jullie?'
'Ja,' zei ze. 'Dat zijn wij.'
'Vertel het hele verhaal eens.'
Ze wachtte opnieuw even. Schudde opnieuw haar hoofd.
'Nee,' zei ze. 'Nee, nee, nee. Je zult mij niets verkeerds horen zeggen over de Duncans. Dat wil ik zwart op wit vastgelegd hebben. Ik kom hier uit de buurt en ik ken hen al mijn hele leven. Het is een prima stel mensen. Er is niets mis met hen. Helemaal niets.'

De vrouw van de dokter keek nog een keer lang en intens naar de vernielde Subaru. Toen begon ze te lopen, naar huis. Reacher bood haar een lift aan in de pick-up, maar daar wilde ze niets van weten. Hij keek haar na terwijl ze het terrein van het motel afliep en door het duister werd opgeslokt en in het niets verdween. Toen keerde hij zich weer naar de twee mannen op het grind voor zijn deur. Hij kon onmogelijk honderddertig kilo bewusteloze mensheid optillen. Honderddertig kilo gewichten aan een stang misschien. Maar niet honderddertig kilo inert vlees en bloed ter grootte van een koelkast.

Hij trok het portier van de pick-up open en klom in de cabine. Het rook er naar de dennennaaldengeur van een luchtververser en naar hete olie. Hij zette de motor in de eerste versnelling en reed in een bocht weg, stopte en reed achteruit tot de laadklep zich recht voor de plek bevond waar de twee mannen lagen. Hij stapte uit en liep naar de voorkant en keek naar de lier die op de bumper was gemonteerd. Het was een elektrische lier. Er zat een motor die was gekoppeld aan een trommel waaromheen dun staaldraad was gewonden. Aan het eind van de staaldraad zat een musketonhaak. Er was een vergrendelingspal en een knop om de draad op te winden.

Hij drukte op de vergrendelingspal en wond de staaldraad af, vijf meter, tien meter. Hij zwiepte hem over de motorkap, over het dak van de cabine, tussen twee schijnwerpers op de balk boven op het dak door, over de laadbak, omlaag naar waar de twee mannen lagen achter de pick-up. Hij klapte de laadklep omlaag, bukte zich en zette de haak vast aan de riem van de eerste van de twee mannen. Hij liep naar voren en drukte op de knop om de staaldraad op te winden.

De motor begon te lopen en de trommel begon te draaien en de kabel kwam onder spanning. Hij ging strak staan en trilde als de pees van een boog en sleep een groef in het voorste deel van de motorkap en trok een vouw in de lichtbalk op het dak. De trommel ging langzamer draaien, maar genadeloos onophoudelijk. De pick-up zakte door op de vering. Reacher liep naar de achterkant en zag hoe de eerste man aan zijn riem richting de laadbak werd getrokken, over de grond schoof, eerst zijn middel, dan zijn armen en benen. De man werd het hele stuk naar de laadklep gesleept. Daar liep de staaldraad recht omhoog en schuurde hij krijsend over het plaatstaal. De riem van de man trok ovaal omhoog en de man zelf kwam omhoog, draaide een beetje rond met holle rug, hoofd en armen en benen omlaag bungelend. Reacher stond erbij en wachtte en timede en begon toen te schuiven en te trekken en slaagde erin hem over de rand in de laadbak te krijgen en keek toe hoe hij verder naar voren werd getrokken. Hij liep weer naar de voorkant van de pick-up en wachtte daar even en zette toen de lier stil. Hij liep naar de achterkant en boog zich over de laadbak en maakte de haak los en herhaalde de hele procedure met de tweede man, alsof hij een veearts was die een paar dode kalveren ophaalde.

Reacher reed acht kilometer naar het zuiden en nam gas terug en bleef precies voor de gemeenschappelijke oprit stilstaan die in westelijke richting naar de drie bij elkaar klonterende huizen liep. Ze waren door een vorige generatie wit geschilderd en glommen nog steeds een beetje grijs in het maanlicht. Het waren grote bouwwerken, op een kleine halve cirkel geplaatst met weinig ruimte ertussen. Er was geen tuin. Alleen kaal grind en onkruid en drie geparkeerde auto's en een zwaar houten hek, en daarachter vlak leeg land dat zich in de duisternis uitstrekte.

Achter een van de ramen op de begane grond van het huis rechts brandde licht. Verder was er geen enkel teken van leven.

Reacher reed tien meter door en reed toen achteruit en draaide zo de oprit op. Grind knarste onder de banden. Een luidruchtige entree. Hij riskeerde vijftig meter, dat was ongeveer halverwege. Toen stopte hij en gleed hij naar buiten en klapte hij de laadklep omlaag. Hij klom in de laadbak en greep de eerste man bij zijn riem en kraag en tilde en trok en sleepte en rolde hem min of meer naar de rand van de laadbak. Daar zette hij de zool van zijn schoen op de heup van de man en gaf hij hem het laatste zetje over de rand. De man viel een dikke meter, kwam zwaar op zijn heup terecht, rolde op zijn rug en bleef liggen.

Retour afzender.

Reacher ging opnieuw de laadbak in naar de tweede man en tilde en trok en sleepte en rolde hem de laadbak uit, boven op zijn maatje. Toen sloeg hij de laadklep weer omhoog, sprong over de zijkant omlaag op de grond, ging achter het stuur zitten en reed zo snel hij kon weg.

De vier Duncans zaten nog steeds om de tafel in Jaspers keuken. Geen gepland overleg, maar ze hadden voortdurend een lange lijst agendapunten en ze namen de gelegenheid te baat. Ze maakten

zich vooral zorgen over een zich opbouwende vertraging aan de Canadese grens. Jacob zei: 'Onze vriend in het zuiden begint wat druk uit te oefenen.'
Jonas zei: 'Wat we niet in de hand hebben, kunnen we niet in de hand houden.'
'Probeer hem dat maar eens duidelijk te maken.'
'Hij krijgt zijn vracht wel.'
'Wanneer?'
'Wanneer die er is.'
'Hij heeft vooruitbetaald.'
'Dat doet hij altijd.'
'Veel geld.'
'Dat is het altijd.'
'Maar deze keer is hij geïrriteerd. Hij wil dat er iets gebeurt. En nu komt het. Het was heel raar. Hij belde mij en het was net alsof hij halverwege het gesprek begon.'
'Wat?'
'Hij was gefrustreerd, dat was duidelijk. Maar ook een beetje kribbig, alsof we hem niet serieus namen. Alsof afspraken uit eerder overleg niet werden nagekomen. Alsof we waarschuwingen hadden genegeerd. Het was net of hij al op pagina drie zat en ik op pagina één.'
'Hij raakt de draad kwijt.'
'Tenzij.'
'Tenzij wat?'
'Tenzij een van ons al eerder met hem heeft gepraat.'
Jonas Duncan zei: 'Ha, ik in ieder geval niet.'
'Ik ook niet,' zei Jasper Duncan.
'Zeker weten?'
'Natuurlijk.'
'Omdat er echt geen andere uitleg mogelijk is. En vergeet niet dat dit geen man is om een loopje mee te nemen. Dit is een uiterst onaangenaam mens.'
De beide broers van Jacob haalden hun schouders op. Twee mannen van in de zestig, gegroefd, gehavend, gebouwd als brandkranen. Jonas zei: 'Zit niet zo naar me te kijken.'
'En ook niet naar mij,' zei Jasper.

Alleen Seth Duncan had nog geen woord gezegd. Geen woord. De zoon van Jacob.
Zijn vader vroeg: 'Wat vertel je ons niet, jongen?'
Seth keek naar de tafel. Toen keek hij op, schuldbewust, met een grote aluminium plaat voor zijn gezicht. Zijn vader en zijn twee ooms staarden naar hem terug. Hij zei: 'Ik heb vanavond Eleanors neus niet gebroken.'

11

Jasper Duncan haalde een gedeeltelijk lege fles Knob Creek-whisky uit de keukenkast en stak drie knoestige vingers en een stompe duim in vier beschadigde glazen. Hij zette ze op tafel en trok de kurk uit de fles en schonk vier gulle glazen. Hij schoof de glazen over het oneffen hout, alle aandacht op de kleine ceremonie gericht, heel precies. Hij ging weer zitten en ieder van de mannen nam een eerste slok. Toen werden de vier glazen weer op tafel geplaatst, een onregelmatig akkoord van vier afzonderlijke doffe klanken in de stille nacht.
Jacob Duncan zei: 'Beginnen bij het begin, jongen.'
Seth Duncan zei: 'Ik regel het.'
'Maar niet erg goed, zo te horen.'
'Het is mijn klant.'
Jacob schudde zijn hoofd. 'Jij was de contactpersoon, destijds, maar we zijn één familie. We doen alles samen en niets in ons eentje. Niemand van ons gaat voor zichzelf beginnen.'
'We laten geld liggen.'
'Je hoeft geen ouwe koeien uit de sloot te halen. Jij hebt iemand gevonden die meer wilde betalen voor dezelfde koopwaar en dat stellen we zeker op prijs. Maar hogere opbrengsten betekenen ook hogere risico's. Alleen de zon gaat voor niets op. Niks voor niks. Dus vertel, wat is er gebeurd?'
'We zijn een week over tijd.'
'Dat zijn we niet, want we spreken nooit een deadline af.'

Seth Duncan zei niets.
Jacob zei: 'Hoezo? Heb jij een datum toegezegd?'
Seth Duncan knikte.
Jacob zei: 'Dat was dom, jongen. We zeggen nooit een datum toe. Je weet dat we ons dat niet kunnen veroorloven. Er zijn wel honderd factoren waarop wij geen greep hebben. Het weer, om maar eens wat te noemen.'
'Ik heb een scenario opgezet voor de minst gunstige omstandigheden.'
'Jij denkt te veel. Er zijn altijd omstandigheden die nog ongunstiger zijn. Reken daar maar op. Wat is er gebeurd?'
'Twee kerels. Bij mij thuis. Twee dagen geleden. Zijn mannen. Zware jongens.'
'Waar was Brett?'
'Ik moest wel tegen hem zeggen dat ik ze verwachtte.'
'Was dat ook zo?'
'Min of meer.'
'Waarom heb je ons niets verteld?'
'Omdat ik het regel.'
'Niet zo heel erg goed, jongen, blijkbaar. Wat hebben ze gedaan?'
'Ze zeiden dat ze een boodschap van hun baas kwamen brengen. Een uiting van onvrede. Ik zei dat ik het begreep. Ik legde het uit. Ik bood mijn verontschuldigingen aan. Ze zeiden dat dat niet goed genoeg was. Ze zeiden dat ze opdracht hadden gekregen om wat zichtbare signalen achter te laten. Ik zei dat dat niet kon. Ik zei dat ik de deur uit moest kunnen. Ik moet een zaak runnen. Dus sloegen ze Eleanor in plaats van mij. Om duidelijk te maken hoe ze erover dachten.'
'Gewoon zomaar?'
'Ze vroegen het eerst. Ze dwongen me ermee in te stemmen. Ze dwongen haar ook ermee in te stemmen. Ik moest haar vasthouden. Ze sloegen haar om de beurt. Achteraf heb ik haar mijn excuses aangeboden. Ze zei: "Wat maakt het uit? Of zij me nu slaan of jij straks?" Want ze wist dat ik geïrriteerd was.'
'En wat toen?'
'Ik heb ze nog een week gevraagd. Ik heb achtenveertig uur gekregen.'

'Dus ze zijn teruggekomen? Vanavond?'
'Ja, en ze gingen nog een keer op precies dezelfde manier tekeer.'
'En wie was die kerel in het restaurant? Hoorde die er ook bij?'
'Nee, die hoorde er niet bij. Dat zei ik al, die had ik nooit eerder gezien.'
Jonas Duncan zei: 'Iemand op doorreis die geen flauw benul heeft van wat er eigenlijk aan de hand is.'
Jacob zei: 'Goed, díe zijn we in ieder geval kwijt.'
Toen hoorden ze een zwak geluid buiten. Autobanden op grind. Een voertuig op hun oprit. Langzaam, hoog toerental, lage versnelling. Halverwege leek het stil te staan. De motor bleef lopen. Even gebeurde er niets, toen klonk een onduidelijke bons, en nog een. Het voertuig reed weg, sneller dit keer, oplopende toerentallen, schakelend, en daarna keerde de stilte van de nacht terug.

Jonas Duncan was als eerste buiten. Van een afstand van vijftig meter zag hij vreemde bultige vormen in het maanlicht. Van een afstand van twintig meter kon hij zien wat het was. Van een afstand van vijf meter kon hij zien hoe ze eraan toe waren. Hij zei: 'Kwijt niet. Niet echt. Nog niet.'
Jacob Duncan zei: 'Jezus christus! Wat is dat voor kerel?'
Seth Duncan en zijn oom Jasper zeiden niets.

Reacher parkeerde de pick-up naast de vernielde Subaru en trof de eigenaar van het motel aan bij de deur van zijn kamer. Meneer Vincent. Zijn haar zag er zwart uit in het donker.
'Sloten vervangen?' vroeg Reacher.
De man zei: 'Ik hoop dat dat niet nodig is.'
'Maar?'
'Je kunt hier niet langer blijven.'
Reacher zei: 'Ik heb dertig dollar betaald.'
'Die krijg je natuurlijk terug.'
'Daar gaat het niet om. Afspraak is afspraak. Ik heb niets stukgemaakt.'
Vincent zei niets.
Reacher zei: 'Ze weten al dat ik hier ben. Waar zou ik anders moeten zijn?'

'Eerder was er niets aan de hand.'
'Eerder dan wanneer?'
'Toen ze me nog niet hadden verteld dat je moest vertrekken. Onbekendheid met de wet is geen overtreding. Maar ik kan nu niet net meer doen of mijn neus bloedt. Niet nu ze me instructies hebben gegeven.'
'Wanneer hebben ze je instructies gegeven?'
'Twee minuten geleden, telefonisch.'
'Doe je altijd wat zij zeggen?'
Vincent gaf geen antwoord.
'Domme vraag, waarschijnlijk,' zei Reacher.
'Anders raak ik alles kwijt waar ik voor gewerkt heb. En mijn ouders voor mij. Al die jaren.'
'Sinds 1969?' vroeg Reacher.
'Hoe weet je dat?'
'Gewoon een gok. De maanlanding en zo. Het Apollo-programma.'
'Herinner jij je 1969 nog?'
'Vaag.'
'Ik vond het prachtig. Er gebeurde zoveel. Ik snap niet wat er naderhand is gebeurd. Het leek echt het begin van een nieuw tijdperk.'
'Dat was het ook,' zei Reacher. 'Alleen niet het tijdperk dat jij in gedachten had.'
'Het spijt me van dit alles.'
'Ga jij me nu een lift aanbieden naar de Interstate?'
'Dat mag ik ook niet doen. We mogen je op geen enkele manier helpen.'
'We?'
'Iedereen. Ze brengen iedereen op de hoogte.'
'Oké, ik heb in ieder geval een pick-up geërfd,' zei Reacher. 'Ik rij zelf wel.'
'Niet doen,' zei Vincent. 'Ze doen aangifte van diefstal. Dan houdt de county police je tegen. Je komt nog niet halverwege.'
'Hebben de Duncans de politie ook al in de zak?'
'Nee, niet echt. Maar een gestolen pick-up is een gestolen pick-up, toch?'

'Ze wíllen dat ik hier blijf?'
'Nu wel. Jij bent een oorlog begonnen. Die willen zij nu beëindigen.'

12

Reacher stond in de kou tussen de pick-up en zijn hut van het motel en keek om zich heen. Er was vrijwel niets te zien. De blauwe gloed van het tl-licht reikte niet verder dan tot de Subaru en stierf daar voorbij snel weg. Boven zijn hoofd scheen de maan in een veld van miljarden schitterende sterren.
Reacher zei: 'Heb je nog koffie in die pot?'
Vincent zei: 'Ik mag je niets meer schenken.'
'Ik zal niemand iets verklappen.'
'Misschien kijken ze.'
'Ze zijn bezig om twee man naar een ziekenhuis te brengen honderd kilometer verderop.'
'Niet met z'n allen.'
'Dit is de laatste plek waar ze zullen gaan kijken. Ze hebben jou gezegd mij eruit te gooien. Ze zullen ervan uitgaan dat je daar gehoor aan hebt gegeven.'
'Ik weet het niet.'
'Laten we wat afspreken,' zei Reacher. 'Ik vertrek om het jou gemakkelijker te maken. Je mag je dertig dollar houden, want het is niet jouw schuld. In ruil wil ik een kop koffie en een paar antwoorden.'

Het was duister in de lobby, op één enkel werklicht achter de bar na. Geen zacht rood en zacht roze meer. Een irritante tl-buis, met een duidelijke flikkering, een groene zweem en een starter die lawaai maakte. De muziek was uit en het was stil in de ruimte, afgezien van het zoemen van het licht en het suizen van lucht in het verwarmingssysteem. Vincent vulde het koffiezetapparaat met water en lepelde koffie in een papieren filter zo groot als een hoed, uit een trommel zo groot als een kleine ton. Hij zette het apparaat aan en Reacher luisterde naar het gorgelen en sissen van het water en keek toe hoe een waardevolle straal bruine vloeistof in de glazen kan liep.

Reacher zei: ‘Begin eens bij het begin.’

Vincent zei: ‘Het begin is lang geleden.’

‘Dat is altijd zo.’

‘Het is al een oude familie.’

‘Dat is altijd zo.’

‘De eerste die ik heb gekend, was de oude Duncan. Die was boer, uit een geslacht van boeren. De eerste zal hier wel gekomen zijn omdat hij bij een landontginningsproject een stuk land toegewezen kreeg. Na de Burgeroorlog of zo. Ze verbouwden maïs en bonen en breidden hun grond behoorlijk uit. De oude Duncan erfde het allemaal. Hij had drie zoons, Jacob, Jasper en Jonas. Het was een publiek geheim dat de zoons een hekel hadden aan het boerenbedrijf. Maar ze hielden de zaak draaiende tot de oude overleed. Om zijn hart niet te breken. Toen zijn ze gaan verkopen. Ze zijn in het transportbedrijf gegaan. Veel minder werk. Ze hebben de grond in stukken verdeeld en verkocht aan de buren. Dat was allemaal heel begrijpelijk. Wat ooit in de dagen van paarden en ezels een grote boerderij was, was nu niet meer zo groot, met tractors en zo, en schaalvergroting. De prijzen voor land waren hoog in die tijd, maar de broers verkochten voor een zacht prijsje. Ze gaven kortingen als hun buren contracten tekenden dat de Duncans het transport van de oogsten mochten doen. Wat ook weer allemaal heel begrijpelijk was. Iedereen kreeg wat hij wilde. Iedereen gelukkig.’

‘Totdat?’

‘Het ging langzamerhand de verkeerde kant op. Ze kregen ruzie met een van de buren. Dat is allemaal lang geleden nu. Misschien wel vijfentwintig jaar. Maar het was een venijnige zaak. Het etterde de hele zomer door, en toen werd de oogst van de man niet binnengehaald. De Duncans deden het gewoon niet. Het stond te verrotten op het land. De man werd dat jaar niet betaald.’

‘Kon hij niemand anders inhuren om zijn oogst binnen te halen?’

‘In die tijd hadden de Duncans de hele county in handen. Voor

een ander bedrijf was het de moeite niet waard om helemaal hiernaartoe te komen voor één vracht.'
'Hij kon het zelf ook niet binnenhalen?'
'Ze hadden allemaal hun machines verkocht. Ze hadden ze niet meer nodig, voor zover ze konden overzien, vanwege de contracten, en ze hadden het geld bovendien nodig voor de hypotheken.'
'Hij had machines kunnen huren. Voor één keer.'
'Hij zou de poort niet zijn uitgekomen met zijn lading. In de kleine lettertjes stond dat alleen de Duncans vracht van de boerderij mochten vervoeren. Daar viel niets tegen in te brengen, in een rechtszaak niet, en buiten de rechtszaal ook niet, want tegen die tijd waren de football-spelers al in beeld. De eerste generatie. Dat moeten zo onderhand zelf al oude mannen zijn nu.'
'Absolute controle,' zei Reacher.
Vincent knikte.
'En heel eenvoudig,' zei hij. 'Je kunt wel een heel jaar werken, maar je oogst moet de vrachtwagens in, anders kun je net zo goed op je kont blijven zitten en niets verbouwen. Boeren leven van seizoen tot seizoen. Ze kunnen zich niet veroorloven een hele oogst te verliezen. De Duncans hebben de achilleshiel genadeloos blootgelegd. Toeval of opzet, dat weet ik niet. Maar op het moment dat ze het zelf doorkregen, begonnen ze er absoluut van te genieten.'
'Hoe?'
'Niet echt heel gemeen. De mensen betalen een beetje meer, en ze passen goed op wat ze doen. Meer niet, eigenlijk.'
'Jij ook, toch?'
Vincent knikte opnieuw. 'Ik moest hier het een en ander opknappen, tien jaar geleden. De Duncans leenden me het geld, zonder rente, als ik een contract met hen zou tekenen voor het aanvoeren van voorraden.'
'En je betaalt nog steeds.'
'We betalen allemaal nog steeds.'
'Waarom stilzitten en alles maar slikken?'
'Wat wil je, een revolutie? Vergeet het maar. Iedereen moet eten. En de Duncans zijn slim. Het is nooit echt heel beroerd. Snap je?'

'Als een kikker in warm water,' zei Reacher. 'Zo heeft de vrouw van de dokter het beschreven.'
'Zo beschrijven we het allemaal.'
'Maar je wordt uiteindelijk wel mooi doodgekookt.'
'Dat duurt nog heel lang.' Vincent keerde zich om en vulde een beker met koffie. Nog zo'n NASA-logo. Hij schoof hem over de bar. Hij zei: 'Mijn moeder was nog familie van Neil Armstrong. De eerste mens op de maan. Nicht in de vijftiende graad of zo.'
Reacher snoof de geur van de koffie op en nam een kleine slok. Uitstekend. Vers, heet en sterk. Vincent zei: 'President Nixon had al een toespraak klaar, wist je dat? Voor het geval ze daar vast zouden komen te zitten. Voor het geval ze die maanlander niet meer omhoog zouden krijgen. Kun je je dat voorstellen? Dat je daar zit en omhoogkijkt naar de aarde, te wachten tot de zuurstof op is?'
Reacher zei: 'Zijn er geen wetten? Tegen monopolieposities, of verplichte winkelnering of zo?'
Vincent zei: 'Een advocaat inhuren is net zo erg als failliet gaan. Hoe lang duurt een rechtszaak? Twee jaar? Drie jaar? Twee, drie jaar zonder oogst is zelfmoord. Heb je wel eens op een boerderij gewerkt? Geloof me maar, aan het einde van de dag heb je geen zin meer om je te verdiepen in juridische literatuur. Dan heb je zin in een beetje slaap.'
Reacher zei: 'Dat vernielen van de auto van de dokter was geen kleinigheid.'
Vincent zei: 'Dat ben ik met je eens. Dat was erger dan anders. We zijn er allemaal een beetje door van de wijs.'
'Allemaal?'
'We praten allemaal met elkaar. We hebben een telefoonpiramide. Weet je wel, voor als er iets gebeurt. We wisselen informatie uit.'
'En wat zegt iedereen?'
'Het idee is dat de dokter het misschien wel heeft verdiend. Hij ging zijn boekje te buiten.'
'Omdat hij een patiënt behandelde?'
'Ze was niet ziek. Het was een ingreep.'
'Volgens mij zijn jullie allemaal ziek,' zei Reacher. 'Volgens mij

zijn jullie allemaal een stelletje lafbekken zonder ruggengraat. Hoe moeilijk is het nou helemaal om iets te doen. Iemand in zijn eentje, dat is moeilijk, dat geef ik toe. Maar als iedereen meedeed en jullie huurden een andere transporteur in, dan zou die wel komen, toch? Als er hier genoeg werk is voor de Duncans, is er ook genoeg werk voor een ander.'
'De Duncans zouden misschien wel naar de rechter stappen.'
'Laat ze. Dan zitten zij drie jaar lang met de rekeningen zonder inkomen. Krijgen ze een koekje van eigen deeg.'
'Ik denk niet dat een ander transportbedrijf erin zou stappen. Ze verdelen het werk onder elkaar. Ze komen hier geen werk jatten.'
'Jullie zouden het kunnen proberen.'
Vincent gaf geen antwoord.
'Hoe dan ook,' zei Reacher. 'Het interesseert me niet echt wie er een bak maïs laat vervoeren, of hoe dat gaat, of wanneer, of indien. Of een zak bonen. Of een mud of een ton, of hoe jullie de bonen maar wegen. Zoek het zelf maar uit. Of niet. Jullie zaak. Ik ga naar Virginia.'
'Zo gemakkelijk is het niet,' zei Vincent. 'Niet hier. De mensen zijn al zo lang bang geweest dat ze zich niet eens meer kunnen herinneren hoe het is om niet bang te zijn.'
Reacher zei niets.
Vincent vroeg: 'Wat ga je doen?'
Reacher zei: 'Dat hangt van de Duncans af. Plan A is een lift zien te krijgen hiervandaan. Maar als ze oorlog willen, dan is plan B de oorlog winnen. Ik stort net zo lang football-spelers op hun oprit tot ze allemaal op zijn. Dan loop ik die oprit op en breng ik hun een bezoekje. Zij mogen kiezen.'
'Houd het maar bij plan A. Vertrek. Dat is mijn advies.'
'Houd jij het verkeer even tegen, dan vertrek ik misschien wel.'
'Ik heb nog iets van je nodig.'
'Zoals?'
'De sleutel van je kamer. Sorry.'
Reacher haalde de sleutel uit zijn zak en legde hem op de bar. Een groot koperen geval, gemerkt met het cijfer zes.
Vincent zei: 'Waar ga je nu vannacht slapen?'

'Het is beter als je dat niet weet,' zei Reacher. 'De Duncans zouden er eens naar kunnen vragen. En dan zou je het hun vertellen, toch?'
'Ik zou wel moeten,' zei Vincent.

Het gesprek viel stil. Reacher dronk zijn koffie op en liep de lobby uit naar buiten, terug naar de pick-up. De kabel van de lier had de balk met schijnwerpers op het dak verbogen, zodat het van voren leek of de auto een beetje scheel keek. Maar de sleutel paste in het contact en de motor startte. Reacher reed het parkeerterrein van het motel af. Bij twijfel linksaf, was zijn motto. Dus reed hij naar het zuiden, langzaam, zonder licht, gaf zijn ogen de kans te wennen aan het nachtelijke duister, en zocht naar een doel om naartoe te rijden.

13

De weg was een smal strak lint, met donkere, lege akkers links en donkere, lege akkers rechts. Er was net genoeg maanlicht en licht van de sterren om vormen te kunnen onderscheiden, maar er waren vrijwel geen vormen om te onderscheiden. Zo hier en daar stond een enkele boom, maar voor het grootste deel was het land tot aan de horizon omgeploegd. Toen zag Reacher ver weg naar het westen twee gebouwen opdoemen, het ene groot, het andere klein, maar beide helemaal alleen in het land. Zelfs vanaf een afstand en zelfs in het donker was te zien dat het beide oude, houten bouwsels waren. Ze waren niet langer helemaal rechthoekig, niet helemaal rechtop meer, alsof de aarde ze langzaam weer opzoog, centimeter na centimeter, een hoekje hier, een hoekje daar.
Reacher nam gas terug en draaide een pad op dat uit niet meer bestond dan twee diepe sporen van tractorbanden. Ertussenin lag een met gras begroeide richel. Het gras was stijf bevroren, hard als ijzerdraad. De pick-up schudde en bonkte en rammelde. Klei-

ne steentjes kwamen klem onder de banden en schoten weg. Het pad liep eerst rechtuit, maakte toen een haakse bocht, daarna nog een, en volgde het schaakbordpatroon van de akkers. De grond was keihard. Hij rakelde geen stof op. De twee oude bouwsels kamen dichterbij en werden groter. Het ene was een loods. Het andere was kleiner. Ze stonden ongeveer honderd meter van elkaar verwijderd. Misschien honderdtwintig. Om beide heen lag een strook onkruid dat nu in winterslaap verkeerde, zaad dat tegen de wanden van de bouwsels was gewaaid, was gevallen en ontkiemd. In de winter was het onkruid niet meer dan een hoop verwarde droge takken en takjes. In de zomer was het misschien wel een jungle van kleurige kruipers.

Reacher bekeek eerst de loods. Die stond alleen, met een rand verweerd asfalt eromheen. Hij was gebouwd met balken die er onverwoestbaar uitzagen, maar het geheel was verrot en scheefgezakt. Voor de ingang hing een schuifdeur die groot genoeg was om serieuze landbouwmachines doorgang te bieden. Maar door het scheefzakken van het bouwwerk was de deur klem komen te zitten. De rechterbenedenhoek was diep weggedrukt in de grond. Het ijzeren wiel daarboven was van zijn rail getild.

In de schuifdeur zat een klein deurtje. Een doodgewone deur. Hij was gesloten. Er waren geen ramen.

Reacher stapte weer in de pick-up en reed naar het kleinere schuurtje. Het had drie wanden en was open aan de kopse kant die uitzicht bood op de akker, weg van de grote loods. De tractorsporen liepen helemaal door naar binnen. Het schuurtje was bedoeld voor opslag van het een of ander. Of althans, dat was het ooit geweest, lang geleden. Het bouwsel was ongeveer twee keer zo lang en iets breder dan de pick-up.

Perfect.

Reacher reed naar binnen, helemaal, en stopte met de neus onder een soort entresol, een soort insteekzolder onder de nok van het dak. Hij zette de motor af en klom uit de cabine. Hij liep terug in de richting waar hij vandaan was gekomen, het schuurtje uit, en toen nog twintig meter verder. Hij draaide zich om en keek. De pick-up was absoluut niet meer te zien.

Hij glimlachte.

Hij dacht: tijd om naar bed te gaan.
Hij begon te lopen.

Hij liep door de tractorsporen. De grond onder zijn voeten was oneffen en hard en hij kwam langzamer vooruit dan het geval zou zijn geweest als hij over de met gras begroeide richel in het midden was gaan lopen, maar zelfs bevroren gras kan buigen en breken en Reacher gaf er altijd de voorkeur aan geen sporen na te laten. Hij kwam terug bij de weg en sloeg af naar het noorden en liep over de as van de weg waar de witte streep zou hebben gelopen als iemand ooit de moeite had genomen om die aan te brengen. Het was een stille, rustige nacht, de lucht was koud en de sterren schenen helder boven zijn hoofd. Er bewoog verder helemaal niets. In de verte was geen blauwe gloed zichtbaar. Het licht van het motel was voor de duur van de nacht uitgezet.
Hij liep de eerste vijf kilometer over de weg, snel, in minder dan een uur, en arriveerde bij het kruispunt met de weg uit het zuiden. Hij bleef honderd meter voor het kruispunt staan om de situatie in zich op te nemen. Links de lege betonplaat voor het winkelcentrum. Daarachter de verlaten resten van het tankstation. Rechts niets, en daarachter het motel, donker en stil, alleen vormen en schaduwen.
Geen geparkeerde auto's.
Geen geparkeerde pick-ups.
Niemand die een oogje in het zeil hield.
Geen hinderlaag.
Reacher liep door. Hij naderde het motel aan de achterkant, aan het einde van de kromme rij hutten, bij de kleinste hut. Alles was rustig. Hij meed het grind. Hij trippelde over de zilveren bielzen tot aan zijn badkamerraam. Het was nog steeds open. De hor lag nog steeds in de badkuip. Hij ging op de vensterbank zitten en boog zijn hoofd en zwaaide zijn benen omhoog en schoof naar binnen. Hij deed het raam dicht om de kou buiten te houden en keerde zich om en keek rond.
De handdoeken lagen waar hij ze had achtergelaten na het douchen. Vincent had de kamer nog niet opgeruimd. Reacher vermoedde dat dat een klus voor morgenvroeg was. Geen haast.

Niemand verwachtte een plotse run op accommodatie. Niet op het platteland van Nebraska, niet midden in de winter.
Reacher liep naar de motelkamer en trof daar eenzelfde beeld aan. Er was niets veranderd sinds zijn vertrek. Hij deed geen licht aan en liet de gordijnen open. Hij trok het dek van het bed rondom los en schoof eronder, met kleren en al, de schoenen nog aan. Het was niet de eerste keer dat hij zo zou gaan slapen. Soms was het handig om overal op voorbereid te zijn. Vandaar de schoenen, en het losgetrokken dek. Hij rolde op zijn linkerzij, rolde op zijn rechterzij, maakte het zich zo gemakkelijk mogelijk en was een minuut later in diepe slaap verzonken.

Hij werd vijf uur later wakker en ontdekte dat hij zich had vergist. Vincent draaide geen vijf diensten tegelijk. Niet meer dan vier. Hij had een werkster in dienst. Een huishoudster. Reacher werd wakker van haar voetstappen op het grind. Hij zag haar door het raam. Ze was op weg naar zijn deur, om zijn kamer op orde te brengen. Hij gooide het dek aan de kant en ging op de rand van het bed zitten, zijn voeten op de vloer, knipperend met zijn ogen. Zijn armen voelden een beetje beter aan. Of misschien waren ze alleen maar verdoofd door het slapen. Buiten hing mist in het koude grijze ochtendlicht, een bitterkoude winterochtend, net na het aanbreken van de dag.
Je ziet wat je verwacht te zien. De schoonmaakster ontgrendelde het slot met een loper en duwde de deur wijd open en stapte naar binnen in wat volgens haar een lege kamer was. Haar ogen gingen over Reacher en het bed en verder en het duurde minstens een volle seconde voor ze terugkeerden. Ze reageerde niet echt. Ze liet niet zien dat ze geweldig verrast was. Geen kreet van schrik, geen gil. Ze zag eruit als een stevige, stabiele vrouw. Ze was een jaar of zestig, misschien nog wel iets ouder, blank, plomp, onbehouwen, blond haar dat langzaam vervaagde tot geel en grijs. Heel wat Duitse genen, of Scandinavische.
'Neem me niet kwalijk,' zei ze. 'Maar meneer Vincent meende dat deze kamer vrij was.'
'Dat was de bedoeling,' zei Reacher. 'Dat was beter voor hem. Wat niet weet, wat niet deert.'

'Jij bent de man die hij op straat moest zetten van de Duncans,' zei ze. Het was geen vraag. Een constatering, de slotsom van uitgewisselde informatie via de telefoonpiramide.
'Ik ga vandaag verder,' zei Reacher. 'Ik wil hem geen problemen bezorgen.'
'Ik ben bang dat jij degene bent die in problemen gaat komen. Hoe was je van plan om verder te trekken?'
'Liftend. Ik begin aan de zuidkant van het kruispunt. Ik heb het eerder gedaan.'
'En dan stopt de eerste de beste auto die langskomt?'
'Misschien.'
'Hoe groot schat je je kansen in?'
'Klein.'
'De eerste de beste auto die langskomt, stopt niet. Omdat de eerste de beste auto waarschijnlijk de auto is van iemand die hier woont, en die pakt meteen de telefoon en vertelt de Duncans precies waar jij staat. We hebben onze instructies gekregen. De boodschap is doorgegeven. En dus zit de tweede auto die je te zien krijgt vol met mensen van de Duncans. En de derde. En de vierde. Je zit in de problemen, baas. Het land hier is vlak en het is winter. Je kunt je nergens verbergen.'

14

De schoonmaakster ging aan de slag in de kamer op een geregelde, vaststaande manier, voerde een vaste routine uit, en negeerde de bijzonderheid van een illegale gast die op de rand van het bed zat. Ze keek in de badkamer, als om in te schatten hoeveel werk haar daar wachtte en toen gaf ze de tonvormige leunstoel een zetje met haar heup om hem terug te zetten op de voorbestemde plaats die herkenbaar was aan putjes in de vloerbedekking.
Reacher vroeg: 'Heb je een mobiele telefoon?'
De vrouw zei: 'Zeker, en nog een paar belminuten ook.'

‘Ga je me verlinken?’
‘Wie verlinken? Dit is een lege kamer.’
Reacher vroeg: ‘Wat is er van hieruit naar het oosten?’
‘Niets waar jij iets aan hebt,’ zei de vrouw. ‘De weg wordt na een paar kilometer een grindweg en leidt eigenlijk naar niets.’
‘En het westen?’
‘Hetzelfde.’
‘Waar is een kruispunt goed voor met wegen naar het westen en het oosten die nergens naartoe gaan?’
‘Een of ander belachelijk plan,’ zei de vrouw. ‘Een jaar of vijftig geleden. Er zou hier een hele strook bebouwing komen, allemaal winkels, een kilometer lang, met huizen naar het westen en het oosten. Er zijn een paar boerderijen verkocht voor het land, maar dat is zo ongeveer het enige wat er is gebeurd. Zelfs het tankstation ging failliet, en dat is wel zo ongeveer de doodskus, denk je ook niet?’
‘Het motel is er nog steeds.’
‘Het is op sterven na dood. Het meeste van wat meneer Vincent verdient, komt van de whisky die hij door de keel van de dokter giet.’
‘En dat is niet gering, van wat ik gisteravond heb gezien.’
‘Een bar heeft meer dan één klant nodig.’
‘Hij betaalt jou.’
De vrouw knikte. ‘Meneer Vincent is een goed man. Hij helpt waar mogelijk. Ik ben eigenlijk boerin. Ik werk ’s winters hier omdat ik het geld nodig heb. Om de Duncans te betalen, vooral.’
‘Transportkosten?’
‘De mijne zijn hoger dan die van de meeste anderen.’
‘Waarom?’
‘Oude koek. Ik bleef me verzetten.’
‘Waartegen?’
‘Daar kan ik niets over zeggen,’ zei de vrouw. ‘Dat onderwerp is taboe. Het was het begin van alle kwaad. En bovendien had ik geen gelijk. Het was een valse aantijging.’
Reacher stond op. Hij liep naar de badkamer en waste zijn gezicht met koud water en poetste zijn tanden. Achter hem haalde

de vrouw geroutineerd het bed af, de lakens de ene kant op, de dekens de andere kant. Ze zei: 'Je bent op weg naar Virginia.'
Reacher zei: 'Weet je mijn verzekeringsnummer ook?'
'De dokter zei tegen zijn vrouw dat je ooit bij de militaire politie hebt gezeten.'
'Hebt gezeten, zo van: nu niet meer.'
'Wat doe je nu dan?'
'Honger lijden.'
'Hier krijg je geen ontbijt.'
'Waar dan wel?'
'Ongeveer een uur naar het zuiden is een diner. In de stad. Waar de agenten van de county police 's morgens koffiedrinken en donuts eten.'
'Fantastisch.'
De schoonmaakster stapte naar buiten en pakte schone lakens van een kar. Onderlaken, bovenlaken, kussensloop. Reacher vroeg: 'Hoeveel betaalt Vincent je?'
'Minimumloon,' zei ze. 'Meer kan hij zich niet veroorloven.'
'Ik zou je meer kunnen betalen als je een ontbijt voor me zou maken.'
'Waar?'
'Bij jou thuis.'
'Riskant.'
'Waarom? Kook je zo slecht?'
Ze glimlachte even. 'Geef je een goede fooi?'
'Als de koffie lekker is.'
'Ik gebruik de percolator van mijn moeder.'
'Zette zij lekkere koffie?'
'Heerlijk.'
'Dus we hebben een deal?'
'Ik weet het niet,' zei de vrouw.
'Ze zullen niet overal huiszoekingen doen. Ze verwachten me ergens in de buitenlucht te vinden.'
'En als ze je niet vinden?'
'Dan hoef je je nog nergens zorgen over te maken. Dan ben ik allang weg. Ik geniet net zo goed van een ontbijt als iedereen, maar het kost me geen uren om het achter de kiezen te krijgen.'

De vrouw stond even na te denken, een witte kussensloop plat tegen haar borst geklemd, als een signaal, of een vlag, of als verdediging. Toen zei ze: 'Oké.'

Zevenhonderdvijfentwintig kilometer meer naar het noorden werd het vanwege de hogere noorderbreedte iets later licht. De grijze vrachtwagen stond dwars over het zandpad, verborgen, doodstil, onder een laag rijp in de kou. De chauffeur werd in het donker wakker en klom naar buiten en plaste tegen een boom. Toen dronk hij een beetje water, at een reep, kroop weer in zijn slaapzak en keek toe hoe het bleke ochtendlicht langzaam tussen de naalden door sijpelde. Hij wist dat hij daar op zijn minst nog het grootste deel van de dag zou staan wachten, en als het tegenzat, twee dagen, of drie of vier. Maar dan zou zijn deel arriveren, van het geld en het plezier, en beide waren de moeite van het wachten waard.
Hij was van nature een geduldig man.
En gezagsgetrouw.

Reacher stond stil in het midden van de kamer en de schoonmaakster rondde rondom hem haar werk af. Ze maakte het bed zo strak op dat je er een dubbeltje op kon laten stuiteren, ze verving de handdoeken, zette een nieuw miniflesje shampoo op het planchet, legde er een nieuw in papier gewikkeld stuk zeep neer en vouwde een pijlpunt aan het uiteinde van de rol toiletpapier. Toen haalde ze haar pick-up, een gedeukte oude wagen, heel eenvoudig, verroest, met kale banden en een doorzakkende vering. Ze reed om de vernielde Subaru heen en parkeerde met het passagiersportier naast de deur van de hut. Ze inspecteerde voor en achter, lang en intens, en aarzelde. Reacher zag dat ze het liefste de hele zaak zou vergeten en er als een speer vandoor zou gaan zonder hem. Het was op haar gezicht te lezen. Maar ze deed het niet. Ze leunde over de breedte van de cabine en deed het portier open en wapperde met haar hand. *Schiet op.*
Reacher stapte de cabine uit en in de pick-up. De vrouw zei: 'Als we iemand tegenkomen, duik je omlaag uit zicht, oké?'
Reacher stemde in, al zou het moeilijk worden. Het was een klei-

ne pick-up. Een Chevrolet, vuil en stoffig in de cabine, een al versleten plastic en vinyl, een dashboard waartegen hij zijn knieën stootte en een achterruit die uitzicht bood op de laadbak, pal achter de rugleuning van de bank waar hij op zat.

'Heb je een zak?' vroeg hij.

'Waarvoor?'

'Die zou ik over mijn hoofd kunnen trekken.'

'Dit is niet grappig,' zei ze. Ze reed weg. Het kostte de oude, versleten versnellingsbak een volle seconde om de opdrachten van haar voet te verwerken. Er rammelde iets onder de motorkap en een uitlaat met gaten knalde als een motorfiets. Ze reed linksaf het parkeerterrein af, het kruispunt over en naar het zuiden. Er was geen ander verkeer. Bij daglicht zag al het land rondom er vlak en eentonig en overweldigend uitgestrekt uit. Het was overal berijpt. De lucht was hoog en leeg. Na vijf minuten kreeg Reacher de beide gebouwen in het westen in het oog, de inzakkende loods en het kleinere schuurtje met de buitgemaakte pickup erin. Nog weer drie minuten later reden ze langs de drie huizen van de Duncans, eenzaam bij elkaar aan het einde van de gemeenschappelijke oprit. De vrouw klemde met beide handen het stuur vast en Reacher zag dat ze haar middelvingers over haar wijsvingers gekruist hield. De pick-up ratelde verder en ze keek meer in de achteruitkijkspiegel dan op de weg voor zich en pas anderhalve kilometer verderop ademde ze uit en ontspande ze.

Reacher zei: 'Het zijn gewoon mensen. Drie oude kerels en een mager jochie. Het zijn geen tovenaars.'

'Ze zijn slecht,' zei de vrouw.

Ze zaten in de keuken bij Jonas Duncan, aten hun ontbijt en wachtten af, wachtten tot het moment zou komen dat Jacob ermee voor de draad kwam. Hij zou iets gaan zeggen. Ze kenden allemaal de tekens. Zo vaak al had Jacob in zichzelf gekeerd, afwezig en peinzend in zijn stoel gezeten en uiteindelijk een goudgerande opmerking gemaakt, of een analyse gegeven die de zaak tot in de kern blootlegde, of een voorstel gedaan waarmee ze twee vliegen in één klap konden slaan. Dus wachtten ze, Jasper en Jonas in alle rust genietend van hun ontbijt, Seth worstelend, om-

dat kauwen pijn deed. Vanonder het aluminium masker begon zijn gezwollen gezicht te verkleuren. Hij was wakker geworden met twee blauwe ogen met het formaat en de kleur van rotte peren.
Na verloop van tijd legde Jacob mes en vork neer. Hij veegde met zijn manchet langs zijn lippen. Hij vouwde zijn handen voor zich. Hij zei: 'We moeten onszelf iets afvragen.'
Jonas was de gastheer. Dus had hij het recht als eerste te reageren.
'Wat voor iets?' zei hij.
'We moeten overwegen of het de moeite waard is een beetje waardigheid en zelfrespect in te ruilen voor een goede afloop.'
'Op wat voor manier?'
'We worden geprovoceerd en bedreigd. De provocatie gaat uit van de vreemdeling in het motel die om zich heen begint te slaan en zich bemoeit met zaken die hem niet aangaan. De dreiging gaat uit van onze vriend in het zuiden die ongeduldig wordt. Het eerste moet worden afgestraft en het tweede had nooit mogen gebeuren. Er had nooit een deadline afgesproken mogen worden. Maar het is wel gebeurd, dus moeten we er een mouw aan passen, zonder te oordelen. Zonder twijfel heeft Seth gedaan wat hij voor ons allemaal het beste achtte.'
Jonas vroeg: 'Hoe passen we er een mouw aan?'
'Laten we eerst eens over die andere zaak nadenken. De vreemdeling in het motel.'
Seth zei: 'Ik wil hem pijnigen.'
'Dat willen we allemaal, jongen. En dat hebben we geprobeerd, toch? Het werkte alleen niet helemaal.'
'Hè, zijn we nu bang voor hem?'
'Een beetje wel, jongen. We zijn drie man kwijtgeraakt. We zouden wel stommelingen zijn als we ons daar niet een heel klein beetje zorgen over maakten. En stommelingen zijn we niet, toch? Dat zullen ze nooit van een Duncan kunnen zeggen. Daarom mijn vraag over zelfrespect.'
'Wil je hem laten lopen?'
'Nee, ik wil onze vriend in het zuiden vertellen dat onze vreemdeling het probleem is. Dat hij om de een of andere reden voor

de vertraging zorgt. Dan wijzen we onze vriend erop dat hij al twee van zijn jongens hier heeft, en dat hij, als hij een beetje schot in het transport wil, die twee jongens misschien wel zou kunnen afsturen op de vreemdeling. Dat is winst voor iedereen, toch? Op drie manieren. Om te beginnen vallen die twee jongens Seth niet meer lastig, in de tweede plaats wordt die vreemdeling gepijnigd of vermoord, en in de derde plaats gaat de angel er bij onze vriend in het zuiden een beetje uit, omdat hij gaat inzien dat de vertraging helemaal niet onze schuld is. Hij gaat inzien dat we als het ware op de proef worden gesteld door krachten van buitenaf, op een manier die hij vast wel begrijpt, omdat ik me niet kan voorstellen dat hij niet ook zo nu en dan op een vergelijkbare manier op de proef wordt gesteld. Met andere woorden, we maken gemene zaak.'

Het bleef even stil.

Toen zei Jasper Duncan: 'Ik vind dat het goed klinkt.'

Jacob Duncan zei: 'Dat vind ik ook. Anders zou ik het niet voorstellen. De enige schaduwkant aan het verhaal is dat het een lichte deuk oplevert in ons zelfrespect en onze waardigheid, in die zin dat we het niet zelf meer in de hand houden om de man die zich tegen ons heeft verzet ter verantwoording te roepen, en dat we onze vriend in het zuiden moeten bekennen dat er in deze wereld problemen bestaan die wij niet zelf kunnen oplossen.'

'Dat is geen schande,' zei Jonas. 'Dit is een heel complexe situatie.'

Seth vroeg: 'Denk je dat die jongens van hem beter zijn dan die van ons?'

'Natuurlijk, jongen,' zei Jacob. 'Ook al zijn onze jongens nog zo goed, die van hem spelen een niveautje hoger. Dat kun je niet vergelijken. En dat moeten we niet vergeten. Onze vriend in het zuiden moet wel onze vriend blijven, want hij zou een heel vervelende vijand zijn.'

'Maar veronderstel dat die vertraging blijft?' zei Jasper. 'Veronderstel dat er niets verandert? Veronderstel dat ze die vreemdeling vandaag te grazen nemen en dat het nog steeds een week duurt voordat we kunnen leveren? Dan weet onze vriend in het zuiden dat we tegen hem hebben gelogen.'

'Ik denk niet dat ze die vreemdeling in één dag te grazen zullen nemen,' zei Jacob.
'Waarom niet?'
'Omdat hij heel bekwaam lijkt. Alles wijst voorlopig die kant op. Misschien hebben ze wel een paar dagen nodig, en in die tijd is de vracht misschien wel onderweg. En zelfs als dat niet zo is, kunnen we zeggen dat het verstandig was om de vracht nog even binnen de grens te houden tot de zaak was opgelost. Onze vriend zou dat kunnen geloven. Of niet, natuurlijk.'
'Het is dus een gok.'
'Inderdaad. Maar het is waarschijnlijk het beste wat we kunnen doen. Doen of niet doen?'
'We zouden hem hulp moeten bieden,' zei Jasper. 'En informatie. We zouden de medewerking van het volk moeten eisen.'
Jacob zei: 'Natuurlijk. Dat zal onze vriend ook verwachten. We zullen instructies geven en sancties bekendmaken.'
'En onze jongens moeten ook op pad. Ogen en oren wijd open. We moeten het gevoel hebben dat we een bijdrage leveren.'
'Vanzelfsprekend,' zei Jacob. 'Dus, doen of niet doen?'
Het bleef lange tijd stil. Toen zei Jasper: 'Doen.'
'Doen,' zei Jonas.
Jacob Duncan knikte en spreidde zijn handen.
'Dat is dan een meerderheid,' zei hij. 'En daar ben ik heel blij mee, want ik heb de vrijheid genomen om onze vriend in het zuiden twee uur geleden te bellen. Onze jongens en die van hem zijn al op jacht.'
'Ik wil erbij zijn,' zei Seth. 'Als ze de vreemdeling te grazen nemen.'

15

Reacher verwachtte half en half iets te zien te krijgen dat in elkaar geflanst was van plaggen en verrotte planken, als op een foto met een hut uit de Dust Bowl, maar de vrouw reed hem over

een lange grindweg naar een keurig woonhuis van twee verdiepingen dat in zijn eentje op landerijen van misschien wel vierhonderd hectare stond. De vrouw parkeerde achter het huis, naast een rij oude schuren en schuurtjes. Reacher hoorde kippen in een ren en hij rook varkens in een stal. En aarde, en lucht, en weer. Het platteland, in al zijn winterse glorie. De vrouw zei: 'Ik wil niet onbeschoft lijken, maar hoe ben je van plan me te betalen?'
Reacher glimlachte: 'Probeer je te bedenken hoeveel je me zult voorzetten?'
'Zoiets.'
'Mijn gemiddelde ontbijt ten westen van de Mississippi is ongeveer vijftien dollar plus fooi.'
De vrouw keek verrast. En tevreden.
'Dat is veel geld,' zei ze. 'Dat is twee uur loon. Dat is zoiets als een negendaagse werkweek.'
'Maar niet allemaal winst,' zei Reacher. 'Ik heb honger, denk erom.'
Ze nam hem mee naar binnen door een achterdeur naar een halletje. Het huis zag eruit zoals het huis van Seth Duncan er misschien had uitgezien voordat het met veel geld gerenoveerd werd. Lage plafonds, kleine ruitjes van golvend glas in de vensters, oneffen vloeren, alles uit een vorige eeuw en antiek en verouderd op elke denkbare manier, maar schoon en opgeruimd en goed onderhouden, minstens honderd jaar lang. De keuken was smetteloos. Het fornuis was nog niet aan.
'Heb jij al gegeten?' vroeg Reacher.
'Ik eet niet,' zei de vrouw. 'In ieder geval geen ontbijt.'
'Op dieet.'
De vrouw gaf geen antwoord en Reacher voelde zich meteen een onbehouwen lomperik.
'Ik betaal,' zei hij. 'Dertig dollar. We maken er een feestje van.'
'Ik wil geen liefdadigheid.'
'Dit is geen liefdadigheid. Ik doe jou gewoon een plezier terug. Je hebt je nek uitgestoken door me mee te nemen hiernaartoe.'
'Ik probeer alleen maar een beetje beschaafd te blijven.'
'Ik ook,' zei Reacher. 'Graag of niet.'
Ze zei: 'Graag.'

Hij zei: 'Hoe heet je? Meestal weet ik op z'n minst een naam als ik met een dame ontbijt.'
'Ik heet Dorothy.'
'Aangenaam kennis te maken, Dorothy. Getrouwd?'
'Geweest. Maar nu niet.'
'Weet je hoe ik heet?'
'Jij heet Jack Reacher. We zijn allemaal op de hoogte gebracht. De boodschap gaat rond.'
'Ik heb het de vrouw van de dokter verteld.'
'En zij heeft het de Duncans verteld. Dat moet je haar niet kwalijk nemen. Dat gaat automatisch. Ze probeert haar schulden af te lossen, net als wij allemaal.'
'Wat is zij hun schuldig?'
'Ze koos mijn kant vijfentwintig jaar geleden.'

Roberto Cassano en Angelo Mancini reden naar het noorden in een gehuurde Impala. Ze hadden hun basis in een Courtyard Marriott, het enige hotel in de hoofdstad van de county, die uit niet meer bestond dan een netwerk van een paar elkaar voor de vorm haaks kruisende straten omringd door ogenschijnlijk wel een miljoen vierkante kilometers met volstrekt niets. Ze hadden geleerd om de benzinemeter in de gaten te houden. Zo'n soort staat was Nebraska. Je gooide je tank vol bij elk tankstation dat je passeerde. Het volgende tankstation kon wel duizend kilometer verderop zijn.
Ze kwamen uit Vegas, wat zoals altijd betekende dat ze eigenlijk ergens anders vandaan kwamen. New York in het geval van Cassano, en Philadelphia in het geval van Mancini. Ze hadden daar een harde leerschool doorlopen en waren toen samen ingehuurd in Miami, als neoprofs in de onderbond, en waren vervolgens gepromoveerd naar het ware werk in de woestijn in Nevada.
Toeristen wordt verteld dat alles wat in Vegas gebeurt ook in Vegas blijft, maar wat Cassano en Mancini betreft was dat niet waar. Zij waren altijd onderweg, het was hun opdracht rond te zwerven en iets te regelen voordat zelfs de eerste tekenen van iets wat een probleem zou kunnen worden zichtbaar werden, lang voordat het op Vegas afkwam en hun baas kon bereiken.

Vandaar deze trip naar het uitgestrekte kale akkerland, bijna dertienhonderd kilometer ten noordoosten van de schittering en schone schijn. Er zat een slechte schakel in de voorraadketen en het hoefde nog maar een dag of wat te duren of de hele boel zou uitgroeien tot een uiterst vervelende zaak. Hun baas had een bepaalde vracht beloofd aan bcpaalde mensen, en hij zou er absoluut niet beter van worden als hij niet kon leveren. Dus waren Cassano en Mancini nu zo onderhand tweeënzeventig uur op locatie en hadden ze de vrouw van een boerenkinkel wat heen en weer gemept, gewoon om het een en ander duidelijk te maken. Toen had een van de andere boerenkinkels gebeld met de bewering dat het probleem werd veroorzaakt door een vreemdeling die zijn neus in zaken stak die niet de zijne waren. Gelul waarschijnlijk. Had er waarschijnlijk helemaal niets mee te maken. Gewoon een excuus. Maar Cassano en Mancini waren er maar honderd kilometer vandaan en dus stuurde hun baas hen ernaartoe om te helpen, want als de bewering van die boerenkinkel inderdaad een leugen was, dan duidde dat op kwetsbaarheid, en dan betekende een klein beetje hulp nu een betere deal in de toekomst. Een voor de hand liggende actie. Per slot van rekening was dit wel Amerika en moest je zakendoen. Afdingen op de inkoopsprijs, daar ging het om. Vraag maar aan Wal-Mart.

Ze kwamen aanrijden over het klote tweebaansweggetje, staken het klote kruispunt over en reden het parkeerterrein bij het motel op. Dat hadden ze eerder gezien. 's Nachts leek het wel oké. Overdag een stuk minder. In het daglicht zag het er droevig en opgelapt en een beetje fout uit. Ze zagen een zwaar beschadigde Subaru bij een van de hutten staan. Hij was volledig in elkaar geramd. Verder viel er niets te zien. Ze parkeerden op het terrein bij de lobby, stapten uit de huurauto en rekten zich uit. Twee jongens uit de grote stad, gapend en onbeschut in de eeuwige schurende wind. Cassano had een doorsneelengte, was donker, gespierd, en had lege ogen. Mancini verschilde niet veel van hem. Beiden droegen een goed paar schoenen, een donker kostuum, een gekleurd overhemd, geen stropdas en een wollen winterjas. De een werd vaak voor de ander versleten.

Ze gingen naar binnen, op zoek naar de eigenaar van het motel. Die vonden ze meteen, achter de bar, waar hij met een lap een aantal kleverige ringen van het hout aan het poetsen was. Een klungel, een loser, met rood geverfd haar.
Cassano zei: 'Wij vertegenwoordigen de familie Duncan.' Er was hem verteld dat dat onmiddellijk resultaat zou opleveren. Dat was ook zo. De man met het haar liet de lap vallen, stapte achteruit, ging bijkans in de houding staan en het scheelde niet veel of hij had gesalueerd, alsof hij in het leger zat, alsof een officier zojuist tegen hem had staan schreeuwen.
Cassano zei: 'Je hebt hier de afgelopen nacht iemand onderdak geboden.'
De man met het haar zei: 'Nee meneer, dat is niet zo. Ik heb hem op straat gezet.'
Mancini zei: 'Het is koud.'
De man achter de bar zei niets, kon het niet volgen.
Cassano zei: 'Als hij hier niet heeft geslapen, waar heeft hij dan wel geslapen? Je heb geen concurrenten. En hij heeft niet buiten onder een heg geslapen. In de eerste plaats omdat er hier in Nebraska geen heggen lijken te zijn en in de tweede plaats omdat hij dan doodgevroren zou zijn.'
'Ik weet niet waar hij heen gegaan is.'
'Zeker weten?'
'Hij wilde het niet zeggen.'
'Zijn er hier ook vriendelijke burgers die een vreemdeling onderdak zouden bieden?'
'Niet als de Duncans hebben gezegd het niet te doen.'
'Dan moet hij toch hier hebben geslapen.'
'Meneer, ik heb u verteld dat dat niet is gebeurd.'
'Heb je zijn kamer gecontroleerd?'
'Hij heeft me de sleutel teruggeven voordat hij wegging.'
'Er zijn meerdere manieren om een kamer binnen te komen, klootzak. Heb je dat gecontroleerd?'
'De schoonmaakster is er al geweest.'
'Heeft zij iets gezegd?'
'Nee.'
'Waar is ze?'

'Ze was klaar. Ze is vertrokken. Naar huis.'
'Hoe heet ze?'
'Dorothy.'
Mancini zei: 'Vertel eens waar Dorothy woont.'

16

Dorothy interpreteerde een ontbijt van vijftien dollar als een compleet festijn. Om te beginnen koffie, terwijl de rest werd klaargemaakt: havermout en bacon en eieren en geroosterd brood, grote porties, een heleboel van alles, van alle soorten denkbaar eten, en alles dampend heet, op dikke porseleinen borden die minstens vijftig jaar oud moesten zijn, met oud zilveren bestek met zware vierkante heften.
'Fantastisch,' zei Reacher. 'Heel erg bedankt.'
'Graag gedaan. En bedankt voor mijn ontbijt.'
'Het deugt niet, weet je. Dat mensen hun ontbijt overslaan vanwege de Duncans.'
'Mensen doen van alles en nog wat vanwege de Duncans.'
'Ik zou het wel weten.'
Ze glimlachte. 'Zo praatten we allemaal, ooit, lang geleden. Maar ze hielden ons arm en moe, en toen werden we oud.'
'Wat doen jongen mensen hier?'
'Ze vertrekken, zodra ze de kans krijgen. De avontuurlijkste gaan overal naartoe. Het is een groot land. De rest blijft dichter bij huis, in Lincoln of Omaha.'
'En wat doen ze dan?'
'Daar is werk. Sommige jongens gaan bij de State Police. Dat is altijd populair geweest.'
'Iemand zou die jongens moeten bellen.'
Ze gaf geen antwoord.
Hij vroeg: 'Wat is er vijfentwintig jaar geleden gebeurd?'
'Daar kan ik niet over praten.'
'Wel met mij. Dat komt niemand te weten. Als ik de Duncans

ooit tegenkom, gaan we het over vandaag de dag hebben, niet over het stenen tijdperk.'
'Ik had me bovendien vergist.'
'Waarin?'
Ze gaf geen antwoord.
Hij vroeg: 'Was jij de buurvrouw die ruzie had?'
Ze gaf geen antwoord.
Hij vroeg: 'Zal ik je helpen opruimen?'
Ze schudde haar hoofd. 'In een restaurant was je ook niet af, wel?'
'Tot nu toe niet.'
'Waar was jij vijfentwintig jaar geleden?'
'Dat kan ik me niet herinneren,' zei hij. 'Ergens op de wereld.'
'Zat je toen in het leger?'
'Waarschijnlijk.'
'Ze zeggen dat je gisteren drie Cornhuskers in elkaar hebt geslagen.'
'Niet allemaal tegelijk,' zei hij.
'Wil je nog meer koffie?'
'Zeker,' zei hij. Ze vulde de percolator en zette hem weer op het vuur. Hij vroeg: 'Hoeveel boeren hebben een contract met de Duncans?'
'Allemaal,' zei ze. 'Deze hele hoek van de county. Veertig boerderijen.'
'Dat is een heleboel maïs.'
'En sojabonen en alfalfa. Het is wisselteelt.'
'Heb jij een deel van de boerderij van de Duncans gekocht?'
'Vijftig hectare. Een mooi stuk. Het maakte mijn grond mooi compleet. Het was verstandig.'
'Hoe lang geleden is dat?'
'Ik schat iets van dertig jaar.'
'Dus de eerste vijf jaren ging alles goed?'
'Ik vertel je niet wat er is gebeurd.'
'Volgens mij moet je dat wel doen,' zei hij. 'Volgens mij wil je dat ook.'
'Waarom wil je het weten?'
'Zoals je zei, ze hebben drie football-spelers achter me aan gestuurd. Ik wil op zijn minst weten waarom.'

‘Omdat je Seth Duncan zijn neus hebt gebroken.’
‘Ik heb heel wat neuzen gebroken. Er heeft nog nooit iemand geprobeerd wraak te nemen via gepensioneerde sportlui.’
Ze schonk de koffie in. Ze zette zijn beker voor hem. Door het fornuis was het warm in de keuken. Het voelde alsof het de hele dag warm zou blijven. Ze zei: ‘Vijfentwintig jaar geleden was Seth Duncan acht jaar oud.’
‘En?’
‘Dit hoekje van de county was min of meer een gemeenschap. We woonden allemaal verspreid en geïsoleerd, maar het gebied was min of meer afgebakend door de schoolbus. Iedereen kende iedereen. Kinderen speelden samen, in grote groepen, de ene keer hier en dan weer ergens anders.’
‘En?’
‘Niemand vond het leuk om met Seth Duncan te spelen. Vooral de meisjes niet. En Seth speelde veel met meisjes. Meer dan met jongens.’
‘Waarom vonden ze het niet leuk?’
‘Niemand zei het hardop. Zo’n gemeenschap, in die tijd, daar werden zulke dingen niet gezegd. Maar er was iets onplezierigs gaande. Of bijna gaande. Of het hing in de lucht. Mijn dochter was toen ook acht jaar oud. Even oud als Seth. Bijna op dezelfde dag jarig zelfs. Ze wilde daar niet spelen. Daar was ze heel duidelijk in.’
‘Wat was er aan de hand?’
‘Dat zei ik, niemand zei het hardop.’
‘Maar je wist het,’ zei Reacher. ‘Toch? Je had een dochter. Misschien kon je niets bewijzen, maar je wist het.’
‘Heb jij kinderen?’
‘Niet dat ik weet. Maar ik ben een soort politieman geweest dertien jaar lang. En ik ben mijn hele leven lang al een mens. Soms weten mensen gewoon dingen.’
De vrouw knikte. Zestig jaar oud, plomp en onbehouwen, een blozend gezicht van de warmte en het eten. Ze zei: ‘Ik denk dat ze het tegenwoordig ongewenste intimiteiten zouden noemen.’
‘Door Seth?’
Ze knikte opnieuw. ‘En zijn vader. En zijn beide ooms.’

'Dat is afgrijselijk.'
'Dat was het ook.'
'Wat heb je gedaan?'
'Mijn dochter is er nooit meer naartoe gegaan.'
'Heb je met mensen gepraat?'
'Eerst niet,' zei ze. 'Toen kwam het ineens in de openbaarheid. Iedereen praatte met iedereen. Geen enkel meisje wilde er nog naartoe.'
'Is er iemand met Seths moeder gaan praten?'
'Seth had geen moeder.'
Reacher zei: 'Hoezo? Was zij vertrokken?'
'Nee.'
'Was ze overleden?'
'Ze heeft nooit bestaan.'
'Dat moet.'
'Biologisch misschien. Maar Jacob Duncan is nooit getrouwd geweest. Niemand heeft hem ooit met een vrouw gezien. Niemand heeft ooit een vrouw met een van die Duncans gezien. Hun eigen moeder was al jaren daarvoor overleden. Je had alleen maar de oude Duncan en zijn drie zoons. En daarna alleen die drie. En toen bracht Jacob Duncan ineens een klein jongetje naar school.'
'Heeft niemand gevraagd waar het kind vandaan kwam?'
'Er werd wel over gepraat, maar niemand vroeg iets. Te beleefd. Te geremd. Ik denk dat we allemaal dachten dat Seth familie was. Een wees, of zo.'
'En wat gebeurde er toen? Jullie zorgden er allemaal voor dat je kinderen daar niet meer gingen spelen, en dat heeft het probleem veroorzaakt?'
'Zo is het begonnen. Er werd veel gepraat en geroddeld. De Duncans stonden er helemaal alleen voor in hun kampement. Ze werden gemeden. Dat zette kwaad bloed.'
'En dus namen ze wraak?'
'Eerst niet.'
'Wanneer dan wel?'
'Toen er een klein meisje zoekraakte.'

Roberto Cassano en Angelo Mancini stapten weer in hun gehuurde Impala en brachten de motor tot leven. De auto had een los navigatiesysteem, een paar dollar per dag extra, maar dat was waardeloos. Op het schermpje verschenen niet meer dan een paar dunne rode lijntjes, een paar krabbels op een schetsblok. Geen enkele van de wegen had een naam. Nummers, en anders helemaal niets. Het grootste deel van het kaartje was leeg. Bovendien was het onnauwkeurig of incompleet. De zijwegen naar het oosten en het westen stonden er niet eens op. Om eerlijk te zijn dus net als Vegas. Vegas groeide zo snel dat er geen gps-bedrijf was dat de ontwikkelingen kon bijhouden. Cassano en Mancini waren dan ook gewend om op de ouderwetse manier te navigeren, dat wil zeggen via instructies op een papiertje, afkomstig van een bron die maar al te graag precies de juiste aanwijzingen gaf om te voorkomen dat er een zwaarder pak slaag zou volgen na de aanvankelijke aanmoedigingen mee te werken. De man van het motel was na de eerste twee klappen meer dan gemiddeld geneigd om mee te werken. Hij probeerde niet heldhaftig te zijn. Dat was duidelijk.
'Links van het parkeerterrein af,' las Mancini hardop voor.
Cassano reed linksaf van het parkeerterrein.

Dorothy de schoonmaakster zette een derde pot koffie. Ze spoelde de percolator om, vulde hem opnieuw en zette hem op het vuur. Ze zei: 'Seth Duncan kreeg het moeilijk op school. Hij werd gepest. Jongetjes van acht jaar oud kunnen heel erg wreed zijn. Ik denk dat ze vonden dat ze het recht hadden om hem het leven zuur te maken vanwege het gefluister thuis. En van de meisjes nam niemand het voor hem op. Ze wilden niet bij hem thuis spelen en ze wilden zelfs niet met hem praten. Zo zijn kinderen. Zo ging het. Behalve één meisje. Haar ouders hadden haar bijgebracht dat je fatsoenlijk en meelevend moest zijn. Ze wilde niet bij hem thuis spelen, maar ze praatte nog wel met hem. Tot op een dag dat meisje gewoon verdween.'
Reacher zei: 'En toen?'
'Het is verschrikkelijk als zoiets gebeurt. Je hebt er geen idee van. In het begin heerst er een soort waanzinnige chaos, als iedereen

kwaad is en bezorgd, maar nog niet aan het ergste durft te denken. Weet je, een paar uur, drie uur of vier uur, denk je dat ze ergens aan het spelen is, dat ze misschien bloemen aan het plukken is, dat ze de tijd vergeten is, dat ze zo weer thuiskomt, natuurlijk. Toen had nog niemand een mobiele telefoon. Sommige mensen hadden zelfs nog geen gewone telefoon. Dan ga je denken dat het meisje verdwaald moet zijn, en dan begint iedereen rond te rijden, op zoek naar haar. Dan wordt het donker en dan bel je de politie.'

Reacher vroeg: 'Wat deed de politie?'

'Alles wat ze maar konden doen. Ze hebben hun best gedaan. Ze gingen langs alle huizen, ze hadden zaklantaarns, ze hadden megafoons om iedereen op te roepen in schuren en bijgebouwen te zoeken. Ze reden de hele nacht rond en toen het licht werd zetten ze honden in en belden ze de State Police, en de State Police belde de National Guard en die kwamen met een helikopter.'

'Niets?'

De vrouw knikte.

'Niets,' zei ze. 'En toen heb ik het verteld van de Duncans.'

'Echt?'

'Iemand moest het doen. Zodra ik het had verteld, kwamen anderen ook met hun angst voor de dag. We wezen allemaal met onze vinger. De State Police nam het heel serieus. Ik denk dat ze zich het niet konden permitteren om het niet serieus te nemen. Ze namen de Duncans mee naar een bureau in de buurt van Lincoln en daar hebben ze hen dagenlang ondervraagd. Ze hebben hun huizen doorzocht. Ze kregen assistentie van de FBI. Er kwamen allerlei mensen van laboratoria.'

'Hebben ze iets gevonden?'

'Geen enkel spoor.'

'Helemaal niets?'

'Elke test was negatief. Ze zeiden dat het kind daar niet was geweest.'

'Wat gebeurde er toen?'

'Niets. Het stierf allemaal weg. De Duncans kwamen weer thuis. Niemand heeft het kleine meisje ooit nog gezien. De zaak is nooit opgelost. De Duncans waren verbitterd. Ik moest mijn excuses aanbieden, omdat ik namen had genoemd, maar dat wilde ik niet. Ik kon het niet opgeven. Mijn man evenmin. Sommige mensen kozen onze kant, zoals de vrouw van de dokter. Maar de meesten niet, niet echt. Ze hadden door uit welke hoek de wind waaide. De Duncans trokken zich terug. Ze begonnen ons te straffen. Uit wraak. Dat jaar haalden ze onze oogst niet op. We zijn het allemaal kwijtgeraakt. Mijn man heeft een eind aan zijn leven gemaakt. Hij ging in die stoel zitten waar jij nu zit en zette zijn geweer onder zijn kin.'

'Dat is erg.'

De vrouw zei niets.

Reacher vroeg: 'Wie was dat meisje?'

Geen antwoord.

'Jouw dochter?'

'Ja,' zei de vrouw. 'Het was mijn dochter. Ze was acht jaar oud. Ze zal altijd acht jaar oud blijven.'

Ze begon te huilen. Toen begon de telefoon te rinkelen.

17

De telefoon was een bonkige oude Nokia. Hij lag op het aanrecht. Hij hupte en zoemde en produceerde het Nokia-wijsje dat Reacher al honderden keren eerder had gehoord, in kroegen, in bussen, op straat. Dorothy graaide de telefoon van het aanrecht en nam het gesprek aan. Ze zei hallo en luisterde, naar iets wat overkwam als een snel, onduidelijk bericht, misschien een waarschuwing, en toen verbrak ze de verbinding en liet ze de telefoon vallen alsof die gloeiend heet was.

'Dat was meneer Vincent,' zei ze. 'In het motel.'

Reacher zei: 'En?'

'Er zijn twee mannen geweest. Ze komen hiernaartoe. Nu.'

'Wie zijn het?'

'Dat weten we niet. Mannen die we nooit eerder hebben gezien.'

Ze deed de keukendeur open en tuurde door de gang naar het

voorhuis. Het bleef even stil, toen hoorde Reacher veraf het suizen van banden op asfalt, het kreunen van de motor van een auto die vaart minderde, het geluid van remmen, en daarna het knarsen van een wiel op grind, nog een wiel, en nog twee, van een auto die de oprit op draaide.
'De vrouw zei: 'Weg, alsjeblieft. Ze mogen niet zien dat je hier bent.'
'We weten niet wie het zijn.'
'Het zijn mensen van de Duncans. Wie anders? Ze mogen je hier niet zien. Dat kost me mijn leven.'
Reacher zei: 'Ik kan hier niet weg. Ze zijn al op de oprit.'
'Verberg je maar achter. Alsjeblieft. Ik smeek je. Ze mogen je hier niet vinden. Ik meen het.'
Ze liep de gang in, klaar om hen bij de voordeur aan te spreken. Ze waren dichtbij en kwamen snel nog dichterbij. Het grind maakte veel lawaai. Ze zei: 'Misschien gaan ze zoeken. Als ze je vinden moet je zeggen dat je stiekem het erf op bent gekomen. Over de akkers. Alsjeblieft. Vertel ze dat ik nergens van weet. Zorg dat ze je geloven. Vertel ze dat je niets met mij te maken hebt.' Toen deed ze de deur dicht en was ze verdwenen.

Angelo Mancini vouwde het papier met de handgeschreven instructies op en stopte het in zijn zak. Ze reden over een hobbelig godvergeten strontweggetje naar een of ander treurig aftands strontboerderijtje dat in een museum thuishoorde of in een geschiedenisboek. Op het scherm van het navigatieapparaat was helemaal niets te zien. Alleen witte leegte. Roberto Cassano zat aan het stuur en miste geen kuil. Wat kon het hem schelen? Die banden waren van Hertz, niet van hem. Voor hen ging de voordeur open, een oude vrouw stapte op de stoep. Ze hield de deurpost vast, alsof ze om zou vallen als ze die losliet.
Mancini zei: 'Dat is een vrouw met een slecht geweten, daarzo. Reken er maar op.'
'Zo ziet ze er wel uit,' zei Cassano.

Reacher bekeek het erf achter het huis. Een meter of twintig naar de geparkeerde pick-up, en dan nog eens twintig naar de rij schuren en schuurtjes en kippenrennen en varkensstallen. Hij deed zacht de deur open. Hij keerde zich om en keek via de deur van de gang naar het voorhuis. Die was dicht, maar hij kon de auto horen. Die kwam knarsend tot stilstand. De portieren gingen open. Hij voelde dat de vrouw buiten op de stoep stond, naar de auto staarde, angstig en in paniek. Hij haalde zijn schouders op en keerde zich weer om om te vertrekken. Zijn blik gleed over de tafel.

Niet goed.

Misschien gaan ze zoeken.

Vertel ze dat ik nergens van weet.

Op tafel stonden de resten van een ontbijt voor twee.

Twee kommen met resten havermout, twee borden met resten eigeel, twee borden met kruimels van geroosterd brood, twee lepels, twee messen, twee vorken, twee koffiebekers.

Hij zette het bord met broodkruimels op het bord met resten eigeel, zette de kom met resten havermout op het bord met broodkruimels, zette zijn beker in de kom met resten havermout en stopte zijn mes, vork en lepel in zijn broekzak. Hij pakte de wankele stapel serviesgoed op en nam hem mee, de keuken door, de deur uit. Hij hield de stapel met één hand vast, trok de deur achter zich dicht en liep over het erf. De bodem bestond uit aangestampte aarde vermengd met steenslag, er lag een laag winters onkruid over. Het maakte vrijwel geen geluid toen hij erover liep. Maar door het trillen van zijn arm rammelde de beker in de kom. Een rinkelend geluid bij elke stap die hij zette. Het klonk hem even luid in de oren als een brandalarm. Hij liep langs de pickup. Liep in de richting van de schuur. Het was een oud geval met een holle nok, opgetrokken van dunne, in koolteer gezette planken. Hij was er slecht aan toe. Hij had een dubbele deur. Met gewone scharnieren, het waren geen schuifdeuren. De scharnieren waren eraf en de deuren waren krom. Hij haakte een hak achter een van de deuren en drong met zijn achterwerk in de kier en duwde met zijn heup en schraapte zich zijdelings naar binnen, eerst zijn rug, toen zijn schouders, en toen de stapel serviesgoed. Binnen was het donker. Er was geen licht, anders dan een verblindende schittering door spleten tussen de planken. Die legde

dunne lijnen en vlekjes licht over de grond. De bodem was ook hier aangestampte grond, doordrenkt met olie en bedekt met schilfers roest. Het rook er naar creosoot. Hij zette de stapel serviesgoed neer. Rondom hem stond oude machinerie, allemaal egaal bruin en afbladderend. Hij herkende niets van wat hij zag. Het was een en al priemende punten en bladen en wielen en metaal in grillige vormen gebogen en gelast. Boerenmachines. Niet echt zijn terrein. Bij lange na niet.
Hij liep terug naar de scheefgezakte deuren en gluurde door een kier en luisterde, en stelde in gedachten de spelregels vast.
Hij moest van deze mannen afblijven. Tenzij hij bereid was de zaak helemaal rond te maken, ze voorgoed te laten verdwijnen, inclusief hun auto, en daarna Vincent van het motel zover te krijgen dat die zijn mond hield, ook voorgoed. Als hij minder ver ging zou het allemaal vroeg of laat toch op het bordje van Dorothy terechtkomen. Dus de voorzichtigheid gebood dat hij zich rustig zou houden en uit zicht zou blijven, wat hij best wilde doen, misschien, mogelijk, afhankelijk van wat hij te horen zou krijgen uit het huis. Eén gil zou kunnen duiden op zenuwen of angst. Maar twee gillen en hij zou erop afgaan, wat er ook zou gebeuren.
Hij hoorde niets.
En hij zag niets. Tien minuten lang. Toen stapte een man door de achterdeur naar buiten, het erf op, en kwam een ander achter hem aan. Ze liepen tien passen bij het huis vandaan en bleven naast elkaar staan alsof ze eigenaar van de hele bedoening waren. Ze keken naar links, keken voor zich uit, keken naar rechts. Jongens uit de grote stad. Ze droegen gepoetste schoenen en een wollen pantalon en wollen winterjassen. Ze waren allebei net geen een meter tachtig lang, hadden een zware borstkas en brede schouders, beiden waren donker. Twee regelrechte kleine zware jongens, zo uit een tv-serie weggelopen.
Ze liepen iets naar links, naar de pick-up. Ze keken in de laadbak. Ze trokken een portier open en keken in de cabine. Ze liepen verder, naar de rij schuren en schuurtjes en kippenrennen en varkensstallen.
Recht op Reacher af.

Ze kwamen vrij dichtbij.
Reacher rolde met zijn schouders en strekte zijn ellebogen en wapperde met zijn handen om het bloed sneller te doen stromen en een beetje gevoel in zijn armen te krijgen. Hij balde zijn rechterhand tot een vuist, en toen zijn linker.
De twee mannen liepen door, steeds dichterbij.
Ze keken links. Ze keken rechts. Ze snoven de lucht op.
Ze bleven staan.
Glimmende schoenen, wollen winterjassen. Jongens uit de grote stad. Ze wilden niet door de varkensstront waden en door kippenveren, en wroeten in hopen oude rotzooi. Ze keken elkaar aan. Een van hen keerde zich om naar het huis en riep: 'Hé, oud wijf, kom eens onmiddellijk hierheen met je dikke reet.'
Veertig meter verderop stapte Dorothy door de achterdeur naar buiten. Ze stond even stil en liep toen naar de twee mannen, langzaam en aarzelend. De twee liepen naar haar terug, even langzaam. Ze ontmoetten elkaar bij de pick-up. De man links bleef stilstaan. De man rechts greep Dorothy met één hand bij haar bovenarm en haalde met zijn andere hand een pistool onder zijn jas vandaan. Uit een schouderholster. Het wapen was een of andere verchroomde halfautomaat. Roestvrij staal, kon ook. Reacher was te ver weg om te zien welk merk het was. Misschien een colt. Of een namaakcolt. De man hief het voor zijn borst langs en zette de loop tegen Dorothy's slaap. Hij hield het wapen een kwartslag gedraaid, zoals de smeerlap in een film. Zijn duim en drie vingers waren stevig om de greep geklemd. De wijsvinger rustte op de trekker. Dorothy kromp in elkaar. De man rukte aan haar arm en trok haar weer rechtop.
Hij riep: 'Reacher? Heet je zo? Ben je daar? Verstop je je? Luister je naar me? Ik tel tot drie. Jij komt tevoorschijn. Anders schiet ik de ouwe koe dood. Ik houd een pistool tegen haar hoofd. Vertel het hem eens, opoe.'
Dorothy zei: 'Er is hier niemand.'
Het werd stil op het erf. Drie mensen, helemaal alleen, omringd door duizend hectare kale akkers.
Reacher bleef doodstil staan waar hij stond, helemaal alleen in het duister.

Hij zag hoe Dorothy haar ogen sloot.
De man met het pistool zei: 'Eén.'
Reacher bleef doodstil staan.
De man zei: 'Twee.'
Reacher bleef doodstil staan.
De man zei: 'Drie.'

18

Reacher stond doodstil en keek door de kier. Een seconde die een eeuwigheid leek te duren, gebeurde er niets. Toen liet de man die had geteld, zijn hand zakken en stopte zijn wapen weg onder zijn jas. Hij liet de arm van de vrouw los. Ze wankelde een stap bij hem vandaan. De twee mannen keken naar links, keken naar rechts en keken elkaar aan. Ze haalden hun schouders op. Een test, geslaagd. Voor alle zekerheid geprobeerd. Ze keerde zich om en liepen langs de zijkant van het huis weg en verdwenen uit zicht. Even daarna hoorde Reacher portieren dichtslaan en het starten van een motor, het knarsen van het grind, het gieren van een koppeling van een auto die keerde en wegreed over de oprit. Hij hoorde hoe de auto het asfalt opreed, hoorde de auto schakelen en wegrijden. Het werd weer doodstil.
Reacher bleef waar hij was, in zijn eentje in het duister. Hij was niet dom. Een van de beide mannen stond om de hoek van het huis te wachten terwijl de ander met veel kabaal was weggereden. Makkelijk zat. Reacher kende alle trucjes. De meeste had hij zelf ook toegepast. Sommige had hij zelf bedacht.
Dorothy stond op het erf en hield zich met één hand tegen de zijkant van de pick-up staande. Reacher keek naar haar. Hij schatte in dat het haar nog een halve minuut zou kosten om weer tot zichzelf te komen en diep adem te halen en te roepen dat de mannen weg waren en dat hij weer tevoorschijn kon komen. Toen zag hij hoe vijfentwintig jaar behoedzaamheid de overhand kreeg. Ze duwde zich af van de pick-up en volgde hetzelfde pad naar

voren dat de beide mannen hadden gevolgd. Ze bleef een minuut weg. Toen kwam ze terug langs de andere kant van het huis. Helemaal rondom. Alleen maar platte akkers in de omgeving. Winter. Nergens iets waarachter iemand zich kon verbergen.
Ze riep: 'Ze zijn weg.'
Hij pakte de stapel serviesgoed en duwde met zijn schouder de kromgetrokken deuren zo ver uit elkaar dat hij erdoor kon. Hij knipperde tegen het licht en rilde van de kou. Hij liep naar haar toe waar ze bij de pick-up stond. Ze pakte het serviesgoed van hem aan. 'Gaat het?'
Ze zei: 'Ik maakte me even zorgen daarstraks.'
'Hij had de veiligheidspal er nog op. Hij heeft zijn duim nooit bewogen. Ik keek. Het was bluf.'
'Veronderstel dat het geen bluf was geweest? Was je dan naar buiten gekomen?'
'Waarschijnlijk wel,' zei Reacher.
'Het was goed dat je dat servies had meegenomen. Ik dacht er plotseling aan, en toen dacht ik echt dat mijn laatste uur geslagen had. Ze zagen eruit als mannen die je niet gemakkelijk voor de gek houdt.'
'Hoe zagen ze er nog meer uit?'
'Ruw,' zei ze. 'Dreigend. Ze zeiden dat ze de Duncans vertegenwoordigden. Vertegenwoordigen, niet werken voor. Dat is nieuw. De Duncans hebben nooit met buitenstaanders gewerkt.'
'Waar gaan ze nu heen?'
'Ik weet het niet. Ik denk dat zij het ook niet weten. Als je je nergens kunt verbergen, kun je eigenlijk ook nergens zoeken, toch?'
'De dokter, misschien?'
'Misschien. De Duncans weten dat je contact met hem hebt gehad.'
'Misschien moet ik daarnaartoe.'
'En misschien moet ik terug naar het motel. Ik ben bang dat ze meneer Vincent pijn hebben gedaan. Hij klonk niet al te best aan de telefoon.'
'Ten zuiden van het motel staan een oude loods en een klein schuurtje. Een eindje van de weg, aan de westkant. Van hout, helemaal alleen in het veld. Van wie zijn die?'

'Van niemand. Ze hoorden bij een van de boerderijen die werden verkocht vanwege het project dat nooit van de grond is gekomen. Vijftig jaar geleden.'
'Ik heb daar een pick-up staan. Die heb ik gisteravond geërfd van de football-spelers. Kun je me een lift geven?'
'Nee,' zei ze. 'Ik rijd niet opnieuw met jou langs het erf van de Duncans.'
'Ze hebben twee gewone ogen, net als jij en ik.'
'Dat hebben ze niet. Ze hebben honderden ogen.'
'Dus je hebt liever dat ik langs hun erf wándel.'
'Dat hoeft niet. Loop maar naar het westen door de akkers totdat je een zendmast voor mobiele telefonie ziet. Een van mijn buren verhuurt een stuk grond aan een telecombedrijf. Daarmee betaalt hij zijn transportkosten. Als je vandaar naar het noorden loopt, kom je langs de blinde kant van het erf van de Duncans en dan zie je uiteindelijk die schuren.'
'Hoe ver is het lopen?'
'De hele ochtend.'
'Dan verbrand ik alle calorieën van dat ontbijt.'
'Daar is het ontbijt ook voor bedoeld. Denk erom dat je naar het noorden afslaat. Als je naar het zuiden gaat, kom je in de buurt van het huis van Seth Duncan, en daar wil je niet zijn. Weet je het verschil tussen noord en zuid?'
'Als ik naar het zuiden loop, krijg ik het warmer, naar het noorden wordt het kouder. Dat moet niet al te moeilijk zijn.'
'Ik meen het.'
'Hoe heette je dochter?'
'Margaret,' zei de vrouw. 'Ze heette Margaret.'

Reacher liep achter de schuren en schuurtjes en kippenrennen en varkensstallen langs de akker op. De zon was niet meer dan een heldere lichtgevende vlek in de hoge grijze lucht, maar dat was genoeg om een koers bij te bepalen. Tien uur geweest, 's ochtends, in Nebraska in de winter, en de zon hing onmiskenbaar in het zuidoosten achter zijn linkerschouder. Dat bleef zo gedurende veertig minuten voordat hij een mobiele zendmast vaag zag opdoemen in de nevel. Een hoge, skeletachtige constructie met een ontvanger

voor microgolven in de vorm van een basdrum en antennes voor mobiele telefonie als korte, stompe honkbalknuppels. Rondom de sokkel lag een wirwar van dood bruin onkruid en er liep voor de vorm een hek van prikkeldraad omheen. Ver weg, amper zichtbaar, was een boerderij, vergelijkbaar met die van Dorothy. De buren, kennelijk. De grond onder zijn voeten was hard en klonterig, een en al klompen bevroren modder en maïsstengels, de resten van de oogst van het najaar. Ze rolden naar links en naar rechts weg of verbrijzelden onder zijn voeten als hij erop trapte.
Bij de zendmast begon hij naar het noorden te lopen. De zon stond niet meer op dezelfde plaats. Hij stond nu hoog aan de hemel en bijna achter hem, een uur voor de kleurloze versie van het middaguur in dit seizoen. Hij straalde geen enkele warmte uit. Alleen licht, ietsje helderder dan de rest van de dag. Ver weg, iets naar rechts, zag hij een vlek op de horizon. De drie huizen van de Duncans, dacht hij, in een groepje aan het einde van een lange gemeenschappelijke oprit. Hij kon geen details zien. Zeker niet iets wat de grootte had van een mens. Wat omgekeerd betekende dat niemand daar op deze afstand iets ter grootte van een mens zou kunnen herkennen. Dezelfde kilometers van oost naar west lopen ook van west naar oost, zelfde grauwe licht, zelfde nevel. Maar toch boog hij iets af naar links, liep hij in een flauwe bocht, hield hij de afstand groot, voor de zekerheid.

Dorothy, de schoonmaakster, liet meneer Vincent plaatsnemen in een rode met velours beklede stoel en sponsde het bloed van zijn gezicht. Hij had een gescheurde lip, een snee in een wenkbrauw en een bult onder zijn oog, zo groot als een duivenei. Hij had zich verontschuldigd dat hij zo laat was geweest met zijn telefoontje om te waarschuwen. Hij was buiten westen geweest en had zodra hij weer bijkwam de telefoon gepakt en gebeld.
Dorothy zei dat hij zijn mond moest houden.
Aan de andere kant van de ruimte lag een van de barkrukken op de grond en een spiegelpaneel achter de bar was aan gruzelementen geslagen. Scherven zilverglas waren als dolken tussen de flessen gevallen. Een van de NASA-bekers was stuk. Het oor was er afgebroken.

Angelo Mancini klemde de kraag van het overhemd van de dokter in zijn linkerhand en had zijn rechterhand tot een vuist gebald. De vrouw van de dokter zat bij Roberto Cassano op schoot. Dat was haar opgedragen, maar ze had geweigerd. Dus had Mancini haar man geslagen, hard, in zijn gezicht. Ze had opnieuw geweigerd. Mancini had haar man opnieuw geslagen, harder dit keer. Ze had gedaan wat haar was opgedragen. Cassano had zijn hand op haar dij gelegd, zijn duim twee centimeter onder de zoom van haar rok. Ze was verstijfd van angst en rilde van weerzin.

'Zeg eens wat tegen me, liefje,' fluisterde Cassano in haar oor. 'Vertel me eens wat je tegen Jack Reacher hebt gezegd, waar hij zich moest verbergen.'

'Ik heb niets tegen hem gezegd.'

'Je bent twintig minuten bij hem geweest. Gisteravond. Dat heeft de mafkees van het motel ons verteld.'

'Ik heb hem niets verteld.'

'Wat hebben jullie dan wel gedaan, die twintig minuten? Heb je seks met hem gehad?'

'Nee.'

'Wat dacht je van een beetje seks met mij?'

Ze gaf geen antwoord.

'Verlegen?' vroeg Cassano. 'Bedeesd? Heb je je tong ingeslikt?'

Hij schoof zijn hand nog twee centimeter omhoog langs haar dij. Hij likte het oor van de vrouw. Ze dook weg. Boog vanuit haar middel weg van hem.

Hij zei: 'Kom eens terug, schatje.'

Ze bewoog zich niet.

Hij zei: 'Kom terúg,' iets harder.

Ze rechtte haar rug. Hij kreeg het idee dat ze op het punt stond te gaan kotsen. Dat wilde hij niet. Niet over al zijn fijne kleren. Maar hij likte niettemin nog één keer haar oor, gewoon om te laten zien wie de baas was. Mancini gaf de dokter nog een klap, gewoon voor de lol. Altijd onderweg, rondzwerven, klussen opknappen. Maar druk bezig tijd te verknoeien in Nebraska, dat was zeker. Niemand wist iets. Het was er even kaal als op de maan, en er was nog minder te doen. Wie zou het in zijn hoofd halen om hier te blijven? Die kerel Reacher was er allang van-

door, natuurlijk, volstrekt verdwenen, misschien al halverwege Omaha toen de zon opkwam, voortrammelend in zijn gestolen pick-up, volledig over het hoofd gezien door de dienders van de county police, die waarschijnlijk sowieso de hele nacht niets beters te doen hadden dan uit hun neus vreten, want hoe hadden ze anders al die transporten vanuit Canada naar Vegas kunnen missen, maandenlang? Stuk voor stuk, elk transport?
Klootzakken.
Boerenkinkels.
Debielen.
Stuk voor stuk.
Cassano sprong overeind en duwde de vrouw van de dokter van zijn schoot. Ze rolde languit over de vloer. Mancini sloeg de dokter nog een laatste keer en toen vertrokken ze, terug naar de gehuurde Impala buiten.

Reacher hield de drie vage vlekken rechts op ruime afstand en ploegde voort. Hij was gewend te lopen. Dat zijn alle soldaten. Soms is er geen andere manier om snel voortgang te boeken dan te voet, dus worden alle soldaten erop getraind. Dat was al zo in de tijd van de Romeinen en dat was nog steeds zo, en dat zou ook altijd zo blijven. Dus liep hij door, tevreden met de voortgang die hij boekte, en hij genoot van de kleine genoegdoening in de vorm van frisse lucht en plattelandsgeuren.
Toen rook hij iets anders.
Iets verderop was een groepje lage struiken, een minibosje. Wildebramenstruiken, wilde roos misschien, een restant, gespaard door de ploeg, nu kaal en in winterslaap, maar nog steeds dicht en een en al doornen. Er kwam een dun sliertje rook uit, uit het midden, horizontaal en bijna onzichtbaar op de wind. Het rook heel bekend. Geen houtvuur. Geen sigaret.
Marihuana.
Reacher kende de geur. Alle politiemensen kennen de geur, zelfs MP's. Rekruten roken een joint om stoned te worden als ze geen dienst hebben, net als iedereen. Soms zelfs als ze wel dienst hebben. Reacher had het idee dat wat hij rook een goede kwaliteit cannabis was, waarschijnlijk geen geïmporteerde rommel uit

Mexico, maar waarschijnlijk een goed, thuis gekweekt ras. En waarom ook niet, in Nebraska? Maïsakkers waren ideaal voor clandestiene wietteelt. Maïs schoot in razend tempo ver omhoog en was dicht. Een stuk grond van zes vierkante meter, honderd meter van de rand van de akker, was niet beter te verstoppen. Veel winstgevender dan maïs bovendien, zelfs ondanks alle federale subsidies. En deze mensen moesten hun transportkosten betalen. Misschien was iemand bezig met het keuren van de laatste oogst, met het inschatten van de kwaliteit om een prijs te bepalen.

Het was een jongen. Een jaar of vijftien oud, misschien zestien. Reacher liep door en keek in het net niet manshoge struikgewas en zag hem zitten. Hij was vrij lang, vrij tenger gebouwd, met haar met een middenscheiding, zoals Reacher al jaren niet meer bij een jongen had gezien. Hij had een dikke broek aan en een parka uit de dump, van het oude West-Duitse leger. Hij zat met opgetrokken knieën op een plat neergelegde boodschappentas, zijn rug tegen een grote granieten rots die uit de grond oprees. De rots had de vorm van een wig, alsof het de afgebroken splinter was van een veel groter rotsblok en een heel eind van dat oorspronkelijke rotsblok vandaan was gerold. De rots was ook de reden waarom de ploegen het bosje met rust hadden gelaten. Grote tractors met een wat vage besturing waren met een flinke boog om de rots heen gereden en de natuur had die kans gegrepen. Nu greep deze jongen zijn kans en verstopte hij zich voor de rest van de wereld, bracht hij op aangename wijze zijn dag door. Misschien uiteindelijk toch geen semiprofessionele wietkweker. Misschien meer een enthousiaste amateur, met zaad van een postorderbedrijf uit Boulder of San Francisco.

'Hallo,' zei Reacher.

'Hé,' zei de jongen. Hij klonk relaxt. Niet stoned als een aap. Gewoon een halve meter boven de grond. Ervaren gebruiker waarschijnlijk die wist hoeveel te veel was en hoe weinig te weinig. Zijn hersens opereerden traag en je kon zijn gedachten van zijn gezicht af lezen. Eerst: Betrapt? Toen: Onmógelijk.

'Hé,' zei hij nog een keer. 'Jij bent het. Jij bent die gast die de Duncans zoeken.'

Reacher zei: 'Ben ik dat?'
De jongen knikte. 'Jij bent Jack Reacher. Een meter vijfennegentig, honderdtien kilo, bruine jas. Ze zoeken je, man. Ze zoeken zich een ongeluk naar je.'
'Is dat zo?'
'We hadden Cornhuskers aan de deur vanmorgen. Het is de bedoeling dat we onze ogen openhouden. En daar sta je, man. Je sluipt zomaar op me af. Jij had je ogen verder open dan ik, hè?' Hij kreeg een aanval van de slappe lach. Misschien was hij toch een beetje meer stoned dan Reacher aanvankelijk had gedacht.
Reacher zei: 'Heb je een mobiel?'
'Tuurlijk. Ik ga mijn maten sms'en. Ik ga ze vertellen dat ik de man heb gezien, levensgroot, en hartstikke levend. Hé, ik kan je wel even met ze laten praten. Wat een kick. Wil je dat doen? Even praten met mijn maten? Dan weten ze dat ik ze niet in de zeik neem.'
'Nee,' zei Reacher.
De jongen was in één klap serieus. 'Hé, ik sta aan jouw kant, man. Je moet je gedeisd houden. Dat snap ik. Hé, man, geen probleem. We gaan je niet verlinken. Mijn maten en ik, bedoel ik. We staan aan jouw kant. Als jij de Duncans aanpakt, doen wij mee.'
Reacher zei niets. De jongen concentreerde zich, tilde zijn arm hoog boven de struiken en hield Reacher de joint voor.
'Wil je ook?' vroeg hij. 'Hé, dat zou ook een kick zijn. Roken met de man.'
Het was een dikke joint, goed gerold in gele vloei. Hij was ongeveer half op.
'Nee, bedankt,' zei Reacher.
'Iedereen heeft de pest aan ze,' zei de jongen. 'De Duncans, bedoel ik. Ze zijn de baas in de hele county.'
'Weet jij een county waar het anders is?'
'Hé man, ik snap het. Het systeem is rot. Dat hoor je mij niet bestrijden. Maar de Duncans zijn erger dan anderen. Ze hebben een kind vermoord. Wist je dat? Een klein meisje. Acht jaar oud. Ze hebben haar meegenomen en van alles met haar uitgehaald en haar vermoord.'

‘Is dat zo?’
‘God, zeker weten. Beslist.’
‘Geen twijfel?’
‘Geen twijfel, vriend.’
‘Dat was vijfentwintig jaar geleden. Hoe oud ben jij, vijftien?’
‘Het is gebeurd.’
‘De FBI zegt van niet.’
‘Geloof je die?’
‘In plaats van wat? Iemand die stoned is en die toen nog niet eens was geboren?’
‘De FBI heeft niet gehoord wat ik heb gehoord, man.’
‘Wat hoor jij?’
‘Haar geest, man. Die is er nog, na vijfentwintig jaar. Soms zit ik hier ’s avonds en dan hoor ik die arme geest krijsen man, krijsen en jammeren en kreunen en huilen, hier in het donker.’

19

Het schip met geld is gekomen. Een oud, oud gezegde, uit de dagen van de zeevaart, vol hoop en wonderen. Je kon alles wat je had investeren in het bouwen van een schip, de uitrusting, de bemanning, of zelfs meer dan alles als er geleend geld aan te pas kwam. Dan zeilde het schip uit, een jaren durende leegte in, onmetelijke afstanden, onpeilbare diepten, afschrikwekkende gevaren. Geen radio, geen telefoon, geen telegraaf, geen post. Volstrekt geen nieuws. En dan, misschien, heel misschien, na jaren, keerde het schip terug, verweerd, de zeilen bollend boven de horizon, de romp diep in de golven, geladen met specerijen uit Indië, zijde uit China, of thee, koffie, rum of suiker. Genoeg winst om alle kosten te betalen en de leningen af te betalen in één royaal handgebaar, en dan bleef er nog ruimschoots genoeg over om tien jaar van te leven. Daaropvolgende reizen waren pure winst en maakten een man rijker dan hij ooit had durven dromen. *Het schip met geld is gekomen.*

Jacob Duncan sprak die woorden, om halftwaalf die ochtend. Hij was samen met zijn broers in een klein donker kamertje achter in zijn huis. Zijn zoon Seth was naar huis gegaan. Alleen de drie ouderen waren daar bij elkaar, stoïcijns, geduldig en bespiegelend.

'Ik ben gebeld vanuit Vancouver,' zei Jacob. 'Onze man in de haven. Het schip is binnen. Het had vertraging door het weer in de Straat van Luzon.'

'Waar is dat?' vroeg Jasper.

'Waar de Zuid-Chinese Zee grenst aan de Stille Oceaan. Maar de goederen zijn nu gearriveerd. Ze zijn er. Misschien rijdt onze vrachtwagen vanavond al. Uiterlijk morgenvroeg.'

'Dat is goed,' zei Jasper.

'Ja?'

'Waarom zou het niet goed zijn?'

'Eerder was je bang dat ze de vreemdeling te pakken zouden krijgen voordat de vertraging was opgelost. Je zei dat we dan als leugenaars zouden worden neergezet.'

'Dat is waar, maar dat probleem is nu opgelost.'

'Ja? Volgens mij is het probleem alleen maar binnenstebuiten gekeerd. Veronderstel dat de vracht hier is voordat ze de vreemdeling te pakken hebben. Dan blijken wij ook leugenaars te zijn.'

'We kunnen de vracht hier aanhouden.'

'Nee, dat kunnen we niet. We doen in transport, niet in opslag. Daar hebben we geen faciliteiten voor.'

'Wat moeten we doen dan?'

'Nadenken. Dat moeten we doen. Waar is die kerel?'

'Dat weten we niet.'

'We weten dat hij sinds gisteravond niet meer geslapen en gegeten heeft. We weten dat onze jongens de hele ochtend bij de weg zijn geweest en geen flikker hebben gezien. Dus waar is hij?'

Jonas Duncan zei: 'Hij is ergens in een kippenhok gekropen of hij loopt over het land.'

'Precies,' zei Jacob. 'Volgens mij wordt het tijd dat de jongens de gebaande paden verlaten. Volgens mij wordt het tijd dat ze rondjes over de akkers gaan rijden, grote cirkels maken, gebieden schoonvegen, wachtlopen.'

'We hebben er nog maar zeven.'
'Ze hebben allemaal mobiele telefoon. Zodra iemand iets ziet, kan hij de jongens uit het zuiden bellen en het probleem overlaten aan de professionals. Als dat nodig is, tenminste. Op zijn minst kunnen ze iets van coördinatie op touw zetten. Volgens mij moeten we ze de vrije teugel laten.'

Tegen die tijd begon Reacher zich te haasten. Hij bevond zich ongeveer vierhonderd meter ten westen van de drie huizen van de Duncans en dichterbij wilde hij ook absoluut niet komen. Hij liep parallel met de weg. In de verte zag hij de houten schuren al. Kleine bruine speldenknoppen op de horizon. Niets tussen hem en die schuren. Vlak land. Hij was alert op pick-ups. Hij wist dat ze zouden komen. Zo langzamerhand zouden zijn belagers alle wegen wel hebben gecontroleerd en niets hebben gevonden. Ze zouden de logische conclusie trekken dat hij daarom door het land trok. Ze zouden de pick-ups de akkers op sturen, al heel gauw, als het al niet was gebeurd. Het was voorspelbaar. Snelle, mobiele patrouilles, communicatie via mobiele telefoon, misschien wel radio, de hele rataplan. Niet zo best.
Hij ploeterde verder, vijf minuten, tien, twintig. De drie huizen van de Duncans verdwenen achter zijn schouder. De houten schuren bleven onwrikbaar op de horizon verankerd, al werden ze langzamerhand iets groter, omdat hij dichterbij kwam. Met nog vierhonderd meter te gaan kwam hij bij een tweede bosje met bramenstruiken. Het reikte tot zijn borst en was vrij uitgespreid, maar los daarvan was er niets te zien wat meer dan twee centimeter boven de akkers uitstak. Iedereen kon Reacher zien, en dat wist hij.

In Las Vegas haalde een man uit Libanon die Safir heette zijn telefoon tevoorschijn. Hij koos een nummer. Het gesprek werd zes straten verderop beantwoord door een Italiaan met de naam Rossi. Er werden geen koetjes en kalfjes uitgewisseld. Daar hadden ze geen tijd voor. Het eerste wat Safir zei, was: 'Je maakt me kwaad.'
Rossi reageerde daar niet op. Dat kon hij zich niet echt permit-

teren. Het was een kwestie van protocol. Hij zat absoluut helemaal boven in zijn eigen boom, en dat was een grote boom, hoog en breed en mooi van bouw, met een wortelstelsel en takken die zich in alle richtingen vertakten, maar er waren hogere bomen in het bos, en daar hoorde die van Safir bij.
Safir zei: 'Ik heb jou een gunst bewezen door zaken met je te doen.'
Rossi zei: 'En daar ben ik dankbaar voor.'
'Maar nu zet je me voor schut,' zei Safir. Dat was een fout, dacht Rossi. Toegeven van een zwakte. Het maakte duidelijk dat hoe groot Safir ook was, hij klein genoeg was om zich zorgen te maken over iets wat nog groter was. Het leek wel wat op een voedselketen. Helemaal onderin zaten de Duncans, dan kwam Rossi, dan Safir en helemaal bovenin nog iemand anders. Het maakte niet uit wie dat was. Het feit dat er iemand was, zorgde ervoor dat Rossi en Safir in hetzelfde schuitje zaten. Alle verzamelde rijkdom en macht en glorie ten spijt, waren ze allebei niet meer dan tussenpersonen. Voetvolk. Gedeelde belangen.
Rossi zei: 'Je weet dat het moeilijk is om aan koopwaar van deze soort te komen.'
Safir zei: 'Ik verwacht dat de beloften worden nagekomen.'
'Ik ook. We zijn in dit geval beiden slachtoffer. Het verschil is dat ik er iets aan doe. Ik heb mankracht rondlopen in Nebraska.'
'Wat is het probleem daar?'
'Ze beweren dat er een kerel is die rondneust.'
'Hè, politie?'
'Nee,' zei Rossi. 'Absoluut geen politie. De route is nog even veilig als altijd. Een voorbijganger, op doorreis, meer niet. Een vreemdeling.'
'Wie is het?'
'Helemaal niemand. Een bemoeial.'
'Maar hoe kan een bemoeial die helemaal niemand is de zaken dan ophouden?'
'Ik denk niet dat dat zo is. Ik denk dat ze tegen me liegen. Ik denk dat ze smoesjes verkopen. Ze zijn gewoon te laat met leveren. Meer niet.'

'Onbevredigend.'
'Dat ben ik met je eens. Maar dit is een verkopersmarkt.'
'Wie heb je daarnaartoe gestuurd?'
'Twee van mijn jongens.'
'Ik stuur twee van mijn jongens.'
'Heeft geen zin,' zei Rossi. 'Ik regel het daar al.'
'Niet naar Nebraska, idioot,' zei Safir. 'Ik stuur twee van mijn jongens naar jou om te babysitten. Om de druk erop te houden. Ik wil dat je je heel erg bewust bent van wat er gebeurt met mensen die me laten zitten.'
De haven van Vancouver was gefuseerd met de Fraser River Port Authority en de North Fraser Port Authority, en de glanzende nieuwe drie-eenheid was Port Metro Vancouver genoemd. Het was de grootste haven van Canada, de grootste haven in het noordwestelijk deel van de Stille Oceaan, op drie na de grootste haven aan de westkust van Noord-Amerika, en op vier na de grootste haven van Noord-Amerika als geheel. Hij bestreek zeshonderd kilometer kustlijn, er waren vijfentwintig afzonderlijke terminals, er werden drieduizend schepen per jaar geladen en gelost, met een totaal jaarlijks tonnage van honderd miljoen ton, wat een gemiddelde oplevert van beduidend meer dan een kwart miljoen ton per dag. Vrijwel al die tonnen waren verpakt in multimodale containers die, zoals zoveel dingen, oorspronkelijk in de jaren vijftig van de tekentafels van het Amerikaanse ministerie van Defensie afkomstig waren, omdat het Amerikaanse ministerie van Defensie in de jaren vijftig een van de weinige instellingen was met de wil en de energie om überhaupt iets te tekenen, en de enige instelling die iets kon tekenen dat de tand des tijds kon doorstaan.
Multimodale containers zijn metalen dozen van golfplaat. Je kunt ze gemakkelijk van de ene vorm van vervoer overplaatsen op een andere vorm, van schepen op platte goederenwagons of trucks met oplegger. Vandaar multimodaal. Ze zijn allemaal iets meer dan twee meter vijftig hoog, en bijna twee meter vijftig breed. De kortste en minst gebruikte zijn zes meter lang. De meest gangbare lengte is twaalf meter, of dertien meter vijftig, of veertien meter vijftig, of zestien meter. Maar het verkeer wordt altijd geme-

ten in de standaardminimumlengte, in veelvouden van wat *twenty-foot-equivalent-units* wordt genoemd, TEU's. Een container van zes meter is één TEU, een container van twaalf meter is twee TEU's, enzovoort. In Port Metro Vancouver werden twee miljoen TEU's per jaar verwerkt.
De vracht van de Duncans arriveerde in een container van zes meter. De kleinste die er maar was. Eén TEU. Het bruto gewicht was 2.771 kg, het netto gewicht 2.199 kg, wat betekende dat er zich een vracht van 572 kg in de container bevond, in een ruimte die was berekend op meer dan vijfentwintigduizend kilogram. Met andere woorden, de doos was voor ongeveer achtennegentig procent leeg. Maar dat was minder verspilling dan je op het eerste gezicht zou zeggen. Elke kilo in die container was meer dan zijn gewicht in goud waard.
De container werd door een kraan van een Zuid-Koreaans schip getild en zacht neergezet op Canadese bodem. Hij werd onmiddellijk opgepakt door een tweede kraan die hem naar een locatie reed waar hij werd geïnspecteerd. Daar las een camera de BIC-code. BIC staat voor Bureau International des Containers, een instituut met het hoofdkwartier in Parijs, Frankrijk. De code is een combinatie van vier letters uit het Latijnse alfabet en zeven cijfers. Samen vertelden die de computers van Port Metro Vancouver van wie de container was, waar hij vandaan kwam en wat erin zat, en dat de inhoud vooraf was ingeklaard door de Canadese douane, allemaal informatie die tot op de letter gelogen was. De code gaf ook aan de computers prijs wat de bestemming was van de container, wat wel waar was, tot op zekere hoogte. Hij ging verder de binnenlanden van Canada in en moest onverwijld, zonder dralen, op een oplegger worden geladen die al klaarstond. Dus werd hij verder getransporteerd, door een sniffer die was ontworpen om nucleaire smokkelwaar te herkennen, een test die de container glansrijk doorstond, en toen naar buiten, naar het rangeerterrein. De computers genereerden automatisch een sms voor de chauffeur van de oplegger, die de motor van zijn truck startte en zijn positie innam. De container zakte omlaag op de oplegger en werd vastgezet. Een minuut later was de truck onderweg, tien minuten later reed hij het terrein van Port Metro

Vancouver af, naar het oosten, de container hoog en trots en alleen op een oplegger die meer dan twee keer zo lang was, met een vrijwel te verwaarlozen gewicht voor de ronkende diesel.

Reacher ploeterde voort over de akkers, nog eens honderd meter. Toen stopte hij en draaide een keer helemaal rond zijn as, en keek. Vooruit geen enkele activiteit. Niets in het westen, niets in het oosten. Vlak land. Maar achter hem, ver weg naar het zuiden, was een pick-up. Anderhalve kilometer weg, misschien twee kilometer. Hij reed over het akkerland, hobbelend en heen en weer schuddend en rammelend over het oneffen terrein, een zwakke weerschijn van de verchroomde bumper.

20

Reacher liet zich op zijn hurken zakken. De kleuren van zijn kleding waren olijfgroen, bruin en geelbruin, en de kleuren van het winterlandschap rondom waren ook olijfgroen, bruin en geelbruin: rottende stengels van maïsplanten, bladeren en klompen vruchtbare aarde, sommige gebarsten en verkruimeld door vorst en wind. Er hing nog steeds een nevel. Bewegingloos en vrijwel onzichtbaar, een laagje in de atmosfeer als fijn verbandgaas.
De pick-up, anderhalve kilometer verder naar het zuiden, was nog steeds in beweging. De akker was immens groot en rechthoekig en de pick-up reed ongeveer in het midden. Hij voerde een eindeloze reeks s-bochten uit, half naar links sturend, dan rechtuit, vervolgens half naar rechts, dan weer rechtuit, en weer half naar links. Ritmisch, regelmatig en gestaag, de blik van de chauffeur als een zoeklicht vegend over het terrein tot de horizon.
Reacher bleef gehurkt zitten. Bewegingloze objecten trekken veel minder aandacht dan bewegende. Maar hij wist dat de pick-up vroeg of laat bij hem in de buurt zou komen. Onvermijdelijk. Op een bepaald moment zou hij in beweging moeten komen. Maar waarnaartoe? Geen enkele natuurlijke dekking. Geen heuvels,

geen bos, geen beekjes, geen rivieren. Helemaal niets. En hij kon niet zo best hardlopen. En hij was niet erg wendbaar. Al was natuurlijk niemand snel en wendbaar genoeg om een gevecht tussen man en pick-up te kunnen winnen dat zich afspeelde op open en onbegrensd terrein.

De pick-up bleef zijn kant op rijden, klein in de verte, traag en geduldig en methodisch. Iets naar links, rechtuit, iets naar rechts. De bochten half naar rechts verlegden de koers direct in de richting van Reacher. Hij was nu misschien nog een kilometer weg. Hij kon de chauffeur niet zien. Dat hield in dat de chauffeur hem ook niet kon zien. Nog niet in ieder geval. Maar dat was niet meer dan een kwestie van tijd. Zo ongeveer op tweehonderd meter afstand, dacht hij, zou zijn vage, gehurkte gestalte herkenbaar worden. Misschien op honderdvijftig meter, als de voorruit vuil was. Misschien op honderd meter, als de chauffeur bijziend was, of verveeld of lui. Dan zou er even een moment zijn van een dagend besef en daarna versnelling. De hoogste snelheid over die oneffen grond zou wel zoiets van vijftig kilometer per uur zijn. Tussen de zeven en vijftien seconden, schatte hij, tot de aanval en confrontatie.

Te weinig.

Beter eerder in actie komen.

Maar waarnaartoe?

Hij draaide zich om, langzaam en voorzichtig. Niets in het oosten. Niets in het westen. Maar driehonderd meter verder naar het noorden was het bosje bramenstruiken dat hij eerder had gezien. Het tweede bosje was drie kilometer verwijderd van het eerste. Een wirwar van struiken die tot borsthoogte reikten, een minibosje, wilde bramen of rozen, kaal, in winterslaap, dicht en met doornen. Gespaard door de ploegen. De eerste was gespaard gebleven vanwege een groot rotsblok in het midden. Geen enkele reden om aan te nemen dat het bij dit tweede bosje anders was. Geen boer op aarde zou jaar na jaar, seizoen in, seizoen uit, een partijtje wilde bloemen ontzien, alleen omdat ze zo mooi waren.

Hij moest naar dat bosje.

Driehonderd meter voor Reacher. Zo traag als hij was, misschien zestig seconden.

Duizend meter voor de pick-up. Gezien de snelheid van die pick-up misschien zeventig seconden.
Een marge van tien seconden.
Daar hoefde je niet eens over na te denken.
Reacher begon te rennen.
Hij veerde omhoog uit zijn hurkhouding en kwam stampend op gang, stijve, onhandige passen, met pompende armen, zijn mond open, hijgend. Tien meter, twintig, dertig. Toen veertig, toen vijftig. Ver achter zich hoorde hij plotseling het gedempte brullen van een motor. Hij keek niet om. Rende verder, slippend en uitglijdend, voor zijn gevoel angstwekkend langzaam.
Nog tweehonderd meter.
Hij rende door, zo hard hij kon. Het hele eind hoorde hij achter zich de pick-up. Nog steeds gedempt. Nog steeds op een geruststellende afstand. Maar met grote snelheid. Een motor die op volle toeren draaide, riemen en v-snaren die gierden, lucht die door het filter naar binnen werd gezogen, heftig schuddende vering, klapperende banden.
Nog honderd meter.
Hij riskeerde een blik over zijn schouder. De pick-up had duidelijk laat de spurt erin gezet. Hij was nog verder weg dan nodig. Maar de afstand werd steeds kleiner. Hij naderde snel. Het was een SUV, geen pick-up. Amerikaans, niet van over de grens. GMC, zoiets. Donkerrood. Niet nieuw. Een hoge, stompe neus en een verchroomde bumper zo groot als een badkuip.
Nog vijftig meter. Tien seconden. Met nog twintig meter te gaan stond hij hijgend stil, draaide zich om en keek naar het zuiden. Hij spreidde zijn armen wijd ter hoogte van zijn schouders.
Kom me maar halen.
De SUV bonkte voort. Recht op hem af. Hij deed een stap opzij naar rechts, één lange pas, nog één, en een derde. Hij lijnde het keurig uit. De SUV recht voor hem, de onzichtbare rots recht achter hem. De SUV bleef op hem afstormen. Hij liep achteruit, rende toen achteruit, op zijn tenen, bevallig, zijn ogen voortdurend waakzaam open. De SUV bleef op hem afstormen, schuddend, bonkend, klapperend en brullend. Twintig meter, toen tien, toen vijf. Reacher bewoog mee achteruit. Op het moment dat hij de

doornen van de eerste struiken in zijn kuiten voelde prikken, veranderde hij met een ruk van richting en gooide hij zich uit het pad van de SUV, rolde hij weg en wachtte hij tot de SUV door de struiken zou breken en te pletter zou slaan op de rots.
Dat gebeurde niet.
De man aan het stuur remde hard en kwam slippend tot stilstand met de bumper van de SUV een meter diep het struikgewas in. Een local. Hij wist wat er in die struiken zat. Reacher hoorde hoe de versnelling in de achteruit werd gezet. De SUV reed naar achteren, de voorwielen draaiden, de versnelling schakelde weer en de SUV kwam recht op hem af, snel en ontzagwekkend groot. De banden waren grote off-road-gevallen met vuilwitte belettering en een monsterachtig profiel. Ze wroetten en wentelden rond, en klonten aarde spoten van alle vier even hard weg. Vierwielaandrijving. De motor brulde. Een zware V-8. Reacher lag op de grond en zag de stangen van de ophanging, de schokbrekers en het uitlaatspruitstuk en differentieelkasten zo groot als een voetbal. Hij kwam overeind, maakte een schijnbeweging naar rechts en gooide zichzelf naar links. Hij rolde weg, de SUV maakte een krappe bocht, maar raakte hem niet, klonten aarde verbrijzelend vijfentwintig centimeter van zijn hoofd. Hij rook hete olie, benzinedampen en uitlaatgassen. Een kakofonie van geluid, veroorzaakt door de motor, knarsende tandwielen in de versnellingsbak en knerpende veren. De SUV schakelde opnieuw in de achteruit en kwam achteruit op Reacher af. Op dat moment zat hij op zijn knieën en probeerde hij een besluit te nemen. Waar moest hij nu heen? Naar binnen of naar buiten? Het bosje in, of het open veld op?
Geen keuze natuurlijk.
Het open veld op was zelfmoord. Dichtbij was de SUV behoorlijk log, maar Reacher kon onmogelijk blijven rennen, wegduiken en ontwijken. Dat kon niemand. Uitputting zou uiteindelijk zijn lot bezegelen. Hij stond op en begon de struiken in te waden. De doornen trokken aan zijn broek. De SUV kwam achter hem aan, achteruitrijdend, naar Reacher toe draaiend. De chauffeur keek over zijn schouder. Een kolossale kerel. Dikke nek. Zware schouders. Kort haar. Reacher ging recht op het midden

van het bosje af. Lange, doornige ranken trokken verstrikt in elkaar aan zijn enkels. Hij scheurde verder het bosje in. De chauffeur draaide het stuur zo ver hij kon. De SUV draaide nog verder naar Reacher toe, maar niet genoeg. Reacher dook binnen de draaicirkel en ploeterde verder.

Hij bereikte de rots.

Het was een joekel van een rots. Veel groter dan de rots die hij eerder had gezien. Misschien wel de oorspronkelijke rots waar de andere een brokstuk van was. Die eerste had de vorm van een wig gehad, alsof hij van een veel grotere rots was gebroken. Deze tweede rots zag eruit alsof dit die grotere rots was. Hij had de vorm van een taart, met een grote hap eruit, en van boven niet plat zoals een stuk taart. Hij was rond en bol. Als een sinaasappel, waar drie, vier partjes uit misten, half begraven in de grond. Misschien was hij vijftigduizend jaar geleden tijdens een ijstijd door een gletsjer het hele eind van Canada hiernaartoe gerold en was hij onder het gewicht van honderden tonnen bevroren sneeuw bezweken en gebarsten, en was het kleinere brokstuk nog drie kilometer verder getransporteerd voordat hij tot stilstand kwam en tijdens talloze eeuwen daarna langzaam was verweerd. De grotere rots was op zijn plaats blijven liggen, en lag daar nog steeds, tot halverwege weggezakt in de vruchtbare grond, zelf verweerd, een gigantische granieten bal met een uitgesleten, smalle, driehoekige keep erin, als een beet, als een iets geopende mond, naar het zuiden gericht, naar waar het ontbrekende stuk rots lag. De keep was ongeveer drie meter breed aan de opening en anderhalve meter diep.

Reacher stond met zijn rug tegen het rotsblok, aan de oostkant, de keep een kwart cirkel bij hem vandaan, achter zijn rechterschouder. De SUV keerde en reed het bosje uit, en één belachelijk moment dacht Reacher dat de man het opgaf en naar huis ging, maar toen keerde de SUV nog een keer, maakte een grote ronde cirkel op de akker en kwam terugrijden, langzaam en dreigend, recht op hem af. De chauffeur zat grijnzend achter de voorruit, een brede, woeste, triomfantelijke grijns. De eerste struiken klapten plat onder de verchroomde bumper. De chauffeur hield het stuur behoedzaam met twee handen vast en mikte zorgvuldig.

Met de bedoeling Reachers benen tegen de rots klem te rijden. Reacher krabbelde omhoog tegen de rots op, achterwaarts, met handpalmen en de zolen van zijn schoenen, als een krab. Hij zwoegde en schuifelde en werkte zich omhoog tot hij rechtop op de rots stond, in wankel evenwicht, anderhalve meter hoog. De SUV kwam tot stilstand met de bumper twee centimeter van de rots, de motorkap iets lager dan Reachers voeten, het dak iets hoger. Het toerental van de motor viel terug naar stationair en Reacher hoorde vier onduidelijke bonzende geluiden toen de portieren van binnenuit werden vergrendeld. De chauffeur maakte zich zorgen. Hij wilde zich niet van zijn stoel laten trekken voor een vuistgevecht. Slimme jongen. Dat verkleinde Reachers mogelijkheden. Hij kon omlaag stappen op de motorkap en proberen de voorruit in te trappen, maar het glas van auto's was taaier dan je zou denken, en het enige wat de man in de auto hoefde te doen was plotseling gas geven om Reacher van de motorkap te slingeren, tenzij hij de balken op het dak zou vastgrijpen, maar zijn armen deden te veel pijn om een wildemansrit dwars door Nebraska te overleven, waarbij hij zich zou moeten vastklampen boven op een op en neer bonkende SUV die vijftig kilometer per uur reed.

Impasse.

Maar misschien ook wel niet. De man had van zijn tactiek geen geheim gemaakt. Hij had zijn telefoon niet gebruikt. Hij wilde Reacher zelf pakken, om alle eer op te strijken. Hij was van plan om daarvoor zijn SUV als hamer te gebruiken en de rots als aambeeld. Maar hij zou niet eeuwig wachten. Hij zou zijn maten bellen als zijn frustratie de overhand kreeg.

Tijd om iets te doen.

Reacher klauterde aan de achterkant van de rots naar beneden en waadde door het doornige struikgewas. Hij hoorde de SUV achteruit- en toen om de rots rijden. Hij verscheen rechts in beeld. struiken verpletterend, een nauwe bocht, alsof hij om een rotonde reed, langzaam, opzettelijk uitstellend. Reacher deed alsof hij probeerde te ontsnappen, het open land op, en de chauffeur trapte erin en stuurde iets van tien graden buiten zijn draaicirkel. Reacher dook terug naar de rots, gleed langs de granieten wand en schoot de driehoekige inkeping in, naar de punt van de V, zijn schouders hard tegen de naar elkaar neigende wanden. De SUV stond even stil en schoot toen vooruit, maakte een korte draai op het open land en kwam recht op Reacher af, in dezelfde lage versnelling, met dezelfde lage, dreigende snelheid, steeds dichterbij, drie meter, twee meter, een meter, zestig centimeter. Op dat moment raakten tegelijkertijd het linker- en het rechteruiteinde van de bumper de wanden van de inkeping en kwam de SUV tot stilstand. Hij bleef doodstil staan, precies waar Reacher hem hebben wilde, met de grote verchroomde bumper als een nieuwe begrenzing van de driehoekige ruimte dertig centimeter voor Reachers dijbenen. Hij voelde de hitte die de radiator uitstraalde en het stationair kloppen van de motor resoneerde in zijn borstkas. Hij rook olie en benzine en rubber en uitlaatgassen. Hij zette zijn handen op het bolle chroom van de bumper en deed een poging om te gaan zitten, met de bedoeling met zijn voeten vooruit onder het voertuig te schuiven en weg te wriemelen op zijn rug.

Het werkte niet.

De chauffeur vond het belangrijker om Reacher te pakken te krijgen dan zijn bumper heel te houden. Reacher was halverwege zijn schuivende beweging omlaag toen hij het klikken en gekraak hoorde waarmee de transmissie in een lage versnelling werd gezet. Ideaal voor het lostrekken van boomstronken. En voor het kraken van chroom. De motor brulde, alle vier de banden beten zich vast en de SUV probeerde opnieuw vooruit te komen met als enige weerstand het chroom van de eigen bumper. Beide uiteinden van de bumper krijsten en verbogen en werden platgedrukt, maar de SUV bleef vooruitrijden, eerst één centimeter, toen twee, toen drie. De banden wrikten zich langzaam maar onstuitbaar rond, van de ene rand in het profiel op de volgende. De bumper werd ingedrukt, knarsend en krijsend, terwijl de enorme V-8 het bolle sierornament veranderde in een samengedrukt stuk schroot. Het midden van de bumper bevond zich nog vijftien centimeter van Reachers borst.

En kwam nog steeds dichterbij. De bumper werd helemaal platgedrukt tot waar de stalen steunen op het chassis waren gemonteerd. Sterker materiaal. De motor brulde luider en de SUV beet zich vast in de grond onder de banden en veerde diep door op de vering. Een van de voorwielen verloor even de greep en draaide als een idioot rond en spoot grond, stenen en vermorzelde stukken struikgewas de wielkast in. De hele SUV schudde en bokte en danste op de plaats. Toen kreeg het voorwiel weer grip en bulderde het lawaai uit de uitlaatpijpen en braken de bumpersteunen af, wat weer een paar centimeter opleverde. De SUV schoot vooruit.

Tot tien centimeter voor Reachers borst.

Toen zeven.

De laatste bumpersteunen braken af. Heet metaal raakte Reachers borst.

Tijd om in actie te komen.

Hij draaide zijn hoofd opzij en zette zich af tegen het chroom en wrong zich omlaag, alsof hij kopje-onder ging in water. Hij was halverwege toen het plaatstaal achter de bumper begon te vervormen, krijsend en verbuigend en kneuzend, rondingen die geïnverteerd raakten, contouren die werden geplet. De motor brulde, de uitlaatpijpen bulderden nog luider en de SUV werkte zich nog twee centimeter verder vooruit. Het midden van de bumper kwam tegen Reachers slaap. Hij wrikte zich omlaag, één oor tegen het hete chroom, het andere tegen het koude graniet. Hij trappelde en wrikte met zijn hakken en kreeg zijn voeten onder zich vandaan en hij duwde zijn achterste door de bramenstruiken en wist zich plat op zijn rug te manoeuvreren. Boven zijn hoofd zag hij het laatste driehoekje lucht verdwijnen toen de spatborden van de SUV het begaven en het restant van de bumper door de granieten wanden tot een wig werd samengeperst.

De chauffeur hield niet in.

De man hield het gas ingetrapt. Hij wist duidelijk niet waar Reacher precies was, want hij kon hem niet zien. Hij hoopte natuurlijk dat hij hem tegen zijn borst had klemgezet. De SUV bokte, zonk diep in de vering en duwde. Reacher lag er plat op zijn rug onder, monsterachtige banden links, monsterachtige banden rechts, schuddende buizen van het uitlaatsysteem boven zijn hoofd, allerlei geribbelde, vuile metalen onderdelen, slechts centimeters van zijn gezicht. Dingen zoemden en draaiden als ra-

zenden rond: bouten, moeren, buizen en snaren. Reacher wist weinig van auto's. Wist niet hoe hij ze moest repareren, wist niet hoe hij ze onklaar moest maken. En hij had natuurlijk bovendien geen gereedschap bij de hand.
Of wel?
Hij klopte op zijn zakken, uit gewoonte en wanhoop, en voelde door de stof hard metaal. Het bestek van Dorothy. Van het ontbijt. Het mes, de vork en de lepel. Zwaar oud bestek, in alle haast in de zak gestopt, later vergeten. Hij haalde ze tevoorschijn. Drie keer een lang zwaar heft, een vroeg soort roestvrij staal.
Recht boven zijn neus hing een grote, platte bak, onder aan het motorblok. Een ondiepe, vierkante opvangbak, van onderen gezien. Zwart en vuil. Het carter, dacht hij, of zo. Voor de motorolie. Precies in het midden zat een zeskantbout. Om de olie af te tappen. De monteur in de garage draaide de bout los en de olie liep eruit. Nieuwe olie werd er boven in gegoten.
De monteur in de garage had daar een sleutel voor.
Reacher niet.
De motor brulde en spande zich tot het uiterste in. De SUV schudde en trilde heftig. Reacher wurmde zich een meter achteruit, bracht zijn handen boven zijn hoofd en hield het heft van het mes aan de ene kant van de zeskantbout, het heft van de vork aan de andere kant. Met de duim en wijsvinger van beide handen klemde hij het geheel aan, met de helft van zijn kracht. Met de andere helft van zijn kracht probeerde hij het geïmproviseerde gereedschap tegen de wijzers van de klok in te draaien.
Er gebeurde niets.
Hij haalde diep adem, klemde zijn kaken op elkaar, negeerde de pijnscheuten in zijn armen en probeerde het nog een keer. Nog steeds niets. Hij paste zijn techniek aan. Hij klemde de kop van de bout met zijn rechterduim en -wijsvinger tussen het uiteinde van de beide heften en probeerde het geheel met zijn linkerhand in beweging te krijgen.
De bout begon te draaien.
Een klein beetje. Hij haalde nog een keer diep adem, hield zijn adem in en klemde zo hard dat het vlees van zijn vingers wit werd, en overwon de weerstand van de bout die langzaam ronddraai-

de. De bout was vast aangedraaid en draaide moeizaam, waarbij het gruis en vuil in de draad dreigden het verder draaien onmogelijk te maken, maar Reacher gaf niet op, ademde zwaar, concentreerde zich. Na tweeënhalve slag moest de olie de draad in zijn gesijpeld, want plotseling was er geen weerstand meer en liet de bout zich snel en makkelijk met de vingertoppen losdraaien. Reacher liet het bestek vallen, schoof nog wat verder weg en draaide de bout helemaal los. De motor liep nog steeds op volle toeren en op het moment dat de bout uit het gat kwam, perste de enorme druk in het motorblok de olie in een centimeter dikke straal naar buiten. Het siste en spoot en spetterde op de bevroren grond en spatte weer op en bedekte de ranken van de bramenstruiken met een glanzende, zwarte, hete en rokende laag. Reacher deed zijn armen weer langs zijn lichaam en wurmde zich aan de achterkant onder de SUV vandaan. Eerst zijn voeten, liggend op zijn rug, voortdurend in gevecht met het struikgewas, dat aan zijn kleren trok en hem schramde. Hij greep de achterbumper, rukte en trok zich onder de SUV vandaan, draaide zich half en bleef in hurkhouding zitten. Hij zocht een vuistgrote kei om de achterruit van de SUV in te slaan, maar zag er geen, dus stelde hij zich tevreden door er met zijn hand op te slaan, één keer, twee keer, hard, en nog harder, en toen draaide hij zich om en rende weg.

21

Reacher rende dertig meter over de bevroren grond en bleef toen staan. In de SUV zat de chauffeur gedraaid op zijn stoel naar hem te staren en zonder te kijken wild te graaien naar de versnellingspook en te draaien aan het stuur. De SUV reed achteruit, moeizaam, nog steeds in de zware versnelling, het hoge toerental omgezet in kolossale kracht maar weinig beweging. Reacher had geen idee hoe lang het zou duren voordat een motor zonder olie waarvan het uiterste werd gevergd, de geest zou geven.

Niet al te lang, hoopte hij.
Hij danste opzij, naar links, naar links, naar links, en de SUV volgde hem in al zijn bewegingen, langzaam op hem afkomend, de verpletterde bumper over de neus gepleisterd als het mislukte resultaat van een opwelling tijdens het laatste stadium van de fabricage, de assen vergrendeld in de versnelling voor maximale tractie, de banden piepend, schurend en hobbelend en druk bezig nieuwe landwegen over de akker te banen. De chauffeur gaf gas en rukte het stuurwiel naar links met de bedoeling te anticiperen op het misleidende dansje van Reacher en hem vol te raken na de onvermijdelijke plotselinge verandering van richting die nu moest komen, maar Reacher was hem te slim af door toch naar links te springen, zodat de SUV hem op drie meter na miste. De SUV stond stil en Reacher zag hoe de man met schakelaars in de weer was en hij hoorde de transmissie weer overschakelen naar gebruikelijke versnellingen voor normaal wegverkeer. De SUV maakte een grote bocht van meer dan tien meter en kwam opnieuw op Reacher af. Reacher stond stil en keek naar de SUV en stapte naar rechts, naar rechts, naar rechts en was de chauffeur opnieuw te slim af door nog verder naar rechts te springen, terwijl de chauffeur de andere kant op stuurde. De SUV stond pas stil toen hij zijn gehavende neus diep in het struikgewas had geboord en allerlei onaangenaam lawaai produceerde. Zware, bonkende geluiden, als kerkklokken zonder toon en galm. Lagers, dacht Reacher. Het grote werk. Hij kende wel een paar termen. Hij had technische jongens wel eens horen praten op legerbases. Hij zag hoe de chauffeur gealarmeerd omlaag keek, alsof allerlei rode lampjes hem tegemoet knipperden. Er ontsnapte stoom. En blauwe rook.
De SUV reed achteruit. Nog één keer.
Toen sloeg de motor af.
De auto reed nog een stukje van een bocht achteruit en stond stil om te schakelen, maar na het schakelen gebeurde er niets meer. Van de weeromstuit schoot hij nog twintig centimeter naar voren in zijn vering, maar daarna bleef hij stilstaan. Het lawaai van de motor stierf weg en Reacher hoorde gehijg, gesis en getik en zag stoom ontsnappen en toen als uit een spuitbus een fijne zwar-

te nevel onder de SUV vandaan komen, als een laatste doodsreutel.

De chauffeur bleef zitten waar hij zat, op zijn stoel, achter vergrendelde portieren.

Reacher zocht opnieuw naar een kei, maar kon er nog steeds geen vinden.

Impasse.

Maar niet lang.

Reacher zag ze als eerste. Vanuit zijn positie waren ze beter te zien. Vlammen, die uit de naden tussen de motorkap en de spatborden lekten, laag bij de voorkant van het voertuig. De vlammen waren eerst klein en kleurloos, deden de lucht erboven trillen, maar verspreidden zich snel en trokken blaren op de lak. In een mum van tijd lekten de vlammen aan alle vier de zijden van de motorkap uit de naden en stond de lak te borrelen en te verkleuren vanwege de hitte eronder.

De chauffeur zat maar gewoon op zijn stoel.

Reacher rende naar de SUV en probeerde het portier open te maken. Op slot. Hij bonkte op het vensterglas, doffe klappen met zijn vuist, en hij wees dringend naar de motorkap. Maar de man kon zich er onmogelijk nog niet van bewust zijn dat zijn auto in brand stond. Zijn ruitenwissers brandden. Een dikke zwarte walm rolde ervan af en trok rondwervelend langs de voorruit omhoog. De man staarde ernaar, staarde toen weer naar Reacher, met paniek in zijn ogen.

Hij was net zo bang voor het vuur als voor Reacher.

Dus stapte Reacher drie meter achteruit en de deur ging open en de man sprong naar buiten, een grote, vette, bleke jongen, heel jong, bijna twee meter, misschien wel honderdveertig kilo. Hij rende anderhalve meter weg en stond toen abrupt stil. Hij balde zijn handen tot vuisten. Achter hem spoten inmiddels vlammen uit de wielkasten aan de voorkant van de SUV, omlaag gericht, dan ombuigend rond het plaatstaal, fel brandend. De banden van de voorwielen rookten. De knaap stond als aan de grond genageld. Dus rende Reacher op hem af waarop de jongen naar hem uithaalde en miste. Reacher dook onder de zwaaiende arm door, deelde een klap uit in de onderbuik van de jongen en greep hem bij zijn kraag. De jongen kromp in elkaar en legde zijn hand om zijn achterhoofd om zich te beschermen. Reacher sleurde hem weer overeind en sleepte hem mee het veld in, zo snel hij maar kon, tien meter, vijftien, toen twintig. Hij bleef staan en de knaap haalde opnieuw uit en sloeg weer mis. Reacher maakte een schijnbeweging met een linkse directe en plaatste een enorme rechtse hoek op het linkeroor. De jongen stond even te wankelen en zakte toen op zijn achterwerk. Hij bleef op de grond zitten knipperen met zijn ogen, midden op een lege akker in een eindeloos akkerlandschap. Twintig meter achter hem stond de SUV hevig te branden, de hele voortrein. De banden van de voorwielen brandden en de motorkap was kromgetrokken.

Reacher vroeg: 'Hoeveel benzine zit er nog in de tank?'

De jongen zei: 'Niet meer slaan.'

'Geef antwoord.'

'Ik heb hem vanochtend volgegooid.'

Reacher greep hem weer bij zijn kraag, trok hem overeind en sleepte hem verder weg. Nog tien meter, en daarna nog tien meter. De knaap struikelde het hele eind en verzette zich op het laatste stukje en zei: 'Alsjeblieft, niet weer slaan.'

'Waarom niet? Je hebt net geprobeerd me te vermoorden met die auto.'

'Dat spijt me.'

'Dat spijt jou?'

'Ik moest.'

'Je deed dus gewoon blind wat je was opgedragen?'

'Ik geef me over, oké? Ik vecht niet meer mee. Als een krijgsgevangene.'

'Je bent groter dan ik. En jonger.'

'Maar jij bent gestoord.'

'Wie zegt dat?'

'Dat hebben ze verteld. Over gisteravond. Je hebt drie van ons het ziekenhuis in geslagen.'

Reacher vroeg: 'Hoe heet je?'

De jongen zei: 'Brett.'

'Waar zijn we hier in godsnaam, de Twilight Zone? Heten jullie allemaal hetzelfde?'

'Maar drie van ons.'
'Van de tien, toch?'
'Ja.'
'Dertig procent. Hoe groot is zo'n kans?'
De jongen zei niets.
'Wie is er hier de baas?' vroeg Reacher.
'Ik begrijp niet wat je bedoelt.'
'Wie heeft jou vanochtend verteld dat je de akkers op moest om mij met je auto te vermoorden?'
'Jacob Duncan.'
'De vader van Seth Duncan?'
'Ja.'
'Weet je waar hij woont?'
De knaap knikte en wees in de verte, naar het zuidoosten, achter het brandende voertuig. De vlammen hadden nu het interieur bereikt. Het glas was gesprongen en de stoelen brandden. Er hing een kolom rook in de lucht, zwart en smerig. De rook ging recht omhoog en verspreidde zich vervolgens zijwaarts op het moment dat het een laag met geringere luchtdruk bereikte. Als de paddenstoel van een microkernbom.
Toen explodeerde de benzinetank.
Een enorme oranje vuurbol wierp de achterkant van de SUV omhoog. Een fractie van een seconde later rolde een dof bulderend geluid over de akker, vergezeld van een drukgolf die zo krachtig was dat Reacher wankelend een stap achteruit deed, en zo heet dat hij zich in elkaar krimpend afwendde. Vlammen sprongen vijftien meter de lucht in en doofden onmiddellijk uit. De SUV kwam met een krakende klap weer op de grond terecht, nu niet meer dan een volkomen zwartgeblakerd skelet, omgeven door een nieuw vuur met vlammen die dertig meter hoog de lucht in kolkten.
Reacher keek er even naar. Toen zei hij: 'Oké, Brett, let op. Jij gaat het volgende doen. Je gaat op een holletje naar het huis van Jacob Duncan en je gaat hem drie dingen zeggen. Hoor je me?'
De vetzak keek weg van het vuur en zei: 'Ja.'
'Goed. Om te beginnen, als Duncan er zin in heeft, kan hij de zes jongens die hij nog overheeft, achter me aan sturen. Die zullen

me dan stuk voor stuk een paar minuten bezighouden, maar daarna kom ik bij hem op bezoek om hem op zijn donder te geven. Heb je dat?'

'Ja.'

'Twee. Als hij dat liever heeft, kunnen we het pak ransel voor die zes jongens ook overslaan. Dan mag hij me direct zelf komen opzoeken. Heb je dat?'

'Ja.'

'Drie. Als ik die twee kerels uit de stad nog een keer tegenkom, gaan ze terug naar huis in een emmer? Heb je dat allemaal?'

'Ja.'

'Heb je een mobiel?'

'Ja,' zei de jongen.

'Geef eens hier.'

De knaap groef in zijn zak en haalde een telefoontje tevoorschijn, zwart en nietig in zijn gigantische rode klauw. Hij gaf hem aan Reacher die hem openmaakte. Hij had wel eens mobiele telefoons gezien die op het trottoir waren gevallen, dus hij wist wat erin zat. Een batterij en een simkaart. Hij trok de achterklep eraf, wipte de batterij eruit en gooide hem vijf meter de ene kant op. Hij haalde de simkaart eruit en gooide de rest van de telefoon vijf meter de andere kant op. Hij balanceerde de simkaart op zijn handpalm, een klein siliconenplaatje met een patroon van gouden draden erop.

'Opeten,' zei hij.

De jongen zei: 'Hè?'

'Opeten. Dat is je straf. Omdat je een waardeloze baal vet bent.'

De knaap aarzelde even en toen pakte hij voorzichtig met duim en wijsvinger het kaartje. Hij deed zijn mond open en legde het kaartje op zijn tong. Hij sloot zijn mond, verzamelde wat speeksel en slikte.

'Laat zien,' zei Reacher.

De jongen opende zijn mond opnieuw en stak zijn tong uit. Als een klein kind bij de dokter. Het kaartje was verdwenen.

'Oké, ga zitten,' zei Reacher.

'Hè?'

'Net als zo-even.'

'Ik dacht dat ik naar het huis van de Duncans moest?'
'Moet je ook,' zei Reacher. 'Maar nu nog niet. Niet zolang ik in de buurt ben.'
De jongen ging zitten, een beetje bezorgd, zijn gezicht naar het zuiden gekeerd, zijn benen recht voor zich uit, zijn handen op zijn knieën en zijn bovenlichaam iets naar voren gebogen.
'Armen achter je rug,' zei Reacher. 'Steun op je handen.'
'Waarom?'
Gevechtskracht van de vijand.
'Gewoon doen,' zei Reacher.
De knaap bracht zijn armen naar achteren en liet zijn gewicht op zijn handen rusten. Reacher liep om hem heen tot hij achter hem stond en joeg de zool van zijn schoen door de rechterelleboog van de jongen. Die ging onderuit en krijste en rolde en jammerde. Toen ging hij weer rechtop zitten en koesterde hij zijn gebroken arm en staarde hij Reacher beschuldigend aan. Reacher stapte nog een keer om hem heen en schopte hem hard tegen het achterhoofd. De jongen zakte langzaam in elkaar, eerst voorover, toen zijwaarts op het moment dat zijn pens in de weg zat. Hij strekte zich en kwam zacht op zijn schouder terecht en bleef stilliggen als een grote letter L op een vuile bruine pagina. Reacher keerde zich van hem af en sjokte verder, naar de twee houten schuren aan de horizon.

22

De Canadese truck met oplegger, met aan boord de vracht van de Duncans, vorderde gestaag in oostelijke richting over Route 3 in British Columbia, voor het grootste deel parallel rijdend aan de kaarsrechte grens tussen Canada en de VS, Alberta recht vooruit. Route 3 was een eenzame weg, bergachtig, steile hellingen en scherpe bochten. Niet ideaal voor een grote vrachtwagen. De meeste chauffeurs namen Route 1, die vanuit Vancouver eerst met een grote bocht naar het noorden liep en pas verderop af-

boog naar het oosten. Een betere weg, als je alles bij elkaar optelde. Bij vergelijking was Route 3 een rustige weg. Lange stukken niets dan asfalt en fraaie landschappen. Een heel klein beetje verkeer. Zo hier en daar parkeerplaatsen met grind, om uit te rusten, op adem te komen.
Een van de parkeerplaatsen lag een kilometer of wat voor het Waterton Lakes National Park. Met Amerikaanse ogen bekeken lag hij precies boven de grens tussen de staten Washington en Idaho, ongeveer halverwege tussen Spokane en Coeur d'Alene, en zo'n honderdvijftig kilometer ten noorden van beide plaatsen. Vanaf de parkeerplaats had je een prachtig uitzicht. Eindeloze bossen in het zuiden, het besneeuwde massief van de Rocky Mountains in het oosten, schitterende meren in het noorden. De chauffeur van de truck met oplegger draaide de parkeerplaats op en parkeerde. Maar niet voor het uitzicht. Hij parkeerde daar omdat het van tevoren afgesproken was en omdat er een kleine witte vrachtwagen op hem wachtte. De Duncans waren al lange tijd actief in zaken, dankzij een dosis geluk en behoedzaamheid, en een van hun voorzorgsmaatregelen was om de vracht zo snel mogelijk na import over te brengen naar een ander voertuig. Zeecontainers konden gevolgd worden. Zo waren ze ontworpen, met hun BIC-code. Je kon maar beter niet het risico lopen dat een douaneambtenaar na verloop van tijd toch nog argwaan ging koesteren. Het was beter om de goederen binnen een paar uur over te brengen in iets anoniems, dat gemakkelijk uit het geheugen glipte en geen sporen naliet. Witte vrachtwagens waren de meest anonieme, meest gemakkelijk te vergeten voertuigen op de hele wereld en ze lieten de minste sporen na.
De truck met oplegger parkeerde en de vrachtwagen keerde en reed achteruit tot vlak achter de oplegger. Beide chauffeurs stapten uit. Ze zeiden niets. Ze liepen naar de weg, strekten hun nek en tuurden de weg af om te zien wat eraan kwam, de een naar het oosten, de ander naar het westen. Er kwam niets aan, wat niet ongebruikelijk was voor Route 3, dus liepen ze weer terug naar de wagens en gingen aan het werk. De chauffeur van de vrachtwagen opende de achterdeuren en de chauffeur van de truck klom op de oplegger, verbrak het plastic veiligheidszegel,

klapte de grendels en haken weg en trok de deuren van de container open.
Een minuut later was de vracht overgebracht, alle 572 kg, en nog weer een minuut later was de witte vrachtwagen opnieuw gekeerd en reed hij weg naar het oosten, terwijl de truck met oplegger er een tijdje achteraan reed. De chauffeur was van plan de 95 naar het noorden te nemen, en dan terug naar het westen te rijden over Route 1, een betere weg, terug naar Vancouver voor zijn volgende klus, die waarschijnlijk legaal was, dus beter voor zijn bloeddruk, maar minder goed voor zijn portemonnee.

In Las Vegas zocht de Libanees Safir zijn twee beste handlangers uit en stuurde hen naar de Italiaan Rossi om te babysitten. Een onverstandig besluit, zo bleek. Hoe onverstandig, werd binnen een uur duidelijk. Safirs telefoon ging en hij nam het gesprek aan en constateerde dat hij met een Iraniër sprak, Mahmeini. Mahmeini was de klant van Safir, maar ze deden geen zaken op voet van gelijkheid. Mahmeini was klant van Safir zoals een koning klant zou kunnen zijn bij een schoenlapper. Veel machtiger, dominanter, neerbuigender en superieur en geneigd boos te worden als de schoenen hem niet aanstonden.
Of niet op tijd waren.
Mahmeini zei: 'Ik had mijn exemplaren al een week geleden moeten hebben.'
Safir kon niets zeggen. Zijn keel was droog.
Mahmeini zei: 'Bekijk het alsjeblieft vanuit mijn standpunt. Die exemplaren zijn al toegezegd, aan bepaalde mensen op bepaalde locaties, voor specifiek aan een datum gebonden gebruik. Als ze niet op tijd worden geleverd, lijd ik een verlies.'
'Ik zal het compenseren,' zei Safir.
'Dat weet ik. Daarom bel ik. We hebben veel te bespreken, jij en ik. Want mijn verlies is niet iets eenmaligs. Dat is iets permanents. Mijn reputatie wordt geruïneerd. Waarom zouden mijn contacten mij nog weer vertrouwen? Ik raak hun klandizie voorgoed kwijt. Dat betekent dat je mij voorgoed zult moeten compenseren. Dat komt er eigenlijk op neer dat je vanaf nu voor de rest van je leven mijn eigendom bent. Snap je wat ik bedoel?'

Het enige wat Safir kon zeggen was: 'Ik geloof dat de zending op dit moment al onderweg is.'
'Een week te laat.'
'Ik lijd er ook onder. En ik probeer er iets aan te doen. Ik heb mijn contact opdracht gegeven er twee man naartoe te sturen. En vervolgens heb ik twee van mijn mannen naar hem gestuurd, om ervoor te zorgen dat zijn concentratie niet verslapt.'
'Mannen?' zei Mahmeini. 'Heb jij mannen in dienst? Of jongens?'
'Het zijn goede krachten.'
'Ik zal je eens laten zien wat mannen zijn. Ik stuur twee van mijn mannen naar jou. Om ervoor te zorgen dat jóúw concentratie niet verslapt.'
De verbinding werd verbroken en Safir bleef met lege handen zitten, wachtend op twee zware Iraanse jongens, in een kantoor dat nog maar net was verlaten door de betere helft van de veiligheidsdienst.

Reacher bereikte de loods en de schuur zonder verdere voorvallen, wat hem niet verbaasde. Zes resterende voetbalspelers en twee stadsjongens leverden in totaal acht mensen van vlees en bloed, van wie de beide stadsjongens waarschijnlijk ook nog samen optrokken, zodat er niet meer dan zeven voertuigen zouden zijn die door velden zwierven in een county met een oppervlakte van vele honderden vierkante kilometers. Eén ontmoeting was al een extreem toeval geweest. Een tweede ontmoeting was volstrekt onwaarschijnlijk.
De oude loods was nog steeds afgesloten en helde nog steeds over. De pick-up stond nog in de kleinere schuur. Onaangeroerd en niet ontdekt, voor zover Reacher kon zien. Hij was koud en doods. De lucht in de loods was droog. Het rook er naar stof en muizenkeutels. Het land rondom was leeg en stil.
Reacher opende het deksel van de gereedschapskist in de laadbak van de pick-up en bekeek de inhoud. Het grootste werktuig dat erin lag was een bahco van een centimeter of dertig lang. Een gepolijste staallegering. Hij woog nog geen kilo. *Made in the USA*. Niet bepaald het meest fantastische wapen dat je je kon voorstellen, maar beter dan niets. Reacher stopte hem in zijn zak en

rommelde verder in de kist. Hij haalde er twee schroevendraaiers uit, de ene was een korte Phillips-kruiskop met een rubberen handvat, de andere een lang, slank ding met een reguliere kop voor traditionele schroeven met een gleuf in de kop. Hij stak ze in zijn andere zak, deed de gereedschapskist weer dicht en klom in de cabine. Hij startte de motor en reed achteruit naar buiten. Hij volgde de tractorsporen het hele eind naar het oosten tot aan de weg. Daar sloeg hij af naar het noorden, op weg naar het motel.

De twee zware jongens van Safir arriveerden in het kantoor van Rossi met wapens in hun schouderholsters en zwarte nylon tassen in de hand. Ze pakten de tassen uit op Rossi's bureau, pal onder zijn neus. In de eerste tas zat maar één object, in de tweede tas zaten twee objecten. Uit de eerste tas kwam een bandschuurmachine, waarop al een verse schuurband met een grove korrel was gemonteerd. Uit de tweede tas kwamen een propaanbrander en een rol tape.
Gereedschap van de vakman.
Voor iemand in de wereld waarin Rossi leefde een boodschap die je niet verkeerd kon begrijpen. In de wereld waarin Rossi leefde, werden slachtoffers naakt aan stoelen getapet en werden bandschuurmachines in werking gesteld en aan het werk gezet op kwetsbare plekken zoals knieën, ellebogen of borstkassen. Zelfs gezichten. Daarna kwamen de gasbranders voor een beetje extra plezier.
Niemand zei iets.
Rossi koos een nummer op zijn telefoon. Na drie keer rinkelen nam Cassano in Nebraska op. Rossi zei: 'Wat zijn jullie verdomme aan het doen daar? Het moet opschieten.'
Cassano zei: 'We jagen op schaduwen.'
'Dan jaag je maar wat harder.'
'Wat maakt het uit? Het is maar de vraag of die kerel ergens iets mee te maken heeft. Je zei zelf dat je dacht dat het een smoes was. Dus wat er ook met hem gebeurt, die vracht komt heus niet sneller.'
'Heb je wel eens gelogen?'

'Niet tegen jou, baas.'
'Tegen iemand anders?'
'Natuurlijk wel.'
'Dan weet je hoe het werkt. Je regelt alles zo dat je zeker weet dat je niet wordt gepakt. En dat doen die smeerlappen van Duncan volgens mij ook. Die houden het transport ergens tegen tot die kerel wordt gepakt. Om ervoor te zorgen dat het net lijkt of ze de hele tijd de waarheid hebben gesproken. Oorzaak en gevolg. Of we nu willen of niet, we moeten het spelletje op hun manier spelen. Dus zoek die klootzak, ja? En snel. Dit moet opschieten.'
Rossi verbrak de verbinding. Een van de Libanezen had het snoer van de schuurmachine afgerold. Hij bukte zich en stak de stekker in het stopcontact. Hij drukte op een schakelaar, de schakelaar klikte en de machine begon even te draaien, en stopte toen weer.
Even testen.
Een boodschap.
Reacher reed naar het motel en parkeerde naast de vernielde Subaru van de dokter. Hij stond er nog steeds, voor *cabin* nummer zes. Hij stapte uit en hurkte voor en vervolgens achter de wagen en haalde met behulp van de kleine schroevendraaier de kentekenplaten van de pick-up. Toen verwijderde hij de kentekenplaten van de Subaru en schroefde die op de pick-up. Hij gooide de nummerborden van de pick-up in de laadbak, stopte de schroevendraaier weer in zijn zak en liep naar de lobby.
Vincent stond achter de bar en poetste die met een doek. Hij had een blauw oog en een dikke lip en een bult zo groot als een muizenrug op zijn wang. Een van de spiegels achter hem was stuk. Stukken glas in de vorm van bliksemschichten waren eruit gevallen. De oude betimmering was zichtbaar, beplakt en vergeeld en verstoorde heel aards en prozaïsch de optimistische illusie van de ruimte.
Reacher zei: 'Het spijt me dat ik je al die problemen heb bezorgd.'
Vincent vroeg: 'Heb je hier geslapen?'
'Wil je dat echt weten?'
'Nee, ik denk het niet.'

‘Reacher bekeek zichzelf in de kapotte spiegel. Op één oor kwam een korst waar hij ermee over de rots was geschraapt. Zijn gezicht zat onder de schrammen van de doornen. Zijn handen ook. En zijn rug waar zijn hemd en jas en trui omhoog waren geschoven. Hij vroeg: ‘Hadden die lui een lijst met plaatsen waar ze gingen zoeken?’

Vincent zei: ‘Ze zullen wel van huis tot huis gaan.’

‘Waar rijden ze in?’

‘Een huurwagen.’

‘Kleur?’

‘Iets donkers. Donkerblauw, misschien? Ik dacht een Chevrolet.’

‘Hebben ze ook gezegd wie ze zijn?’

‘Alleen maar dat ze de Duncans vertegenwoordigden. Zo zeiden ze dat. Het spijt me dat ik heb verteld van Dorothy.’

‘Ze heeft het prima doorstaan,’ zei Reacher. ‘Maak je geen zorgen. Ze heeft ergere dingen meegemaakt in haar leven.’

‘Ik weet het.’

‘Denk jij dat de Duncans haar kind hebben vermoord?’

‘Dat zou ik graag geloven. Het past precies bij wat we van hen weten.’

‘Maar?’

‘Er was geen bewijs. Absoluut helemaal niets. En het was een heel gedegen onderzoek. Een heleboel verschillende bureaus. Heel professioneel. Ik betwijfel of ze iets over het hoofd hebben gezien.’

‘Dus het was louter toeval.’

‘Dat moet wel.’

Reacher zei niets.

Vincent vroeg: ‘Wat ga je nu doen?’

‘Een paar dingen,’ zei Reacher. ‘Drie dingen misschien. En dan ben ik vertrokken. Ik ga naar Virginia.’

Hij liep terug naar het parkeerterrein en stapte in de pick-up. Hij startte de motor en reed de weg op, in de richting van de dokter.

23

De twee zware jongens van Mahmeini arriveerden ongeveer een uur nadat zijn eigen zware jongens waren vertrokken, in het kantoor van Safir. De jongens van Mahmeini waren fysiek weinig indrukwekkend. Geen onder spanning staande overhemdkragen, geen opbollende spiermassa's. Zij waren klein en tanig, donker, hadden doodse ogen en liepen er verkreukeld bij, niet al te schoon. Safir was Libanees en kende veel Iraniërs. De meesten waren de alleraardigste mensen die je maar kon treffen, vooral als ze over de grens woonden. Maar sommigen van hen behoorden tot de ergste soort. Deze twee hadden niets meegenomen. Geen tassen, geen gereedschap, geen apparatuur. Dat hadden ze allemaal niet nodig. Safir wist dat ze wapens onder hun oksels hadden en messen in hun zakken. Hij was beducht voor de messen. Pistolen deden hun werk snel. Messen deden hun werk langzaam. Deze twee Iraniërs deden hun werk heel erg langzaam met messen. En heel inventief. Dat wist Safir. Hij had eens een van hun slachtoffers gezien, in de woestijn. Nog niet echt in ontbinding, maar toch had het de politie meer moeite gekost dan je zou verwachten om vast te stellen tot welk geslacht het slachtoffer behoorde. Wat niet verbazend was, want er was geen enkel uiterlijk kenmerk van geslacht te vinden. Helemaal niets.
Safir belde. Na drie keer rinkelen nam een van zijn jongens aan, zes straten verderop. Safir zei: 'Voortgangsrapport.'
Zijn man zei: 'Het is een grote rotzooi.'
'Blijkbaar. Maar ik wil meer horen dan alleen dat.'
'Oké, blijkbaar zitten Rossi's contacten in Nebraska. Duncan heten ze. Ze zijn daar allemaal van streek vanwege een kerel die er rondneust. Het heeft waarschijnlijk nergens wat mee te maken, maar Rossi denkt dat de Duncans de zaak traineren tot die kerel uit de weg is, om hun gezicht te redden, want ze beweren dat die kerel de oorzaak van alle vertraging is. Wat volgens Rossi gelul is, maar de hele zaak is een vicieuze cirkel geworden. Rossi denkt dat er daar nu niets meer gaat gebeuren tot die vent uit de weg is. Hij heeft er jongens naartoe gestuurd om eraan te werken.'

'Hoe hard?'
'Zo hard als ze maar kunnen, denk ik.'
'Zeg maar tegen Rossi dat ze nog harder moeten werken. Veel en veel harder. En zorg ervoor dat hij begrijpt dat ik het meen, oké? Zeg maar dat ik hier ook mensen in mijn kantoor heb en dat, als ik eronder te lijden heb, hij er als eerste onder zal lijden, en twee keer zo erg.'

Reacher herinnerde zich van de vorige avond hoe hij naar de dokter moest rijden. Bij daglicht zagen de wegen er anders uit. Opener, minder geheimzinnig. Kwetsbaarder. Het waren niet meer dan smalle stroken asfalt, iets verhoogd ten opzichte van het omringende land, niet beschermd door heggen, geen schaduw van bomen. De ochtendmist was opgetrokken en vormde op een hoogte van zo'n honderdvijftig meter inmiddels een laag wolkendek. De lucht was één groot vlak lichtpaneel dat een onheilspellend zwak schijnsel op alles wierp. Geen gloed, geen schaduwen.
Maar Reacher bereikte zijn bestemming zonder problemen. Het eenvoudige boerenhuis, de paar hectare land, het houten hek. Bij daglicht zag het huis er onaf en nieuw uit. Op het dak was een satellietschotel geïnstalleerd. Op de oprit stonden geen auto's. Geen donkerblauwe Chevrolet. Ook geen buren. Het dichtstbijzijnde huis stond misschien wel een kilometer verderop. Buiten het houten hek werd het huis aan drie kanten omringd door akkerland dat vermoeid en in winterslaap wachtte op de ploeg en het zaaien in het voorjaar. Aan de vierde kant lag de weg en aan de overkant van de weg meer akkerland, vlak en effen, tot aan de horizon. De dokter en zijn vrouw waren geen liefhebbers van tuinieren. Dat was duidelijk. Op het erf groeide alleen maar gras, van de palen van het hek tot aan het fundament van het huis. Geen struiken, geen groenblijvende planten, geen borders.
Reacher parkeerde op de oprit en liep naar de deur. In de deur zat een kijkgat. Een klein glazen lensje, net een dikke druppel water. Heel gebruikelijk in de stad. Heel ongebruikelijk op het platteland. Hij drukte op de bel. Het duurde lang. Hij vermoedde dat hij vandaag niet de eerste bezoeker was. Waarschijnlijk al de derde. Vandaar de aarzeling bij de dokter en zijn vrouw om open te

doen. Maar na verloop van tijd deden ze niettemin open. Het kijkgaatje werd donker en toen weer licht. De deur zwaaide langzaam naar binnen en Reacher zag de vrouw die hij de vorige avond had ontmoet een beetje verbaasd, maar vooral opgelucht, kijken.

'Jij,' zei ze.

'Ja,' zei Reacher. 'Zij niet.'

'Goddank.'

'Wanneer zijn ze geweest?'

'Vanochtend.'

'Wat is er gebeurd?'

De vrouw gaf geen antwoord. Ze stapte achteruit. Een zwijgende uitnodiging. Reacher stapte naar binnen, liep door de hal en kreeg een aardig idee van wat er was gebeurd toen hij de dokter zag. De man was een beetje beschadigd, vrijwel op dezelfde manier als Vincent, in het motel. Blauwe ogen, zwellingen, opgedroogd bloed in de neusgaten, gescheurde lippen. Loszittende tanden waarschijnlijk ook, zo te zien aan de manier waarop de man zijn lippen tuitte en met zijn tong bewoog, alsof hij probeerde ze weer terug in de kaak te drukken, of alsof hij probeerde te tellen hoeveel hij er nog overhad. Vier klappen, dacht Reacher, stuk voor stuk hard, maar met precisie op een ander deel van het gezicht geplaatst. Klappen van een expert.

Reacher vroeg: 'Weten jullie wie zij zijn?'

De dokter zei: 'Nee. Ze komen niet uit de buurt.' Hij sprak met dikke stem, onduidelijk en moeilijk verstaanbaar. Loszittende tanden, gescheurde lippen. En een kater waarschijnlijk. 'Ze zeiden dat ze de Duncans vertegenwoordigden. Niet dat ze voor hen werkten. Ze zijn dus niet door hen ingehuurd. We weten niet wie ze zijn en wat ze komen doen.'

'Wat wilden ze?'

'Jou natuurlijk.'

Reacher zei: 'Het spijt me dat ik jullie problemen bezorg.'

De dokter zei: 'Wat gebeurt, gebeurt.'

Reacher keerde zich om naar de vrouw van de dokter. 'Alles goed met jou?'

Ze zei: 'Ze hebben me niet geslagen.'

'Maar?'
'Ik wil er niet over praten. Waarom ben je hier?'
'Ik heb medische hulp nodig,' zei Reacher.
'Waarvoor?'
'Ik heb overal schrammen van doornen. Ik wil graag dat die verzorgd worden.'
'Echt?'
'Nee, niet echt,' zei Reacher. 'Ik heb alleen wat tegen de pijn nodig. Ik heb mijn armen niet de rust kunnen geven die ze nodig hebben.'
'Wat wil je nou echt?'
'Ik wil praten,' zei Reacher.

Ze begonnen in de keuken. Ze maakten zijn wonden schoon, puur om iets omhanden te hebben. De vrouw van de dokter vertelde dat ze een verpleegstersopleiding had. Ze goot wat dunne, bijtende vloeistof in een kom en pakte watten. Ze begon met zijn gezicht en nek en deed daarna zijn handen. Ze liet hem zijn hemd uittrekken. Zijn rug was een slagveld als gevolg van de ruggelingse ontsnapping onder de SUV uit. Hij zei: 'Ik heb vanmorgen bij Dorothy thuis ontbeten.'
De vrouw van de dokter zei: 'Dat zou je ons niet moeten vertellen. Daar kan zij problemen door krijgen.'
'Alleen als jullie haar verraden aan de Duncans.'
'Ze zouden ons kunnen dwingen.'
'Ze zei dat ze een vriendin van je is.'
'Niet echt een vriendin. Ze is veel ouder dan ik.'
'Ze zei dat jij haar kant hebt gekozen, vijfentwintig jaar geleden.'
De vrouw zei niets. Ze ging door met haar behoedzame werk op zijn rug. Ze deed het grondig. Ze duwde elke kras tussen duim en wijsvinger open en maakte hem dan zorgvuldig schoon. De dokter vroeg: 'Wil je iets drinken?'
'Te vroeg voor mij,' zei Reacher.
'Ik bedoelde koffie,' zei de dokter. 'Gisteravond dronk je koffie.'
Reacher glimlachte. De man probeerde te bewijzen dat hij iets kon onthouden. Probeerde te bewijzen dat hij niet echt dronken was geweest, probeerde te bewijzen dat hij geen kater had.

'Een kop koffie is altijd welkom,' zei Reacher.
De dokter liep naar het aanrecht en zette het koffieapparaat aan. Hij kwam terug en pakte Reachers arm, zoals alleen artsen dat doen, de vingertoppen op Reachers handpalm, voorzichtig optillen, draaien en manipuleren. De dokter was klein en Reachers arm was groot. De man worstelde als een slager met een zij spek. Hij prikte met de vingers van zijn andere hand diep in Reachers schoudergewricht, tastend, voelend, zoekend.
'Ik zou je cortison kunnen geven.'
'Heb ik dat nodig?'
'Het helpt.'
'Hoeveel?'
'Een beetje. Misschien meer dan een beetje. Je kunt het overwegen. Je zou er minder last van hebben. Nu blijft het maar zeuren. Je wordt er waarschijnlijk moe van.'
'Oké,' zei Reacher. 'Doe maar.'
'Dat is goed,' zei de dokter. 'In ruil voor wat informatie.'
'Zoals?'
'Hoe is dat zo gekomen?'
'Waarom wil je dat weten?'
'Zeg maar professionele nieuwsgierigheid.'
De vrouw van de dokter was klaar met haar klus. Ze gooide de laatste dot watten op tafel en gaf Reacher zijn hemd. Hij trok het aan, en knoopte het dicht en zei: 'Het was wat jij zei. Ik kwam midden in een orkaan terecht.'
De dokter zei: 'Dat geloof ik niet.'
'Geen natuurverschijnsel. Ik was in een ondergrondse ruimte. Daar brak brand uit. Er was een trappenhuis en twee ventilatiekokers. Ik had mazzel. De vlammen werden de ventilatiekokers ingezogen, ik rende de trap op. Daarom ben ik niet verbrand. Maar het vuur zoog net zo hard lucht aan door het trappenhuis als de vlammen door de ventilatiekokers omhoogschoten. Het was net alsof ik door een orkaan omhoogklom. Ik werd twee keer weer naar beneden gegooid. Ik kon niet op de been blijven. Uiteindelijk heb ik me met mijn armen omhoog moeten trekken.'
'Hoe ver?'
'Tweehonderdtachtig treden.'

‘Shit! Dat kost je inderdaad je armen. Waar was dat?’
‘Dat gaat buiten het kader van je professionele nieuwsgierigheid.’
‘Wat is er daarna gebeurd?’
‘Dat ligt ook buiten het kader van je professionele nieuwsgierigheid.’
‘Het is nog maar net gebeurd, hè?’
‘Het lijkt alsof het gisteren was,’ zei Reacher. ‘En nu, kom op met die naald.’

Het was een lange naald. De dokter verdween en kwam terug met een roestvrijstalen injectiespuit groot genoeg voor een paard. Reacher moest opnieuw zijn hemd uittrekken en voorovergebogen gaan zitten, met zijn elleboog op tafel. De dokter duwde de lange naald behoedzaam diep in het gewricht, van achteren. Reacher voelde hoe de naald zich een weg baande door allerlei weefsel en spieren. De dokter drukte op de plunjer, rustig en gestaag. Reacher voelde de vloeistof in het gewricht lopen. Voelde hoe het gewricht losser werd en zich ontspande, realtime, direct, als een enorm versneld herstel. Daarna behandelde de dokter de andere schouder. Zelfde procedure. Zelfde resultaat.
‘Prachtig,’ zei Reacher.
De dokter vroeg: ‘Waar wilde je over praten?’
‘Over vroeger,’ zei Reacher. ‘Toen je vrouw nog een kind was.’

24

Reacher kleedde zich weer aan en met z’n drieën liepen ze gewapend met een mok verse koffie naar de woonkamer, een smalle, langwerpige ruimte waarin het meubilair in een L-vorm opgesteld stond langs twee wanden. Aan de derde wand hing een gigantische flatscreen-tv. Onder de tv stond een meubel met allerlei audio- en videoapparatuur die via dikke kabels met elkaar verbonden was. Links en rechts van het scherm waren twee indrukwekkende luidsprekers. In de vierde wand bevond zich een groot raam dat een weids uitzicht bood over duizenden hectaren met absoluut niets. Gazon in winterslaap, houten hek, en dan akkerland tot aan de horizon. Geen heuvels, geen dalen, geen bomen, geen water. Maar ook geen pick-ups of patrouilles. Geen enkele activiteit. Reacher ging zitten in een leunstoel van waaruit hij tegelijkertijd de deur en het weidse uitzicht kon overzien. De dokter ging op de bank zitten, zijn vrouw naast hem. Ze leek niet erg enthousiast over het onderwerp van gesprek.

'Hoe oud was je toen het kind van Dorothy zoekraakte?' vroeg Reacher haar.

'Ik was veertien,' antwoordde ze.

'Zes jaar ouder dan Seth Duncan.'

'Ongeveer.'

'Niet echt zijn generatie.'

'Nee.'

'Kun je je nog herinneren dat hij op het toneel verscheen?'

'Niet echt. Toen was ik tien of elf. Er werd over gepraat. Waarschijnlijk herinner ik me eerder wat erover werd gezegd dan wat er is gebeurd.'

'Wat zeiden de mensen?'

'Wat konden ze zeggen? Niemand wist iets. Er was geen informatie. Iedereen ging ervan uit dat hij familie was. Zijn ouders verloren bij een auto-ongeluk in een andere staat, of zoiets.'

'En de Duncans hebben het nooit uitgelegd?'

'Waarom zouden ze? Daar had verder niemand iets mee te maken.'

'Wat gebeurde er toen het dochtertje van Dorothy werd vermist?'

'Dat was vreselijk. Een soort verraad. Mensen werden er anders door. Zoiets, oké, je schrikt ervan, maar het is wel de bedoeling dat alles weer op zijn pootjes terechtkomt. Alles moet weer goed komen. Alleen gebeurde dat niet.'

'Dorothy dacht dat de Duncans het hadden gedaan.'

'Dat weet ik.'

'Ze zei dat jij haar kant koos.'

'Dat is zo.'

'Waarom?'

'Waarom niet?'

Reacher zei: 'Je was veertien. Hoe oud was zij? Vijfendertig? Meer dan twee keer zo oud als jij. Dus het kan niet zoiets zijn geweest als solidariteit tussen twee vrouwen of twee moeders of twee buurvrouwen. Niet op de gewone manier. Het kwam omdat jij iets wist, toch?'
'Waarom vraag je dat?'
'Zeg maar professionele nieuwsgierigheid.'
'Het is al vijfentwintig jaar geleden.'
'In de beleving van Dorothy was het gisteren.'
'Je komt hier niet uit de buurt.'
'Weet ik,' zei Reacher. 'Ik ben op weg naar Virginia.'
'Ga daar dan maar naartoe.'
'Dat gaat niet. Nog niet. Niet als ik het idee heb dat de Duncans het hebben gedaan en er niet voor zijn gepakt.'
'Wat maakt het jou uit?'
'Weet ik niet. Dat kan ik niet uitleggen. Maar ik vind het belangrijk.'
'Er gebeurt heel veel waarvoor de Duncans niet worden gepakt. Iedere dag weer, geloof me maar.'
'Maar al dat andere interesseert me niet. Het interesseert me niet wiens oogst wordt opgehaald en hoeveel hij daarvoor moet betalen. Dat regelen jullie zelf maar. Zo moeilijk is dat niet.'
De vrouw van de dokter zei: 'Ik was dat jaar oppas bij de Duncans.'
'En?'
'Ze hadden er niet echt een nodig. Ze gingen bijna nooit de deur uit. Of eigenlijk gingen ze wel heel veel de deur uit, maar dan kwamen ze ook meteen terug. Een smoesje dus, een voorwendsel. Als ze me dan naar huis brachten, reden ze heel langzaam. Alsof ze me betaalden om hen gezelschap te houden. Alle vier, bedoel ik, niet alleen Seth. '
'Hoe vaak heb je voor hen gewerkt?'
'Een keer of zes.'
'En wat is er gebeurd?'
'Hoezo?'
'Iets vervelends?'
Ze keek hem recht aan. 'Je bedoelt of ze aan me zaten?'

Hij vroeg: 'Is dat zo?'
'Nee.'
'Voelde je je bedreigd?'
'Een beetje.'
'Gedroegen ze zich op de een of andere manier onbetamelijk?'
'Niet echt.'
'Waarom koos je dan de kant van Dorothy toen haar dochtertje werd vermist?'
'Een gevoel.'
'Wat voor gevoel?'
'Ik was veertien, ja? Ik begreep echt absoluut nog niets. Maar ik wist wel dat ik me ongemakkelijk voelde.'
'Wist je ook waarom?'
'Het begon me heel langzaam te dagen.'
'Waar kwam het door?'
'Ze waren teleurgesteld dat ik niet jonger was. Ze gaven me het gevoel dat ik te oud voor ze was. Ik werd er doodsbang door.'
'Je voelde je te oud voor ze als veertienjarige?'
'Ja. Terwijl ik toch nog niet heel erg volwassen was, als je begrijpt wat ik bedoel. Ik was een klein meisje.'
'Wat denk je dat er gebeurd zou zijn als je jonger was geweest?'
'Daar wil ik niet aan denken.'
'En heb je de politie verteld wat je dacht?'
'Ja. We hebben ze alles verteld. De politie was geweldig. Het is vijfentwintig jaar geleden, maar ze waren heel modern. Ze namen ons heel serieus, ook de kinderen. Ze luisterden naar iedereen. Ze zeiden dat we ze alles konden vertellen, klein en groot, belangrijk of niet, geruchten en waarheid. En dus kwam alles eruit.'
'Maar er viel niets te bewijzen?'
De vrouw van de dokter schudde haar hoofd. 'De Duncans waren zo onschuldig als pasgeboren baby's. Wisten van de prins geen kwaad. Het verbaast me dat ze de Nobelprijs niet hebben gekregen.'
'Maar je bleef Dorothy steunen.'
'Ik wist wat ik voelde.'
'Heb je het idee dat het onderzoek goed was?'

'Ik was veertien. Wat wist ik daarvan? Ik heb honden gezien en mannen met een jack aan van de FBI. Het was net tv. Dus ik had het idee dat ze het goed deden, ja.'
'En nu. Als je erop terugkijkt?'
'Ze hebben haar fiets nooit gevonden.'

De vrouw van de dokter zei dat de meeste boerenkinderen achter het stuur van de oude pick-up van hun ouders kruipen als ze een jaar of vijftien zijn, of zelfs jonger, als ze maar lang genoeg zijn. Als ze jonger zijn, of niet zo lang, hebben ze een fiets. Grote, oude Schwinn Cruisers, met honkbalplaatjes aan de spaken, kwasten aan de handvatten. Het was uitgestrekt land, lopen ging te langzaam. De achtjarige Margaret was weggefietst van het huis dat Reacher had gezien, over de oprit die hij had gezien, een en al knieën en ellebogen en opwinding, op een roze fiets die groter was dan zijzelf. Niemand had haar of de fiets ooit nog gezien.
De vrouw van de dokter zei: 'Ik rekende er steeds maar op dat ze die fiets zouden vinden. Weet je, ergens langs de kant van de weg. In het hoge gras. Gewoon. Dat gebeurt ook altijd op tv. Als een soort aanwijzing. Met een voetafdruk, of dat de kerel misschien iets had laten vallen, een stuk papier of zo. Maar dat is allemaal niet gebeurd. Het was allemaal één grote doodlopende weg.'
'Dus wat dacht jij er toen uiteindelijk van?' vroeg Reacher. 'Van de Duncans? Schuldig of niet?'
'Onschuldig,' zei de vrouw. 'Want feiten zijn feiten, toch?'
'Toch bleef je Dorothy steunen.'
'Voor een deel om wat ik voelde. Je gevoelens zijn wat anders dan feiten. En voor een deel om de nasleep. De Duncans waren vreselijk overtuigd van hun eigen goedheid. Het was vreselijk voor Dorothy. En de mensen begonnen in de gaten te krijgen hoeveel macht de Duncans over hen hadden. Thinkpol, geheime politie. Eerst moest Dorothy haar excuses aanbieden, wat ze niet wilde doen, en toen moest ze haar mond houden en net doen of er niets was gebeurd. Ze mocht zelfs niet rouwen, omdat dat op de een of andere manier hetzelfde zou zijn geweest als de Duncans opnieuw beschuldigen. De hele county had het er moeilijk mee. Het was net of Dorothy het voor het hele team moest ontgelden. Zo-

als in zo'n oude legende, waarin ze haar dochter moest offeren aan het monster, voor het welzijn van het dorp.'

Het gesprek viel stil. Reacher pakte de drie lege koffiekoppen en bracht ze naar de keuken. Uit beleefdheid, maar ook om het uitzicht door een ander raam te kunnen bekijken. Het land was nog steeds verlaten. Er was niets in aantocht. Er gebeurde niets. Na een minuut voegde de dokter zich bij hem en vroeg: 'Wat ga je nu doen?'

Reacher zei: 'Ik ga naar Virginia.'

'Oké.'

'Met twee tussenstops.'

'Waar?'

'Ik ga een bezoekje afleggen bij de county police. Honderd kilometer naar het zuiden. Ik wil hun dossiers zien.'

'Hebben ze die nog steeds?'

Reacher knikte. 'Wanneer bij iets een heleboel verschillende afdelingen betrokken zijn, doet iedereen zijn stinkende best, en dan krijg je een behoorlijk dossier. Dat hebben ze nog niet weggegooid. Omdat het technisch gezien nog geen gesloten zaak is. Ze hebben vast al hun aantekeningen ergens opgeslagen. Alles bij elkaar misschien wel een hele kubieke meter.'

'En laten ze jou dat lezen? Zomaar?'

'Dertien jaar geleden was ik zelf een soort politieman. Meestal kom ik wel verder dan de balie.'

'Waarom wil je dat zien?'

'Om te kijken of er hiaten in zitten. Als het klopt, ga ik verder. Als het niet klopt, kom ik misschien wel terug.'

'Waarvoor?'

'Om de hiaten te vullen.'

'Hoe kom je daar?'

'Met de auto.'

'Het is niet echt in je voordeel als je daar opduikt in een gestolen pick-up.'

'Ik heb jouw kentekenplaten erop gezet. Dat weten ze niet.'

'Mijn kentekenplaten?'

'Maak je geen zorgen. Ik zet ze wel weer terug. Als al dat papier

klopt, laat ik die pick-up daar in de buurt van het politiebureau staan met de goede kentekenplaten erop en dan komt vroeg of laat wel iemand erachter van wie die pick-up is. Dan lichten ze de Duncans in en dan weten ze dat ik voorgoed vertrokken ben en dan laten ze jullie weer met rust.'
'Dat zou aardig zijn. De tweede tussenstop?'
'De politie is de tweede tussenstop. De eerste tussenstop is dichter bij huis.'
'Waar?'
'We gaan even langs bij Seth Duncans vrouw. Jij en ik. Een huisbezoek. Om vast te stellen of de genezing voorspoedig verloopt.'

25

De dokter was meteen mordicus tegen het idee. Dit was een huisbezoek waar hij geen zin in had. Hij keek de andere kant op en begon door de keuken te ijsberen en voelde met zijn vingertoppen aan de verwondingen op zijn gezicht, tuitte zijn lippen en liet zijn tong langs zijn tanden glijden. Uiteindelijk zei hij: 'Maar misschien is Seth thuis.'
Reacher zei: 'Dat hoop ik. Dan kunnen we kijken of hij goed herstelt. En als dat zo is, kan ik hem weer een dreun geven.'
'Hij zal de Cornhuskers bij zich hebben.'
'Nee. Die rijden allemaal rond over de akkers, op zoek naar mij. Die paar die er nog over zijn, in ieder geval.'
'Ik weet het niet.'
'Je bent dokter. Je hebt een eed afgelegd. Je hebt verplichtingen.'
'Het is gevaarlijk.'
''s Morgens vroeg opstaan is ook gevaarlijk.'
'Jij bent gestoord, wist je dat?'
'Ik probeer mijzelf te zien als gewetensvol.'

Reacher en de dokter stapten in de pick-up, reden terug naar de regionale tweebaans en sloegen rechts af. Ze kwamen een paar kilometer ten zuiden van het motel en een paar kilometer ten noorden van de drie huizen van de Duncans uit op de weg. Twee minuten later staarde de dokter naar de huizen toen ze er langsreden. Reacher keek ook even. Vijandelijk gebied. Drie witte huizen, drie geparkeerde voertuigen, geen openlijke activiteit. Reacher vermoedde dat de tweede Brett nu wel zo'n beetje zijn boodschap zou hebben overgebracht. Hij ging ervan uit dat ze die boodschap hadden aangehoord en vervolgens genegeerd als stoer gedrag. Hoewel de uitgebrande SUV toch wel een zekere indruk zou moeten maken. De Duncans waren aan de verliezende hand, gestaag en pijnlijk, en daar moesten ze zich bewust van zijn.

Reacher sloeg links af op dezelfde plek als de avond ervoor met de Subaru en volgde de bochten tot het huis van Seth Duncan aan zijn rechterhand opdoemde. Het zag er bij daglicht ongeveer net zo uit als bij het schijnsel van elektrisch licht. De witte brievenbus met DUNCAN erop, het gazon in winterslaap, het antieke rijtuigje. De lange rechte oprit, het bijgebouw, de drie garagedeuren. De deuren van twee boxen stonden nu open. Binnen, in het schemerdonker, was de achterkant van twee auto's te zien. De ene auto was een kleine rode sportauto, een Mazda of zo, heel vrouwelijk, en de andere was een grote zwarte Cadillac sedan, heel erg mannelijk.

De dokter zei: 'Dat is de auto van Seth.'

Reacher glimlachte: 'Welke?'

'De Cadillac.'

'Aardige wagen,' zei Reacher. 'Misschien moest ik die maar eens onder handen nemen. Ik heb nu zelf een sleutel, een bahco. Zal ik?'

'Nee,' zei de dokter. 'Alsjeblieft niet.'

Reacher glimlachte opnieuw en parkeerde op dezelfde plek als de vorige avond. Ze stapten allebei uit en stonden even stil in de kou. De bewolking hing nog steeds laag en vlak en flarden mist scheurden zich aan de onderkant van het wolkendek los en dreven omlaag naar de grond, als voorbereiding op de middag, als voorbereiding op de avond. Door de mist leek het wel of de lucht zelf zichtbaar werd: grijs en parelend, glinsterend als een vloeistof.

'Tijd voor de show,' zei Reacher terwijl hij naar de voordeur liep. De dokter liep ongeveer op een meter of twee achter hem. Reacher klopte en wachtte, een lange minuut later hoorde hij binnen voetstappen op de vloerplanken. Een lichte stap, langzaam en een beetje aarzelend. Eleanor.

Ze deed de deur open en stond in het deurgat met haar ene hand om de rand van de deur geklemd en haar andere hand met gespreide vingers tegen de wand naast de deur, alsof ze hulp nodig had om overeind te blijven, of alsof ze dacht dat haar uitgestrekte arm het huis moest beschermen tegen wat er buiten was. Ze droeg een zwarte rok en een zwart truitje. Geen halsketting. Ze had dikke, donkere korsten op haar lippen en haar neus was opgezwollen. De witte huid spande zich over gele kneuzingen die haar make-up niet helemaal konden verdoezelen.

'Jij,' zei ze.

'Ik heb de dokter meegenomen,' zei Reacher. 'Om te kijken hoe het met je gaat.'

Eleanor Duncan wierp een blik op het gezicht van de dokter en zei: 'Hij ziet er net zo erg uit als ik. Heeft Seth dat gedaan? Of een van de Cornhuskers? Hoe dan ook, mijn excuses.'

'Niemand van de genoemden,' zei Reacher. 'Het lijkt erop dat we een paar zware jongens over de vloer hebben.'

Eleanor Duncan gaf daar geen antwoord op. Ze haalde alleen haar rechterhand weg van de muur en maakte er een hoffelijk gebaar mee om hen uit te nodigen binnen te komen. Reacher vroeg: 'Is Seth thuis?'

'Nee, goddank,' zei Eleanor.

'Zijn auto staat er wel,' zei de dokter.

'Zijn vader heeft hem opgehaald.'

Reacher vroeg: 'Hoe lang blijft hij weg?'

'Dat weet ik niet,' zei Eleanor. 'Maar het lijkt erop dat ze heel wat te bespreken hebben.' Ze ging hen voor naar de keuken, waar ze de vorige avond was behandeld, en misschien al wel veel vaker. Ze ging op haar stoel zitten en hief haar gezicht omhoog naar het licht. De dokter liep naar haar toe en onderzocht haar. Hij raakte de wonden heel voorzichtig aan en stelde vragen over pijn, hoofdpijn en tanden. Ze gaf het soort antwoorden dat Reacher al talloze malen had gehoord van mensen in soortgelijke omstandigheden. Ze klonk dapper en deed een beetje laatdunkend over zichzelf. Ja, haar neus en mond deden nog steeds een beetje pijn, en ja, ze had ook wel een lichte hoofdpijn, en nee, haar tanden voelden niet helemaal goed aan. Maar ze sprak redelijk helder, ze had geen geheugenverlies en haar pupillen reageerden normaal op licht, dus was de dokter tevreden. Hij zei dat het allemaal weer goed zou komen.

'En hoe gaat het met Seth?' vroeg Reacher.

'Hij is enorm kwaad op jou,' zei Eleanor.

'Wie kaatst, moet de bal verwachten.'

'Jij bent veel groter dan hij.'

'Hij is veel groter dan jij.'

Ze gaf geen antwoord. Ze keek Reacher nog een volle seconde aan en wendde toen haar blik af, ogenschijnlijk heel erg onzeker, met een uitdrukking van complete verwarring op haar gezicht, waarvan de expressiviteit alleen werd geremd door de onbeweeglijkheid die de korsten op haar lippen haar dicteerden, en de bevroren pijn in haar neus. Ze heeft vreselijk veel pijn, dacht Reacher. Ze was vermoedelijk twee keer geslagen, waarschijnlijk eerst op haar neus, en toen een tweede keer lager, op haar mond. De eerste klap was hard genoeg geweest om schade aan te richten zonder haar neusbeen te breken en de tweede was net hard genoeg geweest om bloedende wonden te veroorzaken zonder dat ze tanden was kwijtgeraakt.

Twee klappen, zorgvuldig gericht, zorgvuldig berekend, zorgvuldig uitgevoerd.

Klappen van een expert.

Reacher zei: 'Dat heeft Seth niet gedaan, wel?'

Ze zei: 'Nee, Seth niet.'

'Wie dan wel?'

'Ik citeer wat jij eerder zei: Het lijkt erop dat we een paar zware jongens over de vloer hebben.'

'Zijn die hier geweest?'

'Twee keer.'

'Waarom?'

'Dat weet ik niet.'

'Wat zijn het voor kerels?'
'Weet ik niet.'
'Ze bazuinen rond dat ze de Duncans vertegenwoordigen.'
'Dat is in ieder geval niet zo. De Duncans hoeven geen mensen in te huren om mij te slaan. Ze zijn heel goed in staat om dat zelf te doen.'
'Hoe vaak heeft Seth jou geslagen?'
'Duizend keer of zo.'
'Heel goed. Niet vanuit jouw standpunt bekeken natuurlijk.'
'Maar goed vanuit jouw standpunt om je geweten vrij te pleiten?'
'Zoiets.'
Ze zei: 'Ga je gang maar met Seth. De hele dag, elke dag. Sla hem maar tot moes. Breek hem alle botten in zijn lijf. Van mij mag je. Ik meen het.'
'Waarom blijf je?'
'Ik weet het niet,' zei ze. 'Over dat onderwerp zijn hele boekwerken geschreven. De meeste daarvan heb ik gelezen. Maar als puntje bij paaltje komt, waar zou ik heen moeten?'
'Overal waar het niet hier is.'
'Zo eenvoudig is het niet. Dat is het nooit.'
'Waarom niet?'
'Geloof me maar, oké?'
'Oké, wat is er gebeurd dan?'
Ze zei: 'Vier dagen geleden kwamen er twee mannen aan de deur. Ze hadden een accent van de oostkust. Een soort Italianen. Ze droegen dure pakken en kasjmier winterjassen. Seth nam ze mee naar zijn studeerkamer. Ik heb niet gehoord waar ze het over hadden. Maar ik kreeg wel in de gaten dat we in de problemen zaten. Het stonk in huis naar beesten. Na twintig minuten kwamen ze met z'n allen de studeerkamer uit. Seth keek schaapachtig. Een van de mannen zei dat ze instructies hadden gekregen om Seth te grazen te nemen. Maar Seth had ze zover gekregen dat ze in plaats daarvan mij te grazen zouden nemen. Eerst dacht ik dat ze me voor zijn ogen zouden verkrachten. Zo'n soort sfeer hing er. De stank van beesten. Maar nee. Seth hield me vast en ze sloegen me om de beurt. Allebei één klap. Eerst mijn neus en toen mijn mond. Gisteravond kwamen ze terug en deden ze het nog een keer. Daar-

na ging Seth de deur uit om een steak te eten. Dat is wat er is gebeurd.'

'Wat erg,' zei Reacher.

'Ja.'

'Seth heeft niet gezegd wie ze waren? Of wat ze wilden?'

'Nee, Seth vertelt me niets.'

'Enig idee?'

'Het waren investeerders,' zei ze. 'Ik bedoel, ze waren hier namens investeerders. Dat is het enige zinnige wat ik kan bedenken.'

'Heeft Duncan Transportation investeerders?'

'Ik denk het. Ik kan me niet voorstellen dat het zo'n geweldig winstgevende onderneming is. Benzine is tegenwoordig toch heel duur? Of diesel, of wat ze ook maar gebruiken. En het is winter, dan zullen de inkomsten ook wel opdrogen. Er valt niets te vervoeren. Alhoewel, wat weet ik ervan? Behalve dat ze altijd ergens over lopen te klagen. En in het nieuws heb ik gezien dat gewone banken moeilijk doen, voor kleine bedrijven. Dus misschien moesten ze wel ergens anders geld lenen, langs een minder conventionele weg.'

'Heel wat minder conventioneel,' zei Reacher. 'Maar als dit allemaal te maken heeft met een financieel probleem met Duncan Transportation, waarom zijn die kerels dan naar mij op zoek?'

'Zijn ze op zoek naar jou?'

'Ja,' zei de dokter. 'Ze waren vanmorgen bij mij thuis. Ze hebben mij vier keer geslagen en ze dreigden mijn vrouw nog veel erger te behandelen. Het enige wat ze wilden weten, was waar Reacher was. Kennelijk hetzelfde bij het motel. Meneer Vincent heeft ook bezoek gehad. En Dorothy, de vrouw die voor hem werkt, de schoonmaakster.'

'Dat is vreselijk,' zei Eleanor. 'Gaat het wel goed met haar?'

'Ze heeft het overleefd.'

'En je vrouw?'

'Een beetje van haar stuk gebracht.'

'Ik kan het niet verklaren,' zei Eleanor. 'Ik weet helemaal niets van de zaken van Seth.'

Reacher vroeg: 'Weet je wel iets van Seth zelf?'

‘Zoals wat?’
‘Wie hij is en waar hij vandaan komt.’
‘Willen jullie wat drinken?’
‘Nee, dank je,’ zei Reacher. ‘Vertel me maar waar Seth vandaan is gekomen.’
‘Die oude vraag? Hij is geadopteerd, net als zoveel mensen.’
‘Waarvandaan?’
‘Dat weet hij niet, en volgens mij weet zijn vader dat ook niet precies. Via een of andere liefdadigheidsinstelling. Het moest met een zekere anonimiteit gebeuren.’
‘Geen enkel verhaal?’
‘Nee.’
‘Kan Seth zich niets herinneren? Ze zeggen dat hij oud genoeg was voor de kleuterschool toen hij hier op het toneel verscheen. Dan zou hij toch nog wel een paar herinneringen moeten hebben aan wat er daarvoor is gebeurd.’
‘Hij wil er niet over praten.’
‘En het vermiste meisje?’
‘Dat is die andere oude vraag. Ik wil helemaal niets goedpraten van wat Seth allemaal doet, of wat zijn familie allemaal doet, maar ik heb begrepen dat ze van alle blaam zijn gezuiverd na een onderzoek door een federaal bureau. Is dat niet goed genoeg voor de mensen?’
‘Jij was toen niet hier?’
‘Nee, ik ben opgegroeid in Illinois. Even buiten Chicago. Seth was tweeëntwintig toen ik hem tegen het lijf liep. Ik probeerde aan de slag te komen als journalist. De enige baan die ik kon vinden was bij een krant in de buurt van Lincoln. Natuurlijk moest ik een artikel doen over de prijzen van maïs. Dat was het enige wat er in die krant stond, en sportverslagen van college-football. Seth was de nieuwe directeur van Duncan Transportation. Ik heb hem voor dat artikel geïnterviewd. Daarna hebben we wat gedronken. In het begin was ik helemaal ondersteboven van hem. Later niet meer zo.’
‘Denk je dat je je kunt redden?’
‘Kun jij je redden, met twee van die zware jongens die naar je op zoek zijn?’

'Ik ga weg,' zei Reacher. 'Naar het zuiden, en dan naar het oosten, naar Virginia. Wil je meerijden? Zo de Interstate op en nooit meer terug.'
Eleanor Duncan zei: 'Nee.'
'Zeker weten?'
'Ja.'
'Dan kan ik je niet helpen.'
'Dat heb je al gedaan. Meer dan ik je kan vertellen. Je hebt zijn neus gebroken. Dat heeft mij geweldig gelukkig gemaakt.'
Reacher zei: 'Je zou met mij mee moeten gaan. Je zou als de sodemieter hier moeten vertrekken. Het is waanzin om te blijven, om zo te praten. Om je zo te voelen.'
'Ik overleef hem wel,' zei de vrouw. 'Dat is mijn missie, denk ik, het hele stel overleven.'
Reacher zei verder niets meer. Hij keek rond in de keuken, naar de spullen die ze zou erven als ze erin slaagde hen te overleven. Er waren veel spullen, allemaal duur en van hoge kwaliteit, heel veel Italiaans, een deel Duits, een deel Amerikaans. Onder andere de sleutel van een Cadillac in een glazen kom.
'Is dat de sleutel van Seth?' vroeg Reacher.
Eleanor zei: 'Ja.'
'Houdt hij zijn tank goed vol?'
'Meestal wel. Waarom?'
'Ik ga hem stelen,' zei Reacher.

26

Reacher zei: 'Ik heb op z'n minst nog een uur te gaan. Dan kan ik wel iets gebruiken wat comfortabeler is dan een pick-up. Bovendien moet de dokter de pick-up houden. Die heeft hij hier misschien nog wel nodig, voor zijn werk.'
Eleanor Duncan zei: 'Dat gaat niet goed. Dan rijd je met een gestolen auto dwars door de plaats waar de county police zijn basis heeft.'

'Die weten niet dat hij gestolen is. Niet als Seth het ze niet vertelt.'
'Maar dat doet hij.'
'Zeg maar dat hij dat niet moet doen. Zeg maar dat ik terugkom en hem zijn armen breek als hij dat doet. Zeg maar dat hij zijn mond moet houden en hem morgen moet ophalen. Ik laat hem onderweg wel ergens staan.'
'Hij luistert niet naar me.'
'Jawel.'
'Hij luistert naar niemand.'
'Hij luistert naar die twee stadsjongens.'
'Omdat hij bang voor ze is.'
'Hij is ook bang voor mij. Hij is bang voor iedereen. Geloof mij maar, zo zit Seth in elkaar.'
Niemand zei iets. Reacher pakte de sleutel van de Cadillac uit de kom, gaf de sleutel van de pick-up aan de dokter en liep naar de deur.

Seth Duncan zat aan de keukentafel bij zijn vader, tegenover de man zelf, links en rechts geflankeerd door zijn ooms Jonas en Jasper. De vier mannen waren rustig en onderdanig, want ze waren niet alleen in het vertrek. Roberto Cassano was er ook, leunend tegen het aanrecht, en Angelo Mancini was er ook, leunend tegen de deur. Cassano had zijn overhemd heel zorgvuldig nog een keer gladgestreken achter zijn broeksband, ook al was daar om te beginnen niets mis mee, en Mancini had zijn jasje losgeknoopt en drukte met zijn handpalmen in zijn rug, alsof hij rugpijn had van het autorijden, maar in feite was die beweging alleen bedoeld geweest om de wapens in de schouderholsters te laten zien. De pistolen waren Colt Double Eagles. Roestvrijstalen semi-automaten. Een paartje. De Duncans hadden de wapens gezien en de show begrepen en dus zaten ze stil om de tafel en zeiden ze niets.
Cassano zei: 'Vertel het nog eens. Leg uit. Overtuig me. Hoe verstoort die vreemdeling het transport?'
Jacob Duncan zei: 'Zeg ik tegen jouw baas hoe hij zijn zaken moet runnen?'
'Ik denk het niet.'

'Omdat het zijn zaken zijn. Er zijn honderden subtiele details die ik niet helemaal begrijp. Dus steek ik daar mijn neus niet in.'
'En meneer Rossi steekt zijn neus niet in jullie zaken. Zolang alles naar wens verloopt.'
'Het staat hem vrij een andere leverancier te zoeken.'
'Dat doet hij vast. Maar op het moment is er nog een lopend contract.'
'Wij leveren.'
'Wanneer?'
'Zodra de vreemdeling ons niet meer voor de voeten loopt.'
Cassano schudde alleen gefrustreerd zijn hoofd.
Mancini zei: 'Jullie moeten van tactiek veranderen. Die vreemdeling zat ergens op het land. Oké, ongetwijfeld, maar nu niet meer. Hij zit weer in de pick-up die hij gisteravond heeft overgenomen van die twee ezels. Hij had hem ergens verstopt. Die zou je moeten zoeken. Je zou de wegen weer moeten uitkammen.'

De Cadillac van Seth Duncan was zo nieuw dat hij was uitgerust met alle toeters en bellen, maar ook zo oud dat het nog een serieuze snelwegslee was. Geen concurrentie voor BMW en Mercedes in de veldslag om yuppengeld, zoals de nieuwste modellen. Concurrentie voor vliegtuigen en treinen als comfortabel vervoermiddel voor lange afstanden, wat de traditionele Cadillac altijd was geweest. Reacher had een zwak voor de auto. Het was een fijn slagschip. Hij was lang en breed en hij woog ongeveer twee ton. Hij was rustig en stil. Relaxed. Een auto die je met één vinger en één teen kon bedienen, waar je languit in onderuit kon zakken. Zwarte lak en zwart leer en getint glas. Een radio met een warme klank en een tank driekwart vol benzine.
Reacher was ingestapt, had de stoel achteruitgeschoven, was voorzichtig achteruit de garage uit gereden, had de auto achter het huis gekeerd en had behoedzaam naar de tweebaansweg gestuurd. Hij was linksaf de weg op gedraaid, naar het zuiden, en zweefde voort in een eigen cocon van stilte en rust. Het landschap was onveranderlijk hetzelfde. Een rechte weg vooruit, akkers links, akkers rechts, een wolkendek erboven. Hij kwam geen ander verkeer tegen. Na vijftien kilometer passeerde hij een oud wegrestaurant,

midden op de door onkruid overwoekerde resten van een parkeerterrein. Het was gesloten en dichtgetimmerd, het dak was er slecht aan toe. Op de gevels waren onder lagen vuil nog net reclameborden zichtbaar voor Pabst Blue Ribbon en Miller High Life. Daarna was er niets meer te zien tot aan de horizon.

Roberto Cassano stapte door de achterdeur van het huis van Jacob Duncan naar buiten en liep over onkruid en grind van het huis weg tot ze hem binnen niet meer zouden kunnen horen. Een dunne rookpluim steeg ver naar het noorden op. De uitgebrande SUV, het werk van de vreemdeling.

Cassano koos het nummer en kreeg Rossi na drie keer overgaan aan de lijn. Hij zei: ‘Ze houden hun verhaal vol, baas. Wij krijgen geen vracht zolang zij de vreemdeling niet hebben.’

Rossi zei: ‘Dat is onzinnig.’

‘Moet je mij vertellen. Het is hier net Alice in Wonderland.’

‘Hoeveel druk heb je uitgeoefend?’

‘Op de Duncans zelf? Dat was mijn volgende vraag. Hoeveel druk wil je dat we uitoefenen?’

Het bleef lange tijd stil, slechts geluid van ademhaling, als een zucht, gelaten. Rossi zei: ‘Het probleem is dat ze zulke goede spullen verkopen. Beter kan ik nergens krijgen. Ik kan nergens iets krijgen wat ook maar half zo goed is. Dus ik kan ze niet echt in de fik steken, want ik heb ze in de toekomst weer nodig. Steeds weer. Zonder meer.’

‘Dus?’

‘Speel het spelletje maar mee. Ga die verdomde vreemdeling zoeken.’

De dokter stapte bij Eleanor Duncan naar buiten en staarde een tijd naar de pick-up. Hij wilde niet in dat ding stappen. Hij wilde er niet in rijden. Hij wilde er niet in worden gezien. Hij wilde er niet bij in de buurt zijn. Het was een ding van de Duncans. Reacher had zich het ding wederrechtelijk toegeëigend, en dat was een kolossale vernedering geweest voor de Duncans. Twee Cornhuskers achteloos aan de kant gezet. Dat betekende dat betrokken zijn bij die pick-up een geweldige provocatie zou zijn. Krankzinnig. Ze zouden hem straffen, zwaar en heel lang.

Maar hij was dokter.
En nuchter, helaas.
En dus in staat helder te denken.
Hij had patiënten. Hij had verantwoordelijkheden. Jegens Vincent bij het motel, om maar iemand te noemen. Dorothy, de schoonmaakster, om nog maar iemand te noemen. Beiden waren behoorlijk van de kaart. En hij was een getrouwd man. Zijn vrouw was twaalf kilometer verderop, angstig en alleen.
Hij keek naar de sleutel in zijn hand en naar de pick-up op de oprit. Hij tekende in gedachten een te volgen route uit. Hij kon achter het huis van Dorothy parkeren en de pick-up uit het zicht houden. Hij kon aan de andere kant van de lobby van het motel parkeren met hetzelfde resultaat. Daarna kon hij de pick-up verder naar het noorden dumpen en door het land naar huis lopen. In totaal was hij ongeveer drieënhalve kilometer kwetsbaar op zijweggetjes, en zes kilometer op de tweebaansweg.
Tien minuten.
Meer niet.
Veilig genoeg.
Misschien.
Hij klom in de cabine en startte de motor.

De anonieme witte vrachtwagen bevond zich nog steeds op Route 3, nog steeds in Canada, maar hij had British Columbia achter zich gelaten en reed door Alberta. Hij vorderde gestaag in oostelijke richting, volstrekt onopgemerkt. De chauffeur voerde geen telefoongesprekken. Zijn telefoon was uitgeschakeld. De gedachte daarachter was dat de zendmasten voor mobiele telefonie dicht bij de 49e breedtegraad werden afgeluisterd op activiteit. Misschien werden gesprekken wel opgenomen en geanalyseerd. Afdelingen van Homeland Security aan beide zijden van de grens hadden computers met geavanceerde programmatuur. Geïsoleerde woorden konden de aanleiding vormen tot alarm. Zelfs zonder verdachte gesprekken was het altijd beter om geen elektronische sporen na te laten van waar je was geweest. Om dezelfde reden werd alle brandstof contant afgerekend, in lokale valuta, en trok de chauffeur bij elke stop zijn kraag omhoog en zijn hoed

omlaag voor het geval er camera's waren die in verbinding stonden met opnameapparatuur of verafgelegen controlekamers.
De vrachtwagen reed verder en vorderde gestaag in oostelijke richting.

Rossi verbrak de verbinding met Cassano en dacht vijf minuten lang diep na. Toen belde hij Safir, zes straten verderop. Hij haalde diep adem, hield zijn adem vast en vroeg: 'Heb je ooit betere koopwaar onder ogen gehad?'
Safir zei: 'Je hoeft je niet meer te verkopen. Ik ben er al in getrapt.'
'En altijd tot volle tevredenheid, toch?'
'Ik ben nu niet tevreden.'
'Dat begrijp ik,' zei Rossi. 'Maar ik wil iets met je bespreken.'
'Gelijken bespreken zaken onder elkaar,' zei Safir. 'Maar wij zijn geen gelijken. Ik geef opdracht, jij vraagt beleefd.'
'Oké, ik wil je iets vragen. Ik wil je vragen een stapje terug te doen en ergens over na te denken.'
'Bijvoorbeeld?'
'Ik heb deze vracht nodig, jij hebt deze vracht nodig, iedereen heeft deze vracht nodig. Dus vraag ik je om de geschillen te vergeten en de zaak samen op te lossen. In een dag of twee.'
'Hoe?'
'Mijn contacten in Nebraska hebben last van een scheet die dwarszit.'
'Daar weet ik alles van,' zei Safir. 'Mijn mannen hebben een volledig rapport uitgebracht.'
'Ik wil dat je ze daarnaartoe stuurt om te helpen.'
'Wie moet ik sturen? Waarnaartoe?'
'Jouw mannen. Naar Nebraska. Het heeft geen zin om ze hier in mijn kantoor te stallen. Jouw belang is mijn belang, en ik doe al alles wat ik kan om de zaak op te lossen. Dus ik dacht dat als jouw mannen die van mij zouden kunnen helpen, we de zaak met zijn tweeën kunnen oplossen.'

De dokter bereikte de boerderij van Dorothy onopgemerkt en parkeerde op het erf erachter. Pal achter de pick-up van Dorothy. Hij trof haar in de keuken aan waar ze de afwas deed. Van

het ontbijt. Het ontbijt met Reacher. Wat een waanzinnig risico was geweest.
Hij vroeg: ‘Hoe gaat het?’
Ze zei: ‘Met mij goed. Jij ziet er beroerder uit dan ik.’
‘Ik overleef het wel.’
‘Je rijdt in een pick-up van de Duncans.’
‘Dat weet ik.’
‘Dat is dom.’
‘Net zo dom als een ontbijt maken voor die kerel.’
‘Hij had honger.’
De dokter vroeg: ‘Heb je iets nodig?’
‘Wat ik nodig heb, is weten hoe dit allemaal gaat aflopen.’
‘Niet goed, waarschijnlijk. Hij is maar alleen. En er is zelfs geen garantie dat hij in de buurt blijft.’
‘Weet je waar hij nu is?’
‘Ja, min of meer.’
‘Niet zeggen.’
‘Dat zal ik niet doen.’
Dorothy zei: ‘Je moet bij Vincent langsgaan. Die hebben ze behoorlijk te pakken gehad.’
‘Dat is de volgende op mijn lijst,’ zei de dokter.

Safir verbrak de verbinding met Rossi en dacht tien minuten heel diep na. Toen koos hij het nummer van zijn klant Mahmeini, acht straten verderop. Hij haalde diep adem, hield zijn adem in en vroeg: ‘Heb je ooit betere koopwaar onder ogen gehad?’
Mahmeini zei: ‘Draai er niet omheen.’
‘We hebben een kink in de ketting.’
‘Kettingen hebben geen kinken. Kabels hebben kinken. Kettingen hebben zwakke schakels. Wou je me vertellen dat jij een zwakke schakel bent?’
‘Ik wil alleen maar zeggen dat er een hobbel in de weg zit. Een Catch-22. Pure waanzin, maar toch.’
‘En?’
‘We hebben allemaal hetzelfde doel. We willen allemaal die vracht. En die krijgen we pas wanneer die hobbel is verdwenen. Helaas is dat een feit. En niemand van ons kan daar ook maar

iets aan doen. We zijn allemaal slachtoffers. Dus ik vraag je alle ongenoegen even te vergeten en gezamenlijk op te trekken. Een dag of twee.'
'Hoe?'
'Ik wil dat je die mannen van jou terughaalt uit mijn kantoor en ze naar Nebraska stuurt. Ik stuur mijn mannen er ook heen. Als we met zijn allen samenwerken, kunnen we het probleem oplossen.'
Mahmeini zweeg. De waarheid was dat hij ook alleen maar een schakel in de ketting was, net als Safir, net als Rossi, van wie hij alles af wist, en net als de Duncans, van wie hij ook alles af wist, en Vancouver. Hij kende het terrein. Hij had zich met de nodige ijver van zijn taak gekweten. Hij had onderzoek gedaan. Ze waren allemaal schakels van de keten, behalve dat hij de belangrijkste schakel was, de op één na laatste schakel, en daarom onder de grootste druk stond. Want meteen naast hem stonden Saoedi's aan de top, onvoorstelbaar rijk en door en door verdorven. Een hele slechte combinatie.
Mahmeini zei: 'Tien procent korting.'
Safir zei: 'Natuurlijk.'
Mahmeini zei: 'Bel me terug als je iets geregeld hebt.'

De dokter parkeerde achter het motel, tussen de gekromde gevel en een ronde palissade die vuilcontainers en gastanks aan het oog onttrok, pal achter de auto van Vincent, een oude Pontiac. Geen perfecte plek. Zowel vanuit het noorden als het zuiden zou de pickup zichtbaar zijn. Maar er was geen betere plek. Hij stapte uit en stond even stil in de koude en keek langs de weg. Niets te zien.
Hij trof Vincent aan in de lobby. Hij zat voor zich uit te staren in een van de met rode velours beklede stoelen en deed helemaal niets. Hij had een blauw oog, een gescheurde lip en een bult zo groot als een kippenei op zijn wang. Net als de dokter zelf, eigenlijk. Ze pasten bij elkaar. Alsof je in de spiegel keek.
De dokter vroeg: 'Heb je iets nodig?'
Vincent zei: 'Ik heb verschrikkelijke hoofdpijn.'
'Wil je pijnstillers?'
'Dat helpt niet. Ik wil dat dit voorbij is. Dat wil ik. Ik wil dat die kerel korte metten maakt met alles.'

'Hij is op weg naar Virginia.'
'Fantastisch.'
'Hij zei dat hij onderweg een bezoek zou brengen aan de county police. Hij zei dat hij terug zou komen als hij iets ontdekte wat niet in orde is met die zaak van vijfentwintig jaar geleden.'
'Stenen tijdperk. Dat dossier hebben ze allang opgeruimd.'
'Hij zegt van niet.'
'Dan laten ze het hem niet zien.'
'Hij zegt van wel.'
'Wat kan hij nu in vredesnaam ontdekken, wat ze toen niet hebben ontdekt? Het zijn allemaal mooie woorden, hij komt niet terug. Hij wil het gewoon niet ronduit zeggen. Hij glipt weg met een smoes. Hij laat ons met de gebakken peren zitten.'
Het werd stil in de vreemde ronde ruimte.
'Heb je iets nodig?' vroeg de dokter nog een keer.
'Jij?' vroeg Vincent hem. 'Heb jij iets nodig?'
'Mag je mij schenken?'
'Het is een beetje te laat om je daar zorgen over te maken, niet? Wil je een borrel?'
'Nee,' zei de dokter. 'Beter van niet.' Hij was even stil en toen zei hij: 'Nou ja, misschien eentje, voor onderweg.'

Safir belde Rossi terug en zei: 'Ik wil twintig procent korting.'
Rossi zei: 'In ruil waarvoor?'
'Hulp. Als ik mijn jongens daarnaartoe stuur.'
'Vijftien procent. Want je helpt jezelf daar ook mee.'
'Twintig,' zei Safir. 'Want ik denk erover om er meer jongens dan alleen die van mij naartoe te sturen.'
'Hoezo?'
'Er zitten hier ook kerels te babysitten. Twee. Op dit moment, in dit kantoor. Dat heb ik je verteld, toch? Denk je nou echt dat ik mijn jongens bij jou weghaal, terwijl ik er twee hier in mijn kantoor heb zitten? Vergeet het maar. Dan kan je lang wachten. Dus ik heb mijn klant overgehaald om zijn jongens er ook naartoe te sturen. Als een soort gedeelde investering. En bovendien, bij zoiets als dit, willen we allemaal een vinger in de pap hebben.'
Rossi aarzelde.

'Oké,' zei hij. 'Goed. Heel goed. Met zijn allen hebben we daar dan zes man. Kunnen we de zaak heel snel oplossen. Hebben we binnen de kortste keren het lek boven water.'
'Plannen?'
Rossi zei: 'De dichtstbijzijnde bewoonde plek is honderd kilometer naar het zuiden. Daar zit de lokale overheid. De enige accommodatie is een Courtyard Marriott. Daar zitten mijn jongens. Ik zal ze opdracht geven zich op hun basis terug te trekken en nog een paar kamers te boeken. Dan kunnen ze elkaar zo snel mogelijk ontmoeten en samen aan de slag.'

De tweebaansweg bleef tot aan het einde kaarsrecht. Reacher liet de Cadillac met een rustige negentig kilometer doorrijden, anderhalve kilometer per minuut, relaxed. Na ongeveer een uur passeerde hij een eenzame kroeg rechts van de weg. Een klein laag bouwwerk van hout, met vuile ramen waar bierreclame achter hing, drie auto's op de parkeerplaats en een uithangbord met CELL BLOCK. Wat wel een beetje klopte met de indruk die het wekte. Reacher dacht dat als hij zijn ogen tot spleetjes dichtkneep, het wel een beetje kon lijken op zo'n oude gevangenis uit een western. Hij reed er voorbij en nog eens anderhalve kilometer verder begon de horizon in de verte een andere vorm aan te nemen. Er doemden een watertoren en een reclame voor Texaco op uit de middagnevel. Beschaving. Een beetje. Het leek een klein plaatsje. Het was niet meer dan een netwerk van een paar elkaar haaks kruisende straten met wat gebouwen, neergekwakt in een niemandsland van stof.
Achthonderd meter voor het plaatsje stond een billboard van de kamer van koophandel langs de weg, met vijf manieren erop om als reiziger je geld uit te geven. Als je wilde eten, kon je terecht in twee restaurants. Het ene was een *diner*, het andere niet. Reacher herkende geen van de beide namen. Geen filialen van ketens. Als je auto moest worden gerepareerd, kon je terecht bij een bandenshop en uitlaatservice. Als je wilde slapen, kon je alleen terecht in een Courtyard Marriott.

27

Reacher zoefde in zijn Cadillac langs het billboard, nam toen gas terug en verkende wat voor hem lag. Uit ervaring wist hij dat in de meeste plaatsen de hoofdstraat was gereserveerd voor commerciële bedrijven en dat overheidsinstanties zoals de politie en ambtenaren van de county twee straten verderop huisden. Of nog verder achteraf. Dat had iets te maken met belastingen. In een achterafstraatje betaalde je voor onroerend goed minder belasting.

Hij ging nog iets langzamer rijden en passeerde het eerste gebouw. Het stond links. Het was een aluminium diner, zoals aangekondigd op het billboard. De diner waar Dorothy de schoonmaakster het over had gehad. De tent waar de politieagenten 's morgens hun koffie dronken met donuts. Maar kennelijk ook hun middaghapje aten. Voor de deur stond een zwart-witte Dodge patrouillewagen met daarnaast twee oude pick-uptrucks, boerenwagens, beide vuil en gedeukt. De eerstvolgende bebouwing was een tankstation, Texaco, waaraan een garage was vast gebouwd, groot genoeg om aan drie auto's tegelijkertijd onderhoud te plegen. Daarna kwam een lange reeks winkels, zowel links als rechts, een winkel in huishoudelijke artikelen, een slijter, een bank, bandenshops, een agentschap van John Deere, een kruidenier, een apotheker. De straat was breed en modderig. Aan beide zijden waren schuine parkeervakken.

Reacher reed het hele stadje door. Aan het andere einde was een echt kruispunt, met wegwijzers naar links voor een ethanolfabriek, naar rechts voor een ziekenhuis, en rechtdoor naar de I-80, nog eens negentig kilometer verderop. Hij gebruikte de volle breedte van de weg om te keren en reed weer terug door de hoofdstraat. Rechts waren drie zijstraten en links waren drie zijstraten. Ze hadden allemaal namen die naar mensen klonken. Misschien wel oorspronkelijke pioniers in Nebraska, of beroemde football-spelers, coaches, of kampioen-maïsboeren. Hij sloeg bij de eerste straat, McNally, rechts af en zag het Marriott-hotel voor zich opdoemen. Het was vier uur 's middags. Niet zo handig. De oude bestanden zouden zich in het politiebureau bevinden of in een opslagruimte van de county, en in beide gevallen zouden de ambtenaren om vijf uur naar huis gaan. Hij had één uur. Meer niet. Het zou hem misschien alleen al wel een halfuur kosten om toegang tot het materiaal te krijgen. Waarschijnlijk was er heel wat papier om door te ploegen, wat hem veel meer tijd zou kosten dan dertig minuten. Hij zou moeten wachten tot morgen.

Of misschien toch wel niet.

Niet geschoten, altijd mis.

Hij reed verder en keek naar het hotel toen hij er langs kwam. Hij wist niet precies wat het verschil was tussen een gewoon Marriott-hotel en een Courtyard Marriott. Misschien was het gewone Marriott-hotel een toren met een heleboel verdiepingen. Dit was een laag gebouw met één verdieping, in de vorm van een hoofdletter H, een lobby geflankeerd door twee bescheiden vleugels met kamers. Ervoor was een parkeerterrein met belijnde parkeervakken voor een stuk of twintig auto's, waar maar twee auto's stonden. Aan de achterkant van het gebouw hetzelfde. Twintig parkeervakken waarvan twee bezet. Genoeg kamers vrij. Winter, in niemandsland.

Hij sloeg links af, in een straat parallel aan de hoofdstraat, drie huizenblokken ervan verwijderd. Hij zag het tweede restaurant. Het was een steakhouse waar reclame werd gemaakt voor een T-bonesteak volgens origineel recept uit Kansas. Hij sloeg meteen weer links af, reed terug naar de hoofdstraat en parkeerde bij de diner. De patrouillewagen stond er nog steeds. Het was niet druk in de diner. Reacher kon door de ramen naar binnen kijken. Twee politieagenten, drie burgers, een serveerster en een kok achter een luik.

Reacher sloot de Cadillac af en liep naar binnen. De politieagenten zaten tegenover elkaar in een zitje, allebei breed en uitdijend en vrijwel het hele tweepersoonsbankje in beslag nemend. De een was ongeveer even oud als Reacher, de ander was jonger. Ze droegen een grijs uniform, met een schild en merktekens en naamplaatjes. De oudste heette Hoag. Reacher liep langs hen heen, stond stil, deed alsof hij plotseling werd verrast en zei: 'Hé, jij bent toch Hoag? Ik geloof mijn ogen niet.'

De politieman zei: 'Sorry?'
'Ik herinner me jou nog van Desert Storm, toch? De Golf, in 1991? Klopt dat?'
De politieman zei: 'Sorry, vriend, maar dan moet je me toch even verder helpen. Er is heel wat water naar de zee gegaan sinds 1991.'
Reacher stak zijn hand uit. Hij zei: 'Reacher, 110e MP.'
De politieagent wreef zijn hand af aan zijn broek en schudde Reacher de hand. Hij zei: 'Ik weet eigenlijk niet of ik ooit met jullie te maken heb gehad.'
'Echt? Ik dacht het toch echt. Saoedi dan? Pal ervoor? Desert Shield?'
'Pal voor die tijd was ik in Duitsland.'
'Ik geloof niet dat het Duitsland was. Maar ik herinner me de naam. En het gezicht, zo ongeveer. Had je een broer in de Golf dan? Of een neef of zo?'
'Een neef wel.'
'Die op jou lijkt?'
'Destijds, wel een beetje.'
'Kijk. Aardige kerel toch?'
'Gaat wel.'
'En volgens mij een goed soldaat.'
'Hij had een Bronze Star toen hij thuiskwam.'
'Ik wist het wel. VII Corps?'
'Tweede Pantsercavalerie.'
'Derde squadron?'
'Jep.'
'Ik wist het wel,' zei Reacher opnieuw. Een oude, oeroude truc, overal ter wereld toegepast door waarzeggers. Stuur iemand langs een eindeloze reeks ja-nee-vragen, waar of niet waar, en binnen de kortste keren bouw je een illusie op van vertrouwelijkheid. Een eenvoudig psychologisch trucje, dat nog effectiever wordt door goed te luisteren naar de antwoorden, af te tasten en hier en daar een gok te wagen. De meeste mensen die de hele dag een naamplaatje op hun borst hebben, vergeten dat op den duur, in ieder geval in eerste instantie. En heel wat politieagenten op het platteland hebben in het leger gezeten. Veel meer dan gemiddeld. En ook als ze niet in het leger hebben gezeten, komen de mees-

ten uit grote families. Veel broers en neven. Bijna honderd procent zeker dat er daar wel een van in het leger heeft gezeten. Desert Storm was de belangrijkste gebeurtenis geweest voor die hele generatie militairen. Het VII Corps was daar het belangrijkste legeronderdeel geweest. Iemand met een Bronze Star uit de Tweede Pantsercavalerie was vrijwel zeker van het derde squadron geweest, de speerpunt van de aanval. Een algoritme. Kansberekening. Van begin tot eind open deuren intrappen.

Reacher vroeg: ‘En wat doet je neef nu?’

‘Tony? Die zit weer in Lincoln. Hij zwaaide af voor de tweede ronde daar, godzijdank. Hij werkt voor de spoorwegen. Twee kinderen, een op de middelbare school en een op de universiteit.’

‘Fantastisch. Zien jullie elkaar vaak?’

‘Zo nu en dan.’

‘Doe hem de groeten van mij, oké? Jack Reacher, 110e MP. De groeten van de ene woestijnrat aan de andere.’

‘En wat doe jij nu dan? Want dat vraagt hij vast.’

‘Ik. Hetzelfde, nog altijd hetzelfde.’

‘Hè, nog steeds in het leger?’

‘Nee, ik bedoel, ik was rechercheur. Dat ben ik nog steeds, rechercheur, maar dan als privédetective. Eigen baas. Niet in dienst van Uncle Sam.’

‘Hier in Nebraska?’

‘Alleen tijdelijk,’ zei Reacher. Hij zweeg even en vervolgde: ‘Weet je. Misschien zou je me kunnen helpen. Als je het niet erg vindt dat ik het vraag.’

‘Wat heb je nodig?’

‘Begint jullie ploeg net of ben je straks vrij?’

‘Wij beginnen net. We hebben de hele nacht nog voor de boeg.’

‘Mag ik even gaan zitten?’

De politieagent die Hoag heette, schoof opzij, een en al fluisterend vinyl en krakend leer. Reacher liet zich zakken op het puntje van de bank dat was vrijgekomen. De zitting was warm. Hij zei: ‘Ik kende iemand uit het leger die McNally heette. Ook Tweede Pantser, als je het er toch over hebt. Blijkt dat die een vriend heeft die weer bevriend is met iemand die een tante heeft die in deze county woont. Boerenvrouw. Haar dochter is vijfentwintig jaar geleden verdwenen. Acht jaar oud, nooit meer gezien. De vrouw is daar nooit helemaal overheen gekomen. Jullie bureau heeft de zaak behandeld, met de FBI als kers op de slagroom. De vriend van de vriend van McNally denkt dat de FBI de zaak verknald heeft. Dus heeft McNally mij ingehuurd om het papierwerk door te nemen.'

'Vijfentwintig jaar geleden?' zei Hoag. 'Dat was voor mijn tijd.'

'Klopt,' zei Reacher. 'Ik vermoed dat we toen allebei nog bij de rekruten zaten.'

'En dat kind hebben ze nooit teruggevonden? Dat betekent dat de zaak nog open is. Cold case, maar open. En dat betekent dat het papierwerk er allemaal nog moet zijn. En dat iemand het zich nog wel zal herinneren.'

'Dat is precies wat McNally ook hoopt.'

'En hij probeert de FBI een loer te draaien en niet ons een oor aan te naaien?'

'Het verhaal is dat jullie het prima gedaan zouden hebben.'

'En wat zou de FBI dan verkeerd hebben gedaan?'

'Ze hebben het kind niet gevonden.'

'En waar dient dit allemaal voor?'

'Geen idee,' zei Reacher. 'Zeg het maar. Je weet hoe dat gaat met mensen. Het zal sommige mensen wel gemoedsrust schenken, denk ik.'

'Oké,' zei Hoag. 'Ik zal het op het bureau vertellen. Dan komt iemand je wel ophalen, meteen morgenvroeg.'

'Zou ik vanavond al iets kunnen doen? Als ik er voor middernacht doorheen ben, betekent dat één dag minder op de rekening voor McNally. Hij heeft niet zo heel veel geld.'

'Laat jij een dikkere rekening lopen?'

'Veteranen onder elkaar. Je weet hoe dat gaat. Bovendien heb ik nog andere zaken. Ik moet eigenlijk zo snel mogelijk naar Virginia.'

Hoag keek op zijn horloge. Twintig minuten over vier. Hij zei: 'Al dat oude spul is in de kelder onder het kantoor van de county. Dat gaat om vijf uur op slot.'

'Kan ik het spul ook meenemen?'

'O, man, daar vraag je me wat.'

‘Ik hoef geen officiële bewijsstukken. Alleen fysiek bewijs, als dat er is. Ik wil alleen het papierwerk.’
‘Daar zou ik behoorlijk voor op mijn flikker kunnen krijgen.’
‘Ik wil het alleen maar lezen. Dat kan toch geen kwaad? Vanavond meenemen en morgenvroeg weer terug. Daar kraait geen haan naar.’
‘Waarschijnlijk is het heel veel. Een hele stapel dozen.’
‘Ik help wel met sjouwen.’
‘McNally zat in de Tweede Pantser? Net als Tony?’
Reacher knikte. ‘Maar dan tweede squadron, niet het derde. Even een niveautje lager.’
‘Waar heb je een kamer?’
‘Het Marriott. Waar anders?’
Het bleef lang stil. De jongere politieman keek toe. Hoag was zich zeer bewust van de onderzoekende blik van zijn collega. Reacher keek toe hoe de geestesgesteldheid van Hoag zich ontwikkelde. Hoag ging van een soort brave burgerlijke voorzichtigheid via een staat van nostalgie en oude kameraden naar een roekeloosheid van soldaten onder elkaar. Hij keek Reacher aan en zei: ‘Oké, ik weet wel iemand. We krijgen het wel voor elkaar. Maar het is beter dat jij er niet bij bent. Dus wacht maar op ons, dan leveren wij de spullen wel.’
Reacher reed terug naar de Courtyard Marriott en zette de Cadillac achter het hotel, zodat de auto vanaf de voorzijde van het gebouw niet te zien was. Veiliger op die manier, voor het geval Seth Duncan in de telefoon zou klimmen om rond te bazuinen dat Reacher zijn auto had meegenomen. Hij liep terug en wachtte in de lobby tot de receptionist achter de balie uitgepraat was aan de telefoon. Hij was blijkbaar bezig met een boeking. Toen hij klaar was, boekte Reacher een kamer voor één nacht op de begane grond. Het bleek een kamer te zijn die helemaal achter in de H lag, heel stil, precies wat hij zocht, heel schoon en met goede voorzieningen, overal groene en bruine kleuren, koperwerk en lichtbruin hout. Drie kwartier later verschenen Hoag en zijn partner in een geleende bestelbus van het hondenteam, met elf kartonnen dozen vol dossiers. Vijf minuten later stonden al die dozen in Reachers kamer.

Nog weer vijf minuten later, maar negentig kilometer verder naar het noorden, verliet de dokter de lobby van het motel. Hij had gewoon een beetje met Vincent zitten kletsen, maar hij had vooral drie driedubbele glazen Jim Beam achterovergeslagen. Negen bourbons in iets meer dan een uur. Het was bewolkt en de schemer viel al een beetje in, zodat de blik die hij in beide richtingen langs de weg wierp, minder opleverde dan het geval zou zijn geweest als de zon wat helderder had geschenen. Hij klom in de pick-up, startte de motor en reed achteruit van het erf. Hij draaide aan het stuur en sloeg rechts af de tweebaansweg op.

28

De zes resterende Cornhuskers waren uit elkaar gegaan en werkten nu in hun eentje. Twee hadden zich naar het noorden op de tweebaans geposteerd, twee in het zuiden. Een reed alle landwegen in de zuidoosthoek af en de laatste reed alle landwegen in de zuidwesthoek af.

De dokter kwam de twee tegen die aan de noordkant de wacht hielden.

Hij reed ze bijna letterlijk overhoop. Zijn plan was om de pick-up achter te laten zodra hij ergens een stuk niemandsland had gevonden en om dan door het land naar huis te wandelen. Hij keek tijdens het rijden om zich heen om zich te oriënteren, keek naar links en naar rechts, traag en verdoofd door de bourbon. Zijn starende blik dwaalde weer terug naar de weg en het drong tot hem door dat hij nog ongeveer één hele seconde verwijderd was van een frontale botsing met een andere pick-up die half op de weg, half in de berm geparkeerd stond. Hij stond daar maar gewoon, aan de verkeerde kant, zonder licht. Van zijn ogen naar zijn hersens naar zijn handen, allemaal door een nevel van bourbon, een fractie van een seconde vertraging, een ruk aan het stuur en plotseling lag hij op ramkoers met een tweede pick-up die dertig meter verderop aan de andere kant van de weg geparkeerd

stond. Hij trapte op de rem, alle vier de wielen blokkeerden en hij kwam min of meer zijdelings slippend tot stilstand.
De tweede pick-up trok op en blokkeerde de weg voor hem.
De eerste pick-up trok op achter hem en blokkeerde daar de weg.

In Las Vegas koos Mahmeini een telefoonnummer. Zijn eerste handlanger nam op, acht straten verderop, in het kantoor van Safir. Mahmeini zei: 'Nieuwe plannen. Jullie gaan met z'n tweeën naar Nebraska, nu meteen. Pak het vliegtuig van de zaak maar. De piloot weet waar hij heen moet.'
Zijn handlanger zei: 'Oké.'
Mahmeini zei: 'Het gaat om twee dingen. In de eerste plaats zoeken jullie die vreemdeling waar iedereen de mond van vol heeft, en ruim je hem uit de weg. In de tweede plaats moet je aanpappen met de Duncans. Vertrouwen kweken. Dan ruim je de mannen van Safir uit de weg, en die van Rossi, zodat we vanaf nu twee schakels uit de keten overslaan. We kunnen in de toekomst ook wel rechtstreeks met die lui handeldrijven. Veel meer winst. En meer greep op de zaken.'
Zijn handlanger zei: 'Oké.'

De dokter zat verlamd achter het stuur, bevend van shock, angst en adrenaline. De Cornhuskers stapten uit hun pick-ups. Grote jongens. Rode jackjes. Ze liepen naar de pick-up van de dokter waarvan de motor was afgeslagen, in alle rust, de een van links en de ander van rechts. Ze bleven even stilstaan, elk aan een kant van de cabine van de pick-up, rustig en zwijgend in de schemer van de late namiddag. Toen opende de eerste het portier aan de passagierskant en de andere het portier bij de bestuurder. De jongen aan de passagierskant stond klaar om een vluchtpoging te verijdelen, en de jongen aan de kant van de bestuurder greep de dokter bij zijn jas en sleurde hem naar buiten. De dokter zakte als een pudding in elkaar op het asfalt. De jongen trok hem weer omhoog en stompte hem hard in zijn buik. Hij keerde de dokter om en stompte hem nog twee keer, onder in zijn rug, net boven de nieren. De dokter viel op zijn knieën en kotste de bourbon op de weg.

De jongen die had staan wachten aan de passagierskant, liep terug naar zijn pick-up en parkeerde die weer net als in het begin. Daarna zette hij de pick-up van de dokter er pal achter. Hij liep terug naar zijn maatje en met zijn tweeën frommelden ze de dokter omhoog in de cabine van de pick-up van de eerste Cornhusker. Toen reden ze weg, één rechts in de cabine, de ander links en de dokter tussen hen ingeklemd op de driepersoonsvoorbank, bevend en sidderend, zijn kin op zijn borst.

In Las Vegas koos Safir een telefoonnummer. Zijn handlanger in het kantoor van Rossi nam op, zes straten verderop. Safir zei: 'Nieuwe ontwikkelingen. Ik stuur jullie tweeën naar Nebraska. Ik zal de details naar het vliegveld faxen.'
Zijn handlanger zei: 'Oké.'
Safir zei: 'De jongens van Rossi vangen jullie op bij het hotel. Mahmeini stuurt ook twee man. Met z'n zessen zorgen jullie er eindelijk voor dat die vreemdeling verdwijnt. Probeer ondertussen contact op te bouwen met de Duncans. Bouw een vertrouwensrelatie op. Daarna reken je af met de jongens van Rossi. Dan zijn we één stap dichter bij de kip met de gouden eieren. Verdubbeling van de marge.'
Zijn handlanger zei: 'Oké.'
'En als je de kans krijgt, reken je ook af met de mannen van Mahmeini. Ik denk dat ik wel in contact kan komen met zijn klant. Ik bedoel maar, waar moet hij anders zulk spul vandaan halen? Misschien kunnen we onze marge wel verviervoudigen.'
Zijn handlanger zei: 'Oké, baas.'

De Cornhuskers reden naar het zuiden, acht snelle kilometers. Toen remden ze af en draaiden ze de gedeelde oprit van de Duncans op. De dokter keek op bij de verandering in snelheid en richting en slaakte kreunend een gesmoorde onverstaanbare zucht, sloot zijn ogen en liet zijn hoofd weer vooroverzakken. De jongen rechts knalde een elleboog tussen zijn ribben. Hij zei: 'Je moet wat aan je stem doen, maat, want je moet zo meteen het een en ander uitleggen.'
Ze reden langzaam, het hele eind naar het erf, formeel en cere-

monieel, opdracht volbracht. Ze parkeerden voor het huis, stapten uit en sleepten hun buit achter zich aan. Ze koersten met hem af op de voordeur van het huis van Jacob Duncan en klopten aan. Een minuut later deed Jacob Duncan de deur open. Een van de Cornhuskers zette zijn hand tegen de rug van de dokter, schoof hem naar binnen en zei: 'Deze gast zat in de pick-up die we kwijt waren. Hij had er verdomme zijn eigen kentekenplaten op gezet.'
Jacob Duncan keek de dokter tien lange seconden aan. Hij hief zijn hand en tikte hem zachtjes op zijn wang. Bleke huid, vochtig en klam, bulten en blauwe plekken. Toen greep hij de dokter bij zijn overhemd en sleepte hij hem verder de hal in. Hij keerde zich om en duwde de dokter voor zich uit, de donkere diepten van het huis in, in de richting van de keuken. Hun gevangene, in het systeem.
Jacob Duncan keerde zich weer om naar de Cornhuskers.
'Goed gedaan, jongens,' zei hij. 'Nu de rest van de klus. Ga Reacher zoeken. Kennelijk is hij weer te voet. Als de dokter weet waar hij is, dan vertelt hij dat zo wel en dan laten we het je weten. Maar ondertussen: blijf zoeken.'

Roberto Cassano was nog steeds in de keuken van Jacob Duncans huis. Samen met Angelo Mancini. Ze zagen de loser die de dokter nu eenmaal was, naar binnen struikelen vanuit de hal, dronken, verfomfaaid en doodsbenauwd, met het resultaat van het handwerk van Mancini nog steeds afgetekend over zijn hele gezicht. Toen ging Cassano's telefoon. Hij keek op de display en zag dat het Rossi was. Hij liep door de achterdeur naar buiten en over het grind en het onkruid. Hij drukte op de knop en hield de telefoon bij zijn oor. Rossi zei: 'Complicaties.'
Cassano zei: 'Zoals?'
'Ik moest ze hier geruststellen. Het begon uit de hand te lopen. Ik heb met mensen moeten praten, ze op andere gedachten moeten brengen. Om een lang verhaal kort te maken, jullie krijgen versterking. Twee man van Safir, en twee van Mahmeini.'
'Dat zou moeten leiden tot een stroomversnelling.'
'In eerste instantie wel,' zei Rossi. 'Maar daarna wordt het ingewikkeld. Eén tegen tien dat ze opdracht hebben gekregen ons uit

de keten te flikkeren. Mahmeini zal wel zijn best doen Safir ook buiten te sluiten. Dus zorg ervoor dat niemand in de buurt van de Duncans kan komen. Geen minuut. Zorg ervoor dat de Duncans geen nieuwe vriendjes krijgen. En kijk uit zo gauw de vreemdeling plat is. Dan zijn er vier man die de trekker willen overhalen als jij voor de loop staat.'

'Wat wil je dat we doen?'

'In leven blijven. En greep op de zaken houden.'

'Regels?'

'Ruim de mannen van Safir in ieder geval uit de weg. Dan zijn we van de schakel boven ons af. Dan kunnen we direct aan Mahmeini verkopen, tegen de prijs van Safir.'

'Oké.'

'En ruim die mannen van Mahmeini ook uit de weg, als het moet, uit zelfverdediging. Zorg er alleen voor dat het lijkt of de mannen van Safir het hebben gedaan, of de Duncans. Ik heb Mahmeini zelf nog nodig. In die hoek zit geen ruimte. Zonder hem kan ik niet bij de uiteindelijke koper komen.'

'Oké.'

'Dus nu meteen vertrekken. Terug naar het hotel en niets doen. Daar ontmoet je de anderen, waarschijnlijk al heel snel. Overleg met ze en maak een plan.'

'Wie heeft de leiding?'

'De Iraniërs zullen wel zeggen dat zij de leiding hebben. Maar trek je daar niets van aan. Jullie kennen de mensen en de situatie. Maak daar gebruik van en wees voorzichtig.'

'Oké, baas,' zei Cassano. Twee minuten later zaten hij en Mancini weer in hun gehuurde blauwe Impala, en reden ze naar het zuiden over de kaarsrechte tweebaans, honderd kilometer voor de boeg.

De witte vrachtwagen bevond zich nog steeds op Route 3, nog steeds in Canada, nog steeds in oostelijke richting, meer dan halverwege door Alberta met Saskatchewan in het verschiet. Hij was zojuist de afslag van Route 4 gepasseerd, de snelweg naar het zuiden, naar de grens waar de bescheiden Canadese asfaltweg overging in de majestueuze U.S. Interstate 15, die helemaal naar Las

Vegas voerde, en vandaar naar Los Angeles. Het verschil in status van iets wat ooit een en hetzelfde karrenpad was geweest, was exemplarisch voor het zelfbewustzijn van beide staten, nog afgezien van het feit dat het een erg gevaarlijke weg was. Het was een vanzelfsprekende slagader, met twee grote prijzen aan beide einden, en dus ging men ervan uit dat hij nauwlettend in de gaten werd gehouden. Daarom had de witte vrachtwagen de kans voorbij laten gaan snel en gemakkelijk voortgang te boeken, en zwoegde hij nog steeds naar het oosten op de lokale verkeersweg, naar een klein stadje met de naam Medicine Hat. Het was de bedoeling dat daar de koers eindelijk verlegd zou worden naar het zuiden en dat de witte vrachtwagen verloren zou gaan in de wildernis rond Pakowki Lake en uiteindelijk terecht zou komen op een karrenspoor dat geen naam had en diep de bossen in leidde, uiteindelijk helemaal tot in Amerika.

De Duncans verordonneerden de dokter om rechtop aan het hoofd van de tafel te gaan staan. Ze gingen zelf zitten en keken naar hem en zeiden lange tijd niets, Jacob en Seth aan de ene kant, Jasper en Jonas aan de andere kant. Na verloop van tijd vroeg Jacob: 'Was dat bedoeld als provocatie?'
De dokter gaf geen antwoord. Zijn keel was gezwollen en pijnlijk van het overgeven en hij begreep de vraag eigenlijk ook niet.
Jacob vroeg: 'Of had je op de een of andere manier het idee dat je er recht op had?'
De dokter gaf geen antwoord.
'Dat moeten we weten,' zei Jacob. 'Je moet het ons vertellen. Dit is een fascinerend onderwerp. Dat moeten we tot de bodem uitspitten.'
De dokter zei: 'Ik weet niet waar je het over hebt.'
'Maar misschien je vrouw wel,' zei Jacob. 'Wil je dat we haar ophalen en het aan haar vragen?'
'Laat haar erbuiten.'
'Pardon?'
'Alsjeblieft. Laat haar alsjeblieft met rust.'
'Ze zou ons kunnen vermaken. Dat heeft ze eerder gedaan, weet je. We kenden haar al veel langer dan jij. Ze is hier een keer of

vijf geweest. In dit huis. Dat vond ze prima. Natuurlijk hebben we haar betaald en dat heeft misschien mede haar houding bepaald. Je moet toch maar eens vragen wat ze allemaal voor geld heeft gedaan.'
'Ze paste op de kinderen.'
'Zegt ze dat? Dat zal wel, ja.'
'Dat is wat ze gedaan heeft.'
'Vraag het nog eens een keertje. Op een onbewaakt ogenblik. Ze had als meisje veel talent, die vrouw van jou, ooit, lang geleden. Misschien vertelt ze het je wel allemaal. Je zou er misschien wel van genieten.'
'Wat wil je?'
Jacob Duncan zei: 'We willen weten welke motieven er schuilgaan achter wat je hebt gedaan.'
'Wat heb ik gedaan?'
'Je hebt je eigen kentekenplaten op onze pick-up gezet.'
De dokter zei niets.
Jacob Duncan zei: 'We willen weten waarom. Meer niet. Dat is toch niet te veel gevraagd? Was het gewoon brutaliteit? Of een boodschap? Wilde je wraak nemen omdat we jouw wagen onklaar hebben gemaakt? Probeerde je je recht te halen? Probeerde je ons iets duidelijk te maken? Wilde je ons een lesje leren omdat we te ver waren gegaan?'
'Ik weet het niet,' zei de dokter.
'Of heeft iemand anders die kentekenplaten verwisseld?'
'Ik weet niet wie ze heeft verwisseld.'
'Maar jij hebt het niet gedaan?'
'Nee.'
'Waar heb je de pick-up gevonden?'
'Bij het motel. Vanmiddag. Hij stond naast mijn auto. Met mijn kentekenplaten erop.'
'Waarom heb je ze niet weer terugverwisseld?'
'Dat weet ik niet.'
'Rondrijden met ongeldige kentekenplaten is een misdrijf, toch? Of op zijn minst een overtreding. Moet dat echt, een vertegenwoordiger van de medische stand die zich op het verkeerde pad begeeft?'

'Ik denk het niet.'
'Maar toch heb je het gedaan.'
'Het spijt me.'
'Je moet je niet voor ons verontschuldigen. Wij zijn geen rechtbank. Maar je zou wel iets moeten bedenken. Het zou je je baan kunnen kosten. En wat zou je vrouw dan moeten doen om aan geld te komen? Misschien moet ze dan wel weer haar oude werkzaamheden hervatten. Een soort comeback maken. Niet dat we haar nog weer zouden willen hebben. Ik bedoel, wie wel? Zo'n oude, afgejakkerde teef.'
De dokter zei niets.
'En je hebt mijn schoondochter behandeld,' zei Jacob Duncan. 'Terwijl je dat verboden was.'
'Ik ben dokter. Ik moest wel.'
'De eed van Hippocrates, ja?'
'Precies.'
'Waarin om te beginnen staat dat je anderen geen lichamelijk leed mag berokkenen.'
'Ik heb haar niet gekwetst.'
'Kijk eens naar het gezicht van mijn zoon.'
De dokter keek.
'Dat heb jij gedaan,' zei Jacob.
'Ik niet.'
'Jij was de oorzaak dat het gebeurde. Dat komt op hetzelfde neer. Je hebt iemand lichamelijk leed berokkend.'
'Dat heb ik niet gedaan.'
'Wie dan wel?'
'Dat weet ik niet.'
'Ik denk van wel. Dat wordt gezegd. Je hebt het vast wel gehoord. We weten wel dat jullie met zijn allen de hele tijd over ons praten. Met jullie telefoonpiramide. Dacht je dat wij dat niet doorhadden?'
'Het was Reacher.'
'Eindelijk,' zei Jacob. 'Eindelijk gaat het ergens over. Jij zat ook in het complot.'
'Nee.'
'Jij hebt hem gevraagd om je naar het huis van mijn zoon te rijden.'

'Dat heb ik niet gedaan. Ik moest er van hem heen.'
'Maakt niet uit,' zei Jacob. 'Gedane zaken nemen geen keer. Maar we willen je wel wat vragen.'
'En dat is?'
'Waar is Reacher nu?'

29

Reacher was in zijn kamer op de begane grond in de Courtyard Marriott, en stond tot aan zijn knieën in de oude dossiers. Met de standaardschroevendraaier uit zijn zak had hij het plakband van alle elf dozen doorgesneden en hij had uit alle elf dozen het eerste vel papier bekeken om de juiste chronologische volgorde vast te stellen. Hij had alle elf dozen op volgorde gezet en was begonnen alle dossiers snel en oppervlakkig door te nemen, vanaf het begin.
Zoals verwacht waren er uitgebreid aantekeningen gemaakt. Het was een zaak geweest die veel belangstelling had getrokken en die op allerlei manieren erg gevoelig lag. Bovendien hadden er drie instanties aan gewerkt, de State Police, de National Guard en de FBI. De county police had zijn uiterste best gedaan om zo professioneel mogelijk over te komen. Zaken waar meerdere bureaus bij betrokken waren, waren in wezen één grote concurrentiestrijd, en die strijd had de county police niet willen verliezen. Het bureau had elke actie geregistreerd en elk standpunt gedekt, en iedereen had zich tegen alles ingedekt. In sommige opzichten waren de dossiers schijfjes geschiedenis. Ze waren nooit ook maar in de buurt van een computer geweest. Het waren ouderwetse, menselijke, simpele dossiers. Vervaardigd op typemachines, waarschijnlijk oude, elektrische IBM's. Sommige regels lijnden niet goed uit en correcties waren aangebracht met een witte vloeistof. In het papier zaten vochtvlekken, het was bruin, dun en bros en rook schimmelig. Er waren geen pakken kettingpapier met geregistreerde gesprekken met mobiele telefoons, simpelweg omdat

niemand toen nog een mobiele telefoon had, zelfs de politie niet. Er waren geen DNA-monsters genomen. Er waren geen gps-coördinaten geregistreerd.

Het waren precies zulke dossiers als Reacher zelf had aangelegd, lang geleden, toen hij net was begonnen aan zijn carrière in het leger.

Dorothy had de politie gebeld vanuit het huis van buren, op zondagavond om acht uur, in het begin van de zomer. Geen 911, maar het gewone, algemene lokale nummer. Er was een transcriptie gemaakt van het gesprek, zo te zien niet aan de hand van een opname. Waarschijnlijk gereconstrueerd met behulp van het geheugen van de politieman die baliedienst had gehad. Dorothy's achternaam was Coe. Haar enige kind Margaret was voor het laatst zes uur eerder gezien. Het was een lief kind. Geen problemen. Geen moeilijkheden. Geen reden om te verdwijnen. Ze had een groene jurk aangehad en was weggereden op een roze fiets.

De agent met baliedienst had de brigadier gebeld en die had op zijn beurt een rechercheur gebeld die net klaar was met de dagdienst. Die rechercheur heette Miles Carson. Carson had patrouillewagens naar het noorden gestuurd en de zoektocht was begonnen. Het weer werkte mee en ze hadden nog een uur lang schemering gehad voordat de nacht inviel. Carson zelf was binnen veertig minuten ter plekke geweest. De twaalf uur die daarop volgden was er zo ongeveer gebeurd wat Dorothy al had verteld tijdens het ontbijt: de rondgang langs alle huizen, het zoeken met zaklampen, de oproep via de megafoon om in schuren en bijgebouwen te kijken, gemotoriseerde patrouilles de hele nacht door, de aankomst van de honden bij het eerste daglicht, de medewerking van de State Police, de door de National Guard uitgeleende helikopter.

Miles Carson was grondig te werk gegaan, maar hij had niets bereikt.

In principe had Reacher wel kritiek op een paar zaken. Er was bijvoorbeeld geen enkele reden om tot de volgende ochtend te wachten met het inschakelen van de honden. Honden konden hun werk in het donker doen. Maar de inzet van honden was sowieso discutabel geweest, want zodra Margaret op haar fiets was gestapt, was haar geur verdwenen, opgelost in de lucht, verwaaid met de bries, geïsoleerd door rubberen banden. De honden hadden haar spoor op de oprit kunnen vasthouden, verder niet. Bij de oproep via de megafoon aan mensen om hun eigendommen te doorzoeken, kon je ook vraagtekens zetten, want wat moest iemand doen die zich schuldig had gemaakt aan een misdrijf? Zichzelf aangeven? Hoewel in Carsons voordeel pleitte dat er op dat moment nog geen verdenking van een misdrijf was. Het eerste wat Carson aan lokale verdachtmakingen ter ore was gekomen, was wat Dorothy Coe over de Duncans vertelde, de volgende ochtend om negen uur toen ze zich niet langer kon inhouden. Dat gesprek had een uur geduurd en er waren negen pagina's aantekeningen van gemaakt. Carson had er meteen werk van gemaakt.

Vanaf het begin echter leken de Duncans onschuldig.

Ze hadden zelfs een alibi. Vijf jaar daarvoor hadden ze de boerderij verkocht en alleen een T-vormig stuk grond ter grootte van een halve hectare gehouden, met hun oprit en de drie huizen, en zoals dat op het platteland gaat, waren ze er nooit aan toegekomen om de nieuwe grenzen van hun terrein af te bakenen. Waar de boeren ophielden met ploegen, begon hun erf. Uiteindelijk hadden ze besloten om een houten hek om het erf te zetten. Het was een zwaar hek, veel zwaarder en steviger dan gebruikelijk. Ze huurden vier lokale scholieren in om het werk te doen. De vier jongens waren er de hele zondag, van zonsopkomst tot de schemering, bezig geweest met meten, zagen en diepe gaten graven voor de palen. De drie Duncans en de acht jaar oude Seth waren er de hele dag bij geweest, van dageraad tot schemering, hadden toezicht gehouden, opdrachten gegeven, het werk gecontroleerd en hand- en spandiensten verleend. De vier jongens bevestigden dat de vier Duncans het erf nooit hadden verlaten en dat er ook niemand langs was gekomen, en al helemaal geen klein meisje in een groene jurk op een roze fiets.

Toch had Carson de Duncans opgepakt voor verhoor. Tegen die tijd deden duidelijke geruchten de ronde dat er sprake was van een misdrijf. Daarom moest de State Police erbij betrokken worden in verband met kwesties van jurisdictie en dus werden de

Duncans overgebracht naar de kazerne van de State Police bij Lincoln. Seth ging ook mee, hij werd ondervraagd door vrouwelijke agenten, maar hij had niets te melden. De drie volwassenen werd het vuur dagenlang na aan de schenen gelegd. In het Nebraska van 1980 kon je met regels en procedures alle kanten op als het ging om mogelijke ontvoering van kinderen. De Duncans bekenden echter niets. Ze lieten hun terrein doorzoeken, vrijwillig. De mensen van Carson deden het grondig, wat niet zo moeilijk was want het was maar een klein terrein. Alleen de T-vormige halve hectare, begrensd door het nog niet afgebouwde hek, met de drie huizen erop. Carsons mensen vonden niets. Carson belde de FBI. De FBI stuurde een team dat was uitgerust met de allernieuwste technologie van de jaren tachtig. De FBI vond niets. De Duncans werden op vrije voeten gesteld, kregen een lift naar huis en de zaak koelde af tot een cold case.
Reacher kroop op handen en voeten door de kamer, terug naar de eerste doos, het overzicht compleet en klaar om aan de details te beginnen.

De dokter gaf geen antwoord. Hij stond daar alleen maar, gekneusd, met spierpijn, bevend en zwetend. Jacob Duncan herhaalde de vraag: 'Waar is Reacher nu?'
De dokter zei: 'Ik zou graag willen gaan zitten.'
'Heb je gedronken?'
'Een beetje?'
'In het motel?'
'Nee,' zei de dokter. 'Ik ging ervan uit dat ik niets zou krijgen van Vincent.'
'Waar was je aan het drinken dan?'
'Thuis.'
'En toen ging je lopend naar het motel?'
'Ja.'
'Waarom?'
'Ik had iets nodig uit mijn auto. Een instrument.'
'Dus je was al dronken toen je onze pick-up stal?'
'Ja. Ik zou het niet hebben gedaan als ik nuchter was geweest.'
'Waar is Reacher nu?'

'Dat weet ik niet.'
'Wil je een borrel?'
'Een borrel?'
'Volgens mij ben je vertrouwd met dat verschijnsel, of niet?'
'Ja, ik zou wel een borrel willen.'
Jacob Duncan stond op en liep door zijn keuken naar een wandkast. Hij trok de deur open en haalde er een fles Wild Turkey uit, nog bijna vol. Uit een andere kast haalde hij een glas. Hij nam beide mee naar de tafel en zette ze neer. Hij haalde spullen van een stoel die in een hoek stond, een paar laarzen, oude post, een bol touw, droeg de stoel door de keuken en zette hem achter de dokter neer.
Hij zei: 'Ga zitten, alsjeblieft. En ga je gang.'
De dokter ging zitten, schoof de stoel dichter bij de tafel en trok de kurk van de fles. Hij schonk een flinke borrel in het glas en sloeg hem in één keer achterover. Hij schonk een tweede keer in.
Jacob Duncan zei: 'Waar is Reacher nu?'
De dokter zei: 'Dat weet ik niet.'
'Ik denk het wel. Het wordt tijd dat je een keuze maakt. Je kunt hier bij ons aan tafel blijven zitten en mijn fijne bourbon drinken en de hele dag gezellig doorkletsen, maar het kan ook anders. We zouden Seth bijvoorbeeld toestemming kunnen geven om je een gebroken neus te bezorgen. Of we kunnen je vrouw ophalen en haar op allerlei vervelende manieren vernederen. Ik vermoed dat zij niet heel erg zou tegenstribbelen, omdat ze ons al die jaren al heeft gekend. Geen signalen, geen zichtbare kwetsuren. Maar zo'n samen doorstane ervaring zou wel eens van invloed kunnen zijn op jullie huwelijk in de komende jaren, als zij moet meemaken dat jij haar niet kunt verdedigen. Want zij zal het beschouwen als onwil, niet als onkunde. Daar zou je eens over moeten nadenken.'
'Reacher is weg,' zei de dokter.
'Weg?'
'Hij is vanmiddag vertrokken.'
'Hoe?'
'Hij heeft een lift gekregen.'
'Onmogelijk,' zei Jacob. 'We hadden een blokkade op de weg staan. In het noorden en het zuiden.'

'Niet op tijd.'
'Heb jij hem zien vertrekken?'
'Hij was in het motel. Ik denk dat hij de kentekenplaten heeft verwisseld, omdat hij van plan was met jullie pick-up te vertrekken. Maar iemand anders kwam langs en hij is meegelift. Dat vond hij beter.'
'Wie was dat, die langskwam?'
'Niemand van ons. Gewoon iemand op doorreis.'
'Wat voor soort auto?'
'Ik heb geen verstand van auto's. Hij was wit, geloof ik.'
'Zei hij waar hij heen ging?'
De dokter dronk bijna zijn hele tweede glas in één keer leeg. Een teug, slikken, een teug, slikken. Hij zei: 'Hij is op weg naar Virginia.'
'Waarom?'
'Dat weet ik niet,' zei de dokter. Hij vulde het glas voor de derde keer. 'Maar daar had hij het de hele tijd over, al vanaf het eerste moment. Hij is op weg naar Virginia, en dat is hij de hele tijd al.'
'Wat valt er te beleven in Virginia?'
'Heeft hij niet gezegd. Een vrouw misschien. Die indruk kreeg ik.'
'Hoezo?'
'Gewoon een gevoel.'
Jacob Duncan zei: 'Je bent zenuwachtig.'
De dokter zei: 'Natuurlijk ben ik zenuwachtig.'
'Waarom? Je zit gewoon alleen een goed glas whisky te drinken met je buren.'
De dokter zei niets.
Jacob Duncan zei: 'Je denkt dat hij terugkomt.'
'Nee.'
'Komt hij niet terug?'
De dokter zei niets.
'Vertel het eens.'
De dokter zei: 'Hij is MP geweest. Hij weet hoe je dingen moeten doen.'
'Wat voor dingen?'
'Hij zei dat hij bij de county police langs zou gaan. Morgenvroeg, denk ik. Hij zei dat hij het dossier van vijfentwintig jaar geleden

ging doorkijken. Als dat klopt, gaat hij naar Virginia, en anders komt hij terug.'
'Waarom zou hij?'
'Om met jullie af te rekenen, daarom.'

In Canada was de witte vrachtwagen naar rechts afgeslagen, net voor het stadje Medicine Hat. Hij reed nu naar het zuiden over een eenzame weg die naar Pakowki Lake voerde. Het was daar al helemaal donker. Nergens licht, geen maan en geen sterren vanwege het wolkendek. De weg was slecht, hij zat vol gaten. Hij slingerde en meanderde en steeg en daalde. Het werd een moeizame tocht, die niet helemaal van gevaar ontbloot was. Sterker zelfs, het werd gevaarlijk, want een gebroken achteras of aandrijfas zou een ramp betekenen voor de hele onderneming. De chauffeur sloeg dus links af, een ruw, met gras begroeid, spoor op, dat hij wel eerder had gebruikt, en hobbelde en bonkte tweehonderd meter naar een open plek waar in de zomer toeristen konden picknicken. 's Winters was het er altijd uitgestorven. De chauffeur had er beren gezien, prairiewolven, rode vossen, elanden, en twee keer zelfs een wapiti, dacht hij, al waren dat misschien ook wel schaduwen geweest. Eén keer dacht hij een wolf te hebben gezien, maar dat was misschien ook wel weer gewoon een prairiewolf geweest. Maar mensen had hij er nog nooit gezien. Niet in de winter. Niet één.

Roberto Cassano en Angelo Mancini reden om het Courtyard Marriott heen en parkeerden hun gehuurde Impala naast een zwarte Cadillac die helemaal alleen op het achterste parkeerterrein stond. Ze stapten uit, rekten zich uit en keken op hun horloges. Ze dachten dat ze nog wel snel even konden gaan eten voordat de versterkingen zouden arriveren. De diner of het steakhouse? Aan beide hadden ze een hekel. Logisch. Zij hadden smaak en die achterlijke locals absoluut niet. Maar ze hadden honger en ze moesten ergens eten.
Ze overlegden even en besloten toen om naar de diner te gaan. Ze keerden de lobby van het Courtyard Marriott de rug toe en liepen naar de hoofdstraat.

De Duncans lieten de dokter zijn derde glas whisky leegdrinken en stuurden hem toen weg. Ze duwden hem de deur uit en zeiden dat hij naar huis kon lopen. Ze keken hem na over de oprit. Toen keerden ze zich om, wandelden terug en kwamen weer bij elkaar in de keuken van Jacob. Jacob zette de fles weer in de kast, zette het glas in de gootsteen en de stoel waarop de dokter had gezeten, weer in de hoek. Zijn broer Jasper vroeg: 'En wat denk je?'

Jacob zei: 'Waarover?'

'Moeten we de county bellen en zeggen dat ze Reacher die dossiers niet mogen laten zien?'

'Ik zie niet in hoe we dat voor elkaar kunnen krijgen.'

'We kunnen het proberen.'

'Dan trek je aandacht.'

Jonas vroeg: 'Moeten we Eldridge Tyler bellen? Voor de zekerheid?'

'Dan staan we bij hem in het krijt.'

'Het lijkt mij een verstandige investering. Voor het geval Reacher terugkomt.'

'Ik denk niet dat hij terugkomt,' zei Jacob. 'Dat is het eerste wat ik denk, absoluut.'

'Maar?'

'Het hangt uiteindelijk af van wat hij ontdekt en wat hij niet ontdekt.'

30

Reacher vond een verklaring van de vader van het meisje. Hij was lang en gedetailleerd. De politie was niet dom. Vaders zijn automatisch verdacht als kleine meisjes verdwijnen. Margarets vader was Arthur Coe geweest, bij iedereen beter bekend als Artie. Toen zijn dochter verdween was hij zevenendertig. Betrekkelijk oud voor een vader van een achtjarige, destijds in de jaren tachtig. Hij was afkomstig uit de buurt. Een Vietnam-veteraan. Hij had het aanbod van het lokale rekruteringsbureau om zijn werk aan te merken als essentiële economische bezigheid, naast zich neergelegd. Hij was in dienst gegaan en teruggekomen. Een dapper man. Een patriot. Hij was bezig geweest met het repareren van machinerie in een schuur toen Margaret was weggefietst. Vier uur later was hij daar nog steeds mee bezig geweest toen zijn vrouw hem kwam vertellen dat hun dochter nog steeds niet terug was. Hij had zijn gereedschap neergelegd en was gaan zoeken. Zijn verklaring stond vol met dezelfde gevoelens die Dorothy bij het ontbijt had beschreven, het onwerkelijke, de hoop tegen beter weten in, de overtuiging dat ze gewoon ergens aan het spelen moest zijn, natuurlijk, bloemen aan het plukken of zo, dat ze de tijd was vergeten, dat ze wel snel thuis zou komen, vast en zeker. Zelfs na vijfentwintig jaar was de shock, de pijn en de ellende in de getypte woorden voelbaar.

Arthur Coe was onschuldig, dacht Reacher.

Hij ging verder, naar een pakket waarop met de hand *Biografie van Margaret Coe* was geschreven. Een grote gele envelop, vrij dun, zoals je mocht verwachten van het levensverhaal van een achtjarige. Niemand had ooit aan de gomstrook gelikt, maar hij zat niettemin dichtgeplakt door het vochtige klimaat in de opslagruimte. Reacher wrikte de envelop voorzichtig open. Er zaten vellen papier in en een foto in vergeeld cellofaan. Reacher haalde hem er voorzichtig uit en was verrast. Margaret Coe was Aziatisch.

Vietnamees misschien, of Thais, of Cambodjaans, of Chinees, of Japans, of Koreaans. Dorothy niet. Arthur waarschijnlijk ook niet. Hij was een in Nebraska geboren en getogen boerenzoon. Dat betekende dat Margaret geadopteerd was. Het was een lief klein meisje geweest. De foto was op de achterkant gedateerd, in een vrouwelijk handschrift, met een opmerking erbij: *Bijna acht! En nog altijd een schat!* Het was een kleurenfoto, waarschijnlijk door een amateur gemaakt, maar goed. Beter dan een doorsnee kiekje. Er was over nagedacht, er zat een compositie in en hij was gemaakt met een redelijke camera. En de gelijkenis was goed geweest, natuurlijk, anders gaf je hem niet aan de politie. Er stond een klein Aziatisch meisje op, stil, poserend,

glimlachend. Ze was klein, licht en tenger. Haar ogen straalden vertrouwen en plezier uit. Ze droeg een rok met een Schotse ruit en een witte blouse.
Een kind om van te houden.
Reacher hoorde in gedachten de stem van de jongen die stoned was geweest, eerder op de dag: *ik hoor die arme geest krijsen, man, krijsen en jammeren en kreunen en huilen, hier in het donker.*
Dat was het moment waarop Reacher een pauze inlaste.

Honderd kilometer naar het noorden haalde Dorothy Coe een karbonade uit de koelkast. De karbonade was afkomstig van een varken dat door vrienden twee kilometer verderop was geslacht en was een uiting van een los soort samenwerkingsverband waarin mensen elkaar door moeilijke tijden heen hielpen. Dorothy sneed er de vetrandjes af, strooide er wat peper en bruine suiker op en smeerde er een beetje mosterd op. Ze legde de karbonade onafgedekt in een schaal in de oven. Ze dekte de tafel voor één persoon, een mes, een vork en een bord. Ze pakte een glas, schonk het vol water en zette het naast het bord. Ze vouwde een stuk van een papieren handdoekje op als servet. Avondmaaltijd, voor één persoon.

Reacher had honger. Hij had de lunch overgeslagen. Hij belde de receptie en vroeg om roomservice. De man die hem had ingeschreven vertelde hem dat er geen roomservice was. Hij bood zijn verontschuldigingen aan. Vervolgens noemde hij de twee restaurants van het billboard waar Reacher langs was gereden. De man bezwoer Reacher dat hij bij beide van een uitstekende maaltijd zou kunnen genieten. Misschien stond hij op de loonlijst bij de kamer van koophandel.
Reacher trok zijn jas aan en liep door de gang naar de lobby. Er waren twee nieuwe gasten die een kamer boekten. Twee mannen. Ze leken afkomstig uit het Midden-Oosten, Iran misschien. Ze waren klein, ongeschoren en niet al te schoon, hun kleren verfomfaaid. Een van hen wierp een blik op Reacher. Reacher knikte beleefd, op weg naar de buitendeur. Het was donker buiten,

en koud. Reacher bedacht dat hij voor zijn ontbijt naar de diner zou gaan en dus naar het steakhouse voor zijn avondeten. Vervolgens liep hij haastig rechtsaf de straat in.

De dokter liep in een flink tempo om warm te blijven en kwam binnen een uur thuis aan. Zijn vrouw wachtte hem op. Ze maakte zich zorgen. Hij moest het een en ander uitleggen. Hij begon te praten en had het hele verhaal verteld, voordat ze ook maar een enkel woord sprak. Uiteindelijk viel hij stil en zei ze: 'Dus het is een gok? Bedoel je dat? Net als wedden bij de paardenrennen? Komt Reacher terug voordat Seth thuiskomt en erachter komt dat je daar gewoon hebt zitten toekijken hoe zijn auto werd gestolen?'
De dokter zei: 'Zou Reacher wel terugkomen?'
'Ik denk het wel.'
'Waarom zou hij?'
'Omdat de Duncans zich aan dat kind vergrepen hebben. Wie heeft het anders gedaan?'
'Ik weet het niet. Ik was er niet bij. Ik zat in Idaho. Ik was zelf nog een kind. Jij ook.'
'Geloof me maar.'
'Ik geloof je wel. Maar ik zou willen dat je me precies zou vertellen waarom ik je moet geloven.'
Ze zei niets.
De dokter zei: 'Misschien gaat Seth niet naar huis. Misschien blijft hij vannacht bij zijn vader slapen.'
'Dat kan. Ze zeggen dat dat vaak gebeurt. Maar we kunnen er beter niet op gokken.' Ze begon aan een inspectie van het huis, controleerde de vergrendeling van ramen, de sloten van deuren, zowel voor als achter. Ze zei: 'We zouden meubels klem moeten zetten tegen de deuren.'
'Dan komen ze door de ramen naar binnen.'
'Tornadoglas. Dat kan wel tegen een stootje.'
'Die kerels wegen honderdvijftig kilo. Je hebt gezien wat ze met mijn auto hebben gedaan.'
'We moeten toch iets doen.'
'Dan roken ze ons uit. Of ze gaan gewoon op de stoep staan en

dan roepen ze dat we de deur moeten openmaken. En wat doen we dan? Niet wat ze zeggen?'
'We kunnen het een dag of twee volhouden. We hebben eten en water.'
'Misschien duurt het wel langer dan een dag of twee. Misschien wel voorgoed. Zelfs als je gelijk hebt, is er geen enkele garantie dat Reacher het bewijs zal vinden. Waarschijnlijk is er geen bewijs. Kan toch niet? Dan had de FBI het allang gevonden.'
'We moeten de moed niet opgeven.'

Reacher bestelde varkenskrabbetjes met koolsla en een kop koffie. Het was donker in het restaurant en het was er vies. De wanden hingen vol met oude borden en reclame. Waarschijnlijk allemaal nep. Waarschijnlijk allemaal in één keer besteld bij een leverancier van restaurantinterieur, waarschijnlijk allemaal geschilderd in een fabriek in Taiwan en daarna geschuurd, bekrast en gedeukt door de volgende man aan de lopende band. Maar de krabbetjes waren lekker. Subtiel gekruid, mals vlees. De koolsla was knapperig. De koffie was heet. En de rekening bescheiden. Niet meer dan een fooi, waar dan ook ten oosten van de Mississippi en ten zuiden van Sacramento.
Reacher betaalde, verliet het restaurant en liep terug naar het hotel. Er waren twee mannen op de parkeerplaats. Ze haalden bagage uit de kofferbak van een rode Ford Taurus. Nog meer gasten. Het begon eruit te zien als een waar winterhoogseizoen voor het Courtyard Marriott. De Taurus was een eenvoudige, nieuwe wagen. Waarschijnlijk gehuurd. Beide mannen waren groot. Arabieren. Syriërs misschien, of Libanezen. Reacher kende dat deel van de wereld. De twee mannen keken naar hem toen hij langs hen liep en beleefd naar hen knikte. Een minuut later was hij terug in zijn kamer, met vergeeld, bros papier in zijn handen.

Die avond aten de Duncans lam, in de keuken van Jonas Duncan. Jonas achtte zichzelf een geweldige kok. En zo slecht was hij ook niet. Wat hij grilde kon er meestal wel mee door, en hij serveerde het vlees met aardappels en groente en heel veel jus, wat hielp. En veel drank, wat nog meer hielp. De vier Duncans aten

en dronken samen, twee aan twee tegenover elkaar aan tafel. Daarna ruimden ze samen af. Vervolgens keek Jasper zijn broer Jacob aan en zei: 'We hebben nog steeds zes jongens die op hun benen kunnen staan en wat kunnen zeggen. We moeten eens overleggen hoe we die vannacht gaan inzetten.'
Jacob zei: 'Reacher komt vannacht niet terug.'
'Weten we dat zeker?'
'We weten absoluut helemaal niets zeker, behalve dat de zon voor niets op- en ondergaat.'
'Dus kunnen we niet voorzichtig genoeg zijn.'
'Oké,' zei Jacob. 'Zet een van hen langs de weg naar het zuiden en zeg tegen de andere vijf dat ze naar bed kunnen om uit te rusten.'
Jasper pakte de telefoon en gaf de instructies door. Hij verbrak de verbinding en het werd stil in de keuken. Seth Duncan keek zijn vader aan en zei: 'Rij je me naar huis?'
Zijn vader zei: 'Nee, je moet nog een tijdje blijven, jongen. We moeten nog over van alles met elkaar praten. Morgen om deze tijd kan onze lading er wel zijn. Dat betekent dat we voorbereidingen moeten treffen.'

Cassano en Mancini kwamen terug van de diner en liepen direct naar de kamer van Cassano. Cassano belde de receptie en vroeg of er ook koppels van twee mannen kamers hadden geboekt in de afgelopen uren. Ja, kreeg hij te horen, twee keer, los van elkaar, eerst het ene koppel, later het andere. Cassano vroeg of hij kon worden doorverbonden met hun kamers. Hij praatte eerst met de mannen van Mahmeini en daarna met die van Safir en maakte afspraken voor onmiddellijk overleg op zijn kamer. Hij hoopte op een zekere mate van dominantie als hij snel handelde en de anderen geen kans gaf een evenwicht te vinden, ze de kans ontnam om na te denken, en ze zover te krijgen dat zij zich naar zijn terrein zouden moeten verplaatsen, al was het natuurlijk niet de bedoeling dat ook maar iemand zou gaan denken dat zo'n luizig hotel in Nebraska echt zijn terrein was. Maar hij had kaas gegeten van psychologie en hij wist dat je nooit de bovenliggende partij kon worden als je niet op alle details lette.

De Iraniërs arriveerden als eersten. De mannen van Mahmeini. Slechts een van hen voerde het woord. Dat vond Cassano prima, gezien het feit dat hijzelf het woord voerde voor Rossi en omdat Mancini zijn mond hield. Er werden geen namen uitgewisseld. Opnieuw, prima. Om dat soort zaken ging het nu eenmaal. De Iraniërs maakten fysiek niet erg veel indruk. Het waren kleine, verkreukelde, verfomfaaide mannetjes, die stil en stiekem en achterbaks overkwamen. En zonderling. Cassano trok de deur van de minibar open en nodigde hen uit te nemen wat ze maar wilden. Geen van beiden nam iets.
De Libanezen arriveerden vijf minuten later. De mannen van Safir. Arabieren, zonder meer, maar zij waren groot en straalden onverzettelijkheid uit. Opnieuw was er maar één die het woord voerde, zonder hun namen te noemen. Cassano maakte een gebaar dat ze op het bed konden gaan zitten, maar dat deden ze niet. In plaats daarvan leunden ze tegen de muur. Ze probeerden dreigend over te komen, concludeerde Cassano. En slaagden daar ook bijna in. Een beetje psychologie van hun kant. Cassano liet een stilte in het vertrek neerdalen en keek hen een tijdje aan, de een na de ander, vier mannen die hij nog maar net voor het eerst had ontmoet, en die over niet al te lange tijd zouden proberen hem van kant te maken.
Hij zei: 'Het is een betrekkelijk eenvoudige klus. Honderd kilometer hiervandaan naar het noorden ligt nog een hoekje van de county met veertig boerderijen. Daar loopt iemand rond die problemen veroorzaakt. Om de waarheid te zeggen heeft het niet zoveel om het lijf, maar onze leverancier vat het nogal persoonlijk op. Er worden geen zaken gedaan zolang die kerel los rondloopt.'
De man van Mahmeini zei: 'Dat weten we allemaal. Vervolgens?'
'Oké,' zei Cassano. 'Vervolgens gaan we daar allemaal naartoe en werken we samen en lossen we het probleem op.'
'Wanneer beginnen we?'
'Laten we zeggen morgenvroeg, zo gauw het licht wordt.'
'Heb je die kerel gezien?'
'Nog niet?'
'Heb je een naam?'
'Reacher.'

'Wat is dat voor rare naam?'
'Een Amerikaanse naam. Hoe heet jij?'
'Mijn naam is niet belangrijk. Heb je een beschrijving?'
'Grote kerel, blauwe ogen, blank, een meter vijfennegentig, bruine jas.'
De man van Mahmeini zei: 'Daar heb je niets aan. Dit is Amerika. Dit is het platteland. Dat zit vol met pioniers en boerenkinkels. Die zien er allemaal zo uit. Ik bedoel, we hebben net precies zo'n kerel gezien.'
De man van Safir zei: 'Hij heeft gelijk. Wij hebben er ook zo een gezien. We hebben een betere beschrijving nodig.'
Cassano zei: 'Die hebben we niet. Maar als we eenmaal daarginds zijn, wordt het gemakkelijker. Hij valt kennelijk nogal op. En de lokale bevolking is bereid ons te helpen. Die hebben opdracht gekregen te bellen als ze hem hebben gezien. En je kunt je daar nergens verschuilen.'
De man van Mahmeini zei: 'Waar verstopt hij zich dan?'
'Weten we niet. Er is een motel, maar daar zit hij niet. Misschien slaapt hij wel buiten.'
'Met dit weer? Hoe waarschijnlijk is dat?'
'Er zijn schuren en stallen. Ik ben ervan overtuigd dat we hem vinden.'
'En wat dan?'
'Dan leggen we hem om.'
'Riskant.'
'Ik weet het. Hij is taai. Tot nu toe heeft hij vier lokale jongens uitgeschakeld.'
De man van Mahmeini zei: 'Het interesseert me niet hoe taai hij is. En het interesseert me ook niet hoeveel lokale jongens hij heeft uitgeschakeld. Want het zijn vast allemaal idioten hier. Ik bedoel dat het riskant is, omdat het hier niet meer het wilde Westen is. Hebben we een strategie om hier veilig weg te komen?'
Cassano zei: 'Ze zeggen dat het een soort zwerver is. Dat betekent dat niemand hem zal missen. Er komt geen onderzoek. Er is daar zelfs geen politie.'
'Dat komt goed uit.'
'En het is het platteland. Wat je zei. Er moeten daar links en rechts

tractors met laadschoppen zijn. We begraven hem. Het liefst levend, als we onze leverancier een plezier willen doen.'

31

Het doorzoeken van het gebied werd op vier manieren beschreven, in vier afzonderlijke dossiers. Een dossier van de county police, een tweede van de State Police, een derde van de helikoptereenheid van de National Guard, en een vierde van de FBI. Het rapport van de helikoptereenheid was dun en waardeloos. Margaret Coe had een groene jurk aangehad, wat het niet gemakkelijker maakte in de vroege zomer in een gebied met eindeloze maïsakkers. En de piloot had niet lager gevlogen dan driehonderd meter, om te voorkomen dat de turbulentie die hij veroorzaakte het jonge gewas zou beschadigen. Je moest in dat boerenland wel goed de prioriteiten in het oog houden. Vanuit de lucht was niets van enige betekenis gezien. Geen vers omgewoelde aarde, geen flits van roze of chroom van de fiets, geen platgetrapte maïs op een akker. Helemaal niets, eigenlijk, behalve dan een zee van maïs.

Een verspilling van tijd en kerosine.

Zowel de county police als de State Police had zich op de grond met de veertig boerderijen bemoeid. Eerst was er omgeroepen met de megafoon, nog in het donker, en de volgende dag was elke boerderij bezocht en had elke bewoner moeten verklaren dat hij of zij het kind niet had gezien en dat hij of zij de bijgebouwen grondig had doorzocht. Vrijwel iedereen had van harte meegewerkt. Alleen een paar oudjes had bekend dat ze niet goed hadden gekeken, dus had de politie zelf gezocht. Ze hadden niets gevonden. Ze waren ook bij het motel geweest en hadden alle kamers doorzocht, de vuilcontainer leeggehaald, op het terrein gezocht naar sporen. Ze hadden niets gevonden.

Het complex van de Duncans kwam in drie dossiers voor. Ze waren er allemaal geweest, behalve de helikoptereenheid. Eerst was

de county police ernaartoe gegaan, toen de county police en de State Police samen, toen de State Police alleen en tot slot de FBI. Een heleboel bezoek en heel veel mensen voor zo'n kleine bedoening. Ze hadden intensief gezocht, want dat het zo klein was allemaal daar, trof de betrokkenen op zich als verdacht. Reacher kon het tussen de regels door lezen, heel scherp, zelfs een kwart eeuw later nog. Plattelandsdienders. Ze waren in de war en verontrust. Het leek wel of de Duncans een hekel aan het land hadden gehad. Ze hadden elke vierkante meter verkocht die ze maar hadden kunnen verkopen. Ze hadden een enkelspoors oprit gehouden, met links en rechts voor de show een berm, en dan nog eens vijf of tien meter buiten de fundamenten van hun drie huizen. Dat was alles. Uitgestrekter was het terrein niet.
Omdat het zo klein was, was het gemakkelijk te doorzoeken. De rapporten waren minutieus. De stapels zwaar houtwerk voor het nog af te bouwen hek waren afgebroken en onderzocht. Grind was aan de kant geharkt en in rijen waren de mannen voorovergebogen langzaam over het terrein gelopen, naar de grond starend. De honden hadden allemaal letterlijk elke vierkante meter wel tien keer besnuffeld.
Ze hadden niets gevonden.
Ze verplaatsten de zoekactiviteiten naar binnenshuis. Ze hadden buiten grondig gezocht, binnen zochten ze nog twee keer zo grondig. Absoluut angstvallig nauwkeurig. Reacher had heel wat gebouwen doorzocht, heel wat keren, hij wist hoe moeilijk het was. Maar vier keer op rij was er niets over het hoofd gezien, was er niets veronachtzaamd. Spullen waren uit elkaar gehaald. Holtes in wanden en vloeren waren opengebroken. Reacher wist waarom. Er was niets van op papier gezet en niemand had er ook maar met een woord over gerept, maar hij las het tussen de regels door. Ze waren op zoek naar een kind, zeker, maar zo langzamerhand waren ze ook op zoek naar delen van een kind.
Ze hadden niets gevonden.
De FBI had uitgepakt met alle forensische middelen die hen in de jaren tachtig ten dienste stonden. Het was overdreven nauwgezet langdradig gedocumenteerd en beschreven op vellen FBI-papier die waren gekopieerd, geordend aan elkaar waren geniet en wel-

willend ter beschikking waren gesteld van, bla-bla. Er waren haren en vezels verzameld, elk oppervlak was onderzocht op vingerafdrukken. Allerlei soorten magisch licht en allerlei apparaten en toestanden waren te hulp geroepen. Er werd een lijkenhond ingevlogen uit Denver, en weer teruggevlogen toen hij niets vond. Technici met tientallen verschillende vormen van deskundigheid hadden de deur twaalf uur lang platgelopen.
Ze hadden niets gevonden.
Reacher sloeg het dossier dicht. Hij hoorde het in gedachten, op dezelfde manier dat zij het al die jaren geleden moesten hebben gehoord: het geluid van een zaak die een cold case werd.

Honderd kilometer verder naar het noorden stond Dorothy Coe aan het aanrecht. Ze waste haar bord, haar mes en vork en haar glas af. Ze boende de ovenschaal schoon waar ze haar karbonade in had gebraden. Ze droogde de spullen af met een dunne linnen theedoek en ruimde alles op, het bord en het glas in een kast, het bestek in een la, de ovenschaal in een andere kast. Ze gooide haar servet in de afvalbak, nam de tafel af met een vaatdoek en schoof haar stoel recht onder de tafel. Daarna liep ze naar haar voorkamer. Ze was van plan nog een tijdje op te blijven, dan naar bed te gaan en vroeg weer op te staan om naar het motel te rijden. Misschien kon ze meneer Vincent helpen de spiegel achter de bar te repareren. Misschien kon ze zelfs het oor wel weer aan de NASA-beker lijmen.

Reacher zat een tijdje stil te denken op de vloer in zijn kamer in het Marriott-hotel. Het was tien uur 's avonds. Hij was erdoorheen, twee uur eerder dan zijn planning van middernacht. Hij stond op, pakte de elf dozen en vouwde de flappen dicht. Hij stapelde ze keurig op midden in de kamer, twee stapels van vier en een stapel van drie. Hij koos een negen voor een buitenlijn met de telefoon op het nachtkastje, en belde toen het algemene nummer dat hij zich herinnerde van de transcriptie van het oorspronkelijke paniektelefoontje dat Dorothy Coe vijfentwintig jaar geleden had gepleegd. Het nummer was nog steeds in gebruik. Er werd opgenomen. Reacher vroeg naar Hoag, verwachtte hem niet

echt aan de lijn te krijgen, maar er klikte iets, gevolgd door een seconde van doodse stilte, en toen meldde de man zich.
'Ik ben klaar,' zei Reacher.
'Iets gevonden?'
'Jullie hebben prima werk geleverd. Niets om je zorgen over te maken. Dus ik vertrek weer.'
'Zo snel al? Je wilt niet eerst genieten van het bruisende nachtleven?'
'Ik ben een eenvoudige ziel. Ik houd van rust en kalmte.'
'Oké, laat het spul daar maar staan. We komen wel langs om het op te halen. Dan staat het weer in de kelder voordat de pennenlikkers er morgen weer zijn. Krijgen ze nooit iets in de gaten. Missie volbracht.'
'Ik sta bij je in het krijt,' zei Reacher.
'Laat maar,' zei Hoag. 'Doe wat je moet doen, en zo.'
'Het was een mooie tijd, destijds,' zei Reacher. Hij verbrak de verbinding, greep zijn jas en liep de deur uit. Zijn kamer lag helemaal achter in de poot van de H en hij moest dus de hele gang door naar de lobby om het hotel uit te komen en eromheen te kunnen lopen naar de plek waar zijn auto geparkeerd stond. De trap naar de verdieping begon net achter de lobby, in een vierkante ruimte die de zoveelste kamer van het geheel zou zijn geweest als het gebouw geen verdieping had gehad. Net toen Reacher langs die inham liep, stapte een man van de laatste tree en liep samen met hem op naar de lobby, naar de buitendeur. Het was een van de mannen die Reacher bij de receptie had gezien, toen ze een kamer boekten. Klein en verfomfaaid. Ongeschoren, Iraans, misschien. De man gluurde naar Reacher. Reacher knikte beleefd. De man knikte terug. Ze liepen beiden verder. De man liet autosleutels met een ring aan zijn vinger bungelen. Een rood label. Avis. De man gluurde opnieuw naar Reacher, bekeek hem van top tot teen, Reacher gluurde terug. Hij hield de deur open. De man stapte naar buiten. Reacher volgde hem. De man keek nu openlijk naar Reacher. Iets speculatiefs in zijn oogopslag. Een soort verbeten nieuwsgierigheid.
Reacher liep naar links om langs het gebouw naar achteren te lopen. De Iraniër liep met hem op. Wat nog niet zo raar was, toen

Reacher vooruitkeek en achter het gebouw twee auto's geparkeerd zag. De Cadillac van Seth Duncan en een donkerblauwe Chevrolet. Prima huurwagen. Avis had er waarschijnlijk duizenden van.
Een donkerblauwe Chevrolet.
Reacher bleef staan.
De andere man bleef ook staan.

32

Niemand weet in hoeveel tijd een gedachte zich vormt. Ze hebben het over elektrische impulsen die door zenuwbanen racen met iets wat in de buurt komt van de snelheid van het licht, maar dat is alleen maar transport. De bezorging van de post. De brief wordt geschreven in de hersens, tot leven gewekt door een plotse klamme chemische reactie, twee bestanddelen die langs een boog, langs synapsen naar elkaar springen en op elkaar reageren als lood en zuur in de accu van een auto. Maar in plaats van een domme twaalf volt naar een richtingaanwijzer te sturen, overspoelt het brein het lichaam in één keer met allerlei kleine aanpassingen, want gedachten ontstaan niet noodzakelijkerwijs keurig om de beurt. Ze ontstaan als vulkaanerupties, als watervallen en explosies en snellen weg langs parallelle banen, over elkaar duikelend, concurrerend, in één groot gevecht om de overhand te krijgen.
Reacher zag de donkerblauwe Chevrolet en koppelde die onmiddellijk via de getuigenis van Vincent eerder bij het motel aan de twee mannen die hij vanuit de schuur bij Dorothy Coe had gezien. Toch was hij ook meteen geneigd die gedachte te verwerpen met de kritiek dat Chevrolets veelvoorkomende auto's waren en donkerblauw een veelvoorkomende kleur. Tegelijkertijd herinnerde hij zich dat hij twee bij elkaar horende Iraniërs had gezien, en twee bij elkaar horende Arabieren, en vroeg zich af of het toeval kon zijn, zo'n rendez-vous van twee verschillen-

de koppels vreemde mannen midden in de winter in een hotel in Nebraska, en als dat inderdaad nu eens niet zo zou blijken te zijn, of dat redelijkerwijs ook de aanwezigheid zou kunnen impliceren van een derde koppel mannen, die al dan niet de twee zware jongens zouden kunnen zijn die hij bij de boerderij van Dorothy had gezien, hoe onverklaarbaar de relatie tussen die zes mannen dan ook mocht zijn, hoe mysterieus ook hun bedoelingen. Op hetzelfde moment zag hij hoe de man voor hem de sleutel liet vallen, zijn arm bewoog en zijn hand in zijn zak stak, terwijl hij zich realiseerde dat de mannen die hij bij de boerderij van Dorothy had gezien, geen kamer hadden in het motel van Vincent, en dat de enige andere plek waar ze onderdak hadden kunnen vinden, hier was, honderd kilometer zuidelijker in de Courtyard Marriott. Hetgeen betekende dat die Chevrolet waarschijnlijk hun auto was, of althans dat die veronderstelling alleszins redelijk was, wat ook weer betekende dat die Iraniër met de bewegende arm waarschijnlijk iets met hen te maken had, op de een of andere manier, wat hem tot een vijand bestempelde. Al had Reacher geen flauw idee van hoe of waarom, terwijl hij tegelijkertijd besefte dat *waarschijnlijk* in termen van burgerlijke jurisprudentie helemaal geen zak te betekenen had, waar tegenover stond dat jarenlange zware omstandigheden hem hadden geleerd dat wanneer mannen zoals deze Iraniër op duistere parkeerplaatsen hun hand in hun zak staken, ze daar vier redenen voor konden hebben: om hun telefoon te pakken zodat ze om hulp konden bellen, of om een portefeuille tevoorschijn te halen, of een paspoort of een ID-kaart waarmee ze hun onschuld dan wel hun status van gezagsdienaar konden aantonen, of om een mes of een wapen te trekken. Dat wist Reacher allemaal, terwijl hij ook wist dat een gewelddadige actie om een en ander voor te zijn bij de eerste twee redenen niet meer goed te maken zou zijn, maar dat een gewelddadige actie bij de laatste twee redenen wel eens de enige manier kon zijn het er levend van af te brengen.

Vulkaanerupties, watervallen en explosies van gedachten, over elkaar duikelend, concurrerend, één groot gevecht om de overhand te krijgen.

Het zekere voor het onzekere.

Reacher reageerde.

Hij veerde in één geweldige samenballing van spierkracht vanuit de heup naar voren en plaatste een lage onderhandse stoot midden op de borstkas van de Iraniër. Chemische reactie in de hersenen, directe transmissie van de impuls, chemische reactie in elke spiervezel van zijn linkervoet tot zijn rechtervuist, totaal verstreken tijd iets meer dan een fractie van een seconde, totale afstand tot het doelwit minder dan een meter, totaal verstreken tijd om die afstand te overbruggen nog eens een minieme fractie van een seconde, wat goed was om te weten op dat moment, omdat de hand van de man geheel in zijn zak was verdwenen, diens zenuwstelsel even snel reageerde als dat van Reacher, zijn elleboog omhoogschoot en achteruit en hij probeerde vrij te maken wat het maar was dat hij in zijn zak had, een mes, een wapen, een telefoon, of een rijbewijs, een paspoort, een ID-kaart van een overheidsinstantie, of een volstrekt onschuldige brief van de universiteit van Teheran waarin stond dat de man een wereldberoemd expert op het gebied van plantengenetica was en een geëerde gast in Nebraska op dat moment, die op het punt stond de lokale oogsten met een factor honderd te vergroten en daarmee in één klap de honger de wereld uit te helpen. Maar hoe dan ook, Reachers vuist was op weg naar zijn doel en de man sperde in het duister zijn ogen open in paniek en zijn arm rukte nog heftiger. De bruine huid en het zwarte haar op de rug van zijn hand was zichtbaar boven de rand van zijn broekzak, en vervolgens werden zijn knokkels zichtbaar, alle vijf strak en verwrongen, want hij hield zijn vingers krampachtig geklemd om iets groots en zwarts.

Toen kwam Reachers klap aan.

Honderdtien kilo massa in beweging, een gigantische vuist, een geweldige dreun die de rits van de jas van de man tegen zijn borstbeen drukte, die het borstbeen achteruit in de borstkas drukte, een beweging van centimeters mogelijk gemaakt door de natuurlijke elasticiteit van de ribbenkast, maar met niettemin als gevolg het wegpersen van alle lucht uit de longen, die een hydrostatische schok teweegbracht die het bloed terug het hart in joeg, die het hoofd voorover deed klappen als het hoofd van de pop in een crashtest, schouders achteruit, zijn gewicht opgetild van de grond, zijn hoofd, dat weer achteroversloeg, tegen een raam achter hem, met een doffe klap als een paukenslag, en dan de armen en benen en het lichaam dat in elkaar zakte als een lappenpop, het lichaam dat omviel, zich uitspreidde op de grond, het harde kletterende geluid van polycarbonaat van iets zwarts dat weg stuiterde over de grond, wat Reacher het hele eind vanuit zijn ooghoek kon volgen, en wat geen portefeuille was, en geen telefoon en geen mes, maar een Glock 17 semi-automatisch pistool, duister, vierkant en dreigend. Het bleef tweeënhalve meter bij de man vandaan stilliggen. Volstrekt buiten diens bereik, veilig, niet meer in de strijd te werpen, deels vanwege die afstand en deels omdat de man op de grond lag en geen vin meer verroerde.

Hij wekte zelfs de indruk nooit meer een vin te zullen verroeren. Dat was iets waar Reacher wel eens over had horen vertellen, maar wat hij zelf nog nooit had meegemaakt.

Zijn vrienden in het leger hadden het *commotio cordis* genoemd, hun term voor een met geringe kracht veroorzaakt trauma van de borstkas. Geringe kracht alleen in die zin dat de schade niet was veroorzaakt door een auto-ongeluk of een geweerkogel, maar door een strakke bal bij honkbal, of een botsing bij football, of een stoot tijdens een bokswedstrijd, of een rare val op een stomp voorwerp. Afgrijselijk laboratoriumonderzoek met proefdieren had aangetoond dat het allemaal te maken had met mazzel en timing. Elektrocardiogrammen laten golven zien die verband houden met het kloppen van het hart. Een van die golven is de T-golf en de experimenten hebben aangetoond dat als de klap wordt toegediend op het moment dat de T-golf nog vijftien tot dertig milliseconden verwijderd is van de golftop, er een dodelijke hartritmestoornis kan optreden, die een hartstilstand tot gevolg heeft, net als een reguliere hartaanval. In een omgeving met veel stress, bijvoorbeeld een confrontatie op een parkeerterrein, slaat het hart veel sneller dan gewoonlijk en volgen die golftoppen van de T-golf elkaar dus ook veel sneller op, misschien wel twee of drie keer per seconde, wat de kans dat geluk en timing verkeerd uitvallen, veel groter maakt.

De Iraniër lag doodstil.

Ademde niet.
Had geen voelbare pols.
Geen teken van leven.
De standaardingrepen voor eerste hulp die je door artsen in het leger werden bijgebracht, waren kunstmatige ademhaling en drukken op de borst, tachtig keer per minuut, zo lang als nodig was, maar het was Reachers vuistregel om nooit iemand te reanimeren die net een wapen tegen hem had getrokken. Hij was nogal weinig flexibel op dat punt. Dus liet hij de natuur een minuutje zijn gang gaan en hielp hij de natuur daarna een handje door met zijn duim en wijsvinger veel druk uit te oefenen op de slagaders in 's mans hals. Vier minuten zonder zuurstof in de hersenen werd in de praktijk beschouwd als de grens. Reacher maakte er vijf van, voor alle zekerheid, op zijn hurken gezeten naast de man. Hij keek rond en luisterde aandachtig. Niemand reageerde. Niemand kwam op hem af. De Iraniër stierf, het laatste beetje spanning van een diepe bewusteloosheid ebde weg en maakte plaats voor de onmiskenbare zachte slapheid van de intredende dood. Reacher stond op, zocht de autosleutel en raapte de Glock op. De sleutel was herkenbaar aan het Chevrolet-logo, maar hij was niet van de donkerblauwe auto.
Reacher drukte op de ontgrendelingsknop, maar er gebeurde niets. De Glock was vrijwel nieuw en geladen, zeventien glanzende 9mm Parabellums in het magazijn en één in de kamer. Reacher stopte hem in zijn zak bij de schroevendraaiers.
Hij liep terug naar de parkeerplaats voor het hotel en probeerde daar de afstandsbediening opnieuw. Een gele Chevy Malibu reageerde. Alle vier de richtingaanwijzers flitsten aan en uit en alle vier de portieren werden ontgrendeld. Het was een nieuwe, eenvoudige, schone auto. Zonder meer een huurauto. Hij stapte in, schoof zijn stoel naar achteren en startte de motor. De tank was vrijwel vol. Er zaten papieren van het verhuurbedrijf in het zijvak van het portier, uitgeschreven op diezelfde dag op naam van een bedrijf in Las Vegas. Een nietszeggende naam. In de bekerhouders stonden flesjes water, één halfleeg, één nog vol. Reacher reed achteruit van het parkeerterrein en reed om het hotel naar de achterkant. Hij stopte met de dode man tussen de auto en de

muur van het hotel. Hij vond de knop om de kofferbak te openen en drukte erop. Hij stapte uit en inspecteerde de ruimte. De opening was krap, evenals de ruimte zelf, maar goed, de Iraniër was ook niet bepaald groot.

Reacher bukte zich en doorzocht de zakken van de man. Hij vond een telefoon, een mes, een portemonnee, een zakdoek en ongeveer een dollar in muntgeld. Hij liet het muntgeld zitten en haalde de batterij uit de telefoon van de dode man, stopte die in diens ene zak en de rest van de telefoon in een andere zak. Het mes was een springmes met een heft van parelmoer. Zwaar, solide en scherp. Een fatsoenlijk gebruiksvoorwerp. Hij stopte het in zijn zak, bij de bahco. Hij inspecteerde de portemonnee. Er zat bijna vierhonderd dollar aan contant geld in, samen met drie creditcards en een rijbewijs uit de staat Nevada, uitgeschreven op naam van iemand die Asghar Arad Sepehr heette en in Las Vegas woonde, of had gewoond. De foto kon kloppen. De creditcards stonden op dezelfde naam. Het contante geld bestond voor het grootste deel uit briefjes van twintig, knisperig, geurig en vers uit de pinautomaat. Reacher stopte het geld in zijn zak, veegde de portemonnee af met de zakdoek en stopte hem terug in de zak van de dode man. Toen tilde hij hem met twee handen op, bij kraag en broeksriem, draaide zich om, stond op het punt hem in de kofferbak van de gele Malibu te dumpen.

En stopte.

Hij kreeg een beter idee.

Hij droeg de man naar de Cadillac van Seth Duncan en legde hem zacht op de grond. Hij viste de sleutel van de Cadillac uit zijn zak, opende de kofferbak en legde de man erin. Een ouderwetse snelwegslee. Een grote kofferbak, ruimte zat. Hij sloeg de klep van de kofferbak dicht. Hij opende het portier aan de bestuurderskant en veegde met de zakdoek alles af wat hij die dag had aangeraakt, het stuur, de versnellingspook, de spiegel, de knoppen van de radio, de portierhendels binnen en buiten. Toen klikte hij nog een keer op de afstandsbediening om de wagen af te sluiten, waarna hij wegliep, terug naar de Malibu. Die was geel, maar voor het overige vrij anoniem. Amerikaans merk, lokale kentekenplaten, conventioneel model. Waarschijnlijk minder opvallend op de weg dan de Cadillac, ondanks de bonte kleur. En waarschijnlijk was de kans dat er aangifte zou worden gedaan van diefstal bij de Malibu aanzienlijk kleiner. Jongens van buiten de staat met messen en wapens in de zak waren geneigd om zich heel wat rustiger te gedragen dan verontwaardigde lokale burgers.

Hij keek naar links, keek naar rechts, keek vooruit. Alles was rustig. Koude lucht, stilte en verstilling en een nachtmist die langzaam dichter werd. Hij stapte weer in de Malibu, deed het licht niet aan, keerde om en reed stapvoets de parkeerplaats af. Hij reed McNally Street door en stond toen stil. Links was de I-80, negentig kilometer naar het zuiden, een snelle zesbaansweg, in één klap helemaal naar Virginia. Rechts waren de veertig boerderijen, de Duncans, de Apollo Inn, Eleanor, de dokter en zijn vrouw, en Dorothy Coe, allemaal honderd kilometer naar het noorden.

Tijd om een besluit te nemen.

Links of rechts? Naar het zuiden of naar het noorden?

Hij knipte de koplampen aan, sloeg rechts af en reed terug naar het noorden.

33

De Duncans waren verkast van de keuken van Jonas Duncan naar de keuken van Jasper Duncan, omdat Jasper nog een bijna volle fles Knob Creek in zijn kast had staan. Alle vier de mannen zaten om de tafel, elleboog aan elleboog, anderhalve centimeter amberkleurige bourbon in dikke, beschadigde glazen die voor hen stonden. Ze namen kleine slokjes en praatten zacht. Hun vracht moest tussen de twaalf en vierentwintig uur aankomen. Meestal tijd om iets te vieren. Zoiets als de avond voor kerst. Maar dit keer waren ze een beetje ingetogen.

Jonas vroeg: 'Waar zou hij nu zijn, denk je?'

'Ergens geparkeerd tot morgenvroeg,' zei Jacob. 'Dat hoop ik ten-

minste. Dicht bij de grens, maar hij wacht tot het licht wordt. In dit stadium kan hij niet voorzichtig genoeg zijn.'
'Achthonderd kilometer,' zei Jonas. 'Nog tien uur, plus de tijd die hij nodig heeft om over de grens te komen, misschien. En onvoorziene omstandigheden.'
Jasper vroeg: 'Hoeveel tijd zou iemand nodig hebben om een politiedossier te lezen, denk je?'
'Goede vraag,' zei Jacob. 'Ik heb daar natuurlijk al even over na zitten denken. Het moet wel een heel groot dossier zijn. En ze moeten het ergens hebben opgeslagen. Laten we zeggen dat ambtenaren om negen uur de loketten opendoen. En dat ze ze om vijf uur weer dichtdoen. Laten we ervan uitgaan dat er een zekere mate van bureaucratie bij komt kijken om toestemming los te peuteren om die dossiers in te zien. Laten we dus eens zeggen dat twaalf uur morgenmiddag een redelijk moment is waarop hij eraan kan beginnen. Dan heeft hij morgen nog vijf uur, en misschien wel de volle acht uur overmorgen. Dat zou denk ik genoeg moeten zijn.'
'Dan blijft hij minstens achtenveertig uur weg?'
'Het is nattevingerwerk. Ik weet het niet zeker.'
'Maar toch. We hebben tijd zat.'
Seth Duncan zei: 'Hij komt helemaal niet terug. Waarom zou hij? Wel honderd mensen hebben dat dossier gelezen en gezegd dat er niets mis mee was, en deze kerel is niet honderd keer slimmer dan de rest. Kan gewoon niet.'
Niemand reageerde.
Seth zei: 'Wat is er?'
Zijn vader zei: 'Hij hoeft niet slimmer te zijn dan de rest, jongen. Zeker niet honderd keer. Hij hoeft alleen maar op een andere manier slim te zijn. Lateraal, noemen ze dat.'
'Maar er is geen bewijs. Dat weten we toch allemaal?'
'Dat ben ik met je eens,' zei Jacob. 'Maar daar gaat het nu juist om. Het gaat niet om wat er in dat dossier staat. Het gaat om wat er niet in staat.'

De Malibu was net een halve Cadillac. Vier cilinders in plaats van acht. Een gewicht van een ton in plaats van twee ton en ongeveer half zo lang. Maar hij deed het prima. Hij schoof rustig over de weg. Niet dat Reacher er veel aandacht aan besteedde. Hij dacht aan de dode Iraniër en hoe onwaarschijnlijk het was dat hij hem precies in de juiste fase van de T-golf had geraakt. Het was een klein mannetje geweest, met de bouw van een vogeltje, en Reacher neigde ernaar te denken dat mensen die fysiek zijn tegenhanger waren, dat ook psychisch wel zouden zijn en dat het mannetje in tegenstelling tot Reachers kalme evenwichtigheid wel een gespannen, nerveus mannetje zou zijn geweest, wat kon betekenen dat hij daar op die parkeerplaats misschien wel een hartslag van 180 had gehad, zodat de frequentie van die T-golven geweldig hoog moest zijn, wel drie keer per seconde, wat weer inhield dat de kans dat hij hem in zo'n cruciaal venster van vijftien milliseconden voorafgaand aan een piek zou raken, ongeveer vijfenveertig per duizend was, of iets groter dan één op twintig. Pech voor de Iraniër, dat zeker. Maar geen reden om schuldgevoelens te koesteren. Grote kans dat Reacher hem sowieso zou hebben moeten uitschakelen, vroeg of laat, waarschijnlijk eigenlijk al tijdens de eerstvolgende paar hartslagen. Het zou praktisch onvermijdelijk zijn geweest. Als er eenmaal een wapen is getrokken, heb je weinig keus meer. Maar toch was het een noviteit, een unieke gebeurtenis. En dat zou het waarschijnlijk ook nog wel een tijdje blijven. Want Reacher was er redelijk van overtuigd dat de eerstvolgende die hij zou tegenkomen, weer een footballspeler zou zijn. De Duncans zouden nu wel weten dat hij was vertrokken, misschien maar voor een dag, misschien voorgoed. Ze zouden de dokter al wel een tijd geleden te pakken hebben gekregen en het nieuws uit hem hebben geperst. Het waren realistische, maar tegelijkertijd voorzichtige mensen. Ze zouden vijf van hun jongens opdracht hebben gegeven om in bed te kruipen en uit te rusten en er eentje op wacht hebben gezet langs de zuidelijke invalsweg. En met die eenzame wachtpost zou hij moeten afrekenen.

Maar dan zonder *commotio cordis*. Reacher was niet van plan een Cornhusker wild en ongecontroleerd op zijn borstbeen te rammen. Om de dooie dood niet. Hij zou zijn hand breken.

Hij liet de Malibu zoevend zijn weg zoeken, twaalf kilometer, dertien. Vanaf dat punt begon hij uit te kijken naar de bar die hij langs de kant van de weg had gezien. Het kleine houten geval. Het cellenblok. Misschien was dat wel net over de stadsgrens. Waar de stad het niet meer voor het zeggen had. Een kwestie van vergunningen of andere regelgeving. Het was mistig en de koplampen van de Malibu maakten kleine, scherp afgebakende tunnels. Tot ze werden begroet door een schijnsel in de lucht. Een halo, verder weg links. Een soort Iers groen, en rood, en blauw. Bierreclame. En geel lamplicht van een paar schijnwerpers op het parkeerterrein.

Reacher nam gas terug, draaide het parkeerterrein op en parkeerde zijn gele auto naast een pick-up die vooral bruin was vanwege de roest. Hij stapte uit, sloot de auto af en liep naar de deur. Van dichtbij zag de tent er helemaal niet uit als een gevangenis. Het was alleen maar een blokhut. Het had best ooit een huis of een winkel geweest kunnen zijn. Zelfs het uithangbord klopte niet. De woorden CELL BLOCK waren er met kistletters opgezet als op de technische tekening van een elektricien. Als iets technisch. Er klonk lawaai binnen, een zacht warm geroezemoes en rumoer van een halflege bar laat op de avond, maar nog volop in bedrijf, op de achtergrond wat muziek, waarschijnlijk uit een jukebox. Een deuntje dat Reacher niet kende, maar hij was bereid om het aardig te vinden.

Hij ging naar binnen. Achter de deur, links in de voorgevel, begon onmiddellijk de caféruimte. De bar liep van voor naar achter langs de rechterzijgevel. Links stonden tafeltjes en stoelen. Er waren misschien twintig mensen binnen, vooral mannen. De inrichting was vooral geen inrichting. Houten tafels, stoelen met spijltjes in de rugleuning, barkrukken, een planken vloer. Niets wat deed denken aan een gevangenis. In feite was binnen dezelfde elektronica te zien als buiten. De kistletters CELL BLOCK waren ook achter de bar aangebracht, geflankeerd door met folie afgedekte foto's van zendmasten die bliksemschichten uitspuwden. Reacher schoof zijdelings tussen twee tafels door, trok de aandacht van de barkeeper die naar links schuifelde om hem te woord te staan. Het was een jonge man met een open en vriendelijk gezicht. Hij zei: 'Je lijkt verbaasd.'

Reacher zei: 'Ik denk dat ik tralies voor de ramen had verwacht, en zitjes in cellen of zo. En dat jij een pak zou dragen doorboord met pijlen.'
De man reageerde niet.
'Als een oude gevangenis,' zei Reacher. 'Een cellenblok.'
Even bleef de man Reacher niet-begrijpend aanstaren, toen glimlachte hij.
'Niet blok van cellenblok,' zei hij. 'Blok van blokkade. *Cell phones*. Pak je mobiel maar.'
'Die heb ik niet.'
'Oké, als je die wel had, zou je zien dat hij het hier niet doet. Geen bereik. Er ligt hier een zone van anderhalve kilometer zonder bereik. Daarom komen mensen hiernaartoe. Om even ongestoord te kunnen genieten van rust en vrede.'
'Kunnen ze niet gewoon een gesprek niet aannemen?'
'Zo werkt de menselijke natuur niet, toch? Niemand kan weerstand bieden aan een rinkelende telefoon. Heeft iets met kwade gewetens te maken. Weet je wel, de baas, de vrouw. Allerlei gezeur. Dan kan die telefoon maar beter helemaal niet rinkelen.'
'Heb je wel een munttelefoon hier dan? Voor noodgevallen?'
De man wees. 'Achtergang.'
Reacher liep langs de rij krukken, waarvan sommige bezet waren en andere vrij, naar achteren, waar een doorgang was naar een halletje met toiletten en een achterdeur. Aan de wand tegenover het damestoilet hing een munttelefoon op een prikbord van kurk, dat oud en donker was en vol vlekken zat, en waarop telefoonnummers waren gekrabbeld waarvan de inkt vervaagd was. Hij grabbelde in zijn zakken op zoek naar kwartjes en vond er uiteindelijk vijf. Hij bedacht dat hij het muntgeld van de Iraniër in zijn zak had moeten steken. Hij belde hetzelfde nummer dat hij een kwartier geleden had gebeld en dat Dorothy Coe vijfentwintig jaar geleden had gebeld. Er werd opgenomen, hij vroeg naar Hoag en werd binnen tien seconden doorverbonden.
'Nog één gunst,' zei hij. 'Jullie hebben telefoonboeken voor de hele county, niet?'
Hoag zei: 'Ja.'

'Ik heb het nummer nodig van een man die Seth Duncan heet, een kilometer of negentig naar het noorden.'
'Ogenblik,' zei Hoag. Reacher hoorde het klikken en geratel van een toetsenbord. Een database in een computer, geen telefoonboek van papier. Hoag zei: 'Dat is een geheim nummer.'
'Geheim in de zin dat jullie het niet hebben? Of geheim in de zin dat je het wel kunt zien, maar niet wilt doorgeven?'
'Geheim in de zin van vraag het me niet, want dan maak je het me knap moeilijk.'
'Oké, dan vraag ik het je niet. Is er ook een vermelding van een Eleanor Duncan?'
'Nee. Er zijn vier Duncans, allemaal mannen, allemaal geheim.'
'Doe me dan maar het nummer van de dokter.'
'Welke dokter?'
'De dokter daarginds.'
'Hoe heet hij?'
'Dat weet ik niet,' zei Reacher. 'Ik weet zijn naam niet.'
'Dan kan ik je niet verder helpen. Het werkt hier alleen alfabetisch op achternaam. Dat levert dan Smith, Dr. Bill of zo op. Zoiets. In heel kleine lettertjes.'
'Er moet toch zeker wel een nummer zijn om de dokter te bereiken? In noodgevallen. Je moet de man op de een of andere manier kunnen bellen.'
'Ik zie niets.'
'Wacht,' zei Reacher. 'Ik weet het. Geef me het nummer van de Apollo Inn.'
'Apollo, zoals de raket?'
'Als twee druppels water.'
Het toetsenbord ratelde en Hoag las het nummer op, een kengetal 308, het westelijke deel van de staat, en daarna nog zeven cijfers. Reacher herhaalde ze een keer in gedachten en zei: 'Bedankt.' Hij verbrak de verbinding en koos het nummer.

Vijftien kilometer naar het zuiden koos de man van Mahmeini ook een nummer, het nummer van thuis. Hij kreeg Mahmeini aan de lijn en zei: 'We hebben een probleem.'
Mahmeini zei: 'Wees eens wat duidelijker.'

'Asghar is ervandoor.'
'Onmogelijk.'
'Toch is het zo. Ik had hem naar beneden gestuurd om een fles water uit de auto te halen. Hij kwam niet terug, dus ben ik gaan kijken. De auto is foetsie, en hij ook.'
'Bel hem.'
'Heb ik tien keer geprobeerd. Zijn telefoon staat uit.'
'Ik geloof het niet.'
'Wat wil je dat ik doe?'
'Ik wil dat je hem zoekt.'
'Ik heb geen idee waar ik moet zoeken.'
Mahmeini zei: 'Hij drinkt, weet je nog?'
'Weet ik, maar hier in dit gat is geen kroeg. Alleen een drankwinkel. En die is rond deze tijd dicht. En hij zou ook niet eens met de auto naar die drankwinkel zijn gereden. Hij zou zijn gaan lopen. Het is drie straten verderop.'
'Er moet een kroeg zijn. Dit is Amerika. Vraag het aan de nachtportier.'
'Er is geen nachtportier. Dit is het Bellagio niet. Ze zetten hier niet eens water in je kamer.'
'Er moet iemand bij de receptie zijn. Vraag daar maar.'
'Ik kan nergens heen. Ik heb geen auto. En ik kan die anderen niet om hulp vragen. Niet nu. Dat zou een teken van zwakte zijn.'
'Los het maar op,' zei Mahmeini. 'Zoek een kroeg en zoek een manier om er te komen. Dit is een opdracht.'

Reacher luisterde naar de beltoon. Die resoneerde met een luide, volle klank in zijn oor, het resultaat van een grote ouderwetse luidspreker met een doorsnee van misschien wel vier centimeter, diep weggestoken in een grote ouderwetse hoorn van dik plastic die wel bijna een halve kilo moest wegen. Hij stelde zich de beide telefoons voor in het motel, tachtig kilometer naar het noorden, de ene bij de receptie, de andere achter de bar. Of misschien waren er nog wel meer dan twee telefoons. Misschien was er ook nog wel een derde toestel in een kantoortje, en een vierde in Vincents privévertrekken. Misschien was de hele boel daar wel een grote wirwar van draden en kabels, net als in een maanlander.

Hoeveel telefoons er echter ook waren, ze rinkelden allemaal een hele tijd voordat er iemand opnam. Vincent zei: 'U spreekt met de Apollo Inn,' precies zoals Reacher het hem eerder had horen zeggen, even trots en opgewekt en enthousiast als het op de openingsavond van het motel bij het allereerste telefoongesprek geklonken moest hebben.

Reacher zei: 'Ik heb het telefoonnummer nodig van Eleanor Duncan.'

Vincent zei: 'Reacher? Waar zit je?'

'Nog steeds onderweg. Ik heb het telefoonnummer nodig van Eleanor.'

'Kom je terug?'

'Wat zou me tegen kunnen houden?'

'Ga je niet naar Virginia?'

'Uiteindelijk wel, hoop ik.'

'Ik heb het nummer van Eleanor niet.'

'Zit zij niet in de telefoonpiramide?'

'Kan toch niet? Seth zou de telefoon kunnen aannemen.'

'Oké, is de dokter daar bij jou?'

'Niet op het moment.'

'Beetje stille avond, dan.'

'Helaas.'

'Heb je zijn nummer?'

'Blijf aan de lijn,' zei Vincent. Er klonk een bons toen hij de hoorn neerlegde, op de bar of zo, daarna bleef het een tijdje stil, ongeveer zo lang als het duurde om de lobby door te lopen, en toen klonk het geluid van een tweede hoorn die van de haak werd genomen, bij de receptie of zo. De twee toestellen begonnen licht rond te zingen. Reacher hoorde een slome echo ruisen en weerkaatsen tegen de koepel van de lobby. Vincent las een nummer op, het kengetal en nog zeven cijfers. Reacher herhaalde ze een keer in gedachten en zei: 'Bedankt.' Hij verbrak de verbinding en koos het nummer.

De receptionist van de Courtyard Marriott vertelde aan Mahmeini's man dat er inderdaad een kroeg was, nou niet bepaald echt in de stad, maar wel vijftien kilometer verder naar het noor-

den, net buiten de stadsgrenzen, links van de tweebaansweg, Cell Block, aangename tent, bescheiden prijzen en sluitingstijd diep in de nacht. Ook was er een taxibedrijf in de stad en zou hij met alle plezier direct een taxi bestellen.
Nog geen vijf minuten later schoof de man van Mahmeini over het vlekkerige vinyl op de achterbank van een oude Chevy Caprice. De chauffeur reed de parkeerplaats af, koerste door McNally Street en sloeg aan het einde van de straat rechts af.

De dokter nam heel wat sneller op dan Vincent. Reacher zei: 'Ik heb het telefoonnummer nodig van Eleanor Duncan.'
De dokter zei: 'Reacher? Waar ben je?'
'Nog steeds onderweg.'
'Kom je terug?'
'Wat nu, mis je me?'
'Ik heb de Duncans niets verteld over de Cadillac.'
'Heel goed. Is Seth al naar huis?'
'Hij was nog steeds bij zijn vader toen ik daar wegging.'
'Blijft hij daar?'
'Ze zeggen dat hij er vaak blijft.'
'Alles goed met jou?'
'Het gaat. Ik zat in de pick-up. Toen werd ik aangehouden door de Cornhuskers.'
'En?'
'Niet zoveel. Vooral woorden, eigenlijk.'
Reacher stelde zich de man voor, zoals hij daar misschien in de hal of de keuken stond, schuddend, bevend, naar het raam kijkend, de deuren in het oog houdend. Hij vroeg: 'Ben je nuchter?'
De dokter zei: 'Min of meer.'
'Min of meer?'
'Veel beter wordt het op dit moment niet, vrees ik.'
'Ik heb het telefoonnummer nodig van Eleanor Duncan.'
'Dat is een geheim nummer.'
'Dat weet ik.'
'Ze zit niet in onze telefoonpiramide.'
'Maar ze is wel een patiënt van jou.'
'Dat kan ik niet doen.'

'Hoeveel groter kunnen je problemen nog worden?'
'Daar gaat het niet alleen om. Het is ook een vertrouwenskwestie. Ik ben dokter. Dat zei je zelf, ik heb een eed afgelegd.'
'We zijn bezig een boom om te hakken. Daarbij vallen een paar spaanders.'
'Ze zullen meteen weten dat het nummer van mij komt.'
'Als het erop aankomt, zal ik ze wel iets anders vertellen.'
De dokter viel stil. Toen zuchtte hij en lepelde het nummer op.
'Bedankt,' zei Reacher. 'Hou je taai en de groeten aan je vrouw.'
Hij verbrak de verbinding, koos het nummer en luisterde naar de zoveelste beltoon, een loom elektronisch spinnen, dit keer ergens uit een gerenoveerde boerderij, met al zijn pasteltinten, fraaie tapijten en olieverfschilderijen. Hij nam aan dat Seth de telefoon zou opnemen als hij thuis was. Zo'n soort relatie leek het hem. Maar hij durfde er heel wat onder te verwedden dat Seth niet thuis was. De Duncans hadden twee problemen aan hun hoofd en Reacher voelde instinctief aan dat ze bij elkaar zouden kruipen tot de problemen voorbij waren. Dus waarschijnlijk was Eleanor alleen thuis en zou zij opnemen. Of niet. Misschien zou ze het rinkelen van de telefoon gewoon negeren, ongeacht wat de barkeeper tien meter verderop te berde bracht over de menselijke natuur.
Ze nam de telefoon op.
'Hallo?' zei ze.
Reacher vroeg: 'Is Seth daar?'
'Reacher? waar zit je?'
'Waar ik ben is niet belangrijk. Waar is Seth?'
'Bij zijn vader. Ik verwacht hem vannacht niet meer thuis.'
'Dat is goed. Ben jij nog op en gekleed?'
'Hoezo?'
'Ik wil dat je iets voor me doet.'

34

De achterbank van de oude Caprice had de vorm van twee zittingen, niet van fabriekswege, maar als gevolg van jarenlang gebruik en slijtage. De man van Mahmeini liet zich in de rechterkuil zakken, achter de stoel van de passagier, en hield zijn hoofd wat scheef naar links zodat hij door de voorruit kon kijken. Hij zag in het licht van de koplampen de lege achterkant van een billboard en daarna niets meer. De weg voor hen was recht en verlaten. Geen tegemoetkomende lichten, een teleurstelling. Als Asghar één borrel had gedronken, kon je hem dat nog vergeven. Of twee zelfs. Of drie, als hij daarna meteen was teruggekomen. Maar een hele nacht doorhalen was regelrechte desertie.
De hijgende oude motor hield de naald van de snelheidsmeter trillend op negentig. Anderhalve kilometer per minuut. Nog dertienenhalve kilometer. Nog negen minuten.

Reacher zei: 'Over precies een uur en tien minuten van nu wil ik dat je een autoritje gaat maken. In je rode sportwagentje.'
Eleanor Duncan zei: 'Een ritje? Waarheen?'
'Naar het zuiden op de tweebaans,' zei Reacher. 'Gewoon een eind rijden. Achttien kilometer. In je eigen tempo. Dan keer je om en rijd je weer naar huis.'
'Achttien kilometer?'
'Of twintig, of meer. Maar niet minder dan zestien.'
'Waarom?'
'Maakt niet uit waarom. Wil je dat doen voor me?'
'Ga je iets met het huis doen? Wil je me een tijdje kwijt?'
'Ik kom niet in de buurt van jullie huis. Dat beloof ik. Niemand hoeft het ooit te weten. Wil je dat doen?'
'Kan niet. Seth heeft mijn sleutels. Ik heb zo goed als huisarrest.'
'Is er een reservesleutel?'
'Die heeft hij ook.'
Reacher zei: 'Hij heeft ze niet in zijn zak. Niet als hij zijn eigen sleutel in een kom in de keuken bewaart.'
Eleanor zei niets.

Reacher vroeg: 'Weet je waar ze zijn?'
'Ja. Ze liggen op zijn bureau.'
'Op of in?'
'Erop. Ze liggen er gewoon. Om mij op de proef te stellen. Hij zegt dat gehoorzaamheid zonder verleiding niets waard is.'
'Hoe komt het in hemelsnaam dat je daar nog steeds bent?'
'Waar moet ik anders heen?'
'Pak gewoon die klotesleutels, ja. Kies eens voor jezelf.'
'Krijgt Seth daar problemen door?'
'Ik weet niet wat voor antwoord je daarop wilt van mij.'
'Ik wil dat je eerlijk antwoord geeft.'
'Indirect wel. Uiteindelijk. Misschien.'
Het bleef lang stil. Toen zei Eleanor: 'Oké, ik doe het. Ik rijd achttien kilometer naar het zuiden over de tweebaans en dan ga ik weer naar huis. Over een uur en tien minuten.'
'Nee,' zei Reacher. 'Over een uur en zes minuten. We hebben net vier minuten gepraat.'
Hij verbrak de verbinding en liep terug de kroeg in. De barkeeper was aan het werk zoals een barkeeper zijn werk moet doen, efficiënt en snel, anticiperend, terwijl hij de hele ruimte in het oog hield. Hij keek Reacher aan en Reacher slalomde tussen de tafels door naar hem toe. De man zei: 'Ik zou je om je handtekening moeten vragen, op een servet of zo. Je bent de eerste die hier ooit binnen is gekomen om gebruik te maken van de telefoon, in plaats van om de telefoon te mijden. Wil je wat drinken?'
Reacher liet zijn oog gaan over wat de man te bieden had. Drank in alle soorten en maten, bier uit de tap, bier in flessen. Geen teken van koffie. Hij zei: 'Nee, bedankt. Ik moet eigenlijk weer verder.' Hij liep door, schuifelde zijdelings tussen tafels door, duwde de deur open en liep terug naar zijn auto. Hij stapte in, reed achteruit van het parkeerterrein en reed weg naar het noorden.

De man van Mahmeini zag een gloed in de nevel, ver vooruit aan de linkerkant van de weg. Neonreclame, groen en rood en blauw. De chauffeur reed nog een minuut door, toen haalde hij zijn voet van het gaspedaal en liet de wagen uitrijden. De motor kuchte, de uitlaat knalde en sputterde en de taxi minderde vaart. Op de

weg waren nog net twee rode achterlichten te zien. Zwak en een heel eind verder. Bijna verdwenen. De taxi remde. De man van Mahmeini zag de kroeg. Niet meer dan een eenvoudig houten bouwsel. Er waren twee zwakke schijnwerpers onder de daklijst aan de voorgevel, die twee poelen van geel schijnsel op het parkeerterrein wierpen. Er stonden allerlei auto's. Maar geen gele huurauto.
De taxi draaide van de weg af en stopte. De chauffeur keek over zijn schouder. De man van Mahmeini zei: 'Wacht op me.'
De chauffeur zei: 'Hoe lang?'
'Een minuutje.' De man van Mahmeini stapte uit en bleef even staan. De achterlichten in het noorden waren verdwenen. De man van Mahmeini keek de duisternis in waar ze waren verdwenen, heel even maar. Toen liep hij naar de ingang van het houten bouwsel. Hij ging naar binnen. Hij zag een grote ruimte met tafels en stoelen links en een bar rechts. Er waren ongeveer twintig klanten, voornamelijk mannen, maar geen van hen was Asghar Arad Sepehr. Achter de bar stond een barkeeper die een klant hielp, ondertussen inschattend wie er daarna aan de beurt was. Hij wierp een blik op de nieuwe gast. De man van Mahmeini slalomde tussen de tafels door naar hem toe. Hij had het gevoel dat iedereen naar hem keek. Een klein mannetje, buitenlander, ongeschoren, verfomfaaid en niet al te schoon. De klant van de barkeeper maakte zich los van de bar, met twee schuimende glazen bier in zijn handen. De barkeeper deed een stap opzij naar de volgende klant, hielp hem en keek alweer wie er dan bediend moest worden, alsof hij probeerde steeds twee stappen vooruit te denken.
De man van Mahmeini zei: 'Ik zoek iemand.'
De barkeeper zei: 'Dat doen we, volgens mij allemaal, meneer. Dat is zo ongeveer de kern van de menselijke natuur, toch? Het is een eeuwige zoektocht.'
'Nee, ik zoek iemand die ik ken. Een vriend.'
'Een vriend.'
'Hij lijkt op mij.'
'Dan heb ik hem niet gezien. Het spijt me.'
'Hij heeft een gele auto.'

'De auto's staan buiten. Ik ben binnen.'
De man van Mahmeini keerde zich om en keek de ruimte rond en dacht aan de rode achterlichten die naar het noorden waren verdwenen. Hij draaide zich weer terug naar de bar en vroeg: 'Weet je het zeker?'
De barkeeper zei: 'Ik wil niet onbeleefd zijn, meneer, maar echt, als u hier vanavond met zijn tweeën was binnengekomen, zou al iemand gebeld hebben met Homeland Security. Denkt u ook niet?'
De man van Mahmeini zei niets.
'Ik bedoel maar,' zei de barkeeper. 'Dit is Nebraska. Er zijn hier militaire installaties.'
De man van Mahmeini vroeg: 'Is er dan iemand anders net hier geweest?'
'Dit is een kroeg, vriend. Mensen komen en gaan de hele avond. Dat is ongeveer de bedoeling ervan.'
De barkeeper richtte zich weer naar de klant die hij zou bedienen. Gesprek beëindigd. De man van Mahmeini draaide zich opnieuw om, keek nog een keer de ruimte rond. Toen gaf hij het op en liep hij weg, tussen de tafels door, terug naar de deur. Hij stapte het parkeerterrein op en pakte zijn telefoon. Geen signaal. Hij stond even stil en tuurde naar het noorden, waar de rode achterlichten waren verdwenen en stapte toen weer in de taxi. Hij sloot het portier, wat vergezeld ging van een jankend scharnier. Hij zei: 'Bedankt voor het wachten.'
De chauffeur keek over zijn schouder en vroeg: 'En waar nu naartoe?'
De man van Mahmeini zei: 'Daar moet ik even over nadenken.'

Reacher hield de snelheid van de Malibu op een rustige negentig kilometer. Anderhalve kilometer per minuut. Hypnotiserend. De palen van bovengrondse stroomkabels flitsten langs, de banden zongen, de motor bromde. Reacher pakte het ongeopende flesje water uit de bekerhouder, draaide met één hand de dop eraf en dronk. Hij schakelde groot licht in. Niets te zien vooruit. Hij keek in de spiegel. Niets te zien achter hem. Hij keek naar de meters en wijzers op het dashboard. Alles in orde.

Eleanor Duncan keek op haar horloge. Het was een kleine Rolex, een cadeautje van Seth, waarschijnlijk echt. Ze had een uur en zes minuten vooruitgeteld nadat ze had opgehangen, en nu had ze nog vijfenveertig minuten te gaan. Ze liep de woonkamer uit naar de hal en vanuit de hal naar de studeerkamer van haar man. Dat was een kleine, vierkante ruimte. Ze had geen idee welk doel het vertrek oorspronkelijk had gediend. Misschien was het een wapenhok geweest. Nu was het ingericht als studeerkamer, maar met een nadruk op mannelijk vertier in plaats van intellectuele bezigheden. Er stond een leren leunstoel. Een bureau van taxushout. Een bureaulamp met een groene glazen kap. Er waren boekenplanken. Er lag een tapijt. Het rook er naar Seth.
Op het bureau stond een ondiepe glazen kom. Uit Murano, bij Venetië. Groen. Een souvenir. Er lagen paperclips in. En haar autosleutels, zomaar, twee slanke getande lemmeten met een grote zwarte kop. Van haar Mazda Miata. Een kleine, rode tweepersoons cabriolet. Een speelautootje. Zorgeloos. Net zoiets als de oude Britse MG en de Lotus, maar betrouwbaar.
Ze pakte een van de sleutels.
Ze liep terug naar de hal. Achttien kilometer. Ze dacht dat ze begreep waar het Reacher om ging. Dus opende ze de halkast en pakte ze een zijden sjaal. Sneeuwwit. Ze vouwde hem in een driehoek en bond hem om haar haar. Ze keek in de spiegel. Net een ouderwetse filmster. Of een ouderwetse filmster na een rondje boksen met een zwaargewicht. Ze ging door de achterdeur naar buiten en liep door de kou naar de garage, de lege plek van Seths auto rechts, haar plek in het midden, alle deuren open. Ze stapte in haar auto, klikte de grendels boven de voorruit los en klapte het dak naar achteren. Ze startte de motor, reed achteruit naar buiten en keerde. Wachtte op de oprit, met draaiende motor, liet de verwarming op gang komen. Met luid bonzend hart. Ze keek op haar horloge. Nog negenentwintig minuten.

Reacher reed kalm verder, negentig kilometer per uur, nog drie minuten, toen minderde hij vaart en dimde hij zijn licht. Hij keek naar de berm rechts. Het oude verlaten wegrestaurant doemde voor hem op, precies op het verwachte moment, scherp en gena-

deloos afgetekend in het licht van zijn koplampen. Het slechte dak, de bierreclame achter de modder op de gevels, stukgereden grond waar ooit auto's geparkeerd hadden gestaan. Hij reed van de weg het erf op. Steentjes knarsten, en slipten en sprongen onder de banden weg. Hij reed er een keer helemaal omheen.
Het gebouw was lang en laag en eenvoudig, als een schuur waar een stuk onder weggezaagd was. Rechthoekig, met uitzondering van twee aparte vierkante uitbouwsels aan de achterkant, een op elke hoek. Het ene voor de toiletten waarschijnlijk, en het andere voor de keuken. Efficiënt vanuit het oogpunt van de afvoer en waterleiding. Tussen beide uitbouwsels was een U-vormige ruimte, leeg op wat opgewaaide rommel na, aan drie zijden ingesloten, aan de vierde zijde open naar donkere lege akkers in oostelijke richting. Een meter of tien breed en een meter of vier diep.
Perfect, voor later.
Reacher reed terug naar de zuidgevel en parkeerde er tien meter vandaan, uit het zicht vanuit het noorden, de neus van de auto iets scheef naar de weg, als een politieman die probeert snelheidsovertreders te betrappen. Hij klikte de koplampen uit en liet de motor draaien. Hij stapte uit de auto, de kou in en liep om de motorkap naar de hoek van het gebouw. Hij leunde tegen de oude planken. Ze voelden dun en bros aan, honderd winters bevroren geweest, honderd zomers geteisterd door de zon. Ze roken naar stof en ouderdom. Hij keek de duisternis in naar het noorden, waar hij wist dat de weg moest liggen.
Hij wachtte.

35

Reacher wachtte twintig lange minuten. Toen zag hij licht in het noorden. Heel zwak, een kilometer of acht à tien verwijderd, eigenlijk meer een halfronde gloed in de nevel, die iets trilde, op en neer stuiterde, zwakker werd en weer sterker, en weer zwakker.

Een zich bewegende lichtbel. Heel wit. Bijna blauw. Een auto, die in zijn richting reed, hard.
Eleanor Duncan, als het goed was, precies op tijd.
Reacher wachtte.
Twee minuten later was ze drie kilometer dichterbij en was de halfronde gloed gegroeid, en krachtiger, nog steeds stuiterend, trillend, maar er zat nu een vreemde asynchrone puls in, het stuiteren ging tegelijkertijd twee kanten op, het sterker en zwakker worden van het licht was nu willekeurig en niet meer in fase.
Er waren twee auto's op de weg in plaats van één.
Reacher glimlachte. De wachtpost. De football-speler langs de weg naar het zuiden. Afgestudeerd van college. Geen domme jongen. Hij wist dat zijn vijf maten naar huis waren gestuurd, naar bed, omdat er absoluut niets zou gebeuren. Hij wist dat hij er alleen voor de zekerheid was geposteerd, voor de vorm. Hij wist dat hij een lange nacht van verveling tegemoet ging, van in het donker staren zonder kans op het vergaren van roem. Dus wat doe je dan als Eleanor Duncan plotseling langs komt scheuren in haar rode sportwagentje? Hij ziet schouderklopjes en bonussen. Barst maar met die lege uren waar geen einde aan komt. Hij trapt op het gas en volgt haar, dromend van promotie naar de elite, hij ziet het al voor zich en oefent wat hij gaat zeggen, want morgenvroeg zal hij Seth Duncan even terzijde nemen, alsof hij een oude vriend of een vertrouweling van hem is, en dan zal hij fluisteren: *Ja meneer, ik ben haar de hele weg gevolgd en ik kan u precies vertellen waar ze heen ging.* En dan zal hij zeggen: *Nee meneer, ik heb het aan niemand anders verteld, maar ik dacht dat u het moest weten.* Dan zal hij wat op en neer wippen op een bescheiden en schuldbewuste manier en zeggen: *O ja, natuurlijk meneer, ik dacht dat het veel belangrijker was dan wachtlopen, en ik ben blij dat u het met me eens bent dat ik een goede keus heb gemaakt.*
Reacher glimlachte opnieuw.
De menselijke natuur.
Reacher wachtte.
Nog twee minuten later was de zich verplaatsende lichtbel weer drie kilometer dichterbij, nu veel platter en langer. Twee auto's met enige afstand ertussen. Prooi en roofdier, een paar honderd

meter achter elkaar. Tussen beide auto's was geen rode gloed te zien. Het licht van de koplampen van de football-speler reikte niet tot de rode lak van de Mazda. De jongen reed er misschien driehonderd, vierhonderd meter achter. Hij volgde de achterlichten van de Mazda en dacht ongetwijfeld dat hij haar op een fantastische manier onopvallend volgde. Misschien was hij toch niet zo heel slim. De Mazda was uitgerust met een spiegel, terwijl halogeenkoplampen in een winternacht in Nebraska waarschijnlijk al vanaf de maan te zien waren.
Reacher kwam in actie.
Hij zette zich af tegen de planken van het wegrestaurant, liep om de motorkap van de Malibu heen en ging achter het stuur zitten. Hij zette de automaat in *Drive*, trapte met zijn linkervoet de rem diep in en zette zijn rechtervoet op het gaspedaal. Hij trapte het gas in tot de transmissie zijn uiterste best deed de weerstand van de rem te overwinnen en de auto sidderde en met de grootst mogelijke moeite op zijn plaats bleef. Hij hield één hand aan het stuur en de andere bij de lichtschakelaar.
Hij wachtte.
Zestig seconden.
Negentig seconden.
Toen flitste de Mazda langs, van rechts naar links, in een oogwenk, een kleine donkere vorm die een geweldige plas licht najoeg, het dak open, een vrouw met een wapperende sjaal aan het stuur, gevolgd door het geraas van de banden op het wegdek en het lawaai van de motor en de rode gloed van de achterlichten. In een oogwenk was de auto voorbij. Reacher telde *één*, haalde zijn voet van de rem, gaf plankgas en schoot vooruit, remde hard en bleef dwars midden op de weg stilstaan. Hij rukte het portier open, rolde uit de auto en danste via de kofferbak van de Malibu naar de berm vanwaar hij zojuist was vertrokken. Tweehonderd meter rechts van hem begon een grote SUV aan een paniekerige noodstop. Het licht van de koplampen weerkaatste geel van de lak van de Malibu en dook toen omlaag naar het asfalt toen de vering aan de voorkant van de SUV in elkaar werd gedrukt door de kracht van het remmen. Zware banden jankten, de SUV verloor zijn rechte lijn, begon aan een bocht naar rechts,

slippend met vier wielen. Het hoge zwaartepunt van de SUV schoof over de binnenste wielen, de buitenste wielen kwamen los van de weg. Toen klapten ze met geweld weer terug en slingerde de achterkant van de SUV een volle negentig graden weg en kwam de SUV tot stilstand naast de Malibu, minder dan drie meter ervan verwijderd. De motor was afgeslagen, het geluid stierf weg, het janken van gemarteld rubber stierf weg, gevolgd door dunne pluimpjes blauwe rook, die omhoogkringelden, stil hingen in de lucht en uiteindelijk wegdreven en oplosten in de koude nachtlucht.

Reacher haalde de Glock van de Iraniër tevoorschijn, rende naar het portier van de football-speler, rukte het open, danste achteruit en richtte het wapen. Meestal was hij niet zo'n voorstander van theatrale arrestaties, maar zijn rijke ervaring had hem geleerd wat wel en niet werkte als het ging om mensen in shock die onvoorspelbaar reageerden, dus hij schreeuwde: 'KOM UIT DIE AUTO KOM UIT DIE AUTO KOM UIT DIE AUTO,' zo hard als hij kon. Dat was behoorlijk hard. De jongen achter het stuur liet zich min of meer uit de auto vallen en Reacher zat er meteen bovenop, dwong hem naar de grond, rolde hem op zijn buik, drukte hem met zijn gezicht op het asfalt, zette zijn knie op de rug en drukte de loop van de Glock tegen de nek van de jongen, terwijl hij steeds maar schreeuwde: 'BLIJF LIGGEN BLIJF LIGGEN BLIJF LIGGEN,' en ondertussen over zijn schouder keek of er misschien andere lichten in aantocht waren.

Er waren geen andere lichten. Er kwam verder niemand aan. Geen versterking. De jongen had niet gebeld. Hij was van plan het helemaal alleen te doen. Alle eer zelf op te strijken. Zoals verwacht. Reacher glimlachte.

De menselijke natuur.

Het werd stil. Niets te horen behalve het stationaire toerental van de Malibu. Niets te zien behalve vier lichtbundels die de berm aan de overkant beschenen. Het stonk naar verschroeid rubber en verhitte remmen, benzine, en olie. De Cornhusker bleef doodstil liggen. Hij kon ook niet anders, met honderdtien kilo op zijn rug, de loop van een pistool tegen zijn nek en in zijn hoofd de tv-beelden van arrestaties door SWAT-teams. Misschien wel herinneringen die echt waren. Plattelandsjongens worden bij tijd en wijle gearresteerd, net als iedereen. En het was allemaal heel snel gegaan, in het donker met veel lawaai en onduidelijk zicht en paniek, zoveel dat de jongen Reachers gezicht misschien nog niet eens had gezien, of herkend aan de hand van de waarschuwingen door de Duncans. Misschien had de jongen alles nog niet bij elkaar opgeteld. Misschien wachtte hij als een brave burger op het moment dat hij de politieman zou kunnen uitleggen dat hij onschuldig was, zoals brave burgers gewend zijn. Dat betekende voor Reacher een klein probleem. Hij stond op het punt om het beeld dat bij de jongen leefde, van een legitieme aanhouding door de sterke arm der wet, vaarwel te zeggen en ervoor in de plaats te laten zien dat het ging om een volstrekt onwettige poging tot kidnapping. En de jongen was groot. Twee meter of meer, honderddertig kilo, of meer. Hij had een groot rood football-jack aan en een om zijn benen flodderende broek. Voeten zo groot als een roeiboot.

Reacher zei: 'Je naam.'

De kin en de lippen en de neus van de jongen waren allemaal tegen het asfalt geperst. Hij zei 'John'. Het kwam eruit als een snik, een grom, een ademstoot, zacht en onduidelijk.

'Niet Brett?' vroeg Reacher.

'Nee.'

'Dat is goed.' Reacher verplaatste zijn gewicht, draaide het hoofd van de jongen om, duwde de loop van de Glock tegen diens oor, zag het wit van diens ogen. 'Weet je wie ik ben?'

De jongen op de grond zei: 'Nu wel.'

'Weet je ook welke twee dingen je echt moet begrijpen?'

'Nee?'

'Wat je ook van jezelf mag vinden, ik ben veel harder dan jij en ik ben genadelozer dan jij. Je hebt er geen idee van. Ik ben erger dan je ergste nachtmerrie. Geloof je dat?'

'Ja.'

'Geloof je dat echt? Net als in kaboutertjes?'

'Ja.'

'Weet je wat ik met je vriendjes heb gedaan?'

'Ja.'

'Wat heb ik met ze gedaan dan?'
'Je hebt ze uitgeschakeld.'
'Precies. Maar nu komt het, John. Ik ben bereid om met jou aan de slag te gaan, om je leven te sparen. Als we ons best doen, moet het lukken. Maar als je ook maar één stap verkeerd zet, maak ik je af en dan loop ik weg en dan denk ik nooit meer ook maar een seconde aan jou en dan slaap ik de rest van mijn leven als een pasgeboren baby. Is dat duidelijk?'
'Ja.'
'Proberen?'
'Ja.'
'Lig je daar nu te peinzen over de een of andere stomme truc? Speel je voor quarterback? Lig je te wachten tot ik word afgeleid?'
'Nee.'
'Dat is het goede antwoord, John. Want ik laat me nooit afleiden. Heb je wel eens gezien dat iemand werd doodgeschoten?'
'Nee.'
'Dat gaat heel anders dan in de film, John. Grote brokken gore rotzooi beginnen dan rond te vliegen. Zelfs van een vleeswond herstel je nooit helemaal. Niet honderd procent. Je krijgt infecties. Je blijft zwak en het doet altijd pijn.'
'Oké.'
'Dan mag je nu opstaan. Reacher kwam overeind en stapte achteruit, het wapen gericht, hield het met twee handen en gestrekte armen voor zich uit om meer indruk te maken, en volgde het hoofd van de jongen, een groot bleek doelwit. Eerst kroop de jongen in elkaar, toen kreeg hij zichzelf onder controle en drukte zich met zijn handen op tot hij op zijn knieën zat. Reacher zei: 'Zie je die gele auto? Sta op en ga bij het portier van de bestuurder staan.'
De jongen zei: 'Oké,' stond op, eerst wankelend, toen steviger, groter en vierkanter. Reacher zei: 'Voel je je nu weer goed, John? Dapper? Bereid je je voor? Kom je zo op me af om wraak te nemen?'
De jongen zei: 'Nee.'
'Dat is het goede antwoord, John. Ik schiet twee ladingen lood

in je voordat je ook maar een spier hebt aangespannen. Geloof me maar, ik heb het eerder gedaan. Ooit werd ik ervoor betaald. Ik ben er heel goed in. Dus loop maar naar die gele auto en ga bij het portier staan.' Reacher volgde de jongen terwijl hij om de motorkap van de Malibu liep. Het portier van de Malibu stond nog open. Reacher had het open laten staan om snel de aftocht te kunnen blazen. De jongen stond erbij. Reacher richtte het pistool over het dak van de auto en opende het portier aan de passagierskant. Beide mannen stonden daar, elk aan een kant van de auto, beide portieren open als kleine vleugeltjes.

Reacher zei: 'En nu instappen.'

De jongen bukte zich en liet zich op de bestuurdersstoel zakken. Reacher deed een stap achteruit en richtte het pistool omlaag de auto in, een laag traject, gericht op de heupen en dijbenen van de jongen. Hij zei: 'Raak het stuur niet aan. En de pedalen niet. Geen gordel.'

De jongen zat roerloos met zijn handen op schoot.

Reacher zei: 'Doe nu je portier dicht.'

De jongen trok het portier dicht.

Reacher vroeg: 'Begin je je al heldhaftig te voelen, John?'

De jongen zei: 'Nee.'

'Dat is het goede antwoord, vriend. We komen er wel. Onthoud maar goed dat de Malibu een prima gezinsauto is, zeker als je in aanmerking neemt dat hij uit Detroit komt, maar dat zijn acceleratie echt shit is. In ieder geval vergeleken met een kogel. Dit pistool van mij zit vol met 9mm Parabellums. Die komen de loop uit met een snelheid van bijna vijftienhonderd kilometer per uur. Denk je dat een viercilinder van GM die voor kan blijven?'

'Nee.'

'Alweer goed, John,' zei Reacher. 'Ik ben blij dat al dat onderwijs bij jou geen boter aan de galg is geweest.'

Toen keek hij over het dak van de auto en zag hij door de nevel licht in het zuiden. Een hoge halfronde gloed die een beetje bibberde, stuiterde, zwakker werd en dan weer sterker. Heel wit. Bijna blauw.

Een auto die naar het noorden reed en op hem afkwam, vrij snel.

36

De auto was misschien nog een kilometer of drie verwijderd. Reed ongeveer negentig, dacht Reacher. Harder was ook niet echt verantwoord op deze weg. Twee minuten. Hij zei: 'Stilzitten, John. Niet nadenken. Dit is de gevaarlijkste tijd van je leven. Ik ben uitermate op mijn hoede. Ik schiet eerst en stel dan pas vragen. Als je dat maar weet.'

De jongen zat doodstil achter het stuur van de Malibu. Reacher keek over het dak van de auto. De lichtbel in het zuiden bewoog nog steeds, stuiterde en trilde nog steeds, werd zwakker en dan weer sterker, maar dit keer samenhangend, op een natuurlijke manier, in fase. Eén auto. Nog anderhalve kilometer weg. Eén minuut.

Reacher wachtte. De gloed groeide aan tot een fel schijnsel, laag boven het asfalt, transformeerde in twee lichtbronnen met een meter ertussen, beide ellipsvormig, beide laag bij de grond, beide blauwwit en fel. Ze kwamen steeds dichterbij, flikkerend en zwevend en nerveus, achternagezeten door een stijve vering onder de voortrein en een hoekige, directe sturing. Eerst waren het kleine lichtbronnen, maar ze bleven klein, want het waren de koplampen van een kleine auto, want die kleine auto was een Mazda Miata, een mini-auto, rood van kleur, die nu vaart minderde en stilstond, de koplampen ondraaglijk fel schijnend op de gele lak van de Malibu.

Toen schakelde Eleanor Duncan de koplampen uit en manoeuvreerde de Mazda achter de kofferbak van de Malibu langs, half op de weg, half in de berm, en stopte met haar elleboog op het portier en haar hoofd naar Reacher gekeerd. Ze vroeg: 'Heb ik het goed gedaan?'

Reacher zei: 'Perfect. Die sjaal was een aardige vondst.'

'Een zonnebril leek me te veel van het goede. Te riskant in het donker.'

'Waarschijnlijk wel.'

'Maar jij hebt wel een behoorlijk risico genomen. Dat is een ding wat zeker is. Je had hier wel verpletterd kunnen worden.'

'Die jongen is een atleet. En jong. Goede ogen, prima oog-hand-coördinatie, snelle reactie. Ik ging ervan uit dat ik genoeg tijd zou hebben om uit de buurt te komen.'
'Maar toch. Hij had ook beide auto's in puin kunnen rijden. En wat had je dan gedaan?'
'Plan B was om hem neer te schieten en met jou mee terug te rijden.'
Ze bleef even stilzitten. Toen zei ze: 'Verder nog iets?'
'Nee, bedankt. Ga maar naar huis.'
'Die knaap hier vertelt het aan Seth. Wat ik heb gedaan.'
'Nee, dat doet hij niet,' zei Reacher. 'Hij en ik gaan iets afspreken.'
Eleanor Duncan zei verder niets meer. Ze deed haar koplampen weer aan, schakelde en reed weg, pittig en snel, een brullend geluid uit de uitlaat achterlatend. Reacher wierp haar nog twee keer een blik na, een keer toen ze een kilometer weg was, en nog een keer toen ze uit zicht was verdwenen. Toen gleed hij op de passagiersstoel van de Malibu, naast de jongen die John heette, en trok hij het portier dicht. Hij hield de Glock met zijn rechterhand voor zijn lichaam langs. Hij zei: 'Nu ga je deze auto achter dit oude wegrestaurant parkeren. Als de snelheidsmeter boven de tien kilometer per uur komt, schiet ik je in je zij. Als je dan niet onmiddellijk medische hulp krijgt, leef je nog ongeveer twintig minuten. Daarna ga je dood onder het genot van vreselijke pijn. Geloof me maar, ik heb het zien gebeuren. Om je de waarheid te zeggen, John, Ik heb het laten gebeuren, meer dan eens. Duidelijk?'
'Ja.'
'Zeg het eens, John. Zeg eens: "Duidelijk."'
'Duidelijk.'
'Hoe duidelijk?'
'Ik weet niet wat je wilt dat ik zeg.'
'Ik wil dat je zegt: "Volstrekt duidelijk."'
'Goed, volstrekt duidelijk.'
'Oké. Doe maar, dan.'
De jongen schakelde en draaide aan het stuur en keerde in een ruime bocht, pijnlijk langzaam, bonkend door de berm aan de overkant, terug over de weg, omlaag bonkend van de weg de ka-

potgereden grond van het parkeerterrein op, reed langs de zuidgevel en maakte een scherpe bocht om de hoek van het gebouw. Reacher zei: ‘Rijd maar iets door en dan achteruit tussen die twee uitbouwsels, net fileparkeren, weet je wel. Moet je dat hier in Nebraska ook doen bij je rijexamen?’

De jongen zei: ‘Ik heb mijn rijbewijs in Kentucky gehaald. Op de highschool.’

‘Bedoel je daarmee te zeggen dat ik het je moet uitleggen?’

‘Ik weet hoe het moet.’

‘Oké, laat maar zien, dan.’

De jongen reed eerst door tot hij naast de tweede uitbouw stond en toen achteruit de ondiepe ruimte in. Reacher zei: ‘Nu helemaal erin. Ik wil dat de achterbumper vast tegen de planken staat en dat jouw kant van de wagen het gebouw raakt. Ik wil dat die spiegel van jou aan gruzelementen gaat. Helemaal aan gort. Wil je dat voor me doen?’

De jongen aarzelde even en draaide toen verder aan het stuur. Het lukte hem vrij goed. Hij kreeg de achterbumper tegen de planken van de uitbouw, kraakte de zijspiegel langs de achtergevel, maar slaagde er niet in de laatste twee centimeter tussen de auto en de gevel te overbruggen. Hij keek achter zich, keek naar links en keek toen Reacher aan alsof hij verwachtte een complimentje te krijgen.

‘Niet gek,’ zei Reacher. ‘Zet nu de motor maar af.’

De jongen schakelde de koplampen uit en zette de motor af.

Reacher zei: ‘Laat de sleutel maar zitten.’

De jongen zei: ‘Ik kan er niet uit. Ik kan mijn deur niet opendoen.’

Reacher zei: ‘Kruip maar achter mij aan.’ Hij opende het portier aan zijn kant, gleed naar buiten en deed een paar passen achteruit, strekte zich en richtte het pistool met twee handen. De jongen kwam achter hem de auto uit, op handen en voeten, groot en onhandig, eerst zijn voeten, zijn achterwerk omhoogtorenend in de lucht. Hij ging rechtop staan en keerde zich om en zei: ‘Moet ik de deur dichtdoen?’

Reacher zei: ‘Je begint weer na te denken, hè, John? Je denkt, het is hier donker, nu het licht uit is en misschien zie ik alles wel minder goed. Je denkt, misschien is dit wel een goed moment. Maar

dat is het niet. Ik zie alles uitstekend. Een uil is niets vergeleken met mij als we het over de kijkerij hebben, John. Een uil met een nachtkijker ziet nog minder dan ik. Geloof het maar, jochie. Blijf je best doen. Dan kom je er wel.'
'Ik denk nergens aan,' zei de jongen.
'Sluit dan het portier maar.'
De jongen sloot het portier.
'Loop nu eens een eindje bij de wagen weg.'
De jongen deed een paar stappen. De auto stond opgepropt in de zuidwesthoek van de ruimte, nam daar een plek van vijf bij twee in, van het totaal van tien bij vier meter. Vanaf de weg zou hij onzichtbaar zijn, zowel vanuit het zuiden als vanuit het noorden, en niemand zou op die akkers komen tot ze in het voorjaar geploegd zouden worden. Zonder meer veilig.
Reacher zei: 'Nu naar rechts.'
'Waarheen?'
'Zo dat, als ik mijn pistool op jou richt, ik het parallel aan de weg houd.'
De jongen kwam in beweging, deed twee stappen, drie, bleef toen staan en keerde zich om, met zijn rug naar de eindeloze lege kilometers tussen hem en de Cell Block Bar.
Reacher vroeg: 'Hoe ver is het naar het dichtstbijzijnde huis?'
Hij zei: 'Kilometers.'
'Is dat zo ver dat ze daar geen pistoolschot kunnen horen?'
'Misschien.'
'Wat zouden ze denken als ze wel een pistoolschot hoorden?'
'Ongedierte. Dit is boerenland.'
Reacher zei: 'Ik zou het fijner vinden als jij het pistool zou horen afgaan, John. Op zijn minst één keer. Ik zou het fijner vinden als jij het zou weten dat er een kogel je kant op kwam. Dat zou je helpen bij al dat denkwerk. Misschien zou het je helpen een verstandig besluit te nemen.'
'Ik doe niets.'
'Beloof je dat?'
'Absoluut.'
'Dan hebben we nu een verbond. Ik vertrouw je. Is dat verstandig?'

'Absoluut.'
'Oké, draai je om en loop terug naar je SUV.' Reacher bleef het hele eind drie meter achter de jongen lopen, de hoek van het gebouw om, langs de zuidgevel, over het oude parkeerterrein, naar de tweebaans. Reacher zei: 'En nu instappen op dezelfde manier als je zonet uit de auto bent gestapt.'
De jongen sloot het portier aan de bestuurderskant en liep om de motorkap en opende het portier aan de passagierskant. Reacher keek toe. De jongen klom naar binnen, tilde zijn voeten een voor een onder het stuur, wipte toen omhoog en over de console tussen de beide stoelen, leunend op zijn platte handen, wurmend, schurend en met gebogen hoofd. Reacher keek toe. Toen de jongen op zijn plaats zat, klom Reacher naar binnen en sloot het portier. Hij hield het pistool tijdelijk in zijn linkerhand en deed de gordel om. Toen nam hij het pistool weer in zijn rechterhand en zei: 'Ik heb mijn gordel om, John, maar jij doet die van jou niet om, goed? Gewoon voor het geval je plotseling een idee zou krijgen. Dat je bijvoorbeeld tegen een telefoonpaal zou kunnen rijden. Snap je wat ik bedoel? Als je dat doet, overkomt mij niets, maar doe jij jezelf behoorlijk pijn, terwijl ik je daarna alsnog neerknal. Duidelijk?'
De jongen zei: 'Ja.'
'Zeg het eens, John. Zeg eens: "Duidelijk."'
'Duidelijk.'
'Hoe duidelijk?'
'Volstrekt duidelijk.'
'En we hebben een verbond gesloten, toch? Je hebt het beloofd, hè?'
'Ja.'
'Echt?'
'Ja.'
'Waar woon je?'
'Bij het depot van Duncan Transport.'
'Waar is dat?'
'Hiervandaan? Een kilometer of vijftig, ongeveer, naar het noorden en dan naar het westen.'
'Oké,' zei Reacher. 'Ernaartoe.'

37

De man van Mahmeini was terug in zijn hotelkamer van het Courtyard Marriott. Hij belde met Mahmeini zelf. Het gesprek was niet al te best begonnen. Mahmeini had niet willen accepteren dat Sepehr er echt vandoor was. Dat was onbegrijpelijk voor hem. Je had hem net zo goed kunnen vertellen dat de man er een derde arm bij had gekregen. Menselijk niet mogelijk.
De man van Mahmeini zei: 'Hij was beslist niet in de kroeg.'
'Tegen de tijd dat jij daar aankwam.'
'Hij is er nooit geweest. Het was een heel onplezierige tent. Ik had het er niet naar mijn zin. Ze keken allemaal naar me alsof ik een stuk vuil was. Alsof ik een terrorist was. Ik vraag me af of ze me wel zouden hebben bediend. Asghar zou het er nog geen vijf minuten hebben volgehouden zonder met iemand op de vuist te gaan. En er was geen enkel teken van een gevecht. Geen bloed op de vloer. En dat zou er anders wel zijn geweest. Asghar is gewapend en hij is snel en hij laat zich niet voor joker zetten.'
Mahmeini zei: 'Dan is hij ergens anders naartoe gegaan.'
'Ik ben de hele stad door geweest. Wat snel gebeurd was. Ze slaan hier de trottoirs op als het donker wordt. Je kunt je nergens verstoppen. Hij is er gewoon niet.'
'Vrouwen?'
'Grapje? Hier?'
'Heb je nog geprobeerd hem te bellen?'
'De hele tijd.'
Het bleef lange tijd stil. Mahmeini zat in zijn kantoor in Las Vegas, verwerkte de informatie, schakelde, improviseerde. Hij zei: 'Oké, we gaan door. Dit is te belangrijk. Het moet morgen geregeld zijn. Dus je zult het in je eentje moeten doen. Dat kun je. Je hebt kwaliteit genoeg.'
'Maar ik heb geen auto.'
'Lift maar mee met de jongens van Safir.'
'Daar heb ik aan gedacht. Maar dat zou tot scheve verhoudingen leiden. Ik zou niet meer de baas zijn. Ik zou letterlijk een bij-

rijder zijn. En hoe kan ik verklaren dat ik Asghar heb laten wegrijden, zodat ik hier zonder vervoer zit? We kunnen ons niet permitteren hier voor aap te staan. We kunnen geen zwakte tonen. Niet met al deze mensen erbij.'

'Zorg dan maar dat je een andere auto krijgt. Zeg maar tegen de rest dat je Asghar opdracht hebt gegeven vooruit te gaan, of heel ergens anders heen, voor een andere klus.'

'Een andere auto? Waarvandaan?'

Mahmeini zei: 'Huur er maar een.'

'Baas, dit is Vegas niet. Ze hebben hier zelfs geen roomservice. Het dichtstbijzijnde filiaal van Hertz is bij de luchthaven. Ik ben ervan overtuigd dat die tot morgenvroeg gesloten zijn. En ik zou niet weten hoe ik daar moest komen.'

Opnieuw een lang, lang stilzwijgen, terwijl Mahmeini de situatie opnieuw berekende, herschikte en evalueerde om snel een oplossing te verzinnen. Hij vroeg: 'Hebben de anderen de eerste auto gezien waar jullie mee zijn gekomen?'

Zijn man zei: 'Nee. Ik weet wel zeker van niet. We zijn allemaal afzonderlijk gearriveerd en op verschillende tijdstippen.'

Mahmeini zei: 'Oké, je hebt gelijk wat die verhoudingen betreft. Wij moeten zichtbaar de baas zijn. En we moeten die anderen uit balans houden. Ik zal je zeggen wat je moet doen. Zoek een geschikte auto, binnen een uur. Steel er een als het moet. Bel dan de rest op hun kamer. Interesseert me niet hoe laat het is. Middernacht, één uur, maakt niet uit. Vertel ze dat we hebben besloten om op tijd te beginnen met het feestje. Zeg tegen ze dat je meteen naar het noorden vertrekt. Geef ze vijf minuten en anders ga je zonder hen. Dan zijn ze in de war, pakken ze hun spullen bij elkaar en rennen ze naar het parkeerterrein. Jij wacht in je nieuwe auto. Ze weten alleen niet dat dat een nieuwe auto is. En in het donker en alle verwarring zal het ze niet eens opvallen dat Asghar niet bij je in de auto zit. Rijd hard. Alsof de duivel je op de hielen zit. Zorg dat je daar als eerste bent. Als de anderen daar aankomen, zeg je dat je Asghar hebt afgezet, te voet achter de vijandelijke linie. Dat maakt hen zenuwachtig. Dat brengt hen nog meer uit balans. Dan lopen ze de hele tijd over hun schouder te kijken. Zo moet dat. Dat ga je doen. Hé, dit is toch eigenlijk wel een heel mooi plan, toch nog van de nood een deugd gemaakt, vind je ook niet?'

De man van Mahmeini trok zijn jas aan en bracht zijn tas naar de lobby. De receptionist had geen dienst meer. Waarschijnlijk was er wel een nachtportier ergens in een kamertje achteraf, maar de man van Mahmeini zag niemand. Hij liep gewoon door naar buiten, met zijn tas in zijn hand, op zoek naar een auto om te stelen. Wat in veel opzichten een stap terug was en ver beneden zijn waardigheid. Iemand met zijn positie had het stelen van auto's al lang geleden achter zich gelaten. Maar goed, nood breekt wet. En hij wist nog steeds hoe het moest. Technisch zou het geen probleem zijn. Hij zou even nauwgezet te werk gaan als altijd. Het enige probleem was dat hij te werk moest gaan in een omgeving waar zo weinig geschikt materiaal voorhanden was.
Het voertuig moest aan twee eisen voldoen. In de eerste plaats moest het een zeker prestige uitstralen. Niet echt heel veel, maar toch. Hij kon zich niet vertonen in een roestende en scheefhangende pick-up bijvoorbeeld. Dat zou in de verste verte niet gepast zijn, noch geloofwaardig voor iemand die uit naam van Mahmeini optrad, en al helemaal niet als je was uitgezonden om indruk te maken op de Duncans. Het ging zeker niet alleen om de uitstraling, maar een goed image werkte als smeermiddel. Wat het oog zag, was waar, minstens in de helft van alle gevallen.
In de tweede plaats mocht de auto niet spiksplinternieuw zijn. In de allernieuwste modellen was te veel beveiliging ingebouwd. Computers, microchips in de sleutels, en weer microchips die daarbij hoorden in de sleutelgaten. Alles was te doen natuurlijk, maar een snelle kraak op straat had zo zijn grenzen. Nieuwere auto's kon je het beste aanpakken met sleepauto's en diepladers, gevolgd door urenlang geduldig prutsen met ethernetkabels en laptops. Een man alleen op straat in het donker moest zich richten op iets gemakkelijkers.
Dus een schone sedan van een van de grote merken, niet nieuw, maar ook niet al te oud. Gemakkelijk te vinden in Vegas. Vijf minuten, hooguit. Maar niet op het platteland van Nebraska. Niet op het boerenland. Hij was net de hele stad door gewandeld op

zoek naar Asghar, en negentig procent van wat hij had gezien, was gebruiksvoertuig, vooral pick-ups en antieke SUV's met vierwielaandrijving. Negenennegentig procent daarvan was versleten, gedeukt, verroest en krakkemikkig. Kennelijk zaten de inwoners van Nebraska niet erg best in de slappe was, en zelfs als dat geen probleem was, leken ze er de voorkeur aan te geven zich opzichtig te presenteren als arbeidersvolk.

Toen hij eenmaal buiten in de kou stond, zette hij zijn mogelijkheden op een rijtje. In gedachten ging hij de straten door waar hij eerder was geweest. Hij probeerde zich een optimaal werkterrein voor te stellen, maar kon zich niets herinneren wat in aanmerking kwam. Hij had een wegwijzer gezien naar een ziekenhuis, en vaak kon je goed je slag slaan op de parkeerterreinen van ziekenhuizen, omdat artsen nieuwe auto's kochten en hun oude doorverkochten aan verplegend personeel en arts-assistenten, maar misschien was dat ziekenhuis wel kilometers verderop, waarschijnlijk in ieder geval te ver weg om ernaartoe te lopen zonder gegarandeerd succes.

Dus begon hij met zoeken op het parkeerterrein van het Courtyard Marriott.

En daar hield hij ook op met zoeken.

Hij liep om het H-vormige hotel heen naar de achterkant en zag drie geparkeerde pick-ups, waarvan twee die waren aangepast om te worden gebruikt als camper, en een oude Chrysler sedan met kentekenplaten uit Arizona, een gedeukte bumper en door zonlicht ingevreten lak. Verder een blauwe Chevrolet Impala, een rode Ford Taurus en een zwarte Cadillac. De pick-ups en de oude Chrysler vielen om voor de hand liggende redenen af. De Impala en de Taurus kwamen niet in aanmerking omdat ze te nieuw waren. Bovendien waren het overduidelijk huurauto's, want ze hadden stickers met een streepjescode op de achterruit. Dat wees erop dat het hoogstwaarschijnlijk de auto's waren van de mannen van Safir en Rossi, en hij kon hen bezwaarlijk opbellen om naar het parkeerterrein te komen, terwijl hij in een van hun eigen auto's zat.

Dus bleef alleen de Cadillac over. Net oud genoeg en met de juiste stijl. Lokale kentekenplaten, netjes, discreet, goed onderhou-

den, schoon en gepoetst. Zwart glas. Eigenlijk gewoon perfect. Daar hoefde je niet eens over na te denken. Hij zette zijn tas op de grond naast de wagen en kroop eronder en schoof op zijn rug tot hij met zijn hoofd onder de motor lag. Hij had een minuscule led-Maglite aan zijn sleutelbos. Hij wurmde hem uit zijn zak, schakelde hem in en ging op jacht. Bij auto's van deze generatie was aan het chassis een module gemonteerd voor het detecteren van een frontale botsing. Een eenvoudige snelheidsmeter met een functie in twee fasen. In het ergste geval zouden de airbags worden geactiveerd, maar in alle andere gevallen zouden de portieren worden ontgrendeld zodat omstanders de versufte bestuurder in veiligheid konden brengen. Een presentje voor autodieven over de hele wereld en daarom was het instrument nooit gedocumenteerd. Het was ook binnen de kortste keren vervangen door verfijndere systemen.
De module was een eenvoudig vierkant trommeltje van blik, klein, goedkoop, basaal, met een laag vastgekoekte modder eromheen, waar draadjes uit kwamen. Hij haalde zijn mes uit zijn zak en sloeg met het heft hard tegen de module. Er sprongen plakken vuil af, maar verder gebeurde er niets. Misschien had het vuil de kracht van de klap geabsorbeerd, dacht hij, dus liet hij het mes openspringen en krabde de voorkant van het trommeltje schoon. Hij sloot het mes weer en probeerde het opnieuw. Er gebeurde niets. Hij probeerde het een derde keer, zo hard dat hij zich zorgen maakte over het lawaai, *bang*, en dit keer werd de boodschap begrepen. Het beperkte elektronische brein van de Cadillac dacht dat er zojuist een paaltje was geraakt, niet hard genoeg om de airbags te activeren, maar wel ernstig genoeg om rekening te houden met eerstehulpverleners. Er klonken vier vage plopgeluiden boven het hoofd van de man van Mahmeini en de portieren werden ontgrendeld.
Technologie. Een schitterende uitvinding.
De man van Mahmeini krabbelde overeind en ging staan. Een paar tellen later lag zijn tas op de achterbank en zat hij zelf aan het stuur. De stoel was helemaal naar achteren geschoven. Genoeg beenruimte voor een reus. Nog meer bewijs, alsof hij dat nodig had, voor wat hij tegen de man van Rossi had gezegd, dat

alle Amerikaanse boerenkinkels gigantisch groot waren. Hij vond de juiste knop en liet de stoel naar voren zoeven, steeds verder, minstens dertig centimeter. Hij zette de rugleuning rechtop en ging aan het werk.

Met de punt van zijn mes forceerde hij het stuurslot. Daarna verwijderde hij de behuizing van de stuurkolom, stripte de draden die hij nodig had met zijn mes en tikte ze tegen elkaar. De motor startte en een belgeluid maakte hem erop attent dat hij zijn gordel om moest doen. Hij deed hem om, reed achteruit, keerde en wachtte in de smalle steeg die langs de lange zijgevel van het hotel liep, de motor zacht pruttelend, de verwarming al voelbaar. Hij pakte zijn telefoon en belde, doorverbonden via de centrale van het Courtyard Marriott, eerst de mannen van Safir, toen die van Rossi, en volgde in beide gevallen het script van Mahmeini tot op de letter, vertelde hun dat de plannen waren veranderd, dat het feestje vroeg zou beginnen, dat Asghar en hij meteen zouden vertrekken naar het noorden, en dat ze vijf minuten de tijd kregen om van hun luie kont te komen, en dat hij ze anders achter zou laten.

De SUV was een GMC Yukon, goud metallic van kleur, voorzien van een paar optiepakketten, en met beige leren interieur. Het was een mooi voertuig. De jongen die John heette, was er kennelijk trots op en Reacher begreep waarom. Hij keek met plezier uit naar de komende twaalf uur waarin hij er de bezitter van zou zijn, of hoe lang zijn bezigheden hier in Nebraska dan ook nog maar zouden duren.

Hij vroeg: 'Heb je een mobiel, John?'

De jongen aarzelde net even te lang en zei toen: 'Nee.'

Reacher zei: 'En het ging zo goed. Maar nu verknal je het. Natuurlijk heb je een mobiel. Je bent onderdeel van een organisatie. Je moest wachtlopen. En je bent nog geen dertig, wat betekent dat je waarschijnlijk bent geboren met een belbundel.'

De jongen zei: 'Je gaat met mij hetzelfde doen als met de anderen.'

'Wat heb ik gedaan?'

'Je hebt ze invalide gemaakt.'

'Wat waren ze van plan met mij te doen?'

Daar gaf de jongen geen antwoord op. Ze reden op de tweebaans, ten noorden van het motel, midden in het kale boerenland, en reden rustig door, niets te zien wat niet door de koplampen werd beschenen. Reacher zat half gedraaid op zijn stoel, zijn linkerhand op zijn knie, zijn rechterpols rustend op zijn linkeronderarm, de Glock comfortabel in zijn rechterhand.

Reacher zei: 'Geef me je mobiel, John.' Hij zag de ogen van de jongen bewegen, een flits van speculatie, de oogleden die heel even samenknepen. Genoeg waarschuwing. De jongen duwde zijn achterwerk omhoog van de stoel, haalde een hand van het stuur en groef in zijn broekzak. Hij haalde hem weer tevoorschijn met een telefoon, slank en zwart, als een reep chocola. Hij deed alsof hij hem aan Reacher wilde geven, maar liet hem uit zijn vingers glippen, probeerde hem nog te pakken, maar het toestel viel voor de voeten van Reacher.

'Shit,' zei hij. 'Sorry.'

Reacher glimlachte. 'Goed geprobeerd, John,' zei hij. 'Nu ga ik me bukken om hem op te rapen, toch? En dan sla jij een deuk in mijn achterhoofd met je rechtervuist, toch? Ik ben niet van gisteren, weet je?'

De jongen zei niets.

Reacher zei: 'Dus laten we hem, denk ik, maar liggen waar hij ligt. Als hij begint te rinkelen, mag de voicemail dat voor zijn rekening nemen.'

'Ik moest het proberen.'

'Zijn dat excuses? Je had me iets beloofd.'

'Je gaat me mijn benen breken en dan laat je me langs de kant van de weg liggen.'

'Dat is wel wat pessimistisch. Waarom zou ik ze allebei breken?'

'Het is niet grappig. Die vier die je te grazen hebt genomen, kunnen nooit meer werken.'

'Niet voor de Duncans, nee. Maar je kunt ook andere dingen doen in het leven. Waardevollere dingen.'

'Zoals wat?'

'Je zou stront kunnen gaan ruimen op een kippenboerderij. Je zou kunnen gaan tippelen in Tijuana. Samen met een ezel. Dat zou allebei beter zijn dan werken voor de Duncans.'

De jongen zei niets en reed verder.
Reacher vroeg: 'Hoeveel betalen de Duncans je?'
'Meer dan ik in Kentucky zou kunnen verdienen.'
'En wat moet je daar dan eigenlijk precies voor doen?'
'Gewoon rondhangen, meestal.'
Reacher vroeg: 'Wie zijn die Italianen met die lange jassen?'
'Dat weet ik niet.'
'Wat willen ze?'
'Dat weet ik niet.'
'Waar zijn ze nu?'
'Dat weet ik niet.'

Ze zaten in de blauwe Impala, ondertussen vijftien kilometer ten noorden van het Marriott. Roberto Cassano aan het stuur, Angelo Mancini naast hem. Cassano deed zijn best om de mannen van Safir in hun rode Ford bij te houden. Beide chauffeurs deden hun best om de mannen van Mahmeini niet uit het oog te verliezen. De grote zwarte Cadillac maakte echt vaart. Hij reed meer dan honderdtwintig kilometer per uur. Veel harder dan aangenaam was. Hij bonkte en rolde en zweefde. Een fraai gezicht. Angelo Mancini kon zijn ogen er niet van afhouden. Hij werd erdoor geobsedeerd.
Hij vroeg: 'Is dat een huurauto?'
Cassano was veel stiller. Hij was in beslag genomen door het rijden, zeker, hij concentreerde zich op die krankzinnige snelheid, absoluut, maar hij dacht ook na. Hij dacht diep na.
Hij zei: 'Ik denk niet dat dat een huurauto is.'
'Maar wat dan wel? Ik bedoel, hé, hebben die kerels in elke staat wagens klaarstaan? Gewoon, voor het geval dat? Hoe kan dat?'
'Ik weet het niet,' zei Cassano.
'Ik dacht eerst dat het misschien een limo zou zijn. Weet je wel, met chauffeur en zo. Maar dat is het niet. Want ik zag dat kleine stuk onbenul zelf rijden. Geen chauffeur. Ik ving maar een glimp van hem op, maar hij was het wel. Die ene, die jou een grote bek gaf.'
Cassano zei: 'Ik mocht hem niet.'
'Ik ook niet. En nu nog minder. Ze zijn veel groter dan wij. Veel

groter dan we dachten. Ik bedoel, hebben ze hun eigen auto's stand-by in elke staat? Ze komen aanvliegen met hun casino-vliegtuig en dan staat er een auto op ze te wachten, waar dan ook? Wat is dat voor iets?'
'Ik weet het niet,' zei Cassano opnieuw.
'Is dat een begrafenisauto? Zitten de Iraniërs tegenwoordig in de uitvaartbusiness? Dat zou kunnen, toch? Mahmeini belt de dichtstbijzijnde begrafenisondernemer en zegt, stuur eens een van je auto's.'
'Ik geloof niet dat de Iraniërs de uitvaartsector hebben overgenomen.'
'Maar wat dan wel? Ik bedoel, hoeveel staten zijn er? Vijftig, toch? Dan hebben ze in ieder geval vijftig wagens stand-by.'
'Zelfs Mahmeini kan niet in alle vijftig staten actief zijn.'
'Misschien niet in Alaska en op Hawaii. Maar kennelijk heeft hij auto's in Nebraska. Waar staat Nebraska ergens op de lijst eigenlijk?'
'Ik weet het niet,' zei Cassano weer.
'Oké,' zei Mancini. 'Je hebt gelijk. Het moet wel een huurauto zijn.'
'Ik zei dat het geen huurauto was,' zei Cassano. 'Onmogelijk. Het is geen nieuw model.'
'Het zijn zware tijden. Misschien verhuren ze nu ook wel oudere modellen.'
'Het is zelfs geen model van het afgelopen jaar. Of het jaar daarvoor. Die auto is bijna antiek. Dat is een bejaardenbak. Dat is de Cadillac van de opa van je buren.'
'Misschien hebben ze hier een verhuurbedrijf voor wrakken.'
'Waarom zou Mahmeini zich daarmee inlaten?'
'Maar wat is het dan wel?'
'Het maakt niet uit wat het is. Je ziet het grote geheel niet. Je snapt niet waar het om gaat.'
'En dat is?'
'Die auto stond al bij het hotel. We hebben er pal naast geparkeerd, weet je nog? Aan het einde van de middag, toen we terugkwamen. Die lui waren er al eerder dan wij. En weet je wat dat betekent? Dat betekent dat ze al onderweg waren voordat

Mahmeini werd gevraagd ze te sturen. Er is hier echt iets heel geks aan de hand.'

De goud metallic GMC Yukon sloeg links af, verliet de tweebaansweg die van zuid naar noord liep, en reed naar het westen, richting Wyoming, op een andere tweebaansweg die even recht en saai was als de eerste. Reacher stelde zich de tekenaars en ingenieurs van de vorige eeuw voor, die hard aan het werk waren, gebogen zaten over perkamenten kaarten en plattegronden met lange linialen en scherp gepunte potloden, wegen trokken, ploegen wegwerkers op pad stuurden en het binnenland ontsloten. Hij vroeg: 'Hoe ver nog, John?'

De jongen zei: 'We zijn dichtbij.' Dat was zoals altijd een rekkelijk begrip. Op sommige plaatsen betekent 'dichtbij' vijftig meter, of honderd. In Nebraska betekende het vijftien kilometer, vijftien minuten. Toen zag Reacher rechts van hem een groep zwakke lichten, kennelijk zomaar midden in het land. De SUV remde af, nam weer zo'n exact haakse afslag, en reed naar het noorden op een asfaltweg die er anders uitzag dan de standaardasfaltwegen in de county. Een particuliere toegangsweg die leidde naar wat eruitzag als een half afgebouwd of half gesloopt industrieel complex. Er lag een plaat beton zo groot als een voetbalveld, misschien een oud parkeerterrein, maar waarschijnlijk eerder de vloer van een fabriek die of nooit was afgebouwd, of later was gesloopt. Aan alle vier zijden werd het terrein omsloten door een hoge omheining, waar aan de bovenkant venijnig ogend scheermesdraad was aangebracht. Zo hier en daar waren op de palen van het hek lampen gemonteerd, die deden denken aan de tuinlampen achter een huis, en waarin waarschijnlijk doorsnee lampen van zestig of honderd watt zaten. Het hele enorme terrein was verlaten, afgezien van twee kleine grijze vrachtwagens op een belijnd gedeelte dat groot genoeg was voor drie van dergelijke vrachtwagens.

De toegangsweg waaierde uit naar een tweetal poorten voor arriverend en vertrekkend verkeer. Binnen het hek liep de weg verder naar een langwerpig, laag, bakstenen gebouw zonder verdieping met een kenmerkende stijl. Klassieke industriële architectuur

uit de jaren veertig. Het gebouw was bedoeld als een blok kantoren voor de fabriek waar het ooit naast had gestaan. De fabriek was vrijwel zeker een militair complex geweest. Laat de overheid in oorlogstijd kiezen waar te bouwen, en ze zoeken een plek midden op het continent, waar je niet bang hoeft te zijn voor vijandelijke bombardementen en chaos veroorzakende vijandelijke vliegtuigen en mogelijke invasies. In Nebraska en andere staten in het achterland wemelde het van dergelijke complexen. Die complexen die de mazzel hadden gehad te zijn betrokken bij fantasiescenario's van de Koude Oorlog waren misschien nog steeds in gebruik. Maar al die industriële complexen die waren opgetrokken om basisbenodigdheden te fabriceren, zoals laarzen, kogels en verbandmateriaal, waren al afgedankt nog voordat de inkt van de handtekeningen onder de wapenstilstand was opgedroogd.
De jongen die John heette, zei: 'Dit is het. We wonen in het kantoorgebouw.'
Het gebouw had een plat dak met een bakstenen borstwering, een lange rij identieke ramen, kleine ruitjes gevat in witgeverfde ijzeren spijlen. In het midden van de gevel was een onopvallende dubbele deur. Daarachter een hal met aan beide kanten zwakke lampen. Voor de deur begon een kort betonnen voetpad dat naar een leeg, rechthoekig terreintje voerde ter grootte van twee tennisvelden achter elkaar, met gebarsten plaveisel vol onkruid. Waarschijnlijk ooit de parkeerplaats voor leidinggevend personeel. In het gebouw brandde nergens licht. Het stond daar maar gewoon, volstrekt betekenisloos.
Reacher vroeg: 'Waar zijn de slaapkamers?'
John zei: 'Rechts.'
'En daar zijn jouw vriendjes nu?'
'Ja, alle vijf.'
'Met jou erbij, zes. Dat betekent zes benen breken. Kom op, we gaan aan de slag.'

38

Reacher liet de jongen uit de SUV klimmen zoals eerder, via het portier aan de passagierskant, onhandig en uit evenwicht en niet in staat tot een verrassingsaanval. Hij liep met de Glock achter hem aan, tuurde door het hek en vroeg: 'Waar zijn alle oogstmachines?'

De jongen zei: 'Ze zijn in Ohio, terug naar de fabriek, voor revisie. Het zijn specialistische machines, sommige al dertig jaar oud.'

'Waar zijn die twee grijze vrachtwagens voor?'

'Van alles en nog wat. Onderhoud, reparaties, banden, dat soort dingen.'

'Zouden het er drie moeten zijn?'

'Een is weg. Al een paar dagen.'

'Wat doet die?'

'Dat weet ik niet.'

Reacher vroeg: 'Wanneer komen de machines terug?'

De jongen zei: 'In het voorjaar.'

'Hoe is het hier aan het begin van de zomer?'

'Vrij druk. De eerste oogst luzerne is al vroeg. Van tevoren is er allerlei voorbereiding en naderhand zijn er allerlei reparaties. Een en al bedrijvigheid hier.'

'Vijf dagen per week?'

'Zeven meestal. We hebben het over twintigduizend hectare. Dat levert heel wat op.'

De jongen sloot het portier aan de passagierskant en deed een stap. Toen stond hij stil want Reacher stond stil. Reacher staarde vooruit naar de lege rechthoek voor het gebouw, het gebarsten plaveisel. De voormalige parkeerplaats voor leidinggevend personeel. Daar was niets te zien.

Reacher vroeg: 'Waar zet jij meestal je SUV neer, John?'

'Daarginds voor het gebouw, bij de deuren.'

'En waar parkeren je maatjes?'

'Ook daar.'

'Waar zijn ze nu dan?'

De nachtelijke stilte werkte plotseling beklemmend en de mond van de jongen ging een beetje open. Hij draaide zich om zijn as alsof hij verwachtte dat zijn vrienden zich achter zijn rug schuilhielden. Als een flauwe grap. Maar daar waren ze niet. Hij draaide zich weer om en zei: 'Dan zullen ze wel weg zijn. Iemand zal ze wel gebeld hebben.'

'Jij?' vroeg Reacher. 'Toen je mevrouw Duncan zag?'

'Nee, ik zweer het je. Ik heb niet gebeld. Controleer mijn telefoon maar.'

'Wie heeft ze dan gebeld?'

'Meneer Duncan, denk ik. Meneer Jacob, bedoel ik.'

'Waarom zou hij?'

'Dat weet ik niet. Officieel zou er vannacht niets gebeuren.'

'Hij heeft hen wel gebeld, maar jou niet?'

'Nee, hij heeft mij niet gebeld. Dat zweer ik. Controleer mijn telefoon maar. Hij zou mij bovendien sowieso niet bellen. Ik moest wachtlopen. Ik moest op mijn post blijven.'

'Wat is er aan de hand dan, John?'

'Dat weet ik niet.'

'Raad eens.'

'De dokter. Of zijn vrouw. Of allebei. Ze worden beschouwd als de zwakste schakel. Omdat hij drinkt. Misschien denken de Duncans dat zij informatie hebben.'

'Waarover?'

'Over jou natuurlijk. Over waar je bent, wat je doet en of je terugkomt. Daar zijn ze mee bezig.'

'En hebben ze vijf man nodig om vragen te stellen?'

'Indruk maken. Daar hebben ze ons voor. Een verrassingsoverval midden in de nacht kan mensen behoorlijk van hun stuk brengen.'

'Oké, John,' zei Reacher. 'Jij blijft hier.'

'Hier?'

'Ga naar bed.'

'Je gaat me niet te grazen nemen?'

'Je hebt jezelf al te grazen genomen. Je hebt geen enkel verzet geboden tegen een kleinere, oudere man. Je bent een lafaard. Dat weet je nu. Dat is voor mij net zoveel waard als een ontwrichte elleboog.'

'Jij hebt gemakkelijk praten. Jij hebt een pistool.'
Reacher stopte de Glock in de zak van zijn jas. Hij vouwde de flap eroverheen en ging met zijn armen breeduit staan, lege handen, handpalmen vooruit, vingers gespreid.
Hij zei: 'Nu niet. Dus toe maar, dikzak.'
De jongen bewoog niet.
'Toe dan,' zei Reacher. 'Laat maar eens zien wat je kunt.'
De jongen bewoog niet.
'Je bent een lafaard,' zei Reacher opnieuw. 'Gewoon zielig. Je bent een grote lul. Je bent een waardeloze zak stront van honderddertig kilo. En je bent nog lelijk ook.'
De jongen zei niets.
'Laatste kans,' zei Reacher. 'Om te bewijzen dat je een held bent.'
De jongen liep met gebogen hoofd en afzakkende schouders, in de richting van het donkere gebouw. Na vijf meter bleef hij staan en keek om. Reacher liep achter de Yukon langs naar het portier aan de bestuurderskant. Hij stapte in. De stoel stond te ver naar achteren. De jongen was een gigant. Maar Reacher was niet van plan om de stoel naar voren te schuiven waar de jongen bij was. Stomme, misplaatste mannelijke trots, die ergens achter in zijn hersens zetelde. Hij startte de motor en keerde en reed weg en schoof al rijdend zijn stoel naar voren.

De Yukon reed goed, maar de remmen waren een beetje zacht. Waarschijnlijk het gevolg van die noodstop, bij het oude wegrestaurant. Vijf jaar slijtage, in een fractie van een seconde. Het kon Reacher niet schelen. Hij remde niet zoveel. Hij reed hard, concentreerde zich op nog meer snelheid, niet op minder. Dertig kilometer was een heel eind door het donkere lege akkerland. Onderweg zag hij niets. Geen lichten, geen andere voertuigen. Geen enkel teken van leven. Hij draaide weer de tweebaansweg op in de richting van het motel en reed er vijf minuten later langs. Alles was er donker en gesloten. Geen blauw tl-licht. Geen activiteit. Geen auto's, behalve de vernielde Subaru. Hij stond er nog steeds, bedekt met dauw, laag op langzaam leeglopende banden, droevig en onbeweeglijk, als het wrak van een auto-ongeluk op de weg. Reacher snelde er langs. Hij sloeg rechts af en links af en

weer rechts af, tussen de donkere, lege akkers door naar de eenvoudige boerderij met het houten hek en het vlakke, onbewerkte erf.
Er brandde licht in het huis. Heel veel. Het straalde als een cruiseschip, midden in de nacht, op de open oceaan. Maar er was geen enkel teken van commotie. Er stonden geen auto's op de oprit. Geen pick-ups, geen SUV's. Er doemden geen reusachtige gestalten op uit de schaduwen. Er klonk geen geluid. Er bewoog niets. Niets. De voordeur was gesloten. De ramen waren intact.
Reacher draaide het erf op, parkeerde op de oprit en liep naar de voordeur. Hij ging recht voor het kijkgaatje staan en belde aan. Het duurde een volle minuut. Toen werd het kijkgaatje eerst donker en daarna weer licht. Sloten en kettingen rammelden en de dokter deed de deur open. Hij zag er vermoeid, afgeleefd en zorgelijk uit. Zijn vrouw stond achter hem in de hal, in het heldere licht, met de telefoon aan haar oor. De telefoon was van het ouderwetse soort, een groot zwart toestel op een tafeltje, met een kiesschijf en een krullend snoer. De vrouw van de dokter praatte niet. Ze luisterde, concentreerde zich, terwijl haar ogen zich even vernauwden en toen weer wijd opengingen.
De dokter zei: 'Je bent teruggekomen.'
Reacher zei: 'Ja.'
'Waarom?'
'Alles goed? Ze hebben de Cornhuskers losgelaten.'
'Dat weten we,' zei de dokter. 'Dat hebben we net gehoord. We zitten op dit moment aan de telefoonpiramide.'
'Ze zijn hier niet geweest?'
'Nog niet.'
'Waar zijn ze nu dan?'
'Dat is niet duidelijk.'
Reacher vroeg: 'Mag ik binnenkomen?'
'Natuurlijk,' zei de dokter. 'Sorry.' Hij stapte achteruit en Reacher liep naar binnen. Het was warm in de hal. In het hele huis was het warm, maar het huis voelde kleiner aan dan eerder, meer als een wanhopig klein fort. De dokter sloot de deur, draaide twee sleutels om en deed de ketting er weer op. Hij zei: 'Heb je de dossiers bij de politie gezien?'

Reacher zei: 'Ja.'
'En?'
'Ze zijn niet afdoende,' zei Reacher. Hij liep naar de keuken. Hij hoorde de vrouw van de dokter zeggen: 'Wat?' Ze klonk verbaasd. Misschien wel een beetje geschokt. Hij wierp een blik in haar richting. De dokter wierp ook een blik in haar richting. Ze zei verder niets meer. Luisterde alleen, bewoog haar ogen, maakte in gedachten aantekeningen. De dokter liep achter Reacher aan de keuken in.
'Wil je koffie?' vroeg hij.
Ik ben niet dronken, bedoelde hij.
Reacher zei: 'Lekker, sloten vol.'
De dokter ging in de weer met het koffiezetapparaat. In de keuken was het nog warmer dan in de hal. Reacher trok zijn jas uit en hing hem over de leuning van een stoel.
De dokter vroeg: 'Hoe bedoel je, niet afdoende?'
Reacher zei: 'Ik bedoel dat ik wel een verhaal kan verzinnen over dat de Duncans het hebben gedaan, maar er is geen bewijs voor en niet tegen.'
'Kun je bewijzen vinden? Ben je daarom teruggekomen?'
Reacher zei: 'Ik ben teruggekomen omdat die twee Italianen die achter mij aan zaten, lijken samen te spannen met een regelrecht VN-leger van andere kerels. En niet bepaald een vredesmacht. Ik denk dat ze allemaal deze kant op komen. Ik wil weten waarom.'
'Trots,' zei de dokter. 'Jij hebt de Duncans voor schut gezet en dat pikken ze niet. Hun eigen jongens kunnen jou niet aan, dus hebben ze versterkingen ingehuurd.'
'Dat snijdt geen hout. Die Italianen waren hier eerder dan ik. Dat weet je. Je hebt gehoord wat Eleanor Duncan zei. Er moet dus een andere reden zijn. Ze hebben op de een of andere manier mot met de Duncans.'
'Maar waarom zouden ze dan de Duncans helpen in hun ruzie met jou?'
'Dat weet ik niet.'
'Hoeveel man komen eraan?'
Uit de hal antwoordde zijn vrouw: 'Vijf.' Ze had de hoorn op de haak gelegd. Ze kwam de keuken in en zei: 'En ze komen niet,

ze zijn er al. Dat was het bericht in de telefoonpiramide. De Italianen zijn terug. Met nog drie anderen. Drie auto's in totaal. De Italianen in hun blauwe Chevy, twee mannen in een rode Ford, en één man in een zwarte auto, en iedereen zweert dat het de Cadillac is van Seth Duncan.'

39

Reacher schonk zichzelf een kop koffie in, dacht even na en zei toen: 'Ik heb de Cadillac van Seth Duncan bij het Marriott laten staan.'
De vrouw van de dokter vroeg: 'Hoe ben je hier dan gekomen?'
'Ik heb een Chevy Malibu afgepakt van een van de slechteriken.'
'Dat ding dat op de oprit staat?'
'Nee, dat is een GMC Yukon die ik heb buitgemaakt op een football-speler.'
'Wat is er dan met de Cadillac gebeurd?'
'Ik heb iemands bewegingsvrijheid beperkt. Ik heb zijn auto gestolen en ik denk dat hij toen de mijne heeft gestolen. Waarschijnlijk niet opzettelijk om terug te slaan. Waarschijnlijk gewoon toeval, omdat er nu eenmaal niet veel te kiezen viel daar. Hij wilde natuurlijk geen verrotte pick-up, en hij wilde ook niet iets met allerlei ingebouwde beveiliging. Daar zat de Cadillac mooi tussenin. Waarschijnlijk als enige auto. Maar misschien is hij ook wel gewoon heel lui en had hij geen zin om lang te zoeken. De Cadillac stond er al. We zaten allemaal in hetzelfde hotel.'
'Heb je die kerels gezien?'
'De Italianen niet. Maar die andere vier wel.'
'Dat is zes bij elkaar opgeteld, niet vijf. Waar is die laatste?'
'Ik kan je één ding met zekerheid vertellen,' zei Reacher. 'De man die de Cadillac heeft gejat, heeft zijn tas op de achterbank gezet, niet in de kofferbak.'
'Hoe weet je dat?'

‘Omdat de zesde man daar ligt. In de kofferbak. Daar heb ik hem neergelegd.’
‘Heeft hij daar wel lucht?’
‘Hij heeft geen lucht nodig. Niet meer.’
‘Jezus. Wat is er gebeurd?’
Reacher zei: ‘Wat ze allemaal ook nog van plan zijn, ik denk dat ze wel eerst hier zullen komen om met mij af te rekenen. Als een soort secundaire kwestie. Een soort vervolgactie. Ik weet niet waarom, maar dat is de enige manier waarop ik het kan verklaren. Volgens mij zijn ze vanavond bij elkaar gekomen in het Marriott. Toen hebben de Italianen de missie aangekondigd en de anderen een beschrijving gegeven. Waarschijnlijk vaag en in ieder geval uit de tweede hand, want ze hebben mij nog nooit gezien. Vervolgens ben ik een van hen tegen het lijf gelopen in de lobby van het hotel. Hij keek naar me, alsof hij zich afvroeg: Is dat hem? Zou dat hem kunnen zijn? Zou het? Ik kon hem zien denken. We liepen samen naar buiten. Toen stak hij zijn hand in zijn zak en heb ik hem een klap gegeven. Heb je wel eens gehoord van *commotio cordis*?’
‘Thoraxtrauma,’ zei de dokter. ‘Veroorzaakt een dodelijke hartritmestoornis.’
‘Ooit van dichtbij gezien?’
‘Nee.’
‘Dat had ik ook niet. Maar ik kan je vertellen dat het echt werkt.’
‘Wat had hij in zijn zak?’
‘Een mes en een pistool en een ID-kaart uit Vegas.’
‘Vegas?’ zei de dokter. ‘Hebben de Duncans gokschulden? Gaat het daarover?’
‘Misschien,’ zei Reacher. ‘Het lijdt geen twijfel dat de Duncans al een hele tijd boven hun stand leven. Ze halen ergens extra inkomsten vandaan.’
‘Hoezo? Ze hebben hier dertig jaar lang veertig boerderijen uitgezogen. En een motel. Dat is een heleboel geld.’
‘Nee, dat is het niet,’ zei Reacher. ‘Niet echt. Dit is niet het rijkste gebied ter wereld. Ook al zouden ze zich de helft van wat iedereen verdient toe-eigenen, dan zouden ze er nog geen pot van kunnen kopen om in te pissen. Ondertussen leeft Seth als een

vorst en betalen ze tien football-spelers om alleen maar wat rond te hangen. Dat is allemaal godsonmogelijk met alleen maar de inkomsten uit een bedrijf met seizoenswerk.'
De vrouw van de dokter zei: 'Laten we ons daar later maar zorgen over maken. Op dit moment lopen de Cornhuskers vrij rond en we weten niet waar en waarom. Dat is vannacht belangrijk. Misschien komt Dorothy Coe hiernaartoe.'
'Hierheen?' vroeg Reacher. 'Nu?'
De dokter zei: 'Zo gaat het soms. Vooral met de vrouwen. Ze steunen elkaar. Een soort zusterschap. Wie zich het meest kwetsbaar voelt, zoekt iemand anders op.'
Zijn vrouw zei: 'En dat zijn altijd Dorothy en ik, soms ook anderen, afhankelijk van waarom er paniek uitbreekt.'
'Een slecht idee,' zei Reacher. 'Tactisch gezien, bedoel ik. Dan hebben ze maar één doelwit, in plaats van meerdere.'
'De kracht van getallen. Het werkt. Soms hebben die jongens daar last van. Ze hebben liever geen getuigen in de buurt, vooral niet als ze achter vrouwen aan worden gestuurd.'
Ze schonken nieuwe koffie in en wachtten in de eetkamer, van waaruit je de weg kon overzien. De weg was donker. Er bewoog helemaal niets. Hij was niet eens te onderscheiden van de rest van het nachtlandschap. Ze zaten een tijdje stil bij elkaar, op hoge rechte stoelen, het licht uit om buiten meer te kunnen zien. Toen zei de dokter: 'Vertel eens over de dossiers.'
'Ik heb een foto gezien,' zei Reacher. 'Het kind van Dorothy was Aziatisch.'
'Vietnamees,' zei de vrouw van de dokter. 'Artie Coe heeft daar gevochten. Het heeft iets in hem losgemaakt, denk ik. Toen die toestand met de bootvluchtelingen begon, hebben ze zich gemeld voor een adoptiekind.'
'Zijn er veel mensen van hier in Vietnam geweest?'
'Een behoorlijk aantal.'
'De Duncans ook?'
'Volgens mij niet. Ze konden niet gemist worden bij het werk.'
'Dat gold ook voor Arthur Coe.'
'Zoveel hoofden, zoveel zinnen.'
'Wie was voorzitter van de lokale raad voor de dienstplicht?'

'Hun vader. De oude Duncan.'
'Dus de jongens bleven niet boeren om hem een plezier te doen. Dat deden ze om buiten de oorlog te blijven.'
'Ik denk het.'
'Goed om te weten,' zei Reacher. 'Het zijn nog lafaards ook, los van al het andere.'
De dokter zei: 'Vertel eens over het onderzoek.'
'Lang verhaal,' zei Reacher. 'Er waren elf dozen met papier.'
'En?'
'Er waren problemen bij het onderzoek,' zei Reacher.
'Problemen?'
'Om te beginnen was er een kwestie van perspectief, al het andere waren detailkwesties. De rechercheur die de leiding had, was een man die Carson heette. In twaalf uur tijd maakte hij een kleine aardverschuiving mee. Het begon als een ongecompliceerde vermissing en veranderde heel langzaam in een potentiële moordzaak. En Carson bekeek de eerste fase van het onderzoek niet in het licht van de dingen die in een latere fase van het onderzoek boven water kwamen. Die eerste avond liet hij de mensen zelf hun bijgebouwen en schuren controleren. Alleszins redelijk, omdat het om een vermist kind ging. Maar hij heeft al die schuren later nooit zelf doorzocht, met uitzondering van een schuur van een bejaard stel, dat zelf niet had gekeken. Verder sprak iedereen voor zichzelf. In feite zeiden ze allemaal "Nee, meneer, het kind is hier niet, en ze is hier ook niet geweest. Echt waar." Op een bepaald moment had Carson opnieuw moeten beginnen en iedereen als een mogelijke verdachte moeten beschouwen. Maar dat heeft hij niet gedaan. Hij heeft zich alleen op de Duncans geconcentreerd op basis van ontvangen informatie. En bij de Duncans werd niets gevonden.'
'Denk je dat het iemand anders is geweest?'
'Het kan iedereen wel zijn geweest, iemand op doorreis. En als het dat niet was, kan het wel iedereen zijn geweest die hier woont. Misschien met uitzondering van Arthur en Dorothy Coe zelf, maar dan blijven er nog negenendertig boerderijen over. Negenendertig mogelijkheden.'

De vrouw van de dokter zei: 'Ik denk dat de Duncans het hebben gedaan.'
'Drie verschillende overheidsinstanties zijn het niet met je eens.'
'Die zaten er misschien wel naast.'
Reacher knikte in het donker, een hoofdknik die niemand zag. 'Dat zou kunnen,' zei hij. 'Het is goed mogelijk dat er qua perspectief nog een tweede fout is gemaakt. Of in ieder geval ontbrak het aan verbeeldingskracht. Het is duidelijk dat de Duncans niet van hun erf zijn geweest en het is ook duidelijk dat het kind daar niet is geweest. Er zijn betrouwbare getuigen voor beide feiten. Vier jongens die een hek aan het timmeren waren. De techniek leverde ook niets op. Maar de Duncans kunnen best een handlanger hebben gehad. Een vijfde man in wezen. Die kan het kind hebben opgepikt en ergens hebben ondergebracht. Carson is zelfs nooit op het idee gekomen. Hij heeft nooit onderzoek gedaan naar bekenden en vrienden. En dat had hij wel moeten doen, waarschijnlijk. Je wacht vijf jaar met het bouwen van een hek en dan doe je het toevallig precies op de dag dat een kind verdwijnt? Dat kan een in elkaar gedraaid alibi zijn. Carson had daar op zijn minst vraagtekens bij moeten zetten. Dat zou ik wel hebben gedaan. Zeker weten.'
'Wie zou die vijfde man moeten zijn geweest?'
'Wie dan ook,' zei Reacher. 'Misschien een vriend. Of een van hun chauffeurs. Het is duidelijk dat er een voertuig bij betrokken moet zijn geweest, want waarom is anders haar fiets nooit teruggevonden?'
'Ik heb altijd lopen piekeren over die fiets.'
'Hadden ze een huisvriend? Heb je er ooit een gezien toen je moest oppassen?'
'Ik heb wel een paar mensen gezien, denk ik.'
'Iemand die heel dicht bij hen stond? Het moet wel een heel hechte vriendschap zijn geweest. Gedeelde interesses, gedeelde passie, absoluut vertrouwen. Iemand die zich interesseerde voor dezelfde dingen waarin zij geïnteresseerd waren.'
'Een man?'
'Vrijwel zeker. Net zo'n soort griezel.'
'Ik weet het niet zo. Ik kan het me niet herinneren. Waar zou hij haar naartoe hebben gebracht?'

'Kan overal zijn geweest, in principe. Dat was een andere grote fout. Carson heeft nooit ergens anders gekeken dan op het erf van de Duncans. Het was gewoon stom bijvoorbeeld om niet op het terrein van Duncans Transportation te zoeken. Nu denk ik dat dat niet echt een groot probleem was, omdat het daar aan het begin van de zomer kennelijk heel druk is, zeven dagen per week. Iets met luzerne, wat dat dan ook mag zijn. Niemand zou een ontvoerd kind meenemen naar een plek waar talloze getuigen rondlopen. Maar er is wel een andere plek waar Carson absoluut had moeten zoeken. En dat heeft hij niet gedaan. Hij heeft die plek volkomen genegeerd. Misschien wel onnozelheid, misschien ook wel vanwege de chaos.'

'Welke plek is dat?'

Maar Reacher kreeg geen kans om te antwoorden, want op dat moment lichtte het raam fel op en vulde de kamer zich met bewegende lichten en schaduwen. Licht en donker gleden over de wanden, het plafond, hun gezichten, afwisselend spierwit en dan weer inktzwart.

Het schijnsel van koplampen, met een stroboscopisch effect door de spijlen van het hek.

Een auto die snel hun kant op kwam.

40

Het was Dorothy Coe, die kwam aanrijden vanuit het oosten, in haar rammelende pick-up. Reacher wist het in een fractie van een seconde nadat hij haar koplampen had gezien. Hij hoorde haar uitlaat met zijn gaten knallen alsof ze op een motor reed. Alsof het een Harley Davidson was die optrok bij een stoplicht. Ze kwam met grote vaart aanrijden, remde toen hard en bleef op een afstandje van het huis stilstaan. Ze had de goudkleurige Yukon op de oprit gezien. Waarschijnlijk had ze hem herkend. Van een van de Cornhuskers. Waarschijnlijk had ze hem maar al te vaak gezien. De vrouw van de dokter liep naar de hal, haalde de ketting van de deur, draaide de sloten open, opende de voordeur en wuifde. Dorothy Coe verroerde geen vin. Vijfentwintig jaar behoedzaamheid. Ze dacht dat het een truc of een afleidingsmanoeuvre kon zijn. Reacher ging naast de vrouw van de dokter op de drempel staan. Hij wees naar de Yukon en toen naar zichzelf. Grote gebaren, alsof hij met vlaggen moest seinen. *Mijn SUV*. Dorothy Coe reed verder en draaide de oprit op. Ze zette de motor af, stapte uit en liep naar de deur. Ze had een wollen muts diep over haar oren getrokken en ze droeg een gewatteerde jas die openstond, met daaronder een grijze jurk. Ze vroeg: 'Zijn de Cornhuskers hier geweest?'

De vrouw van de dokter zei: 'Nog niet.'

'Wat willen ze, denk je?'

'Dat weten we niet.'

Ze stapten naar binnen. De dokter deed de deur op slot, de ketting erop en ze liepen met z'n vieren naar de eetkamer. Dorothy Coe trok haar jas uit, omdat het warm was binnen. Ze zaten op een rij naast elkaar en keken naar het raam alsof het een filmdoek was. Dorothy Coe zat naast Reacher en hij vroeg haar: 'Ze zijn niet bij jou geweest?'

Ze zei: 'Nee. Maar meneer Vincent zag er een die langs het motel reed. Ongeveer een kwartier geleden. Hij stond uit het raam te kijken.'

Reacher zei: 'Dat was ik. Ik ben er langsgekomen in de SUV die ik een Cornhusker afhandig heb gemaakt. Er zijn er nu nog maar vijf.'

'Oké, ik begrijp het, maar daar maak ik me ook een beetje zorgen over.'

'Waarom?'

'Je zou toch verwachten dat iemand van ons wel een van hen zou hebben gezien zo langzamerhand, ergens rondzwervend. Maar niemand heeft ze gezien. Wat betekent dat ze zich niet verspreid hebben, maar allemaal bij elkaar zitten. Ze zijn als een roedel op jacht.'

'Op zoek naar mij?'

'Misschien.'

'Dan wil ik ze niet hiernaartoe lokken. Wil je dat ik wegga?'

'Misschien,' zei Dorothy.
'Ja,' zei de dokter.
'Nee,' zei zijn vrouw.
Impasse. Geen besluit. Ze keerden zich allemaal weer naar het raam en keken naar de weg. Die bleef donker. Het wolkendek werd iets lichter. Er schemerde een vaag maanlicht door. Het was bijna één uur 's nachts.

Het motel was gesloten voor de nacht, maar Vincent was nog in de lobby. Hij keek nog steeds uit het raam. Hij had de goudkleurige Yukon langs zien rijden. Hij had hem herkend. Hij had hem eerder gezien, talloze malen. Hij was van een jongeman die John heette. Een uiterst onplezierige persoon. Een pestkop, zelfs gemeten binnen de normen van de Duncans. Hij had Vincent ooit eens gedwongen op zijn knieën te smeken om niet geslagen te worden. Smeken als een hond, met opgehouden slaphangende handen, smekend en jammerend, vijf hele minuten lang.
Vincent had aan de telefoonpiramide gerapporteerd dat hij de Yukon had gezien, en daarna was hij weer naar het raam gelopen om nog een tijdje naar buiten te kijken. Er was een kwartier voorbijgegaan zonder dat er iets was gebeurd. Toen zag hij de vijf man over wie iedereen het had. Hun merkwaardige kleine konvooi reed zijn parkeerterrein op. De blauwe Chevrolet, de rode Ford en de zwarte Cadillac van Seth Duncan. Hij had via de telefoonpiramide vernomen dat iemand anders nu in de auto van Seth reed. Niemand wist hoe dat zo gekomen was en waarom. Toen zag hij hem. Een klein mannetje liet zich van de bestuurdersstoel glijden, verfomfaaid en ongeschoren, een buitenlander die leek op de mensen uit het Midden-Oosten die Vincent op het nieuws had gezien. Vervolgens klommen de twee mannen die hem een pak slaag hadden gegeven uit de Chevrolet. Daarna stapten er nog twee uit de Ford, grote mannen, zwaar, met een donkere huid. Ook buitenlanders. Ze stonden met z'n allen bij elkaar in het schemerdonker.
Vincent dacht niet onmiddellijk dat die vijf daar voor hem waren gekomen. Er konden net zo goed andere redenen zijn. Zijn motel was de enige pleisterplaats in de wijde omgeving. Er stop-

ten heel veel automobilisten: voorbijgangers die op hun kaart wilden kijken, die een jas uit wilden trekken, iets uit de kofferbak wilden halen, of gewoon de benen even wilden strekken. Het was weliswaar privéterrein, en ook als zodanig geregistreerd, maar het werd gebruikt als een publieke ruimte, als een doorsnee parkeerplaats langs de weg.

Hij keek. De vijf mannen praatten met elkaar. Zijn ramen waren doodgewone standaardramen, door zijn ouders uitgekozen in 1969. Aan de binnenkant zat een hor, ze gingen naar buiten toe open met kleine hendeltjes die je rond moest draaien. Vincent overwoog het raam waarbij hij stond te openen. Op een kiertje. Dat was bijna een plicht. Dan zou hij kunnen horen wat de vijf mannen zeiden. Misschien zou het waardevolle informatie opleveren voor de telefoonpiramide. Iedereen werd verwacht een bijdrage te leveren. Zo werkte het systeem. Dus begon hij aan het hendeltje te draaien, langzaam, steeds een klein beetje. Eerst ging het gemakkelijk. Daarna zwaar. Het raam zat vastgeplakt aan de tochtstrip door verf en vuil en was jaren niet gebruikt. Met duim en vinger probeerde hij er wat druk op uit te oefenen. Hij wilde het raam rustig los laten komen. Hij wilde niet dat het een luid plastic geluid zou veroorzaken. De vijf mannen stonden nog steeds te praten, of eigenlijk was alleen de man van de Cadillac aan het woord en stonden de anderen te luisteren.

De man van Mahmeini zei: 'Ik heb mijn partner twee kilometer terug afgezet. Hij gaat achter de linies werken. Op die manier heb ik meer aan hem. Tangbewegingen werken altijd het beste.'

Roberto Cassano vroeg: 'Stemt hij wat hij gaat doen af op wat wij doen?'

'Natuurlijk doet hij dat. Wat dacht je anders? We zijn een team, toch?'

'Je had hem hier moeten houden. We moeten eerst een plan maken.'

'Hiervoor? Hier hoeven we geen plan voor te maken. We hoeven alleen maar iemand uit zijn schuilplaats te halen. Zo moeilijk is dat toch niet? Je hebt zelf gezegd dat de locals helpen.'

'Die slapen allemaal.'

‘Dan maken we ze wakker. Met een beetje mazzel zijn we voor de ochtend klaar.’
‘En wat dan?’
‘Dan gaan we de rest van de dag de Duncans een beetje onder druk zetten. We zitten allemaal om die vracht verlegen en nu we hier toch allemaal naartoe zijn gekomen, kunnen we de dag net zo goed besteden aan iets nuttigs.’
‘Oké, waar beginnen we?’
‘Zeg het maar. Jij bent hier al langer.’
‘De dokter,’ zei Cassano. ‘Dat is de zwakste schakel.’
De man van Mahmeini zei: ‘Goed, waar is die dokter?’
‘Van hieruit naar het zuidwesten.’
‘Oké, ga maar met hem praten. Dan ga ik ergens anders zoeken.’
‘Waarom?’
‘Als jij weet dat hij de zwakste schakel is, dan weet die Reacher dat ook. Ik durf er mijn kop onder te verwedden dat hij daar niet zit. Dus ga jij je tijd maar verspillen, dan doe ik het werk wel.’

Vincent gaf zijn pogingen op om het raam op een kier te zetten. Hij zag in dat het hem niet zou lukken om het open te krijgen zonder een scheurend geluid, en het leek hem geen goed idee om op dat moment op te vallen. Bovendien was het overleg op zijn parkeerterrein kennelijk afgelopen. De kleine verfomfaaide man gleed weer in Seth Duncans Cadillac en de grote zwarte wagen maakte knarsend een ruime bocht op het grind. De stralenbundels van de koplampen zwiepten over het raam waarachter Vincent stond. Hij dook net op tijd weg. De Cadillac draaide de tweebaansweg op en reed weg naar het zuiden.
De andere vier bleven staan waar ze stonden. Ze keken de Cadillac na tot de achterlichten niet meer te zien waren, toen keerden ze zich weer naar elkaar en begonnen opnieuw te overleggen, twee aan twee tegenover elkaar, om de een of andere merkwaardige reden stuk voor stuk met de rechterhand in de rechterjaszak, een viervoudige symmetrie, als een formele opstelling.

Roberto Cassano keek de Cadillac na en zei: ‘Hij heeft geen partner. Er werkt niemand achter de linies. Welke linies? Allemaal gelul.’

De man van Safir zei: 'Natuurlijk heeft hij een partner. We hebben hem allemaal gezien, in jouw hotelkamer.'
'Hij is vertrokken. Ervandoor. Hij heeft de auto meegenomen die ze hadden gehuurd. Die knaap opereert nu in zijn eentje. Hij heeft die Cadillac gestolen op de parkeerplaats. Daar hebben we hem eerder zien staan.'
Geen reactie.
Cassano zei: 'Tenzij een van jullie daarachter zit. Of jullie allebei.'
'Wat bedoel je?'
'We zijn stuk voor stuk volwassen,' zei Cassano. 'We weten hoe het eraan toegaat in de wereld. Laten we dus niet net doen alsof we dat niet weten. Mahmeini heeft zijn mannen de opdracht gegeven om ons uit de weg te ruimen. Safir heeft jullie opdracht gegeven ons uit de weg te ruimen en Rossi heeft verdomd zeker weten ons opdracht gegeven om jullie uit de weg te ruimen. Ik speel open kaart. Mahmeini en Safir en Rossi zijn allemaal één pot nat. Ze willen allemaal de hele taart voor zichzelf alleen. Dat weten we allemaal.'
De man van Safir zei: 'Wij hebben niets gedaan. We dachten dat jullie het hadden gedaan. We hebben er de hele weg hiernaartoe over zitten praten. Het was meteen duidelijk dat die Cadillac geen gehuurde auto is.'
'Wij hebben die vent niets gedaan. We waren van plan te wachten tot later.'
'Wij ook.'
'Zeker weten?'
'Ja.'
'Zweer je dat?'
'Jij eerst.'
Cassano zei: 'Op het graf van mijn moeder.'
De man van Safir zei: 'Ook op dat van de mijne. Wat is er wel gebeurd dan?'
'Hij is ervandoor. Moet wel. Misschien kreeg hij het benauwd. Of heeft hij te weinig discipline. Misschien is Mahmeini niet helemaal wat wij denken dat hij is. Dat zou mogelijkheden bieden.'
Niemand reageerde.

Cassano zei: 'Volgens mij moeten we hier stemmen, denk je ook niet? Met z'n vieren. We kunnen met die andere jongen van Mahmeini afrekenen en elkaar met rust laten. Op die manier krijgen Safir en Rossi allebei vijftig procent meer taart. Daar zijn ze wel tevreden mee. En wij zeker.'
'Als een wapenstilstand?'
'Een wapenstilstand is tijdelijk. Noem het maar een alliantie. Die zijn permanent.'
Niemand reageerde. De mannen van Safir keken elkaar aan. Niet zo moeilijk. Een oorlog met twee fronten of een oorlog met één front? De geschiedenis had aan de lopende band mensen opgeleverd die zo slim waren geweest om voor het laatste te kiezen.

Vincent keek nog steeds naar buiten. Hij zag het gesprek voortkabbelen, op lage toon, zag de spanning oplopen, toen weer ontspanning optreden, meer relaxte lichaamstaal, speculerende blikken, voorzichtige glimlachjes. Uiteindelijk haalden ze alle vier hun hand uit de zak om hun afspraak te bekrachtigen, kruislings handen te schudden, elkaar op de schouder te kloppen, een tikje op de rug. Vier nieuwe vrienden die het ineens reuzegoed met elkaar konden vinden.
Er werd daarna nog even verder overlegd, haastig en snel, alsof voor de hand liggende acties werden gepland en bevestigd. Er werden nog meer schouderklopjes uitgedeeld en vriendelijke tikjes op de rug, iedereen kwam in beweging en nam afscheid van de anderen met een 'tot later'. De twee grote, donkergekleurde, mannen stapten weer in hun rode Ford. Ze klapten de portieren dicht en maakten aanstalten om te vertrekken toen de Italiaan die steeds aan het woord was geweest zich plotseling iets herinnerde, zich omkeerde en bij de bestuurder op het glas klopte.
Het raampje ging open.
De Italiaan had een pistool in zijn hand.
De Italiaan boog naar binnen en er waren twee heldere flitsen te zien, de ene onmiddellijk na de andere, als twee oranje flitsen van een camera in die auto, achter het glas; alle zes ramen lichtten op, begeleid door twee luide knallen, en na een korte pauze, nog

eens twee oranje flitsen, nog eens twee luide knallen, direct na elkaar, nauwkeurig geplaatst.
Toen stapte de Italiaan achteruit en zag Vincent de twee donkergekleurde mannen onderuitgezakt op hun stoel, plotseling op de een of andere manier veel kleiner, leeggelopen, gedegradeerd, besmeurd met donkere troep, het hoofd voorover geknakt op de borst, vreemd vervormd en gedeeltelijk zelfs niet meer compleet. Vincent zakte in elkaar onder de vensterbank van het raam en kokhalsde. Hij krabbelde overeind en rende naar de telefoon.

Angelo Mancini opende de kofferbak van de rode Ford en trof er twee nylon koffers op wieltjes in aan, wat min of meer een persoonlijke theorie bevestigde. Echte mannen droegen hun koffers. Ze reden ze niet rond op wieltjes zoals vrouwen. Hij ritste een van de koffers open, rommelde door de inhoud en viste er een serie overhemden op klerenhangers van draadstaal uit. Hij pakte er een beet, scheurde het overhemd van de hanger en boog de hanger plat. Hij draaide de dop van de benzinetank van de Ford en gebruikte de hanger als pook om het overhemd in de tankhals te proppen. Eerst een mouw, toen de rest van het overhemd bij elkaar gepropt. Hij liet de andere mouw er als een lont uit hangen. Hij stak de boord van die mouw aan met een papieren lucifer uit een boekje dat hij had meegenomen uit de diner bij het Marriott. Toen liep hij weg, ging op de passagiersstoel van de blauwe Chevrolet zitten en liet zich door Roberto Cassano wegrijden.

De weg voor het houten hek buiten het eetkamerraam bleef donker. De dokter stond op, liep de kamer uit en kwam even later terug met vier bekers verse koffie op een dienblad. Zijn vrouw bleef roerloos zitten. Naast haar zat Dorothy Coe doodstil. Het zusterschap, dat volhardend wachtte tot het voorbij zou zijn. Niet meer dan één lange nacht van de negenduizend lange nachten van de afgelopen vijfentwintig jaar, de meeste ogenschijnlijk vredig, maar sommige niet. Negenduizend zonsondergangen die stuk voor stuk onzekere nachten hadden aangekondigd.
Reacher wachtte ook. Hij wist dat Dorothy hem wilde vragen wat hij in de dossiers had gevonden. Maar ze had tijd nodig om

genoeg moed bij elkaar te schrapen en dat vond hij best. Hij was niet van plan er plompverloren over te beginnen. Hij had redelijk wat van andermans ellende meegemaakt, allemaal even erg, en moeilijk, maar wat hem betrof was er niets ergers dan wat de Coe's hadden moeten meemaken. Helemaal niets. Dus wachtte hij, tien minuten in stilte, toen vijftien, tot ze eindelijk vroeg: 'Hadden ze de dossiers nog?'
Hij antwoordde: 'Ja.'
'Heb je ze gezien?'
'Ja.'
'Heb je haar foto gezien?'
'Het was een prachtig kind.'
'Ja hè?' zei Dorothy, glimlachend, niet uit trots, want de schoonheid van het kind was niet haar prestatie, maar uit pure verwondering. Ze zei: 'Ik mis haar nog steeds. Wat gek is, denk ik, want wat ik mis, is wat ik echt heb gehad en dat zou er nu toch niet meer zijn. Wat ik allemaal niet heb gezien, zou later zijn gebeurd. Ze zou nu drieëndertig zijn geweest. Volwassen. En dat mis ik allemaal niet, want ik heb er geen goed beeld van hoe dat er allemaal uitgezien zou hebben. Ik weet niet wat er van haar was geworden. Ik weet niet of ze zelf moeder zou zijn geworden en in de buurt zou zijn gebleven, of dat ze een carrièrevrouw zou zijn geworden, misschien wel advocate of wetenschapper, en dat ze ver weg zou zijn gaan wonen in de grote stad.'
'Ging het goed op school?'
'Heel goed.'
'Wat deed ze het liefst?'
'Alles.'
'Wat ging ze die dag doen?'
'Ze hield van bloemen. Ik houd mezelf graag voor dat ze op zoek ging naar bloemen.'
'Speelde ze vaak buiten?'
'Meestal, als ze niet naar school hoefde. Vooral op zondag. Ze vond haar fiets geweldig. Ze ging altijd ergens heen. Dat waren onschuldige tijden. Ze deed precies als ik toen ik acht was.'
Reacher bleef even stil. Toen zei hij: 'Ik ben een soort politieagent geweest, lang geleden. Mag ik je een serieuze vraag stellen?'

Ze zei: 'Ja.'
'Wil je echt weten wat er met haar is gebeurd?'
'Het kan niet erger zijn dan wat ik me inbeeld.'
Reacher zei: 'Ik ben bang van wel. Soms is het dat ook. Daarom vraag ik het. Soms is het beter om het niet te weten.'
Ze zei lange tijd niets.
Toen zei ze: 'De zoon van mijn buren hoort haar geest gillen.'
'Ik ben hem tegengekomen,' zei Reacher. 'Hij rookt veel wiet.'
'Soms hoor ik het ook. Of denk ik dat ik het hoor. Dat zet me aan het denken.'
'Ik geloof niet in geesten.'
'Ik ook niet. Ik bedoel, kijk mij.'
Reacher keek haar aan. Een stevige, stabiele vrouw. Een jaar of zestig, plomp, onbehouwen, versleten door hard werken, een leven vol ontberingen, blond haar dat langzaam vervaagde tot geel en grijs.
Ze zei: 'Ja, ik wil echt weten wat er met haar is gebeurd.'
Reacher zei: 'Oké.'

Twee minuten later ging de telefoon. Een ouderwets toestel. Het langzame rinkelen van een mechanische bel, een laag galmend geluid, droevig en in geen enkel opzicht alarmerend. De vrouw van de dokter sprong overeind en haastte zich naar de hal om op te nemen. Ze zei hallo, verder niets. Ze luisterde alleen maar. Weer de telefoonpiramide. De anderen hoorden alleen het schrille, vervormde geluid van een luide paniekerige stem uit de hoorn en de reactie van de vrouw van de dokter die naar adem hapte. Verrassend, ontstellend nieuws. Dorothy Coe bewoog onrustig op haar stoel. De dokter stond op. Reacher keek uit het raam. De weg bleef donker. De vrouw van de dokter kwam weer binnen, eerder verbijsterd dan bezorgd, eerder verbaasd dan bang. Ze zei: 'Meneer Vincent heeft net gezien hoe de Italianen de mannen van de rode auto neerschoten. Met een pistool. Ze zijn dood. Daarna hebben ze de auto in brand gestoken. Pal voor zijn raam. Op de parkeerplaats van het motel.'
Iedereen was stil tot Reacher zei: 'Dat verandert de zaken een beetje.'

‘Hoe dan?’
‘Ik dacht dat we misschien te maken hadden met zes man die voor dezelfde organisatie werkten, met een soort tweezijdige relatie met de Duncans. Maar dat is het niet. Het zijn drie paren. Het zijn drie aparte organisaties, met de Duncans erbij vier. Een complete voedselketen. De Duncans zijn iemand iets schuldig en die iemand is weer iemand anders iets schuldig, enzovoort, de hele keten langs omhoog. Ze hebben allemaal geïnvesteerd en ze zijn hier allemaal om hun investering te bewaken. En zolang ze hier zijn, proberen ze elkaar de strot af te snijden om de voedselketen in te korten.’
‘Dus we zitten gevangen in een bendeoorlog?’
‘Bekijk het eens van de zonnige kant. Vanmiddag zijn er zes aangekomen, maar nu zijn er nog maar drie over. Vijftig procent natuurlijk verloop. Dat vind ik prima.’
‘We zouden de politie moeten bellen,’ zei de dokter.
Zijn vrouw zei: ‘Nee, die zitten honderd kilometer hiervandaan. En de Cornhuskers zitten hier in de buurt, op dit moment. Daar moeten we ons vannacht zorgen over maken. We moeten weten wat die doen.’
‘Hoe communiceren ze normaal gesproken?’ vroeg Reacher.
‘Met mobiele telefoons.’
‘Ik heb er een,’ zei Reacher. ‘In die SUV die ik heb buitgemaakt. Misschien kunnen we meeluisteren. Dan weten we precies wat ze doen.’
De dokter draaide de sloten open en haalde de ketting van de deur en ze liepen met z’n allen naar buiten, naar de oprit. Reacher opende het portier van de Yukon aan de passagierskant, zocht met zijn hand over de vloer en haalde de mobiele telefoon tevoorschijn, slank en zwart, als een reep chocola. Hij stond in de schaduw van het portier, klapte de telefoon open en zei: ‘Dat doen ze met telefonisch vergaderen, zeker? Als de telefoon hier rinkelt zijn ze alle vijf online?’
‘Waarschijnlijk gaat hij trillen in plaats van rinkelen,’ zei de dokter. ‘Als je bij de instellingen kijkt, en het gesprekkenlogboek en het telefoonboek, kom je vast wel een toegangsnummer tegen.’
‘Doe jij het maar,’ zei Reacher. ‘Ik weet niet zoveel van mobiele

telefoons.' Hij liep om de SUV heen en gaf de telefoon aan de dokter. Toen keek hij naar links en zag licht in de nevel. Een hoge halfronde gloed die een beetje bibberde, stuiterde, zwakker werd en dan weer sterker, heel wit, bijna blauw.

Een auto die naar het westen reed, naar hen toe, snel.

Hij was minder dan een kilometer van hen verwijderd. Net als eerder groeide de gloed aan tot een fel schijnsel, laag boven het asfalt, transformeerde in twee lichtbronnen met een meter ertussen, beide ellipsvormig, beide laag bij de grond, beide blauwwit en fel. Net als eerder kwamen ze steeds dichterbij, flikkerend, trillend en nerveus vanwege een stijve vering en directe sturing. Eerst waren het kleine lichtbronnen, vanwege de afstand, maar ze bleven klein, want het waren de koplampen van een Mazda Miata, laag, klein en rood. Reacher herkende de auto op een meter of zestig.

Eleanor Duncan.

Het zusterschap dat bij elkaar kroop.

Met nog dertig meter te gaan remde de Mazda iets af. Het dak was dicht dit keer, een soort strakke pet. Het was koud en er waren geen waakhonden meer die haar hoefden te herkennen. Er hoefde niemand meer te worden afgeleid.

Met nog vijftien meter te gaan trapte ze hard op de rem om de oprit op te kunnen draaien, en werd de nevel achter de auto in een felle rode gloed gehuld.

Met nog vijf meter te gaan realiseerde Reacher zich drie dingen.

Eén, Eleanor Duncan zat niet in de telefoonpiramide.

Twee, zijn pistool zat in zijn jaszak.

Drie, zijn jas was in de keuken.

De Mazda draaide abrupt de oprit op, knarste over het grind en kwam met een schok tot stilstand, vlak achter de pick-up van Dorothy Coe. Het portier zwaaide open en Seth Duncan strekte zijn slungelachtige figuur en stapte uit.

Hij hield een geweer in zijn handen.

41

Seth Duncan had een geweldig grote aluminium spalk over zijn gezicht, het leek alsof de dof glanzende metalen plaat op een groot stuk rottend fruit zat geplakt. Allerlei soorten misselijkmakende kleuren verspreidden zich vanonder die spalk. Tinten geel en bruin en paars. Hij had een donkere broek aan en een donkere trui, en daaroverheen een nieuwe parka. Het geweer in zijn handen was een oude Remington 870, *pump-action*. Waarschijnlijk een kaliber 12, een loop van 50 centimeter. Een wortelnoten kolf, een magazijnbuis voor zeven patronen, in alle opzichten een fijn wapen dat zijn waarde bewezen had, waarvan er meer dan vier miljoen waren gefabriceerd en verkocht, dat door de marine in de VS werd gebruikt voor beveiliging aan boord van schepen, door Amerikaanse mariniers voor gevechten van man tot man, door de Amerikaanse landmacht voor veel vuurkracht over korte afstand, door burgers om te jagen, door politie bij het bestrijden van rellen, door geflipte huiseigenaren als afschrikwekkend wapen om vreemdelingen uit de voortuin te verjagen.
Niemand bewoog.
Reacher zag dat de Remington in Seth Duncans handen geen millimeter bewoog. Hij had zijn vinger aan de trekker. Hij richtte vanaf de heup recht op Reacher, wat inhield dat hij ook richtte op Dorothy Coe, de dokter en zijn vrouw, want hagel verspreidt zich een beetje en ze stonden alle vier dicht bij elkaar op de oprit, vijf meter van de voordeur van het huis van de dokter. Heel veel bijkomende schade waar hij niets extra's voor hoefde te doen.
Niemand zei een woord.
De Mazda draaide stationair. Het portier stond nog open. Seth Duncan liep de oprit op. Hij zette de kolf van de Remington tegen zijn schouder, sloot één oog, tuurde langs de loop en liep op hen af, langzaam en onverstoorbaar. Een ongeschikte manoeuvre voor ruw terrein, maar te doen op grind. De Remington bleef zonder mankeren op het doelwit gericht.
Op tien meter afstand bleef hij staan en zei: 'Allemaal gaan zitten. In kleermakerszit.'

Niemand bewoog.
Reacher vroeg: 'Is dat ding geladen?'
Duncan zei: 'Geloof het maar.'
'Let op dat hij niet per ongeluk afgaat.'
'Dat gebeurt niet,' zei Duncan nasaal en onduidelijk, vanwege de verwonding en omdat hij zijn wang stijf tegen de wortelnoten kolf gedrukt hield.
Niemand bewoog. Reacher keek en dacht na. Achter zich hoorde hij de dokter een beweging maken en vragen: 'Kunnen we praten?'
Duncan zei: 'Ga zitten.'
De dokter zei: 'We zouden erover moeten praten. Als redelijke mensen.'
'Ga zitten.'
'Nee, vertel maar wat je wilt.'
Een moedige poging, maar Reacher schatte in dat het de verkeerde tactiek was. De dokter dacht dat er iets te winnen viel door tijd te rekken, de klok de seconden te laten wegtikken. Helemaal niets.
Hij zei: 'Het is koud.'
Duncan zei: 'Nou, en?'
'Te koud om buiten te zitten. Te koud om buiten te staan. Laten we naar binnen gaan.'
'Ik wil dat je buiten blijft.'
'Waarom?'
'Daarom.'
'Mogen zij dan hun jas pakken?'
'Waarom zou ik?'
'Zelfrespect,' zei Reacher. 'Jij hebt een jas aan. Als het warm genoeg is om zonder jas buiten te staan, ben jij een slappe lul. Als het koud genoeg is om je dik in te pakken, laat je onschuldige omstanders onnodig lijden. Als je denkt dat je een appeltje met mij te schillen hebt, oké, maar deze mensen hebben jou niets gedaan.'
Seth Duncan dacht tien tellen na, het geweer nog steeds tegen zijn schouder, zijn hoofd schuin opzij ertegenaan, één oog nog steeds gesloten. Hij zei: 'Oké, om de beurt. De anderen blijven hier, als gijzelaars. Mevrouw Coe eerst. Haal uw jas. Verder niets. Raak de telefoon niet aan.'

Even bewoog niemand, toen maakt Dorothy Coe zich los van het groepje, liep naar de deur en verdween naar binnen. Even later kwam ze terug met haar jas aan, dit keer dichtgeknoopt over haar jurk. Ze ging weer op haar plek staan.
Duncan zei: 'Ga zitten, mevrouw Coe.'
Dorothy trok haar jas recht en ging zitten, niet in kleermakerszit, ze trok haar knieën aan één kant op.
Reacher zei: 'Nu de vrouw van de dokter.'
Duncan zei: 'Hou op me te vertellen wat ik moet doen.'
'Ik zeg alleen maar dames eerst, oké.'
'Oké, de vrouw van de dokter. Schiet op, zelfde regels. Alleen de jas. Raak de telefoon niet aan. Vergeet niet dat ik hier gijzelaars heb. Onder wie je geliefde echtgenoot.'
De vrouw van de dokter maakte zich los van het groepje. Even later kwam ze terug met haar wollen jas aan, een muts op, met handschoenen aan en een mof.
'Ga zitten,' zei Duncan.
Ze ging op de grond zitten, naast Dorothy Coe, in kleermakerszit, haar rug recht, haar handen op haar knieën, haar blik gericht op een plek ver weg op de akkers. Daar was niets te zien, maar het leek Reacher te verkiezen boven het kijken naar haar kwelgeest.
'Nu de dokter,' zei Reacher.
'Oké, ga maar,' zei Duncan.
De dokter maakte zich los van het groepje en bleef even weg. Hij kwam terug met een blauwe parka aan, een en al nylon en Gore-Tex en zakken met ritsen. Hij ging zitten zonder te wachten tot het hem zou worden opgedragen.
Reacher zei: 'Nu ik.'
Duncan zei: 'Nee, jij niet. Nu niet en nooit niet. Jij blijft hier. Ik vertrouw jou niet.'
'Dat is niet erg aardig.'
'Ga zitten.'
'Dan zul je me moeten dwingen.'
Duncan neeg zijn hoofd naar het geweer, het laatste kleine beetje, alsof hij op het punt stond de trekker over te halen.
Hij zei: 'Ga zitten.'

Reacher bewoog niet. Toen wierp hij een blik naar rechts, zag lichten in de nevel, en wist hij dat hij zijn kans had laten glippen.

De Cornhuskers kwamen met grote snelheid aanrijden, vijf man in vijf auto's. Een dicht op elkaar gepakt hogesnelheidskonvooi van drie pick-ups en twee SUV's. Ze kwamen allemaal abrupt tot stilstand op de weg, parallel met het houten hek, vijf voertuigen pal achter elkaar. Vijf portieren werden opengegooid, vijf kerels lieten zich naar buiten vallen, alle vijf met een rood jack aan, alle vijf snel, de kleinste van de vijf zo groot als een huis. Ze namen de kortste weg naar het huis, klommen als één man over het hek, liepen als één man over het gras in winterslaap, en vermeden het schootsveld van de Remington. De Remington bewoog geen millimeter in Seth Duncans handen. Reacher keek naar de vuurmond van de loop. Die bewoog volstrekt niet. Het blauwe staal glansde donker in het maanlicht en bleef op een afstand van tien meter zonder mankeren op zijn borst gericht; het ronde gaatje in de loop leek groot genoeg om een duim in te steken.
Duncan zei: 'Neem die andere drie mee naar binnen en houd ze daar.'
Ruwe handen grepen de dokter, zijn vrouw en Dorothy Coe vast, sleurden hen overeind aan hun armen en schouders, trokken hen mee over de laatste paar meters grind naar de voordeur. Acht mensen gingen naar binnen en even later kwamen er vier weer naar buiten, vier football-spelers, die knarsend over het grind naar Reacher liepen.
Duncan zei: 'Houd hem vast.'
Reacher hield zich geen seconde bezig met spijt of schuldgevoelens. Werkelijk geen seconde. De tijd om gemaakte fouten te betreuren en ervan te leren, kwam later. Hij concentreerde zich op het hier en nu en de onmiddellijke toekomst. Wie tijd en energie verspilt met het vervloeken van gemaakte fouten, had al verloren voordat het begon. Al zag Reacher ook niet echt een rechte weg naar victorie. Niet op dat moment. Niet op korte termijn. Op dat moment voorzag hij alleen maar verschrikkelijk veel pijn.
De vier grote mannen liepen naar hem toe. Geen kansen. De Remington bleef onveranderd op zijn doelwit gericht en twee man lie-

pen naar hem toe van weerszijden zonder ook maar een moment in het schootsveld van het geweer te komen. Ze gingen naast hem staan en grepen beiden een arm. Een grote zware hand achter de elleboog en nog een grote zware hand om zijn pols, van voren. Duwend met de ene hand, trekkend met de andere, trokken ze zijn armen recht, overstrekten ze zijn ellebogen; ze trapten zijn voeten uit elkaar, haakten hun enkels in vóór zijn enkels, en zorgden ervoor dat hij zich niet meer kon bewegen. Een derde kwam van achteren op hem af, ging tussen zijn gespreide benen staan en klemde zijn massieve armen om Reachers borstkas. De vierde liep weg en ging drie meter van Duncan staan.

Reacher stribbelde niet tegen. Dat had geen zin. Absoluut helemaal geen zin. Elk van de drie mannen die hem vasthielden, was tien centimeter langer dan hij en vijfentwintig kilo zwaarder. Ongetwijfeld waren ze alle drie traag en dom en hadden ze nooit leren vechten, maar op dat moment deed domme spierkracht precies wat er gedaan moest worden. Hij kon zijn voeten een beetje bewegen en hij kon zijn hoofd een beetje bewegen, maar dat was het dan ook wel. Bovendien kon hij zijn voeten alleen naar achteren bewegen en als hij dat deed, zou hij plat op zijn gezicht vallen, ware het niet dat de man die hem zo innig van achteren omhelsde hem overeind zou houden. Het enige wat hij met zijn hoofd kon doen, was zijn kin op zijn borst laten zakken, of het hoofd iets naar achteren gooien. Niet genoeg om de man achter hem pijn te doen.

Ze hadden hem.

Seth Duncan liet het geweer weer naar zijn heup zakken. Hij liep ermee vooruit en gaf het aan de vierde man. Hij liep zonder geweer verder en bleef pal voor Reacher staan, op een meter afstand. Zijn ogen waren bloeddoorlopen en hij ademde zwaar en snel. Hij beefde een beetje. Woede of opwinding of zo. Hij zei: 'Ik heb een boodschap voor je, vriend.'

Reacher vroeg: 'Van wie? Van de Koninklijke Klootzakkenclub?'

'Nee, van mij persoonlijk.'

'Wat nu? Heb je je contributie niet betaald?'

'Over tien seconden weten we wie er lid is van die club en wie niet.'

'Oké, wat is de boodschap?'
'Het is eigenlijk een vraag.'
'Oké, wat is de vraag?'
'De vraag is: hoe vind jíj het?'
Reacher had gevochten vanaf zijn vijfde en hij had nog nooit zijn neus gebroken. Niet één keer. Deels pure mazzel, deels wijsheid. Er waren er genoeg die het hadden geprobeerd, door de jaren heen, met voorbedachten rade en ook met een woeste, onbeheerste reeks klappen, maar het was niemand ooit gelukt. Niet één keer. Ze waren zelfs nog nooit dichtbij geweest. Het was iets waar Reacher op een bepaalde manier trots op was. Het was een symbool. Een talisman. Een eervolle onderscheiding. Zijn gezicht, zijn armen, zijn lichaam zaten onder de butsen en littekens, maar dat werd allemaal gecompenseerd door het duidelijk rechte, ongehavende neusschot.
Dat straalde de boodschap uit: ik sta nog steeds.
De klap kwam precies aan zoals hij hem had verwacht, een samengebalde vuist, een rechtse directe, hard en zwaar, iets omhooggericht, iets te hoog alsof Duncan onbewust verwachtte dat Reacher zijn hoofd achterover zou gooien, iets wat zijn vrouw Eleanor ongetwijfeld iedere keer deed. Maar Reacher gooide zijn hoofd niet achterover. Hij begon met zijn hoofd achterover, ogen open, langs zijn neus kijkend, timend, en sloeg toen zijn hoofd voorover vanuit de nek, plaatste een perfecte geïmproviseerde kopstoot op Seth Duncans knokkels, een korte hevige botsing tussen de dikke botstructuur van Reachers voorhoofd en de fragiele botjes in de hand van Seth Duncan. Ongelijke strijd. Volstrekt ongelijk. Reachers schedel was van beton en de boog was de sterkste constructie die de mens kende en handen waren het delicaatste deel van het menselijk lichaam. Duncan krijste, trok zijn hand terug en hupte een jankend rondje, keek omhoog, keek omlaag, verdoofd en jammerend. Minstens drie of vier gebroken vingerkootjes, vermoedde Reacher, in ieder geval een paar proximale falanxen en misschien ook nog wel een paar gebroken distale falanxen, omdat de vingers veel krachtiger waren samengebald dan de natuur had bedoeld, onder die plotselinge hevige druk.
'Klootzak,' zei Reacher.

Duncan klemde zijn rechterpols onder zijn linkeroksel en snoof en blies en stampvoette in het rond. Pas na een volle minuut kwam hij weer tot rust, een beetje verkrampt en krom staand, en hij loerde langs beide zijden van zijn spalk, pijn lijdend, kwaad en vernederd, eerst naar Reacher, toen naar de vierde man, die stokstijf was blijven staan en het geweer vasthield. Duncan gebaarde met zijn hoofd, van de man naar Reacher, een gebaar vol stilzwijgende woede en ongeduld.

Pak hem.

De vierde man kwam naar voren. Reacher wist vrijwel zeker dat hij niet zou schieten. Niemand schiet met een geweer op een groep mensen, als er drie van zijn eigen vrienden tussen zitten.

Reacher was ervan overtuigd dat het veel erger zou zijn dan schieten.

De man keerde het geweer om. Zijn rechterhand om de loop, de linker om de kolf.

De man achter Reacher kwam in beweging. Hij klemde zijn linkeronderarm om Reachers keel en greep met zijn rechterhand Reachers voorhoofd vast.

Immobiel.

De vierde man hief het geweer horizontaal, de kolf naar voren, met twee handen, en bewoog het naar achteren over zijn schouder, bereidde zich voor, hield het geweer als een speer, zwaaide vanuit de heupen naar voren en deed een stap, richtte nauwkeurig en stootte de kolf in de richting van Reachers neus en toen:

KRAK

ZWART

42

Jacob Duncan riep zijn beide broers bijeen voor een niet-gepland middernachtelijk overleg, in zijn eigen keuken, niet die van Jonas of Jasper, en met Wild Turkey, geen Knob Creek, en ook niet met een klein beetje, want hij was in de stemming om iets te vieren.

'Ik ben net gebeld,' zei hij. 'Het zal jullie genoegen doen te horen dat mijn jongen zich heeft gerevancheerd.'
Jasper vroeg: 'Hoe?'
'Hij heeft Jack Reacher gepakt.'
Jonas vroeg: 'Hoe?'
Jacob Duncan leunde achterover op zijn stoel, strekte zijn benen, ontspannen, breeduit, een man op zijn gemak, een man die een verhaal te vertellen had. Hij zei: 'Zoals jullie weten heb ik Seth naar huis gebracht, maar ik heb hem er bij het begin van zijn weg uitgelaten, want hij was een beetje terneergeslagen en hij wilde een stukje lopen door de nachtlucht. Toen hij nog honderd meter van huis was, werd hij bijna overreden door een auto. Zijn éígen auto, toevallig. Zijn eigen Cadillac en degene die aan het stuur zat, reed alsof de duivel hem op de hielen zat. Hij haastte zich natuurlijk naar huis. Hij kreeg zijn vrouw zover dat ze hem het hele verhaal vertelde. Het blijkt dat Reacher gistermiddag de Cadillac heeft gestolen. Kennelijk was de dokter daarbij. Misleid natuurlijk, maar het heeft er alle schijn van dat de arme man een soort bondgenootschap heeft gesloten met Reacher. Dus Seth pakte zijn oude Remington pump en reed in Eleanors auto naar het huis van de dokter en, ja hoor, daar was Reacher, levend en wel.'
'Waar is hij nu?'
'Op een veilige plek. Er is verder kennelijk weinig gebeurd toen hij hem te pakken kreeg.'
'Leeft hij?'
'Nog wel,' zei Jacob Duncan. 'Maar wij moeten eens even praten over hoe lang nog.'
Het werd stil in het vertrek. De beide anderen verroerden zich niet en wachtten zoals ze zo vaak hadden gedaan op hun broer Jacob, de oudste, de bedachtzame, die altijd iets te melden had, een besluit of een juweeltje van wijsheid, een analyse of een voorstel.
Jacob zei: 'Seth wil de hele zaak verder afhandelen, tot in de puntjes, en eerlijk gezegd heb ik de neiging het hem maar te laten proberen. Hij wil ons weer overtuigen van zijn geloofwaardigheid, al heb ik hem natuurlijk verteld dat dat niet nodig is. Maar het blijft een feit dat wij allemaal wat aandacht zullen moeten be-

steden aan onze geloofwaardigheid, in collectieve zin, in wat betreft Rossi, onze goed vriend in het zuiden.'
Jasper vroeg: 'Wat wil Seth doen?'
'Hij wil alles zo inrichten dat al onze omtrekkende bewegingen tot nu toe volledig gerechtvaardigd lijken. Hij wil wachten tot de vracht nog een uur te gaan heeft. Dan wil hij Reacher aan de jongens van Rossi laten zien en vervolgens een neptelefoontje plegen om opdracht te geven de vracht te leveren, wat dan binnen een uur kan gebeuren, alsof wat wij de hele tijd hebben gezegd over de vertraging waar en gerechtvaardigd was.'
'Te riskant,' zei Jonas Duncan. 'Reacher is gevaarlijk. Die moeten we geen minuut langer in de buurt houden dan nodig is. Dat is vragen om moeilijkheden.'
'Zoals ik al zei, hij zit veilig opgeborgen. Bovendien, als we het doen zoals Seth voorstelt, laten we zien dat we onze problemen op eigen kracht hebben opgelost, zonder enige hulp van buitenaf, en dat betekent dat we elk laatste spoortje van twijfel aan ons kunnen, resoluut hebben weggepoetst.'
'Maar toch. Het blijft riskant.'
'Er zijn nog andere factoren,' zei Jacob.
Het werd weer stil in de keuken.
Jacob zei: 'We hebben nooit geweten en ons ook nooit bekommerd om wat er met de vracht gebeurt als die eenmaal in handen is van Rossi, behalve dan dat we waarschijnlijk allemaal wel hebben vermoed dat de vracht nog een aantal malen doorverkocht wordt in de richting van de uiteindelijke bestemming. En nu wordt die keten voor het eerst voor een groot deel zichtbaar. Sinds het begin van de avond lijken er hier drie verschillende partijen te zijn vertegenwoordigd. Die waarschijnlijk allemaal wanhopig zijn. Het is duidelijk dat ze hebben afgesproken om samen te werken om de boel weer vlot te trekken. En volgens mij hebben ze de opdracht zodra dit is gebeurd elkaar om zeep te helpen, zodat degene die het langst blijft leven zijn winst verdrievoudigt.'
Jonas zei: 'Dat is voor ons niet relevant.'
'Behalve dan dat de jongens van Rossi als eerste naar hun pistool grijpen. Het was onvermijdelijk dat iemand het initiatief zou ne-

men. Onze contacten bij de telefoonpiramide melden dat er al twee man dood zijn. Die zijn door de jongens van Rossi bij het motel van Vincent omgelegd. Het lijkt mij dan ook het beste om de jongens van Rossi genoeg tijd te geven de keten nog wat verder in te korten, zodat morgen aan het einde van de dag Rossi als laatste overlevende nog de enige is die op twee benen staat, zodat ik met hem een gesprekje kan voeren over het eerlijk delen van de extra winst. Het werkt dus een beetje wiskundig, in die zin dat we aan beide kanten onze winst verdubbelen. Ik vermoed dat Rossi daar wel mee kan leven, en ik denk dat dat ook voor ons geldt.'

'Blijft riskant.'

'Ben jij vies van geld, broer?'

'Ik ben vies van risico's.'

'Overal zitten risico's aan vast. Dat weet je toch? We hebben al heel lang met risico's geleefd. Dat is een deel van de spanning.'

Het bleef lange tijd stil.

Jonas zei: 'De dokter heeft tegen ons gelogen. Hij zei dat Reacher een lift had gekregen van een witte sedan.'

Jacob knikte. 'Hij heeft daar zijn verontschuldigingen voor aangeboden, uiterst oprecht. Ik heb begrepen dat hij nu een toonbeeld van bereidheid tot samenwerking is. Zijn vrouw is bij hem, natuurlijk. Ik ben ervan overtuigd dat dat een rol speelt. Hij beweert ook dat Reacher de Cadillac van Seth honderd kilometer hiervandaan heeft laten staan en dat die onmiddellijk daarna, helemaal los van de eerste diefstal door Reacher, opnieuw is gestolen door iemand hoger in de keten. Een klein mannetje uit het Midden-Oosten, volgens de rapporten van de telefoonpiramide. Dat was kennelijk degene die Seth bijna overreed.'

'Nog meer?'

'De dokter zegt dat Reacher de politiedossiers heeft gezien.'

Stilte in de keuken.

Toen zei Jonas: 'En?'

'Volgens de dokter onduidelijk.'

'Duidelijk genoeg om terug te komen.'

'De dokter zegt dat hij is teruggekomen vanwege die mannen in auto's.'

Niemand zei iets.
Jacob zei: 'Maar voor de volledigheid, de dokter beweert ook dat Reacher aan mevrouw Coe heeft gevraagd of ze echt wil weten wat er met haar dochter is gebeurd.'
'Dat kan Reacher onmogelijk weten. Niet zo snel. Nog niet.'
'Dat ben ik met je eens. Maar misschien heeft hij wel hier of daar een rafelig draadje te pakken.'
'Dan moet hij nu dood. Het moet.'
'Het is nog maar één dag. Hij zit opgesloten. Hij kan onmogelijk ontsnappen.'
Het bleef stil.
Toen zei Jonas: 'Nog meer?'
'Eleanor heeft Reacher geholpen om langs de wachtpost te komen,' zei Jacob. 'Ze heeft haar echtgenoot getrotseerd en is het huis uit gegaan, nogal schaamteloos. Zij en Reacher hebben samen een truc bedacht om de wachtpost af te leiden. Die heeft zijn werk niet goed gedaan. We zullen hem uiteraard moeten ontslaan. Seth moet zelf zijn vrouw maar voor zijn rekening nemen. En kennelijk heeft Seth zijn hand gebroken. Daar moet ook naar gekeken worden. Blijkbaar heeft die Reacher een hard hoofd. Dat is het, meer nieuws heb ik niet.'
Niemand zei iets.
Jacob zei: 'We moeten een besluit nemen over de kwestie die voor ons ligt. Leven of dood. Altijd de keuze waar het uiteindelijk om draait.'
Geen antwoord.
Jacob vroeg: 'Wie gaat er als eerste?'
Niemand zei iets.
Jacob zei: 'Dan ga ik wel eerst. Ik vind dat we het mijn jongen op zijn manier moeten laten doen. Ik vind dat we Reacher verborgen moeten houden tot de vracht in de buurt is. Het is maar een miniem extra risico. Eén dag, meer niet. Binnen het grote geheel te verwaarlozen. En ik hou wel van zulke details. Ik hou er wel van als de oplossing gepaard gaat met een zekere elegantie.'
Het bleef lange tijd stil.
Toen zei Jasper: 'Ik ben ervoor.'
'Oké,' zei Jonas een beetje aarzelend.

Reacher werd wakker in een betonnen vertrek vol fel licht. Hij lag op zijn rug op de vloer, aan de voet van een steile trap. Ze hadden hem naar beneden gedragen, dacht hij, niet gegooid, en hij was ook niet gevallen. Want de achterkant van zijn schedel mankeerde niets. Hij had niets verstuikt of gekneusd. Zijn ledematen voelden ongedeerd aan, alle vier. Hij kon zien en horen en bewegen. De pijn aan zijn gezicht was bijna niet te harden, maar dat kon je verwachten.

De lichten waren reguliere huishoudgloeilampen, zes à acht op willekeurige plekken, honderd watt. Geen kappen. Het beton was glad en bleekgrijs. Heel fijne structuur, niet stoffig. Technisch kwaliteitsproduct. Heel sterk. Het was met grote precisie gegoten. Er waren geen naden. Waar de vloer overging in de wanden was een schuine rand aangebracht, licht oplopend. Als bij een zwembad, passend voor tegelwerk. Reacher had ooit eens zwembaden gegraven. Een tijdelijk baantje, jaren geleden. Hij had zwembaden gezien in alle stadia van afwerking.

De pijn in zijn gezicht was niet te harden.

Was dit een half afgebouwd zwembad? Onwaarschijnlijk. Tenzij het dak tijdelijk was. Het was een planken dak op een zware balkenconstructie. De balken waren gelamineerd. Gefabriceerd. Heel sterk. Lagen tropisch hardhout, waarschijnlijk verlijmd onder immense druk in gigantische persen in de fabriek. Afgeleverd per vrachtwagen. Op hun plaats gehesen met een kraan. Ze wogen stuk voor stuk ongetwijfeld een ton.

Zijn gezicht deed pijn.

Hij was verward. Hij had geen idee hoe laat het was. De klok in zijn hoofd was stil blijven staan. Hij ademde door zijn mond. Zijn neus zat volledig dicht vanwege het bloed en de zwellingen. Hij voelde bloed op zijn lippen en kin. Het was dik en bijna gestold. Een bloedneus. Niet bepaald verrassend. Een halfuur oud of zo. Niet zoals de bloedneus van Eleanor Duncan. Zijn eigen bloed stolde heel gemakkelijk. Altijd al. Hij was het tegenovergestelde van een hemofiliepatiënt. Dat kwam van tijd tot tijd goed uit. Een veredeld gen, ongetwijfeld doorgegeven van de ene generatie overlevers aan de volgende.

Zijn gezicht deed pijn.

Er stonden nog andere dingen in de betonnen ruimte. Er waren buizen van verschillende dikte. Er waren groene metalen dozen met wat minerale vlekken en korsten erop. Een paar draden, waarvan sommige in ijzeren elektriciteitsbuizen, sommige loshangend. Er waren geen vensters. Alleen de wanden. En de trap die bovenaan eindigde bij een gesloten deur.

Hij was ondergronds.

Een bunker of zoiets?

Hij wist het niet.

Zijn gezicht deed vreselijk pijn. En de pijn werd erger. Veel, veel erger. Grote golven pijn klopten tussen zijn ogen, achter zijn neus, en boorden zich rechtstreeks zijn hoofd in, bij elke hartslag een nieuwe golf, een nieuwe malende klap die uitwaaierde onder zijn schedel, bonkte en wegtrok, net op tijd om ruimte te maken voor de volgende. Heftige pijn. Maar hij kon ertegen. Hij kon overal tegen. Hij had zich al verweerd sinds hij vijf jaar oud was. Als er niets te vechten viel, vocht hij tegen zichzelf. Niet dat er ooit een gebrek aan tegenstanders was geweest. Hij had zijn eigen veldslagen uitgevochten en die van zijn broer Joe. Een kwestie van verantwoordelijkheidsgevoel en loyaliteit. Niet omdat zijn broer een lafaard was. Verre van dat. Of slap. Zijn broer was ook groot van postuur geweest. Maar dat was een denker geweest. Zelfs zachtaardig. Altijd een nadeel. Als iemand ergens aan begon, was Joe eerst een kostbare seconde kwijt aan de vraag: 'Waarom?' Reacher niet. Nooit. Die gebruikte de eerste kostbare seconde om een eerste kostbare klap uit te delen. Vechten, en winnen. Vechten, en winnen.

Zijn gezicht deed vreselijk pijn. Hij keek naar de pijn en ging ernaast staan. Hij zag de pijn, onderzocht de pijn, herkende de pijn, omheinde de pijn. Hij isoleerde de pijn en daagde die uit. Jij tegen mij? Vergeet het maar. Hij grensde de pijn af. Hij bouwde muren om de pijn. Hij bouwde muren en dwong de pijn daarachter en toen begon hij de muren naar elkaar toe te schuiven, om de pijn in elkaar te persen, te verpletteren, af te bakenen, te verslaan.

Niet te verslaan.

De pijn versloeg Reacher.

De pijn explodeerde, als bommen aangesloten op een tijdmechanisme, één, twee, drie. Niet tegen te houden. Voorgoed, met elke hartslag. De pijn zou nooit meer weggaan. Pas als zijn hart zou stilstaan. Het was krankzinnig. Hij was in het verleden getroffen door granaatscherven, hij had kogels in zijn borst gehad, hij was gestoken en gesneden met messen. Dit was erger. Dit was veel en veel erger. Dit was erger dan alles wat hij eerder had moeten doorstaan bij elkaar.
En dat klopte niet. Dat klopte helemaal niet. Er was iets mis. Hij had eerder gebroken neuzen gezien. Vaak genoeg. Niet leuk, maar niemand had er echt zo verschrikkelijk moeilijk over gedaan. Niemand had eruitgezien alsof er granaten ontploften in zijn hoofd. Zelfs Seth Duncan niet. Mensen sprongen overeind, spuugden wat bloed uit, krompen in elkaar en liepen dan rondjes om de pijn kwijt te raken.
Hij hief zijn hand naar zijn gezicht. Langzaam. Hij wist dat het zou voelen alsof hij zichzelf een kogel door het hoofd zou schieten. Maar hij moest het weten. Want er klopte iets niet. Hij raakte zijn neus aan. Hij hapte naar adem, hardop en eensklaps, als een exploderende vloek van pijn, woede en walging.
De neusbrug was volledig afgebroken. Hij was naar opzij geslagen en onder het strakgespannen weefsel van huid en kraakbeen gedreven. Daar zat hij vast, als een bergtop, losgeraakt en weer vastgegroeid op een lagere helling.
De pijn was niet te harden.
Misschien was de kolf van de Remington wel in metaal gevat geweest. Messing of staal. Een stootrand tegen slijtage en beschadigingen. Het was hem niet opgevallen. Hij wist dat hij zijn hoofd op het allerlaatste moment had weggedraaid, zo ver als maar kon tegen de weerstand in van de zwetende handpalm om zijn voorhoofd. Het was hem erom te doen geweest de klap zo zijdelings mogelijk op te vangen. Beter dan frontaal. Een frontale klap kon botscherven in je hersens jagen.
Hij sloot zijn ogen.
Hij deed ze weer open.
Hij wist wat hem te doen stond.
Hij moest de breuk zetten. Dat wist hij. Hij wist wat hem dat zou

kosten en wat het hem zou opleveren. De pijn zou afnemen en het resultaat zou een gewoon uitziende neus zijn. Bijna. Maar hij zou opnieuw buiten bewustzijn raken. Geen twijfel mogelijk. Toen hij zijn neus met het topje van een vinger had aangeraakt, was zijn hoofd al bijna geëxplodeerd. Alsof hij zichzelf door het hoofd schoot. Zijn neus zetten zou zijn alsof hij tegen zichzelf tekeer zou gaan met een machinegeweer.

Hij sloot zijn ogen. De pijn hamerde onder zijn schedel. Hij legde zijn hoofd voorzichtig op het beton. Het zou niet slim zijn als hij het bewustzijn zou verliezen en om zou vallen en alsnog een barst in zijn schedel op zou lopen. Hij hief zijn hand op. Hij pakte het afgebroken stuk bot tussen duim en wijsvinger. Atoombommen gingen af in zijn hoofd. Hij trok eraan en duwde.

Geen effect. Het kraakbeen klemde te stevig. Als een spinnenweb van plastic miniatuurdraden, die het stuk bot gefixeerd hield. Op een volstrekt verkeerde plek. Hij knipperde traanvocht uit zijn ogen en probeerde het opnieuw. Hij duwde ertegen en trok eraan. Waterstofbommen explodeerden.

Geen effect.

Hij wist wat hem te doen stond. Evenwichtige krachten hadden geen effect. Hij moest het stuk bot met de palm van zijn hand terugstoten naar zijn plek. Hij moest goed nadenken en het goed voorbereiden, het moest in één keer goed.

Hij oefende de beweging. Hij moest laag langs het vlak van zijn wang en zijn neus slaan, met de zijkant van zijn hand, het deel tegenover de muis, als een karateklap, een schampende klap, omhoog, opzij en naar buiten gericht. Hij moest de bergtop weer terug de berg op drijven. Daar zou het verder wel goed komen. Als de neusbrug eenmaal weer op zijn plek zat, zouden huid en kraakbeen hem wel rechtzetten en fixeren.

Hij deed zijn ogen open. Het lukte hem niet vanuit de juiste hoek te slaan. Niet vanuit een liggende houding op de vloer. Zijn elleboog zat in de weg. Hij sleepte zich over het vlakke beton, duwend met zijn handpalmen en hakken, een meter, twee meter, en hees zich omhoog langs een wand, half liggend, met gebogen nek, ruimte voor zijn ellebogen in de driehoekige ruimte achter en onder zijn gebogen rug. Hij rechtte zijn schouders en zijn heupen

en installeerde zich zo stabiel als maar kon, zodat hij niet ver kon vallen, of misschien wel helemaal niet zou vallen.
Tijd voor de show.
Hij tikte met de muis van zijn hand tegen de plek waar hij moest slaan. Hij liet zijn hand voelen wat er moest gebeuren. Hij oefende de beweging. Het bovenste deel van zijn handpalm zou langs zijn wenkbrauw glijden. Die zou werken als een geleider.
Bij drie, dacht hij.
Eén.
Twee.
KRAK
ZWART

43

De man van Mahmeini was bang. Hij had twintig minuten rondgereden en helemaal niets gezien. Toen was hij bij een huis gekomen met een witte brievenbus waarop DUNCAN stond, allemaal luxueus en uitgelicht met schijnwerpers. Het was een aardig huis, kosten noch moeiten waren gespaard bij de renovatie. Het hoofdkwartier, had hij gedacht. Maar nee. Er was alleen maar een vrouw thuis die beweerde dat ze van niets wist. Ze was vrij jong. Had onlangs klappen gehad. Ze zei dat er vier Duncans waren, een vader, een zoon en twee ooms. Zij was getrouwd met de zoon. Op het moment waren ze allemaal ergens anders. Ze wees hem de weg naar een groepje van drie huizen die de man van Mahmeini al had gezien, maar van zijn lijstje had geschrapt. Het waren bescheiden huizen, omheind door een armoedig oud houten hekwerk. Niet echt huizen van mannen met een positie.
Maar hij was toch maar teruggereden in die richting, hard, waarbij hij bijna een idiote voetganger had overreden die plotseling voor hem opdook in de duisternis. Eenmaal op de tweebaansweg had hij in het noorden een felle brand gezien die hem deed denken aan brandende benzine. Hij had de drie huizen genegeerd en

was doorgereden naar de brand. Het bleek op het parkeerterrein van het motel te zijn. Een auto. Of wat er over was van een auto. Nu resteerde alleen nog een oververhitte roodgloeiende carrosserie in een helse vuurzee. Zo te zien aan de vorm was het de Ford van de mannen van Safir geweest. Die zaten er nog steeds in. Of wat er van hen over was, zat er nog steeds in. Het waren nu niet meer dan afschuwwekkende gekrompen vormen, die nog steeds brandden en smolten. Borrelende en open knappende blazen, weefsel en pezen verschrompeld, de handen door het vuur als groteske klauwen geheven. In de furieus kolkende luchtstromen waarin ze gevangen waren, leek het of ze dansten en wuifden op hun stoelen.

Afgemaakt door de mannen van Rossi, natuurlijk. Dat betekende vrijwel zeker dat ze Asghar ook hadden vermoord, uren geleden al. Het plan van Rossi was duidelijk. Hij had al een stevige relatie met de Duncans, aan het begin van de keten. Nu probeerde hij haasje-over te spelen met Safir en Mahmeini om rechtstreeks aan de Saoedi's te leveren, aan het einde van de keten. Een voor de hand liggende manoeuvre, gezond zakelijk instinct, maar Rossi was er heel vroeg aan begonnen. Ze hadden het initiatief naar zich toegetrokken. Een echte coup. De timing was indrukwekkend. En hun capaciteiten. Het had hun niet meer dan een halfuur gekost om Asghar op te wachten, met hem af te rekenen en zijn auto op te ruimen. Dat was een knappe prestatie. Asghar was taai en achterdochtig, altijd op zijn hoede en niet zo gemakkelijk te verslaan. Een goede partner. Een goede vriend ook en dat schreeuwde om wraak. De man van Mahmeini voelde Asghars aanwezigheid, heel sterk, alsof hij vlak bij hem in de buurt was. Wat hem een gevoel van eenzaamheid en ontheemding bezorgde op vijandelijk grondgebied, waar hij in de verdediging was gedrongen. Wat allemaal onbekende ervaringen waren voor hem en hem dus een beetje bang maakte. Wat hem ook zijn plannen deed veranderen. Er doemden plotseling nieuwe prioriteiten op. Die reusachtige vreemdeling kon nog wel even wachten. Zijn belangrijkste doelwit waren nu de mannen van Rossi.

De man van Mahmeini begon bij het motel, omdat hij er toch was. Hij had er eerder iemand gezien die achter een raam stond te kijken, half verstopt. Een man met een vreemde bos haar. Een local. Waarschijnlijk de eigenaar van het motel. Die zou kunnen weten welke kant de mannen van Rossi op waren gegaan.

Roberto Cassano en Angelo Mancini stonden zes kilometer verder naar het noorden, het licht uit, de motor stationair. Cassano belde met Rossi. Bijna twee uur 's nachts, maar er waren belangrijke zaken die moesten worden besproken.

Cassano vroeg: 'Je hebt deze deal gesloten met Seth Duncan, toch?'

Rossi zei: 'Dat was mijn eerste contact destijds. Daar bleek het al snel een familiebedrijf te zijn. Het lijkt erop dat er daar alleen iets gebeurt als ze het er allemaal mee eens zijn.'

'Maar voor zover jou bekend is het nog steeds jouw deal?'

'Wat zou het anders moeten zijn?'

'De deal van iemand anders.'

'Natuurlijk is het nog steeds mijn deal,' zei Rossi. 'Geen twijfel mogelijk. Het is altijd mijn deal geweest en dat zal het ook altijd blijven. Waarom vraag je dat eigenlijk? Wat gebeurt er daar?'

'Seth Duncan heeft zijn auto uitgeleend aan de man van Mahmeini. Dat is wat er hier gebeurt.'

Stilte aan de andere kant van de lijn.

Cassano zei: 'Er stond een Cadillac bij het Marriott toen we daar vanmiddag aankwamen. Zo oud dat het geen huurwagen kan zijn. Later hebben we de man van Mahmeini in die auto gezien. Eerst dachten we dat hij hem had gestolen, maar nee. De locals hier zeggen dat het Seth Duncans eigen wagen is. Dat betekent dat Seth Duncan hem moet hebben uitgeleend. Hij heeft hem blijkbaar naar het Marriott gereden en hem daar laten staan, klaar voor gebruik. En toen leek het of de man van Mahmeini, nadat we contact hadden gemaakt, voor eigen rekening begon te werken. Eerst dachten we nog dat de mannen van Safir zijn partner hadden uitgeschakeld, of dat die er misschien gewoon vandoor was gegaan, maar we denken nu dat hij hier direct naartoe is gereden in hun huurauto. Hij zit waarschijnlijk op dit moment bij de Duncans. Misschien zitten ze daar wel allebei, als dikke maatjes. We worden hier gigantisch voor lul gezet, baas. Ze zetten ons aan de kant.'

'Onmogelijk.'
'Baas, je contact heeft zijn eigen wagen uitgeleend aan je concurrent. Vier handen op één buik. Wat wil je daar anders van maken?'
'Ik kan niet in de buurt komen van de uiteindelijke koper.'
'Je zult het toch moeten proberen.'
Stilte aan de andere kant van de lijn. Toen zei Rossi: 'Oké, niets is onmogelijk, denk ik. Ga maar door en reken maar af met de mannen van Mahmeini. Begin daar maar mee. Alsof ze nooit geboren zijn. En maak daarna Seth Duncan maar duidelijk hoe erg hij zich heeft vergist. Zoek maar een manier om hem bij de les te krijgen. Zijn vrouw of zo. En daarna richt je je op die drie oudjes. Vertel ze maar dat we de hele zaak van ze overnemen als ze nog één keer wilde plannen bedenken. De hele handel tot in Vancouver. Ik wil dat ze over een uurtje in hun broek pissen.'
'En die Reacher?'
'Zoek hem maar op, hak zijn kop eraf en stop die in een doos. Laat de Duncans maar zien dat we kunnen doen wat we willen. Laat maar zien dat we iedereen aankunnen, waar dan ook en wanneer dan ook. Zorg er maar voor dat ze begrijpen dat ze als volgende aan de beurt kunnen zijn.'

Reacher werd een tweede keer wakker en wist meteen dat het twee uur 's nachts was. De klok in zijn hoofd was weer gaan lopen. Hij wist ook onmiddellijk dat hij zich in de kelder van een huis bevond. Geen half afgebouwd zwembad, geen ondergrondse bunker. Het beton was glad en sterk, omdat hij in Nebraska was, waar tornado's huishielden en bestemmingsplannen, bouwbesluiten of gewoon een gewetensvolle architect hadden gezorgd voor afdoende schuilkelders. Dat betekende bijna zeker dat het de kelder van de dokter moest zijn, ten eerste omdat er te weinig tijd was verstreken om hem naar elders te transporteren, en ten tweede omdat het huis van de dokter het enige huis was dat Reacher had gezien dat zo nieuw was dat het getekend kon zijn door een architect en onderworpen aan wetten, regelgeving en normen. Vroeger bouwden de mensen zelf en dan hoopten ze er maar het beste van.

Dat betekende ook dat de buizen van verschillende dikte, buizen waren voor water, riolering en verwarming. De groene metalen dozen met de minerale vlekken en korsten erop waren de verwarmingsketel en de boiler. Er was een paneel, zo te zien vol zekeringen en aardschakelaars. Boven aan de trap was een deur die naar buiten toe, naar de hal openging. Niet naar binnen. Niemand bouwt zo dat deuren boven aan een trap naar binnen toe opengaan. Nietsvermoedende bewoners zouden als in een lachfilm van de trap afkukelen. Tornado's konden snelheden bereiken van vijfhonderd kilometer per uur. Dan kon je maar beter een deur naar je schuilkelder hebben die wat steviger werd dichtgedrukt in plaats van te worden opengeblazen.

Reacher ging rechtop zitten. Kennelijk was hij onderuitgegaan en min of meer klem komen te zitten in de hoek tussen de vloer en de muur, met gebogen hoofd. Hij had lichte spierpijn in zijn nek, dat leek hem een goed teken. Het betekende dat de pijn in zijn neus was gereduceerd tot achtergrondruis. Hij tilde zijn hand op en inspecteerde zijn neus. Die was nog steeds heel gevoelig, hij voelde open wonden en grote kussenachtige zwellingen, maar het stuk bot zat weer op zijn plaats. Zo ongeveer. In principe. Min of meer. Niet echt mooi, maar dat was hij om te beginnen al niet geweest. Hij spuugde in zijn hand en probeerde het geronnen bloed van zijn mond en zijn kin te vegen.

Toen stond hij op. Er was niets opgeslagen in de kelder. Geen volle planken, geen stapels stoffige dozen, geen werkbank, geen borden met gereedschap aan de muur. Dat zou allemaal wel in de garage zitten, dacht Reacher. Het moest toch ergens zijn. Ieder huishouden had dergelijk spul. Maar deze kelder was een schuilplaats voor tornado's, niet meer en niet minder. Niets anders. Er was zelfs geen speelkamer. Geen aftands bankstel, geen afgedankte tv, geen oude koelkast, geen biljart, geen verstopte flessen bourbon. Er was helemaal niets daar beneden behalve nutsvoorzieningen. De verwarmingsketel brandde fel en maakte lawaai. Zoveel lawaai dat je verder niets kon horen. Reacher sloop de trap op en legde zijn oor tegen de deur. Hij hoorde stemmen, zacht en onduidelijk, eerst één stem, toen een andere, in een vast en regelmatig patroon. Vraag en antwoord. Een man en een vrouw. Seth Duncan, veronderstelde hij, die vragen stelde, en Dorothy Coe of de vrouw van de dokter die antwoorden gaf. Eenlettergrepige antwoorden. Ja of nee. Niet echt gespannen. Geen pijn of paniek. Alleen berusting. Dorothy Coe of de vrouw van de dokter die misschien wel vermoeid steeds 'nee' zei, kalm, geduldig en vastbesloten, steeds opnieuw, op elke nieuwe vraag. En wie het dan ook was, ze had een publiek. Reacher ving vaag de fysieke aanwezigheid op van andere mensen in het huis, die ademhaalden en zich bewogen, hun voeten verplaatsten. De dokter zelf, dacht hij, en twee football-spelers.

Reacher probeerde de deurkruk, langzaam en behoedzaam. Hij bewoog, maar de deur gaf niet mee. Hij zat op slot, zoals te verwachten was. Het was een massieve deur, strak en recht afgehangen in een stevig kozijn in een muur die solide aanvoelde. Vanwege de tornado's, de wetten, regelgeving, normen en gewetensvolle architecten. Hij liet de deurkruk los en sloop weer naar beneden. Even speelde hij met de gedachte dat de wetten, regels, normen en gewetensvolle architecten misschien wel een tweede ingang hadden voorgeschreven. Een luik misschien, vanuit de slaapkamer. Zoiets zou zeker heel verstandig zijn. Een storm verplaatst zich snel en een stel slapende mensen zou misschien niet genoeg tijd krijgen om de schuilkelder te bereiken via de hal. Hij liep de hele kelder door, omhoogkijkend met een protesterende stijve nek, maar hij vond geen luik. Geen tweede ingang, en dus ook geen tweede uitgang. Alleen maar massieve, ononderbroken vloerplanken, strak gelegd over de sterke gelamineerde balken.

Midden in de ruimte bleef hij stilstaan. Hij kon verschillende dingen doen, maar niets daarvan zou gegarandeerd tot succes leiden en sommige plannen waren onzinnig genoeg om ze meteen te laten varen. Hij kon het warme water afsluiten, maar dat zou een provocatie in slow motion zijn. Waarschijnlijk was niemand daarboven van plan de komende uren een warme douche te nemen. Hij kon ook de verwarming uitschakelen, een wat heftiger probleem, gezien het seizoen, maar het zou nog steeds een tijd duren voordat er een reactie kwam, terwijl de mensen die niemand kwaad hadden gedaan net zo hard de dupe zouden zijn als de boeven. Hij kon de elektriciteit uitschakelen op het schakelbord,

één simpele klik van een schakelaar, maar er was daarboven minstens één geweer en misschien waren er ook wel zaklantaarns. Hij stond aan de verkeerde kant van een vergrendelde deur, ongewapend en moest aanvallen vanuit de diepte.
Niet best.
Helemaal niet best.

44

Seth Duncan had zijn hand vlak op de tafel van de dokter gelegd, een zak met erwten uit de vriezer erbovenop. De vrieskou verdoofde de pijn, maar niet erg effectief. Hij had nog een shot nodig van het middel om varkens te verdoven van zijn oom Jasper en hij zou ook zorgen dat hij dat kreeg, maar hij was vastbesloten eerst aan zijn plan te werken, dat op dat moment beslist op rolletjes liep. Het ging eigenlijk zo goed dat hij al nadacht over de laatste fase van het plan. Zijn jarenlange ervaring in de county had hem geleerd dat de werkelijkheid was wat mensen zeiden dat die was. Als niemand ooit over een gebeurtenis praatte, had die nooit plaatsgevonden.
Duncan zat alleen aan de ene kant van de tafel, het donkere raam achter zich, de dokter en zijn vrouw en Dorothy Coe tegenover hem, op een rijtje op drie harde stoelen, rechtop en oplettend. Hij leidde hen stuk voor stuk door een reeks vragen, luisterde naar hun antwoorden, schatte in hoe eerlijk die antwoorden waren, en legde het fundament voor een verhaal zoals dat in de toekomst zou worden verteld. Hij was klaar met de dokter en hij was klaar met de vrouw van de dokter en hij stond op het punt het gesprek met Dorothy Coe te openen. Hij had een Cornhusker zwijgend en dreigend in de deuropening gezet met de oude Remington, en een ander in de hal, leunend tegen de kelderdeur. De drie die nog over waren, zaten buiten in hun auto's, reden rond, deden alsof ze op zoek waren naar Reacher. Ze moesten de illusie in stand houden voor de mannen van Rossi. De planning was dat Reacher

pas veel later die dag gevangen zou worden. De werkelijkheid was wat mensen zeiden dat die was.
Duncan vroeg: 'Heb je ooit een man ontmoet die Reacher heette?'
Dorothy Coe gaf geen antwoord. Ze wierp alleen een blik naar links, de hal in. Een koppige vrouw die vasthield aan ouderwetse ideeën over objectiviteit.
Duncan zei: 'Dat is een heel sterke kelderdeur. Ik weet het, want ik heb bij onze verbouwing precies dezelfde deur laten plaatsen. Hij heeft een stalen kern en hij hangt in een stalen kozijn. Hij heeft overmaatse scharnieren en een slot dat bestand is tegen druk. Hij is bestand tegen een storm van categorie vijf, tegen windstoten van vijfhonderd kilometer per uur. Hij heeft een FEMA-keurmerk. Dus als er, helemaal hypothetisch, iemand op dit moment in die kelder zou zijn, mag je er gerust op zijn dat die ook in de kelder blijft. Zo'n hypothetische figuur zou nooit uit die kelder kunnen ontsnappen. Eigenlijk zou zo'n hypothetische figuur net zo goed niet kunnen bestaan.'
Dorothy Coe vroeg: 'Als die deur zo goed is, waarom staat er dan een football-speler tegenaan?'
'Die moet toch ergens staan?' zei Duncan. Toen glimlachte hij. 'Zou je liever zien dat hij zich een tijdje terugtrok in de slaapkamer? Misschien kan hij zich daar een tijdje vermaken met je vriendinnetje hier, terwijl jij antwoord geeft op mijn vragen.'
Dorothy Coe wierp een blik de andere kant op, naar de vrouw van de dokter.
Duncan vroeg: 'Heb je ooit een man ontmoet die Reacher heette?'
Dorothy Coe gaf geen antwoord.
Duncan zei: 'De tijd staat niet stil. Voordat je het weet is het voorjaar. Dan ga je ploegen en planten. Met een beetje geluk gaat het op het goede moment regenen en pakt de oogst goed uit. En dan? Moet die oogst van het land? Of steek je liever een pistool in je keel, net als die waardeloze echtgenoot van je?'
Dorothy Coe zei niets.
Duncan vroeg: 'Heb je ooit een man ontmoet die Reacher heette?'

Dorothy Coe zei: 'Nee.'
'Heb je ooit gehóórd van een man die Reacher heette?'
'Nee.'
'Is hij ooit bij jou thuis geweest?'
'Nee.'
'Heb je ooit ontbijt voor hem gemaakt?'
'Nee.'
'Was hij hier toen je hier vanavond aankwam?'
'Nee.'
In de hal, vijf centimeter van de heup van de Cornhusker, draaide de deurkruk omlaag, een kwart cirkel, bleef even in die stand staan en bewoog toen terug.
Niemand zag het.
In de eetkamer vroeg Duncan: 'Is er hier deze winter ooit een vreemdeling geweest?'
Dorothy Coe zei: 'Nee.'
'Iemand, wie dan ook?'
'Nee.'
'Problemen hier in de buurt?'
'Nee.'
'Is er iets veranderd?'
'Nee.'
'Wil je dat er iets verandert?'
'Nee.'
'Heel goed,' zei Duncan. 'Ik ben erg blij met de status quo, en ik ben blij dat jij er ook blij mee bent. Daar doen we allemaal ons voordeel mee. Geen enkele reden waarom we niet allemaal met elkaar kunnen opschieten.' Hij stond op, liet de zak erwten op tafel liggen, een paar druppels water als parels op de was. Hij zei: 'Jullie blijven hier met z'n drieën. Mijn jongens zullen wel voor jullie zorgen. Probeer niet het huis te verlaten en probeer niet te bellen. Neem de telefoon niet aan als hij gaat. De telefoonpiramide is geschorst voor vannacht. Jullie zitten buiten het netwerk. Ongehoorzaamheid wordt onmiddellijk en streng gestraft.'
Duncan trok zijn parka onhandig met zijn linkerhand aan en liep langs de man met de Remington in de richting van de voordeur. De anderen hoorden de deur opengaan en weer dichtslaan, en

even later hoorden ze het geluid van de Mazda wegsterven, het geluid van de uitlaat dat de stilte van de nacht verscheurde.

De man van Mahmeini reed in de Cadillac naar het zuiden over de tweebaansweg, acht rustige kilometers. Toen deed hij zijn licht uit en reed stapvoets verder. De zware motor fluisterde en de brede banden maakten een zacht ruisend geluid op het asfalt. Hij zag de drie oude huizen rechts. Achter een van de ramen op de begane grond brandde licht. Verder was er geen enkel teken van leven. Er stonden drie auto's geparkeerd, vage vormen in het maanlicht, stuk voor stuk oud, pick-ups van boeren, geen nieuwe blauwe Chevrolet. Maar de Chevrolet zou wel komen, daarvan was de man van Mahmeini overtuigd. Rossi was de helft van de tijd bezig Safir en Mahmeini te passeren in de keten, wat betekende dat hij de rest van de tijd bezig moest zijn met het verstevigen van zijn positie. Hij moest zijn relatie met de Duncans beschermen. Dus moesten Rossi's mannen regelmatig contact met hen onderhouden, hen kalmeren, hen over de bol aaien, hen geruststellen, en er vooral voor zorgen dat niemand anders bij hen in de buurt kon komen. Allemaal voor de hand liggende voorzorgsmaatregelen, zo uit het boekje.
De man van Mahmeini reed voorbij het begin van de oprit van de Duncans, keerde honderd meter verder en parkeerde half in de andere berm, half op de weg, licht uit. De grote zwarte auto stond op een plek die net even wat lager was, zo onzichtbaar als maar mogelijk was zonder camouflagenet. Er zou waarschijnlijk wat chroom glanzen in het zwakke maanlicht, waarschijnlijk, maar er hing ook nevel in de lucht, en de mannen van Rossi zouden bovendien naar de oprit van de Duncans kijken voordat ze die op zouden draaien, en niet naar iets anders. Dat doet iedere chauffeur. De menselijke natuur. Een auto besturen vereiste vrijwel net zoveel geestelijke inspanning als fysieke inspanning. Het hoofd wordt gedraaid, de ogen richten zich naar de bestemming en de handen volgen automatisch.
De man van Mahmeini wachtte. Hij keek naar het noorden, want al met al verwachtte hij dat de mannen van Rossi uit die richting zouden komen, al was het natuurlijk altijd mogelijk dat ze uit het

zuiden zouden komen, en dus stelde hij de spiegel zo in dat hij ook in die richting kon kijken. De nevel die behulpzaam was om hem te verbergen, maakte ook zijn achterruit wat minder doorzichtig. Niet ernstig, maar een auto die kwam aanrijden zonder licht, zou moeilijk te zien zijn. Maar waarom zouden de mannen van Rossi zonder licht rijden? Ze stonden op drie uit drie die nacht en blaakten dus waarschijnlijk van het zelfvertrouwen.
Acht kilometer naar het noorden was de oranje gloed van het vuur nog steeds zichtbaar, zij het minder helder dan eerst. Niets brandt eeuwig. Boven de gloed hing de maan achter een waas van rook. Rondom lag het land donker en roerloos en onopwindend, zoals het er al een eeuw lang moest hebben gelegen. De man van Mahmeini staarde naar de weg en zag niets.
Hij wachtte.
Toen zag hij iets.
Ver weg en meer naar links zag hij een blauwe gloed in de nevel, een hoge ronde bel van licht die snel van west naar oost schoof. Een auto die zijn kant op kwam op een weg die haaks liep op de tweebaans en die een kilometer of vier verderop zou kruisen. Daar kon de auto links afslaan, van hem weg, of rechts af-, en op hem toe komen. Hij haalde zijn pistool uit zijn zak en legde hem op de stoel naast zich. De bewegende bel licht minderde snelheid, stopte, begon weer te rijden en lichtte fel op. De auto was rechts afgeslagen, in zijn richting. Hij zag meteen dat het niet de Chevrolet was. Uit de manier waarop het licht bewoog, maakte hij op dat de auto kleiner was, lager, wendbaarder. Zo bewogen Porsches en Ferrari's zich voort in Vegas, 's nachts, de voorbumper onveranderlijk een paar centimeter boven het asfalt, de koplampen springerig en onrustig. Grote gezinsauto's leken wel onder narcose gebracht in vergelijking. Die bewogen als logge brokken, zwaaiend, sloom, gedempt, gecapitonneerd en indirect.
Hij wachtte en zag de bel licht oplossen in twee nerveuze lichtbundels uit twee ellipsvormige lampen, dicht bij elkaar en laag bij de grond. Hij zag de auto honderd meter voor de oprit afremmen en daarna de oprit op draaien. Het was de kleine rode Mazda Miata die hij geparkeerd had zien staan bij de gerenoveerde boerderij van de Duncans. De auto van de schoondoch-

ter. Ze kwam op bezoek. Geen beleefdheidsbezoekje waarschijnlijk. Niet zo laat 's nachts. Ze zou hen wel gebeld hebben. Ze had de ontmoeting gerapporteerd met de vreemde Iraniër en ze hadden haar opgedragen om voor de veiligheid daarnaartoe te komen. Waarschijnlijk wisten de Duncans dat er voor het dag werd het een en ander geregeld zou worden en wilden ze niet dat een van hen per ongeluk in het kruisvuur verzeild zou raken.
De man van Mahmeini keek hoe de Mazda bonkend en hobbelend over de oprit reed. Hij zag dat de Mazda werd geparkeerd naast de oude pick-ups. Hij zag de koplampen doven. Tien seconden later zag hij in de verte fel licht naar buiten schijnen toen een voordeur openging en er iemand naar binnen liep. Daarna werd het weer donker.
De man van Mahmeini keek naar de weg en wachtte. De nevel werd dichter. Het werd een probleem. De ruit van de Cadillac werd grijs. Hij rommelde wat rond het stuur, vond de schakelaar van de ruitenwissers en liet ze twee keer van links naar rechts gaan en weer terug om de ruit schoon te maken. Het resultaat was dat de achterruit nu nog minder zicht bood. Er lag een dikke grijze waas over. Zelfs een auto met licht zou moeilijk te zien zijn. De stralenbundels van de koplampen zouden uiteenvallen in miljoenen kleine vlekjes die samen één verbindend schijnsel zouden vormen. Volstrekt waardeloos.
De man van Mahmeini hield met één oog de weg in de gaten terwijl hij op zoek ging naar de schakelaar van de achterruitverwarming. Het viel niet mee om die te vinden. Zonder ingeschakelde koplampen buiten waren ook het dashboard en alle andere instrumenten binnen onverlicht. Er waren nogal wat knoppen en schakelaars. Het was een luxe auto met alles erop en eraan. Hij dook met zijn hoofd omlaag en zag een knop met bliksemschichten erop. Het leek alsof dat iets te maken had met verwarming. Midden op de knop zat een rood waarschuwingslichtje. Hij drukte erop en wachtte. Er gebeurde niets met de achterruit, maar zijn achterwerk werd warm. Het was de stoelverwarming in plaats van de achterruitverwarming. Hij schakelde die weer uit en zag nog een knop, met één oog zoekend op de console en één oog gericht op de weg buiten. Hij drukte op de

knop. De radio ging aan, heel hard. Hij zette hem haastig uit en probeerde een derde knop er dichtbij die met een bevredigende klik reageerde toen hij erop drukte.
Het slot van de kofferbak sprong met een metalig geluid open en de klep zwaaide langzaam en gelijkmatig, geremd en hydraulisch helemaal open, helemaal verticaal.
Nu was alle zicht naar achteren hem ontnomen.
Niet zo best.
En je mocht ervan uitgaan dat er een lampje in de kofferbak zat, in werkelijkheid heel zwak en geel, maar in het duister van de nacht zou het ongetwijfeld een geweldige schijnwerper lijken.
Hij drukte opnieuw op de knop, zonder erbij na te denken. Achteraf realiseerde hij zich dat hij half en half verwacht had dat de klep van de kofferbak dan weer zou sluiten, langzaam en gehoorzaam, net zo goed als hij de stoelverwarming en de radio op die manier weer had uitgeschakeld. Maar natuurlijk ging de kofferbak niet weer dicht. Het ontgrendelingsmechanisme klikte en zoemde nog een keer, maar de klep bewoog geen millimeter.
Hij stond wagenwijd open.
Alle zicht belemmerd.
Hij zou moeten uitstappen om hem met de hand dicht te doen.

45

Roberto Cassano en Angelo Mancini waren nu al drie dagen in deze omgeving en ze gingen ervan uit dat hun enige echte voorsprong op de mannen van Mahmeini hun kennis van lokale omstandigheden was. Ze wisten letterlijk hoe alles erbij lag. Ze wisten vooral dat alles heel vlak en leeg was. Een gigantisch biljart met een bruin laken. Grote akkers, efficiënt, geen sloten, geen heggen, geen andere natuurlijke obstakels, de grond hard bevroren. Dus konden ze met hun auto, ook al was dat een ordinaire stadsauto, zonder al te veel problemen over het akkerland rijden. Een beetje alsof je met een open bootje op een rustige zee zeilde.

Ze hadden het erf van de Duncans gezien. Ze waren er geweest. Ze kenden het. Ze konden met een omtrekkende beweging achter de huizen komen, langzaam en rustig rijdend, licht uit, inktblauw en onzichtbaar in het duister. Dan zouden ze uitstappen en over dat stomme houten hek klimmen en de zaak van de achterkant bestormen. Het ging allemaal om verrassing. Misschien werd er aan de voorkant wachtgelopen, maar aan de achterkant zouden alleen de Duncans en de mannen van Mahmeini in een van de keukens om de tafel zitten, waarschijnlijk met goedkope bourbon een heildronk uitbrengend op de nieuwe samenwerking en grapjes makend over de nieuwe commerciële afspraken.
Twee pistoolschoten zouden aan die blijde conversatie een einde maken.
Cassano reed naar het zuiden en schakelde ter hoogte van het motel zijn licht uit. De Ford brandde nog steeds een beetje op het parkeerterrein. Uit de resten van de banden steeg nog kringelende vette rook van verbrand rubber omhoog en kleine vlammen lekten uit het grind rondom waar olie terecht was gekomen. De mannen van Safir waren donkere verschrompelde vormen, half zo groot als bij leven, vastgesmolten aan de stalen harmonicaveren, het enige wat er restte van de stoelen, opengesperde monden alsof ze krijsten, schedels glad gebrand, handen als klauwen geheven. Mancini glimlachte en Cassano reed er langzaam langs, en verder over de weg, voorzichtig, sturend bij het maanlicht.
Zes kilometer ten zuiden van het motel, anderhalve kilometer ten noorden van de huizen van de Duncans remde hij nog meer af, draaide aan het stuur en hobbelde over de berm het open veld in. De auto schokte en rammelde. In geologische termen was het akkerland vlak, maar waar het rubber van de banden de grond raakte, was het oneffen en brokkelig. De veren kraakten en bonkten en het stuur schokte en rukte in de handen van Cassano. Maar hij vorderde gestaag. Hij reed niet harder dan dertig kilometer per uur en maakte een wijde bocht met de bedoeling ongeveer een kilometer achter het erf uit te komen. Twee minuten, schatte hij. Op een bepaald moment moest hij hard afremmen en om een braambos sturen. Pal erachter zagen ze het uitgebrande skelet van een SUV. Het doemde plotseling op uit het duister, zwart

en asgrijs. Het werk van Reacher, eerder die dag. Daar voorbij was het een gemakkelijke rit. In de verte zagen ze een vage vlek geel licht, als een baken. Een keukenraam, ongetwijfeld, waardoor warm licht naar buiten straalde. Het meest zuidelijke van de drie huizen waarschijnlijk. Het huis van Jacob Duncan. De grote baas.

De man van Mahmeini stapte uit de Cadillac en bleef even in de nachtelijke kou staan. Hij keek om zich heen, naar het oosten, het westen, het noorden en het zuiden, en zag niets bewegen. Hij sloot het portier om het binnenlicht te doven. Hij deed een stap in de richting van de kofferbak. Inderdaad, er was een lampje in de kofferbak. Het wierp een bleekgele cirkel van licht op de nevel. Voor de auto geen probleem, maar erachter wel. Het menselijk oog is heel gevoelig.

Hij deed een tweede stap, voorbij het achterportier en hief zijn linkerhand, vlakke handpalm, op de een of andere manier al met zijn tastzin ervarend wat hij al duizenden malen eerder had gevoeld, met de vlakke hand op het metaal, een centimeter of vijfentwintig van de rand van de klep, zodat de kracht van het drukken evenveel effect zou hebben op beide scharnieren, zodat het deksel niet zou ontwrichten, zodat beide gekalibreerde veren in de scharnieren zacht krakend zouden worden samengedrukt, waarna de klep gelijkmatig en zonder weerstand dicht zou gaan tot het moment dat het luxesysteem zou inhaken en de klep helemaal zou dicht zuigen.

Hij legde zijn hand op het metaal. Verder kwam hij niet.

Onwillekeurig boog hij naar voren, niet om de klep dicht te slaan met een klap, al helemaal niet omdat hij in een slecht humeur was, maar om de armbeweging lichter te maken. Die veranderde positie deed hem zijn schouders iets ophalen, waardoor zijn hoofd weer iets naar voren kwam en zijn gezichtsveld iets anders werd, en hij zijn ogen ergens op moest richten. Gesteld voor de keuze te kijken naar het verlichte interieur van een kofferbak of een zich eindeloos uitstrekkend duister zwart van asfalt en akkerland, deed hij wat iedereen zou doen, en koos hij voor het eerste.

Asghar Arad Sepher staarde terug.

Zijn levenloze ogen waren open. In het licht was zijn olijfkleurige huid lijkbleek en geel. De krachten van het optrekken en remmen en bochten maken hadden hem in een ongemakkelijke houding in een hoek van de kofferbak doen belanden. Zijn ledematen staken alle kanten op. Zijn nek was gebogen. Hij had een verbaasde blik in zijn ogen.
De man van Mahmeini stond stokstijf stil met zijn hand op het koude metaal, de mond open, amper ademend, zijn hart amper slaand. Hij dwong zichzelf weg te kijken. Toen keek hij opnieuw. Hij hallucineerde niet. Er was niets veranderd. Hij begon weer adem te halen. Zijn ademhaling ging over in hijgen. Zijn hart begon te bonzen. Hij begon te rillen en te trillen.
Asghar Arad Sepher staarde naar hem omhoog.
De man van Mahmeini haalde zijn hand van de klep van de kofferbak en schuifelde verder tot hij achter de auto stond. De uitlaatgassen kolkten om zijn knieën. Hij drukte met zijn vingers tegen zijn voorhoofd, keek omlaag en begreep er niets van. Asghar was volstrekt dood, maar nergens was bloed te zien. Geen kogelgat tussen de ogen. Geen verwonding door een klap met een stomp voorwerp, geen ingeslagen schedel, geen enkel spoor van wurging of verstikking, geen steekwonden, geen verwondingen omdat hij zich ergens tegen had verweerd. Niets van dat alles, alleen zijn vriend, dood in de kofferbak, uitgezakt en ontdaan van alle waardigheid, heen en weer gesmeten en verfomfaaid.
De man van Mahmeini liep weg, vijf meter, tien, keerde toen terug en legde zijn hoofd in zijn nek, hief zijn handen ten hemel en huilde stil naar de maan, de ogen stijf samengeknepen, zijn mond wagenwijd open in een wanhopige snauw, stampvoetend alsof hij stond te trappelen om warm te blijven, en helemaal alleen in de uitgestrekte duisternis.
Toen hield hij op en veegde hij met beide handen over zijn gezicht, eerst met de ene, toen met de andere, en dacht na. Maar het was allemaal zo complex dat het zijn denkvermogen te boven ging. Zijn vriend was honderd kilometer daarvandaan vermoord, door een onbekende die zich had bediend van een onbekende methode die geen sporen achterliet, en verborgen in de kofferbak van een auto die je op geen enkele manier in verband

kon brengen met de mannen van Rossi of Safir. Daarna was zijn eigen huurauto gestolen, zodat hij weer gedwongen was om nu juist deze auto te stelen, de enige mogelijke keuze in de hele stad, onverbiddelijk en onvermijdelijk, alsof hij een marionet was die op afstand werd gemanipuleerd door een grinnikend superwezen dat er de lol wel van inzag.

Het was onbegrijpelijk.

Maar, feiten waren feiten. Hij liep terug naar de kofferbak en dwong zichzelf Asghar te onderzoeken. Hij duwde tegen Asghar, trok en sleurde aan hem tot hij midden in de kofferbak lag en begon toen aan een nauwkeurig onderzoek, als een patholoog anatoom die sectie moest verrichten. Het lampje in de kofferbak brandde fel en warm genoeg, maar legde niets bloot. Asghar had geen gebroken botten en nergens bloeduitstortingen. Aan zijn nek was niets te zien of te voelen. Hij had nergens wonden, was niet gesneden, geen schaafwonden, geen krassen, en er zat niets onder zijn vingernagels. Zijn pistool, zijn mes en zijn geld waren weg. Dat was interessant. En overal om hem heen lagen spullen die je in een kofferbak kon aantreffen. Dat was vreemd. Er was geen enkele poging gedaan om op te ruimen. Er waren geen belastende materialen weggewerkt. Zoals een lege papieren zak waarin boodschappen hadden gezeten met een kassabon van een week oud, en een krant van een maand oud, ongelezen en keurig opgevouwen. Er lagen een paar opgekrulde bruine bladeren en wat kruimels aarde alsof iemand bij een tuincentrum inkopen had gedaan. Het was zonder meer de auto van iemand die er heel gewone dingen mee deed en die hem op geen enkele manier had voorbereid op de gruwelijke functie die hij nu vervulde.

Van wie was die auto? Dat was de eerste vraag. Daar kon het kenteken natuurlijk antwoord op geven, ervan uitgaande dat het kenteken niet vals was. Misschien was er wel een snellere manier om erachter te komen, aangezien de auto niet ontsmet was. De man van Mahmeini stapte naar de passagierskant, opende het portier, boog zich naar binnen en opende het dashboardkastje. Er lag een zwarte leren portefeuille in, ter grootte van een paperback. Op de voorkant was het schild van Cadillac erin gestanst in goud. Er zaten twee instructieboekjes in, het ene dik, het andere dun, een voor de auto en een voor de radio, plus het visitekaartje van een autoverkoper, met de vier hoeken weggeschoven in gleufjes in het leer, en een registratiebewijs en een verzekeringsbewijs. Hij trok die beide laatste documenten uit de portefeuille, liet de portefeuille op de vloer van de auto vallen en hield de documenten dicht bij het licht van het dashboardkastje. De auto behoorde toe aan Seth Duncan.

Wat logisch was, op een spectaculaire, plotse, afgrijselijke manier. Want alles berustte vanaf het begin op een volstrekte, maar dan ook werkelijk volstrekte misrekening. Je kon het niet anders verklaren. Er was helemaal geen losgeslagen vreemdeling. Niemand had hem gezien en niemand kon hem beschrijven, omdat hij niet bestond. Ze hadden hem bedacht. Hij bestond alleen denkbeeldig. Hij was het lokaas. Het was een list. De vertraging bij het leveren van de vracht was gelul. Het was van begin tot eind in elkaar gezet. Het was de bedoeling geweest om iedereen naar Nebraska te lokken om ze uit de keten te verwijderen, om ze te elimineren, om ze te vermoorden. De Duncans knipten de keten in stukken, haalden er schakels uit, en probeerden hem weer in elkaar te zetten zonder dat er iemand tussen hen en de Saoedi's zou zitten, met als beloning een werkelijk gigantisch toegenomen winst. Roekeloos maar overduidelijk en uitvoerbaar, duidelijk binnen hun mogelijkheden, want het was zonneklaar dat hun capaciteiten door iedereen schromelijk waren onderschat. Het waren bepaald niet de geestelijk minderbedeelde boerenkinkels voor wie iedereen hen hield. Het waren gewetenloze strategen met verbazingwekkende kwaliteiten, subtiel, verfijnd, en in staat tot geweldige inzichten en houtsnijdende analyses. Ze hadden Mahmeini ingeschat als belangrijkste opponent, geheel juist en in overeenstemming met de werkelijkheid, en ze hadden vanaf het allereerste begin diens mogelijkheid om op te treden om zeep geholpen door Asghar op de een of andere mysterieuze manier uit te schakelen, nog voordat het startschot had geklonken, en zijn volledig intacte lichaam daarna achter te laten in een auto waarvan ze zeker wisten dat die als hun eigendom zou worden herkend.

Dus, niet zomaar een coup, maar ook een boodschap, brutaal,

kunstig en subtiel afgeleverd: Wij doen wat we willen doen. Wij kunnen iedereen, waar dan ook, en op welk moment dan ook pakken, zonder dat je zelfs ook maar in de gaten krijgt hoe we dat doen. En als alle subtiliteit niet indrukwekkend genoeg was geweest, hadden ze de mannen van Safir ook nog eens verbrand op het parkeerterrein van het motel, als wrede demonstratie van hun reikwijdte en macht. Dat hadden de mannen van Rossi niet gedaan. De mannen van Rossi waren waarschijnlijk al dood, ergens anders, op een andere manier, misschien wel met afgehakte ledematen, doodgebloed, of gekruisigd. Of levend begraven. De woordvoerder van Rossi had die woorden zelf gebruikt toen het over de smaak van de Duncans ging.

De man van Mahmeini voelde zich volledig verlaten. Hij was echt helemaal alleen. Hij was de laatste overlevende. Hij had geen vrienden, geen bondgenoten en bevond zich op onbekend terrein. Hij had geen idee wat hij nu moest doen, behalve dan terugslaan, terugvechten, wraak nemen.

Hij had ook geen zin om iets anders te doen.

Hij staarde door de duisternis naar de drie huizen van de Duncans. Hij sloot de klep van de kofferbak boven Asghar eerbiedig, met de lichte druk van acht vingertoppen, als een droevig akkoord op een kerkorgel. Toe liep hij door de berm terug naar voren, langs de passagierskant, boog zich naar binnen en pakte zijn Glock op van de stoel. Hij zette de motor af en sloot het portier, liep om de motorkap heen en stak de weg over, stapte iemands braakliggende akker op en liep in een rechte lijn driehonderd meter het land in, parallel aan de aan weerszijden met een houten hek afgezette oprit. Drie huizen, honderd meter voor hem, zijn pistool in zijn rechterhand, zijn mes in zijn linkerhand.

Een kilometer achter het erf van de Duncans remde Cassano af. Hij stuurde de Chevrolet door een krappe bocht en liet hem uitlopen in de richting van het erf. Met nog honderd meter te gaan trok hij de handrem aan om de auto stil te zetten. Hij keek omhoog en schakelde het binnenlicht uit zodat het hen niet kon verraden als ze de portieren openden. Hij keek Angelo Mancini aan, die naast hem zat. Beiden bleven even stilzitten, toen knikten ze naar elkaar en stapten uit, de nachtelijke duisternis in. Ze trokken hun colts en hielden die paraat achter hun rug, zodat de reflectie van het maanlicht hun komst niet kon verraden. Zo liepen ze naar de huizen, schouder aan schouder, honderd meter.

46

De dokter, zijn vrouw en Dorothy Coe zaten stil in de eetkamer, maar de football-speler met de Remington had zijn post bij de deur naar de hal verlaten en lag nu breeduit op de bank in de woonkamer en keek naar opnamen van NFL-hoogtepunten op de grote nieuwe *full*-hdtv van de dokter. Zijn partner had de kelderdeur in de steek gelaten en leunde gemakkelijk tegen de muur in de hal, zodat hij van een afstand, onder een schuine hoek, kon meekijken. Beiden waren in beslag genomen door het programma. Het geluid stond zacht, maar klonk duidelijk en onmiskenbaar uit de grote luidsprekers. Het licht was uit, de felle kleuren op het scherm dansten en flikkerden over de muren. Achter het raam was het buiten duister en stil. De telefoon was drie keer overgegaan, maar niemand had opgenomen. Verder was alles vredig. Het had net zo goed tweede kerstdag kunnen zijn, of een late namiddag op een zondag in de herfst.
Toen ging alle elektriciteit in huis uit.
Het beeld op de tv doofde plotseling, het geluid stierf weg en het bijna onhoorbare zoemen van de verwarming viel stil. Er daalde een stilte neer, intens en absoluut, de temperatuur leek enige graden te dalen, de wanden leken weg te vallen alsof er geen verschil meer bestond tussen binnen en buiten, alsof het huis plotseling was opgelost in de uitgestrekte leegheid van het land eromheen.
De football-speler die in de hal stond, zette zich af tegen de muur en bleef midden in de hal stilstaan. Zijn partner in de woonkamer zwaaide zijn voeten naar de vloer en ging rechtop zitten. Hij vroeg: 'Wat gebeurt er?'
De ander zei: 'Geen idee.'

'Dokter?'
De dokter kwam omhoog van zijn plek achter de eettafel en stommelde naar de deur. Hij zei: 'De elektriciteit is uitgevallen.'
'Je meent het. Heb je je rekening betaald?'
'Dat is het niet.'
'Wat is het dan wel?'
'Misschien is dit wel in het hele gebied.'
De football-speler in de woonkamer stommelde naar het raam en keek de duisternis buiten in. Hij zei: 'Hoe kom je daar in vredesnaam achter?'
De football-speler in de hal zei: 'Waar zit de hoofdschakelaar?'
'In de kelder,' zei de dokter.
'Geweldig. Reacher is wakker. En hij speelt spelletjes.' De football-speler begaf zich in het donker op de tast naar de kelderdeur, volgde met zijn vingertoppen de muur. Toen hij voelde dat hij de deur had bereikt, bonsde hij erop. Hij riep: 'Doe het licht weer aan, klootzak.'
Geen reactie.
Inktzwarte duisternis in het hele huis. Geen spoortje licht, nergens.
'Doe het licht weer aan, Reacher.'
Geen reactie.
Kou en stilte.
De football-speler in de woonkamer zocht zijn weg naar de hal. 'Misschien is hij niet wakker. Misschien is het wel een echte stroomstoring.'
Zijn partner vroeg: 'Heb je een zaklantaarn, dokter?'
De dokter zei: 'In de garage.'
'Ga hem halen.'
'Ik zie niets.'
'Je doet je best maar, oké?'
De dokter schuifelde aarzelend naar de hal, streek met zijn vingers langs de muur, botste tegen de ene football-speler, voelde waar de imposante torso van de tweede zich bevond, wist die te ontwijken, schuifelde de keuken in, stootte tegen een stoel, wat een hol schrapend houten geluid veroorzaakte, en stootte met zijn heup tegen de tafel. De wereld der blinden. Het viel niet mee. Hij

volgde het aanrecht met zijn vingertoppen, voorbij de gootsteen, voorbij het fornuis en bereikte de bijkeuken. Hij sloeg haaks af met zijn handen voor zich uitgestrekt en vond de deur naar de garage. Hij tastte naar de deurkruk, deed de deur open en stapte de koude ruimte erachter in. Hij vond de werkbank, reikte omhoog en tastte met zijn vingers het gereedschap af dat er netjes boven was opgehangen. Een hamer, goed om mee te slaan. Schroevendraaiers, goed om mee te steken. Sleutels voelden steenkoud aan. Zijn vingers stuitten op het plastic van de zaklantaarn en hij pakte hem uit de beugel. Met zijn duim verschoof hij de schakelaar. De zaklantaarn produceerde een zwak geel schijnsel. Hij sloeg ermee tegen zijn vlakke hand en het schijnsel werd iets feller. Hij draaide zich om en zag een football-speler vlak naast zich staan. Die uit de woonkamer. De football-speler glimlachte, nam de zaklantaarn van hem over, hield hem onder zijn kin en trok een gekke bek, als van een Halloween-lantaarn. 'Goed gedaan, dok,' zei hij en hij keerde zich om en scheen met de stralenbundel op en neer en van links naar rechts en terug om zich een weg terug door het huis te banen. De dokter liep achter hem aan, een fractie van een seconde later, geleid door dezelfde in het geheugen opgeslagen lichtbeelden. 'En nu terug naar de eetkamer,' zei de football-speler en hij wees met de lichtbundel de weg. De dokter liep terug naar de tafel en de football-speler zei: 'Blijf alle drie daar zitten en verroer geen vin.' Daarna deed hij de deur dicht.
Zijn partner vroeg: 'En wat nu?'
'We moeten te weten komen of Reacher wakker is of slaapt,' zei de man met de zaklantaarn.
'We hebben hem aardig geraakt.'
'Wat denk je?'
'Wat denk jij?'
De man met de zaklantaarn zei niets. Hij liep terug de hal in naar de kelderdeur. Hij bonsde erop met vlakke hand. Hij riep: 'Reacher, doe het licht weer aan, anders gaat er hierboven iets gebeuren.'
Geen reactie.
Stilte.
De man met de zaklantaarn bonsde opnieuw op de deur en zei:

'Ik maak geen grapjes, Reacher, doe verdomme dat licht weer aan.'
Geen reactie.
Stilte.
'En wat nu?' vroeg de andere man.
De man met de zaklantaarn zei: 'Haal de vrouw van de dokter op.' Hij richtte de zaklantaarn op de eetkamerdeur. Zijn partner ging naar binnen en kwam terug met de vrouw van de dokter, die hij bij een elleboog vasthield. De man met de zaklantaarn zei: 'Gillen.'
'Wat?' zei ze.
'Gillen, of ik laat je gillen.'
Ze aarzelde even en knipperde tegen het licht van de zaklantaarn, en toen gilde ze, lang, schel en hard. Toen hield ze op en de doodse stilte keerde terug. De man met de zaklantaarn bonsde opnieuw op de kelderdeur en riep: 'Hoor je dat, klootzak?'
Geen reactie.
Stilte.
De man met de zaklantaarn gebaarde met de stralenbundel van de zaklantaarn richting de eetkamer. Zijn partner bracht de vrouw van de dokter terug door de hal, duwde haar de eetkamer in en sloot de deur achter haar. Hij zei: 'En nu?'
De man met de zaklantaarn zei: 'Wachten tot het dag wordt.'
'Dat duurt nog vier uur.'
'Heb je een beter idee?'
'We kunnen het hoofdkwartier bellen.'
'Dan zeggen ze dat we het maar moeten oplossen.'
'Ik ga daar niet naar binnen. Niet met hem daar beneden.
'Ik ook niet.'
'Dus? Wat doen we?'
'We wachten tot hij er genoeg van heeft. Hij denkt dat hij slim is, maar dat is hij niet. Wij kunnen ook in het donker zitten. Dat kan iedereen. Dat is nou niet bepaald hogere wiskunde.'
Ze liepen achter de dansende lichtbundel aan terug naar de woonkamer en gingen naast elkaar op de bank zitten met de oude Remington tussen zich in. Ze klikten de zaklantaarn uit om de batterij te sparen. In het vertrek werd het weer koud en stil.

De man van Mahmeini liep langs de oprit en stuitte toen op een houten hek in zuidelijke richting. Het hek sloot de linkerhelft van het dwarse deel van de holle T-vorm van het erf van de Duncans af. Het hek bestond uit tien centimeter brede planken, allemaal wat verweerd en kromgetrokken, maar het was niet moeilijk eroverheen te klimmen. Toen hij zonder problemen de andere kant van het hek had bereikt, bleef hij even stilstaan. De drie pick-ups en de Mazda stonden links van hem geparkeerd, het meest zuidelijke huis stond pal voor hem. Het middelste huis was het enige waarin geen enkel licht brandde. In zowel het zuidelijke als het noordelijke huis brandde licht, vaag en een beetje indirect, alsof alleen de vertrekken aan de achterkant in gebruik waren en het schijnsel dat hij door de ramen aan de voorkant zag, strooilicht was dat de voorkant van het huis bereikte via openstaande deuren en gangen. De geur van houtvuur hing in de lucht. Maar hij hoorde niets, zelfs niet iemand praten. De man van Mahmeini aarzelde, probeerde te kiezen, een besluit te nemen. Links of rechts?

Cassano en Mancini naderden het erf van de achterkant, vanuit het donkere akkerland in winterslaap, en ze bleven stilstaan buiten het hek achter het middelste huis, het huis van Jonas, als ze het goed hadden begrepen. Het was gesloten en donker, maar bij beide buren brandde licht achter de keukenramen, dat in brede banen naar buiten viel over het met onkruid begroeide grind. Het grind was voor een groot deel door voetstappen in de aarde geklonken, maar maakte nog wel steeds lawaai. Cassano wist dat, hij was eerder die dag naar buiten gelopen om ongestoord met Rossi te kunnen bellen. Ze konden het beste maar aan deze kant van het hek blijven, op de akker, tot ze zich ter hoogte van de plaats bevonden waar ze naar binnen wilden. Dat zou het lawaai dat hun komst zou veroorzaken, tot een minimum beperken. Maar ze moesten eerst een besluit nemen waar ze naar binnen zouden gaan. Links of rechts. Bij Jasper of bij Jacob.
Alle vier de Duncans waren in de kelder van het huis van Jasper op zoek naar verdovingsmiddelen uit de veeartsenij. Jasper had het laatste beetje van het verdovingsmiddel voor varkens gebruikt

voor Seths neus, maar voor zijn gebroken hand zou hij sowieso iets sterkers nodig hebben. Twee vingers waren ondertussen zo opgezwollen dat de huid bijna barstte. Jasper dacht dat hij nog iets moest hebben voor paarden en daar zocht hij nu naar, zodat hij het in Seths pols kon spuiten. Hij was dan wel geen arts, maar hij ging ervan uit dat de zenuwen waar het om ging, daar allemaal doorheen moesten lopen.

Seth klaagde niet omdat het zo lang duurde. Jasper vond dat Seth zich heel goed hield. De jongen werd volwassen. Na zijn gebroken neus was hij humeurig geweest, maar nu gedroeg hij zich kranig. Ongetwijfeld omdat hij zijn belager eigenhandig gepakt had. En omdat hij dacht aan wat hij met de man zou gaan doen. Het aura van succes en het vooruitzicht van wraak waren op zich al pijnstillers.

Jonas vroeg: ‘Is dit het?’ Hij hield een ronde halve-literfles van bruin glas omhoog. Op het vlekkerige etiket stonden lange vaktermen, sommige in het Latijn. Jasper tuurde er door de schemerige ruimte naar en zei: ‘Heel goed. Je hebt het gevonden.’

Toen hoorden ze voetstappen boven hun hoofd.

47

Jacob vloog als eerste de trap op. Zijn eerste gedachte was dat een van de football-spelers zich kwam melden, maar de vloeren van alle drie de huizen waren voorbeelden van ouderwets degelijke bouw op het platteland van Amerika. Er waren planken voor gebruikt die waren gezaagd uit de kern van oude naaldbomen, dik, zwaar en compact, wel in staat geluid door te laten, maar geen details. Het was dus onmogelijk om uitsluitend aan de hand van het geluid te bepalen wie er binnen was gekomen. Hij zag niemand in de hal, maar toen hij de keuken bereikte, trof hij daar een klein mannetje aan, dat doodstil stond. Klein en pezig, donker en met een doodse oogopslag, verfomfaaid, niet erg schoon, een overhemd, maar geen stropdas, een mes in de linkerhand en

een pistool in zijn rechterhand. Hij hield het mes laag, maar het pistool was midden op Jacobs borst gericht.
Jacob bleef stilstaan.
De man legde zijn mes op de keukentafel en drukte zijn wijsvinger tegen zijn lippen.
Jacob maakte geen enkel geluid.
Achter hem dromden zijn zoon en zijn broers de keuken in, onmogelijk tegen te houden. De man bewoog de loop van zijn pistool van links naar rechts, heen en weer. De vier Duncans gingen op een rij staan, schouder aan schouder. De man ging met de loop van zijn pistool omhoog en omlaag, omhoog en omlaag; bewegingen in het luchtledige. Niemand verroerde een vin.
De man zei: 'Op je knieën.'
'Wie ben jij?' vroeg Jacob.
De man zei: 'Je hebt mijn vriend vermoord.'
'Ik niet.'
'Een van jullie Duncans heeft hem vermoord.'
'Wij niet. We weten niet eens wie je bent.'
'Op je knieën.'
'Wie ben jij?'
De kleine man pakte zijn mes op van de tafel en vroeg: 'Wie van jullie is Seth?'
Seth Duncan aarzelde even en stak toen zijn goede hand op, als een schooljongen tijdens de les.
De kleine man zei: 'Je hebt mijn vriend vermoord en zijn lijk in de kofferbak van je Cadillac gestopt.'
Jacob zei: 'Nee, Reacher heeft die auto vanmiddag gestolen. Hij heeft het gedaan.'
'Reacher bestaat niet.'
'Hij bestaat wel. Hij heeft de neus van mijn zoon gebroken. En zijn hand.'
Het pistool bewoog niet, maar de kleine man keerde zijn hoofd naar Seth en bekeek hem. De aluminium spalk, de gezwollen vingers. Jacob zei: 'Wij zijn hier de hele dag niet weg geweest. Maar Reacher was in het Marriott. Vanmiddag en vanavond. Dat weten we. Hij heeft daar de Cadillac achtergelaten.'

'Waar is hij nu?'
'Dat weten we niet. In de buurt, waarschijnlijk.'
'Hoe is hij teruggekomen?'
'Misschien heeft hij jullie huurauto genomen. Had je vriend de sleutels?'
De kleine man gaf geen antwoord.
Jacob vroeg: 'Wie ben jij?'
'Ik vertegenwoordig Mahmeini.'
'Die kennen wij niet.'
'Hij koopt zijn handel in bij Safir.'
'We kennen ook niemand die zo heet. Wij verkopen aan een Italiaan in Las Vegas die Rossi heet, en verder reikt onze interesse niet.'
'Jullie proberen iedereen ertussenuit te werken.'
'Zeker niet. Wij proberen onze vracht binnen te krijgen. Meer niet.'
'Waar is de vracht?'
'Onderweg. Maar we kunnen de vracht pas hier laten komen als er is afgerekend met Reacher.'
'Hoezo?'
'Dat weet je. Je kunt dit soort zaken niet in het openbaar afhandelen. Je zou ons moeten steunen in plaats van een pistool op ons te richten.'
De kleine man gaf geen antwoord.
Jacob zei: 'Doe dat pistool weg. Dan kunnen we gaan zitten en praten. We staan allemaal aan dezelfde kant.'
De kleine man hield het pistool onbeweeglijk en zei: 'De mannen van Safir zijn ook dood.'
'Reacher,' zei Jacob. 'Hij loopt los rond.'
'En de mannen van Rossi?'
'Die hebben we al een tijdje niet meer gezien.'
'Echt?'
'Ik zweer het.'
De kleine man bleef lange tijd stil. Toen zei hij: 'Oké. Dingen veranderen. Niets blijft altijd hetzelfde. Het leven gaat door, voor ons allemaal. Vanaf nu verkopen jullie direct aan Mahmeini.'
Jacob Duncan zei: 'Wij doen zaken met Rossi.'

De kleine man zei: 'Nu niet meer.'
Jacob Duncan gaf geen antwoord.

Cassano en Mancini besloten eerst bij Jacob Duncan te gaan kijken. Een logische beslissing, gezien het feit dat Jacob Duncan duidelijk de pater familias was. Ze trokken zich een paar meter terug van het hek en liepen er toen langs naar een plek tegenover het keukenraam van Jacob. De baan geel licht die naar buiten viel, wierp een heldere rechthoek op het grind, die tot twee meter van het hek reikte. Ze klommen over het hek, meden de rechthoek, en liepen steels over het grind, Cassano rechts en Mancini links, vervolgens drukten ze zich tegen de achtergevel van het huis en gluurden naar binnen.
Niemand te zien.
Mancini deed voorzichtig de deur open en Cassano ging als eerste naar binnen. In het huis was het doodstilstil. Geen enkel geluid. Niemand wakker, niemand in slaap. Cassano en Mancini hadden al heel wat huizen doorzocht, vaak genoeg, en ze wisten waarnaar ze moesten luisteren.
Ze glipten weer naar buiten, het erf op, en trokken zich terug naar het hek. Ze klommen erover, terug naar de akker en liepen door het donker naar het noorden tot ze recht achter het verlichte raam van Jaspers keuken stonden. Opnieuw klommen ze over het hek en meden ze de rechthoek van licht. Opnieuw drukten ze zich tegen de achtergevel van het huis en gluurden ze naar binnen.
Het was niet wat ze verwacht hadden.
Bij lange na niet.
Er was maar één Iraniër in plaats van twee. Geen genoeglijke conversatie. Geen glimlachende gezichten. Geen heildronk met bourbon. In plaats daarvan stond de man van Mahmeini daar met een pistool in zijn ene hand en een mes in zijn andere hand, en leken alle vier de Duncans achteruit te deinzen. Het glas in het raam golfde en was op sommige plaatsen dun, zodat het dringende geluid van Jacob Duncans stem vaag te horen viel.

Jacob Duncan zei: 'Wij doen al heel lang zaken, meneer, op basis van vertrouwen en loyaliteit, en we kunnen dat niet zomaar veranderen. Wij doen zaken met Rossi, en alleen met Rossi. Misschien kan hij rechtstreeks aan u verkopen, nu Safir blijkbaar uit beeld is. Misschien leidt dat tot voordeel. Maar dat is het enige wat ik u kan bieden, ook al is het niet eens iets wat wij kunnen aanbieden.'

De kleine man zei: 'Mahmeini neemt geen genoegen met een halve taart als de hele taart op tafel staat.'

'Maar die staat niet op tafel. Ik herhaal, wij doen alleen zaken met Rossi.'

'Is dat zo?' vroeg de kleine man. Hij veranderde van positie en ging zijdelings voor hen staan, hief zijn gestrekte arm tot schouderhoogte, kneep één oog dicht, en liet het pistool langzaam heen en weer gaan, van links naar rechts langs de rij mannen, als een geschutskoepel die een schootsveld bestreek. Het pistool hield eerst even stil, gericht op Seth, toen gericht op Jasper, toen Jonas en ten slotte op Jacob, bewoog weer terug langs Jonas en Jasper naar Seth, en begon toen aan een nieuwe boog. Uiteindelijk bleef de loop rusten op Jonas, gericht tussen beide ogen. De vinger van de kleine man werd wit om de trekker.

Op dat moment explodeerden gelijktijdig het raam en het hoofd van de kleine man, en werd het toch al volle vertrek gevuld met rondvliegend glas en rook en de bulderende knal van een .45, botsplinters en hersens die tegen de tegenoverliggende wand spetterden en kletsten. De kleine man viel op de vloer en vervolgens kwam eerst Mancini en daarna Cassano binnen.

Er was nog geen uur verstreken of de beide football-spelers verveelden zich al stierlijk in het donker. Ze verveelden zich niet alleen, maar ze voelden zich ook niet helemaal op hun gemak en waren geïrriteerd, prikkelbaar. Bovenal voelden ze zich vernederd, omdat ze zich ervan bewust waren dat hun nederlaag met elke minuut dat dit voortduurde, groter werd. Ze konden slecht tegen hun verlies. Het waren geen mannen die zich makkelijk neerlegden bij voldongen feiten. Ze hadden er een hekel aan de tweede viool te spelen. Zij waren het neusje van de zalm en dat hun verwarming, licht en een samenvatting van hoogtepunten uit de NFL werd ontzegd, ervoeren ze als een belediging en een onrechtvaardigheid.

Nummer één zei: 'We hebben goddomme een geweer.'
De ander zei: 'Het is een grote kelder. Hij kan wel overal zijn.'
'We hebben een zaklantaarn.'
'Vrij zwak.'
'Misschien is hij nog bewusteloos. Het kan een echte storing zijn, terwijl wij hier voor joker zitten.'
'Zo langzamerhand moet hij wel weer bijgekomen zijn.'
'Nou, en? Hij is alleen en wij hebben een geweer en een zaklantaarn.'
'Hij heeft in het leger gezeten.'
'Daar leren ze je niet toveren.'
'Hoe zouden we het moeten aanpakken?'
'We kunnen die zaklantaarn op de loop tapen. En dan achter elkaar naar beneden, net als in de film. Dan zien we hem nog voordat hij ons ziet.'
'Het is de bedoeling dat we hem in leven houden. Seth wil hem zelf koud maken, later.'
'We kunnen laag richten. Hem in zijn benen schieten.'
'Of hem dwingen zich over te geven. Dat zou nog beter zijn. En hij zal wel moeten, toch? Met dat geweer en zo? We kunnen hem boeien met tape, dezelfde tape die we voor de zaklantaarn gebruiken. Dan kan hij niet nog een keer met de elektriciteit knoeien.'
'We hebben geen tape, voor geen van beide dingen.'
'In de garage misschien. Laten we maar eens kijken. Als we tape vinden, besluiten we of we het doen.'
Ze vonden tape. Ze liepen achter de lichtbundel van de zaklantaarn aan door de hal, door de keuken en de bijkeuken naar de garage en daar, midden op de werkbank, lag een dikke nieuwe rol zilverkleurige tape, nog in de cellofaanverpakking, zo uit de bouwmarkt. Ze namen de rol mee naar binnen en wisten niet goed of ze er nu blij mee moesten zijn of niet. Maar ze hadden het zichzelf min of meer beloofd, dus haalden ze de rol uit de verpakking, peuterden het einde van de rol los en trokken er een eind tape vanaf. Bij het schemerige licht dat van de wanden weerkaatste, pasten ze de zaklantaarn tegen de loop van het geweer. De zaklantaarn paste wonderwel, voor het voorhout, onder de loop vanwege het vizier, en een beetje uitstekend vanwege de leng-

te. Het glas stak een paar centimeter voor de loop uit. Bevredigend. Maar om hem goed vast te zetten moesten ze ook over de schakelaar heen tapen, een soort point of no return. Als ze dat zouden doen, zouden ze niet meer terug kunnen. Het had geen zin de zaklantaarn voor niets te laten branden en de batterij voor niets uit te putten.
Nummer één zei: 'Nou?'
Nog drie uur tot het licht zou worden. Verveling, irritatie, ergernis, vernedering.
De ander zei: 'We doen het.'
Hij legde het geweer over zijn knieën en hield de zaklantaarn op zijn plaats. Nummer één ging aan de slag met de rol tape, produceerde de scheurende geluiden en wond de tape om en om, alsof hij gebroken ribben in het verband zette, net zo lang tot de hele constructie onbeweeglijk op zijn plaats zat. Hij boog zich voorover en beet een twintig centimeter lang eindstuk van de rol en drukte dat zorgvuldig vast. Hij streek alles glad, drukte de randen van de tape aan met zijn vingers, de ander tilde het geweer op en zwaaide ermee van links naar rechts en op en neer. De zaklantaarn kwam geen millimeter van zijn plaats, de lichtbundel bewoog keurig mee met de loop.
'Oké,' zei hij. 'Cool. We kunnen ertegenaan. Het licht als een laservizier. We kunnen niet missen.'
Nummer één zei: 'Denk erom, laag richten. Als je hem ziet, de loop omlaag en op zijn voeten mikken.'
'Als hij zich niet eerst overgeeft.'
'Precies. Bij voorkeur ervoor zorgen dat hij blijft waar hij is. Maar als hij in beweging komt, schieten.'
'Waar denk je dat hij zit?'
'Dat kan wel overal zijn. Waarschijnlijk uit zicht onder aan de trap. Of verstopt achter de boiler. Die is groot genoeg.'
Ze liepen achter het licht aan naar de hal en stonden stil voor de kelderdeur. De man met het geweer zei: 'Doe jij de deur open en ga dan achter me staan. Ik ga langzaam naar beneden en schijn zo veel mogelijk rond met de zaklantaarn. Geef een seintje als je hem ziet. We moeten elkaar steeds bijpraten om het voor elkaar te krijgen.'

'Oké,' zei nummer één. Hij legde zijn hand op de deurkruk. 'Zeker weten, doen?'
'Ik ben er klaar voor.'
'Oké, tel maar tot drie.'
'De man met het geweer zei: 'Eén.'
Toen: 'Twee.'
Nummer één zei: 'Wacht. Misschien staat hij wel pal achter de deur.'
'Boven aan de trap?'
'Klaar om naar buiten te springen voordat wij erop bedacht zijn.'
'Denk je? Dat zou betekenen dat hij er al een uur heeft staan wachten.'
'Soms wachten ze wel een hele dag.'
'Sluipschutters doen dat. Deze kerel is geen sluipschutter geweest.'
'Maar het kan wel.'
'Hij zit waarschijnlijk achter de boiler.'
'Maar misschien ook wel niet.'
'Ik zou door de deur kunnen schieten.'
'Als hij daar niet staat, wordt hij alleen maar gewaarschuwd.'
'Hij wordt sowieso gewaarschuwd als hij de zaklantaarn de trap af ziet komen.'
'Die deur heeft een stalen kern. Je hebt gehoord wat Seth zei.'
De man met het geweer zei: 'Wat gaan we doen dan?'
Nummer één zei: 'We kunnen wachten tot het licht wordt.'
Verveling, irritatie, ergernis en vernedering.
De man met het geweer zei: 'Nee.'
'Oké, dan doe ik die deur heel snel open en dan schiet jij in één keer, op zijn voeten. Of waar die zouden moeten zijn. Voor het geval dat. Niet wachten en kijken. De trekker overhalen, hoe dan ook, meteen.'
'Oké, maar daarna moeten we snel naar beneden.'
'Doen we. Want dan is hij in shock. Ik wil wedden dat dat geweer vreselijk veel lawaai maakt. Klaar?'
'Klaar.' De man met het geweer schatte de draaicirkel van de deur in, schuifelde nog iets naar voren en zette zich schrap, de kolf tegen zijn schouder, één oog dicht, zijn vinger strak om de trekker.
Nummer één zei: 'Laag richten.'

De lichtbundel gleed omlaag over de deur en bleef daar hangen.
'Tel maar tot drie.'
'Eén.'
'Twee.'
'Drie.'
Nummer één draaide aan de deurkruk en trok de deur met een ruk open. De man met het geweer vuurde onmiddellijk, een lange vuurtong uit de loop en een bulderende klap kaliber 12.

48

Reacher had het schakelpaneel bestudeerd en besloten om alle groepen in één keer uit te schakelen, vanwege de menselijke natuur. Hij was er vast van overtuigd dat de football-spelers uiteindelijk geen perfecte schildwachten zouden blijken te zijn. Vrijwel niet één schildwacht is perfect. Het was een van de grootste permanente problemen in elk leger. Je raakte verveeld, je begon aan andere dingen te denken en de discipline nam af. De krijgsgeschiedenis was een bonte verzameling catastrofes als gevolg van fouten bij het wachtlopen. En football-spelers waren niet eens militairen. Reacher schatte in dat die twee daarboven ongeveer een kwartier de kop erbij zouden houden. Daarna zou hun aandacht verslappen. Misschien zouden ze koffie gaan zetten of tv-kijken, zich ontspannen en het zich gemakkelijk maken. Hij gaf hun een halfuur om tot rust te komen en toen schakelde hij alle stroom in één keer uit, om zeker te weten dat hun vertier, wat dat ook mocht zijn, ten einde was.
Daarna zou de menselijke natuur eens te meer opgeld doen. De twee daarboven waren gewend aan dominantie, waren gewend hun zin te krijgen, waren verwend, en gingen ervan uit dat ze wonnen. Als ze niet langer tv konden kijken, als de kachel uitging of als ze geen koffie meer konden zetten, betekende dat niet meteen het einde van de wereld, maar voor dat soort jongens was het net zoiets als een provocerende stoot tegen de borst op de

stoep voor een kroeg. Het was een uitdaging. Het zou aan hen gaan knagen en ze zouden het niet tot in eeuwigheid kunnen negeren. Uiteindelijk zouden ze reageren, vanwege hun gezwollen ego's. De eerste reactie zou kwaadheid zijn, dan kwamen bedreigingen, daarna handelend optreden, maar klunzig en slecht doordacht.
De menselijke natuur.
Reacher drukte op de schakelaars, zocht in het donker tastend zijn weg naar de trap, sloop omhoog en luisterde. De deur was dik en sloot nauw aan op het kozijn, dus kon hij niet veel horen, behalve het bonzen, centimeters van zijn oor, en daarna de gil van de vrouw van de dokter, die hij onmiddellijk wegstreepte omdat die duidelijk geënsceneerd was. Hij had wel eerder mensen horen gillen en kende het verschil tussen echt en namaak.
Hij wachtte in het donker. Het bleef ongeveer een uur stil, langer dan hij had verwacht. Alle beulen zijn laf, maar deze twee waren toch nog wat slapper dan hij had gedacht. Ze hadden goddomme toch een geweer, en je mocht ervan uitgaan dat ze een zaklantaarn hadden gevonden. Waar zaten ze in vredesnaam op te wachten? Op toestemming van hun moeder?
Hij wachtte.
Uiteindelijk ving hij geluiden op van bewegingen en overleg aan de andere kant van de deur. Hij stelde zich voor dat een van de twee het geweer zou hanteren en de ander de zaklantaarn. Hij vermoedde dat ze van plan waren voorzichtig achter het geweer naar beneden te schuifelen, zoals je dat in een film zag. Hij schatte in dat ze hem het liefst gevangen zouden nemen en vastbinden, en niet doden, ten eerste omdat het nogal verschil maakte of je een quarterback tegen het gras werkte of iemand vermoordde, en ten tweede omdat Seth Duncan hem later nog wel levend zou willen laten meegenieten van een speciaal feestje. Als ze zouden schieten zouden ze dus laag richten. En als ze slim waren, zouden ze meteen schieten, want vroeg of laat zouden ze beseffen dat zijn beste kansen gelegen waren in het wachten boven aan de trap, met het oog op een verrassingsaanval.
Hij voelde de deurkruk bewegen en toen even niets. Hij ging met zijn rug tegen de muur staan, aan de scharnierkant van de deur,

zette een voet tegen de tegenoverliggende muur, op heuphoogte, strekte zijn been iets en klemde zich tussen beide muren in, zette zijn andere voet ook tegen de muur en liep omhoog, met handen en voeten, totdat hij met zijn hoofd gebogen onder de zoldering van de trapopgang zat, en met zijn achterste een dikke meter boven de bovenste trede van de trap.
Hij wachtte.
De deur zwaaide open, van hem af, hij ving een glimp op van een zaklantaarn die aan een geweer was getapet voordat het geweer werd afgevuurd, van een afstand waarvan je niet kon missen, omlaag gericht, precies onder zijn gebogen knieën. In het trapgat was het onmiddellijk een oorverdovende chaos van geluid, vlammen, stof en houtsplinters van de trap en stukken plastic van de gedeeltelijk voor de loop uitstekende zaklantaarn die door het vuur uit de loop van het geweer aan stukken werd gereten. Toen het vuur uit de loop doofde, keerde de diepe duisternis terug. Reacher sprong omlaag en landde met zijn ene voet op de bovenste tree, met zijn andere voet op de tweede tree, in evenwicht, voorbereid, en bukte voorover naar waar hij, afgaande op het bevroren beeld in zijn herinnering, vermoedde dat het geweer was. Hij greep hem met beide handen en rukte hem uit de handen van de man die hem vasthield, stootte hem hard van zich af, in de richting van waar het gezicht van de man moest zijn, en bereikte daarmee een dubbel resultaat, omdat hij de man achterwaarts deed tuimelen en tegelijkertijd de pompactie van het geweer uitvoerde, *kraak-kraak*. Hij duwde de zwaaiende deur met zijn schouder uit de weg en voelde hoe de tweede man uit zijn evenwicht werd gebracht. Hij sprong uit het trapgat en vuurde een schot af, omlaag gericht op de vloer, niet om iemand te raken, maar omdat hij de lichtflits van het vuur uit de loop nodig had. Hij zag links een man liggen en rechts een staan, zette zich af in de richting van dat nieuwe doelwit, sloeg de man met het geweer als een knuppel, en pompte het wapen opnieuw in het gezicht van de man, *kraak-kraak*. De man viel, Reacher trapte hard tegen de onzichtbare gestalte, tegen het hoofd, de ribben, armen, benen, wat hij maar kon raken. Hij danste terug en trapte naar zijn eerste slachtoffer, stampte boven op hem, hoofd, buik, handen, en te-

rug naar het tweede slachtoffer, en nog een keer naar het eerste, ongericht en wild, met verpletterende kracht zonder nadenken gebruikt, steeds maar door, tot lang na het moment dat hij ervan overtuigd was dat het wel genoeg was.

Toen hield hij eindelijk op. Hij stapte achteruit, stond stil en luisterde. Het meeste van wat hij hoorde, was paniekerig ademen uit de kamer links. De eetkamer. Hij riep: 'Dokter? Ik ben het, Reacher. Mij mankeert niets. Er is niemand geraakt. Ik heb alles onder controle, maar de stroom moet er weer op.'

Geen reactie.

Stikdonker.

'Dokter? Hoe eerder hoe beter, oké?'

Hij hoorde beweging in de eetkamer. Een stoel die werd verschoven, een hand die tegen een muur stootte, een tastende voet die tegen een tafelpoot trapte. Toen ging de deur open en kwam de dokter naar buiten, niet zichtbaar, maar het moest hem zijn, iets in het donker. Reacher vroeg hem: 'Heb je nog een zaklantaarn?'

De dokter zei: 'Nee.'

'Oké, dan wil ik graag dat je de hoofdschakelaar weer omdraait. Voorzichtig op de trap. Die is misschien een beetje beschadigd.'

De dokter zei: 'Nu?'

'Wacht even,' zei Reacher. Toen riep hij: 'Hé, jullie daar op de vloer. Horen jullie me? Luisteren jullie?'

Geen reactie. Stikdonker. Reacher schuifelde naar voren, behoedzaam, met zijn voeten plat op de vloer, tastend met de neus van zijn schoenen. Hij raakte het hoofd van de eerste van de twee, zocht uit waar zijn buik was en ramde de loop van het geweer er hard in. Toen draaide hij zich om, alsof hij om een polsstok slingerde en vond de tweede man een meter verderop. Beiden lagen op hun rug, min of meer in een rechte lijn, min of meer symmetrisch, met de voeten naar elkaar. Reacher ging tussen hen in staan en schopte met zijn linkerschoen tegen de voet van de een, en met zijn andere schoen tegen de voet van de ander. Hij richtte het geweer op de vloer voor zich en liet het in een boog eerst naar de ene kant en toen naar de andere kant zwaaien, en weer terug, als de slagman bij honkbal die boven de thuisplaat zijn schouders

losmaakt. Hij zei: 'Als een van jullie beiden ook maar een vin verroert, schiet ik jullie allebei in je kruis, stuk voor stuk.'
Geen reactie.
Helemaal niets.
Reacher zei: 'Oké, dokter, toe maar. En voorzichtig.' Hij hoorde hoe de dokter zijn weg zocht langs de muur, hoorde zijn voetstappen op de trap naar beneden, behoedzame langzame stappen, de vingertoppen strijkend langs de muur. Het kraken en breken van versplinterde treden en tot slot het bemoedigende geluid van een hak op beton.
Tien seconden later ging het licht aan, de tv begon weer beeld te geven en de opgewonden commentaarstemmen keerden terug, de verwarming begon te tikken, zoemen en ratelen. Reacher kneep zijn ogen dicht tegen het felle licht en dwong ze toen open tot spleetjes en keek omlaag. De twee op de vloer waren zwaar toegetakeld en bloedden. De een was compleet bewusteloos, de ander verdwaasd. Reacher loste dat op met nog een trap tegen zijn hoofd. Hij keek om zich heen en zag een rol tape op de bank. Vijf minuten later had hij beiden als braadkippen bij elkaar gebonden en met de ruggen tegen elkaar aan elkaar vastgemaakt, tape om de nek, het middel en de enkels. Ze waren samen veel te zwaar om te verplaatsen, dus liet Reacher ze liggen waar ze lagen, op de vloer in de hal, waar ze de kapotte plek in het parket aan het oog onttrokken die Reacher had veroorzaakt toen hij met het geweer omlaag vuurde.
Klus geklaard, dacht hij.

Klus geklaard, dacht Jasper Duncan. Ze hadden Seth Duncans Cadillac van de weg gehaald, de beide dode Iraniërs helemaal uitgekleed en de kleren in de houtoven in de keuken gegooid. Ze hadden de lijken naar de achterdeur gesleept en naar buiten gegooid. Daar zouden ze later voor zorgen. Ze hadden de vloer en de wanden van de keuken schoongepoetst, de glassplinters bij elkaar geveegd, het kapotgeschoten raam met waspapier en tape gerepareerd en Seths hand verzorgd. Jasper had extra stoelen aangesleept uit een andere kamer en nu zaten de zes man dicht bij elkaar om de tafel. De vier Duncans, Cassano en Mancini, alle-

maal elleboog aan elleboog en collegiaal. De Knob Creek was uit de kast gehaald, ze hadden getoost op elkaar, op het succes en op de toekomstige samenwerking.
Jacob Duncan leunde achterover en dronk zelfvoldaan zijn whisky. Hij ervoer het allemaal als een persoonlijke triomf en een rechtvaardiging van zijn optreden. Hij had Cassano gezien achter het raam, had de gerichte .45 gezien, en hij had wat langer en harder dan strikt noodzakelijk doorgepraat, zijn onvoorwaardelijke loyaliteit aan Rossi betuigd en benadrukt, de relatie bekrachtigd, aan geen enkele twijfel onderhevig, ondertussen voortdurend zijn zenuwen bedwingend en wachtend tot Cassano zou schieten, wat hij uiteindelijk had gedaan. Snel denken, moed betoond onder druk, een perfect resultaat. Verdubbelde winsten gloorden aan de horizon, tot in eeuwigheid. Reacher zat veilig ondergronds opgesloten, met twee betrouwbare handlangers als schildwacht. De vracht was onderweg, dat was het mooiste van alles, want zoals altijd zou een klein deel hun toevallen voor persoonlijk gebruik. Een welwillend gebaar dat de hele krankzinnige onderneming de moeite waard maakte.
Jacob hief zijn glas en zei: ‘Op ons allemaal,’ want het leven lachte hun toe.

Reacher vond een aardappelmesje in een keukenla en sneed de onthoofde resten van de zaklantaarn los van de loop van het geweer. Amateurs hadden geen verstand van buskruit. Een lading die krachtig genoeg was om een zwaar projectiel met een snelheid van ettelijke honderden kilometers per uur door het luchtruim te slingeren, deed dat door een exploderende gasbel te maken met genoeg energie om alles te vernietigen wat het op zijn weg tegenkwam. Om die reden werden alle militaire zaklantaarns van metaal gemaakt en achter de mond van de loop bevestigd, niet ervoor. Hij gooide het versplinterde plastic in de afvalbak, keek de keuken rond en vroeg: ‘Waar is mijn jas?’
De vrouw van de dokter zei: ‘In de kast. Toen we weer binnenkwamen heb ik alle jassen gepakt en opgehangen. Ik heb die van jou ook meegenomen. Het leek me verstandig hem te verbergen. Ik dacht dat je er misschien wel waardevolle spullen in zou hebben.’

Reacher wierp een blik in de hal. 'Hebben die jongens mijn zakken nog doorzocht?'
'Nee.'
'Ik zou ze nog een keer tegen hun hoofd moeten schoppen. Misschien zou ik hun IQ daarmee een beetje opkrikken.'
De vrouw van de dokter zei dat hij moest gaan zitten. Hij nam plaats, zij onderzocht zijn gezicht voorzichtig en zei: 'Je neus ziet er werkelijk verschrikkelijk uit.'
'Ik weet het,' zei Reacher. Hij zag het tussen zijn ogen, paars en gezwollen, onscherp, een onverwacht beeld. Hij had zijn eigen neus nog nooit eerder gezien, behalve in een spiegel.
'Je moet mijn man ernaar laten kijken.'
'Hij kan er toch niets meer aan doen.'
'Hij moet gezet worden.'
'Dat heb ik al gedaan.'
'Nee, serieus.'
'Geloof me, er valt aan die neus niet meer te zetten dan ik al heb gedaan. Maar je zou de wonden kunnen schoonmaken, als je wilt. Met dat spul wat je eerder ook hebt gebruikt.'
Dorothy Coe hielp haar mee. Ze wasten eerst met warm water het geronnen bloed van zijn gezicht. Toen gingen ze aan de slag met watten en de dunne, bijtende vloeistof. De huid was opengebarsten in gapende v-vormige wonden. De open randen deden vreselijk pijn. De vrouw van de dokter ging grondig te werk. De vijf minuten dat het duurde waren geen pretje. Toen het klaar was spoelde Dorothy Coe zijn gezicht nog een keer af met warm water en depte zijn huid droog met keukenpapier.
De vrouw van de dokter vroeg: 'Heb je hoofdpijn?'
'Een beetje,' zei Reacher.
'Weet je wat voor dag het is vandaag?'
'Ja.'
'Hoe heet de president?'
'Waarvan?'
'De maïsboerenorganisatie van Nebraska.'
'Geen idee.'
'Ik zou je hele gezicht in het verband moeten zetten.'
'Hoeft niet,' zei Reacher. 'Maar ik wil graag even een schaar.'

'Waarvoor?'
'Dat zul je wel zien.'
Ze pakte een schaar en hij pakte de rol tape. Hij knipte een recht stuk van twintig centimeter af en legde het met de lijmkant naar boven op tafel. Hij knipte nog een stuk van vijf centimeter af en knipte dat in de vorm van een driehoek. Hij plakte de driehoek met de lijmkant in het midden op de lijmkant van de strook die op tafel lag. Hij pakte het geheel op en bracht het voorzichtig aan over zijn gezicht, drukte het hard en stevig aan, een brede zilveren baan die van links naar rechts, van jukbeen naar jukbeen liep, net onder zijn ogen. Hij zei: 'Dit is het beste noodverband dat er is. De mariniers hebben me eens een keer van Libanon naar Duitsland gevlogen met alleen maar tape om mijn darmen erin te houden.'
'Het is niet steriel.'
'Scheelt niet zoveel.'
'Het zit vast niet erg lekker.'
'Maar ik kan eromheen kijken. Dat is het belangrijkste.'
Dorothy Coe zei: 'Het ziet eruit als oorlogsverf.'
'Dat is ook een voordeel.'
De dokter kwam binnen en staarde naar Reacher. Maar hij gaf geen commentaar. In plaats daarvan vroeg hij: 'En wat nu?'

49

Ze gingen terug de eetkamer in en zaten in het donker bij elkaar zodat ze de weg in het oog konden houden. Er waren daarbuiten nog ergens drie Cornhuskers, en het was maar al te goed mogelijk dat ze zich bij toerbeurt zouden melden, taken van elkaar zouden overnemen en elkaar op de hoogte zouden houden. Een soort ploegendienst. Reacher hoopte dat ze vroeg of laat allemaal zouden aankloppen. Hij hield de tape en de Remington bij de hand.
De dokter zei: 'We hebben geen nieuws meer gehoord.'

Reacher knikte. 'Omdat jullie de telefoon niet mochten opnemen. Hij is wel overgegaan en dus denk je dat er nieuws is.'
'We denken dat er drie keer iets is gebeurd. De telefoon is drie keer overgegaan.'
'Gok eens?'
'Die bendeoorlog. Nog drie man over, drie keer telefoon. Misschien zijn ze alle drie dood.'
'Ze kunnen niet alle drie dood zijn. In ieder geval moet er nog een winnaar in leven zijn. Bij een oorlog tussen bendes plegen ze meestal geen zelfmoord.'
'Goed, misschien zijn er dan twee dood. Misschien heeft de man in de Cadillac de Italianen te grazen genomen.'
Reacher schudde zijn hoofd. 'Eerder andersom. Het is heel gemakkelijk om de man in de Cadillac te pakken. Omdat hij alleen is, en omdat hij hier nieuw is. Dit is raar land. Daar moet je aan wennen. De Italianen zijn hier al langer dan hij. Ze zijn hier langer dan ik, en zelfs ik heb al het gevoel dat ik nooit ergens anders ben geweest.'
De vrouw van de dokter zei: 'Ik snap niet waarom dat hier een bendeoorlog is. Waarom zou een crimineel in Las Vegas of waar dan ook een stap opzij doen alleen omdat twee van zijn handlangers in Nebraska een pak slaag krijgen?'
Reacher zei: 'Die twee bij het motel hebben meer voor hun kiezen gehad dan een pak slaag.'
'Je snapt wel wat ik bedoel.'
'Denk eens na,' zei Reacher. 'Veronderstel dat de grote man lekker thuis zit in Las Vegas, een beetje relaxen bij het zwembad, sigaar roken, en hij wordt opgebeld door zijn leverancier die zegt dat hij hem uit de keten gooit. Wat doet de grote man? Hij stuurt zijn jongens eropaf. Dat doet hij. Maar zijn jongens hebben net op hun flikker gehad. Dus is hij bankroet. Al zijn dreigementen hebben geen kracht meer. Hij is machteloos. Het is gebeurd.'
'Hij zal toch wel meer handlangers hebben?'
'Die hebben ze allemaal. Ze kunnen kiezen of ze met twee tegen twee willen vechten, of met tien tegen tien, of twintig tegen twintig, maar er is er altijd een die verliest en een die wint. Ze ac-

cepteren het oordeel van de scheidsrechter en gaan over tot de orde van de dag. Het zijn net bronstige herten. Het zit in hun DNA.'
'Wat voor bendes zijn het?'
'Het gangbare soort. Het soort dat veel geld verdient met iets wat illegaal is.'
'Wat voor soort iets?'
'Dat weet ik niet. Maar het gaat niet om gokschulden. Het gaat niet om iets theoretisch op papier. Het is iets echts. Iets concreets. Met gewicht en afmetingen. Dat moet wel. Want dat is wat de Duncans doen. Die runnen een transportbedrijf. Die halen iets op met vrachtwagens en daarna wordt het doorgegeven van A naar B naar C naar D.'
'Drugs?'
'Dat denk ik niet. Je hoeft geen drugs naar het zuiden te vervoeren naar Vegas. Je kunt ze daar wel rechtstreeks uit Mexico of Zuid-Amerika halen. Of uit Californië.'
'Drugsgeld dan. Om wit te wassen in de casino's. Uit de grote steden in het oosten, misschien wel via Chicago.'
'Misschien,' zei Reacher. 'Het is in ieder geval iets heel waardevols, anders zouden ze allemaal niet zo in alle staten zijn. Het moet het soort vracht zijn dat je in je handen doet wrijven met een grote grijns op je gezicht, zodra die door de poort naar binnen rijdt. Misschien is er sprake van vertraging nu, en zijn er daarom zoveel criminelen hier in de buurt. Ze zijn allemaal nerveus. Ze willen er allemaal zijn als het arriveert, want het is iets concreets en iets waardevols. Ze willen het allemaal in handen hebben en hun deel bewaken. Maar om te beginnen willen ze helpen bij het uit de weg ruimen van de blokkade.'
'De blokkade?'
'Ik, denk ik. De Duncans hebben vertraging om een andere reden en gebruiken mij als excuus, of het gaat om iets waarvan een vreemdeling absoluut geen getuige mag zijn. Misschien moet de hele omgeving wel eerst gezuiverd voordat de zending kan arriveren. Is jullie ooit opgedragen ergens beslist uit de buurt te blijven gedurende een bepaalde periode?'
'Niet echt.'

'Hebben jullie ooit merkwaardige spullen zien arriveren? Vrachtwagens met een onduidelijke functie?'
'We zien voortdurend vrachtwagens van de Duncans. 's Winters minder.'
'Ik heb me laten vertellen dat de oogstmachines allemaal in Ohio zijn.'
'Klopt. Er zijn hier alleen nog maar kleine vrachtwagens.'
Reacher knikte. 'Er staat er eentje niet in het depot. Drie parkeervakken, twee vrachtwagens. Dus wat is waardevol en past in een kleine vrachtwagen?'

Jacob Duncan zag dat Roberto Cassano voor eens en voor altijd van gedachten was veranderd door de aanblik van de dode man in de kofferbak van de Cadillac. Dat gold ook voor Mancini. Ze geloofden nu allebei dat Reacher een echte bedreiging was. Hoe hadden ze anders moeten reageren? Aan de dode man in de kofferbak was niets te zien. Helemaal niets. Wat had Reacher met hem gedaan? Hem laten schrikken? Zodat hij zich doodschrok? Jacob zag Cassano en Mancini erover nadenken. Hij wachtte dus geduldig en na verloop van tijd keek Cassano hem over de tafel aan en zei: 'Het spijt me heel erg.'
Jacob keek terug en zei: 'Wat spijt je heel erg?'
'Dat ik je niet geloofde wat Reacher betreft.'
'Excuses aanvaard.'
'Bedankt.'
'Maar de situatie wordt er niet anders van,' zei Jacob. 'Reacher is nog steeds een probleem. Hij loopt nog steeds los rond. En zolang er niet met hem is afgerekend, gebeurt er hier verder niets. We hebben er drie man op gezet die hem zoeken. Daar gaan ze dag en nacht mee door. Zo lang als maar nodig is. Want we willen niet dat meneer Rossi op de een of andere manier het gevoel krijgt dat wij de mindere partij zijn binnen dit nieuwe samenwerkingsverband. Dat is voor ons heel belangrijk.'
Cassano zei: 'Wij zouden ook moeten gaan zoeken.'
'Wij allemaal?'
'Ik bedoel Mancini en ik.'
'Zeker,' zei Jacob Duncan. 'Dat is misschien wel een goed idee.

Misschien moeten we er een wedstrijdje van maken. Met als inzet wie als eerste het woord mag voeren als we om de tafel gaan zitten om te onderhandelen over de nieuwe verdeling van de winst.'
'Jullie zijn met meer dan wij.'
'Maar jullie zijn professionals.'
'Jullie kennen de omgeving.'
'Je wilt een eerlijk gevecht? Oké, dan sturen we mijn drie jongens naar huis, naar bed, en dan laat ik mijn zoon zoeken in hun plaats. In zijn eentje. Dan is het twee tegen een. Zo lang als nodig is. En dat de beste moge winnen. En voor de winnaar de buit, enzovoort, en zo verder. Zullen we dat doen?'
'Maakt me niet uit,' zei Cassano. 'Doe maar wat je wilt. We verslaan jullie wel, hoeveel man je ook op pad stuurt.' Hij dronk zijn glas leeg, zette het op tafel en stond op, samen met Mancini. Ze liepen met z'n tweeën naar buiten, door de achterdeur, naar hun auto, die nog steeds op de akker geparkeerd stond, aan de andere kant van het hek. Jacob Duncan keek hen na, leunde achterover op zijn stoel en ontspande zich. Ze zouden een aantal lange uren vruchteloos zoeken, en als de tijd er rijp voor was, kwam hij met Reacher op de proppen. Rossi zou de tik verwerken en de posities op het strijdtoneel zouden verschuiven ten voordele van de Duncans. Een heel klein beetje, maar toch. Jacob glimlachte. Succes, triomf, gerechtigheid. Subtiliteit en finesse.

De weg achter het raam van de eetkamer bleef donker. Er bewoog niets. De twee auto's van de Cornhuskers stonden nog steeds in de berm geparkeerd buiten het hek. De ene was een SUV, de andere een pick-up. Beide zagen er koud en verlaten uit. De maan kwam op en ging weer onder, scheen eerst nog door een dun wolkendek, maar verdween later helemaal achter dikkere wolken.
De dokter zei: 'Ik vind het maar niets om hier zo te zitten.'
'Doe dat dan niet,' zei Reacher. 'Ga naar bed, ga slapen.'
'Wat ga jij doen?'
'Niets. Ik wacht tot het licht wordt.'
'Waarom?'

'Omdat jullie hier geen straatverlichting hebben.'
'Ga je de deur uit?'
'Uiteindelijk wel.'
'Waarom?'
'Dingen bekijken. Onderzoeken.'
'Iemand van ons zou wakker moeten blijven. Om een oogje in het zeil te houden.'
'Dat doe ik wel,' zei Reacher.
'Je bent vast moe.'
'Geen probleem. Gaan jullie maar uitrusten.'
'Weet je het zeker?'
'Absoluut.'
Meer argumenten hadden ze niet nodig. De dokter keek zijn vrouw aan en ze vertrokken samen. Dorothy Coe liep achter hen aan, waarschijnlijk naar een of andere logeerkamer. Er gingen deuren open en dicht. Water ruiste in de waterleiding, het toilet werd doorgetrokken, langzamerhand werd het stil in het huis. De verwarming zoemde en de vastgetapete football-spelers gromden, knorden en snurkten op de vloer in de hal. Verder hoorde Reacher niets. Hij zat rechtop op de harde stoel, hield zijn ogen open en keek het duister in. De tape die hij op zijn gezicht had geplakt, jeukte. Tien, twintig minuten ging het goed, toen glipte hij langzaam weg – hij wist dat het zou gaan gebeuren, net als zoveel malen eerder – in een soort trance, een soort halfslaap, tussen waken en slapen in, wel en niet alert. Hij wist dat hij geen perfecte schildwacht meer was. Maar goed, vrijwel niet één schildwacht is perfect. Het was een van de grootste permanente problemen in elk leger.
Tussen waken en slapen in. Wel en niet alert. Hij hoorde de auto en zag de koplampen, maar het duurde een hele, niet te stoppen seconde voordat tot hem doordrong dat hij niet droomde.

50

De auto kwam van rechts, voorafgegaan door lichtbundels van de koplampen en motorgeronk. Hij remde af en reed stapvoets achter de geparkeerde pick-up van de Cornhusker langs, kwam weer tevoorschijn en verdween opnieuw, nu achter de SUV. Hij sloeg af en draaide de oprit op met op het grind knarsende en piepende banden. Hij stopte.

Toen zag Reacher het.

Er was genoeg strooilicht en reflectie om de auto te kunnen herkennen. Het was de donkerblauwe Chevrolet. De Italianen.

Reacher pakte de Remington. De auto bleef stilstaan. Niemand stapte uit. Hij stond zestig meter weg, half op de oprit gedraaid. Hij stond daar alleen maar, met stationair draaiende motor en brandende koplampen. Een tactisch probleem. Reacher zat opgescheept met drie kwetsbare mensen en in een houten huis. Op de oprit stonden twee geparkeerde auto's, en op de weg nog eens twee. Ideale dekking. Hij had twee tegenstanders en een huis met ramen, een voordeur en een achterdeur.

Geen ideale omstandigheden voor een vuurgevecht.

In het beste geval zouden de beide Italianen lopend naar de voordeur komen. Dan was het game over, klaar. Reacher kon de deur openzwaaien en de trekker overhalen. Maar de Italianen kwamen niet te voet. Ze bleven in hun auto zitten en deden niets. Zaten misschien wel te praten. En rond te kijken. Reacher zag vage bleke vlekken van nekken die werden gestrekt en hoofden die werden gedraaid. Ze overlegden ergens over.

Angelo Mancini zei: 'Dit is tijdverspilling. Hij zit daar niet. Onmogelijk. Alleen als hij zit te kaarten met drie van hun footballspelers.'

Roberto Cassano knikte. Hij gluurde over zijn schouder naar de pick-up en de SUV in de berm en wierp een blik op de goudkleurige Yukon op de oprit. Die stond voor een oudere pick-up geparkeerd. Hij zei: 'Dat is het kreng van dat oude wijf, op die boerderij.'

Mancini zei: ‘Slaapfeestje.’
‘Ik denk dat de man van Mahmeini op één punt gelijk had. Ze weten dat de dokter de zwakke schakel is. Ze houden hem in de gaten.’
‘Een hinderlaag van jewelste, als je het goed bekijkt. Met al die auto’s voor de deur. Daar trapt niemand in.’
‘Goed voor ons, dus. Ze verspillen mankracht. Dat vergroot onze kansen elders.’
‘Wil je hier nog gaan kijken, om het zeker te weten?’
‘Wat voor zin heeft dat? Als hij hierbinnen zit, hebben ze hem al gepakt.’
‘Dat dacht ik ook. Maar toen bedacht ik, dat hoeft niet. Hij kan hén ook hebben gepakt.’
‘Eén tegen drie?’
‘Je hebt gezien wat hij met die kerel in die kofferbak heeft gedaan.’
‘Ik weet het niet. Ik wil wel kijken, denk ik. Misschien moeten we dat maar gewoon doen. Maar je hebt het gehoord. Het is nu een wedstrijd. We kunnen geen tijd verknoeien.’
‘Kost weinig tijd.’
‘Ik weet het. Maar we staan voor lul als hij daar niet zit. Die football-spelers hangen meteen aan de telefoon om aan de Duncans door te brieven over dat wij zijn komen zoeken op een plek waar de man onmogelijk kan zijn.’
‘Niemand heeft het over een schoonheidsprijs gehad.’
‘Maar die is er wel. Die is er altijd. Dit is een spel van een lange adem hebben. Er gaat geweldig veel geld in om. Als we voor lul staan, draaien we dat nooit meer terug.’
‘Waar dan?’
Cassano keek naar de pick-up van het oude wijf. ‘Als zij hier is, staat haar huis vannacht leeg. En iemand die zich wil verstoppen, is dol op lege huizen.’

Reacher zag dat ze achteruit van de oprit reden. Eerst begreep hij niet waarom. Toen trok hij de conclusie dat ze op zoek moesten zijn naar Seth Duncan. Ze waren de oprit op gedraaid, hadden de verzamelde auto’s in ogenschouw genomen, hadden gezien dat er geen Mazda tussen stond, en waren weer vertrokken. Logisch. Hij legde de Remington weer op de vloer, zette zijn voeten iets uit elkaar, rechtte zijn rug en staarde in het duister.

Anderhalf uur lang gebeurde er verder niets. Er kwam niemand, niets bewoog. Rechts aan de hemel verschenen voorzichtige strepen bleek licht. Laaghangend, zilverachtig en paars, het land verkleurde langzaam van zwart naar grijs, de wereld kreeg weer contouren, van dichtbij tot aan de horizon. Flarden van wolken lichtten fel op. Uit de grond steeg een kniehoge mist op. Een nieuwe dag. Maar geen dag om je op te verheugen, dacht Reacher. Het zou een dag vol pijn worden, zowel voor degenen die de pijn verdienden als voor degenen die de pijn niet verdienden.
Hij wachtte.
Hij kon niet weg met zijn Yukon, want hij had geen sleutel van de pick-up van Dorothy Coe. Die zat waarschijnlijk in haar jaszak, maar hij voelde ook geen aandrang om te gaan kijken. Hij had geen haast. Het was winter. Het zou nog wel een uur duren voordat het helemaal dag was.

Achthonderd kilometer naar het noorden, in Canada, net boven de 49e breedtegraad, iets dichter bij de Noordpool, begon de dag iets later. Het eerste ochtendlicht viel, gefilterd door de naalden van een hoge den, op de witte vrachtwagen, die op de open plek stond waar 's zomers toeristen konden picknicken, aan het einde van een ruw, met gras begroeid spoor. De chauffeur achter het stuur werd wakker, knipperde met zijn ogen en rekte zich uit. Hij had de hele nacht niets gehoord. Hij had niets gezien. Geen beren, geen prairiewolven, geen vossen, geen elanden, geen wapiti's, geen wolven. Geen mensen. Hij had het warm genoeg gehad vanwege de donzen slaapzak, maar het was weinig comfortabel geweest, want de cabine van een vrachtwagen was niet erg groot, en de rugleuning van de stoelen kon maar amper achterover. Hij moest er altijd aan denken dat de vracht achterin het beter had dan hij. Meer comfort. Maar die vracht was dan ook duur en er was moeilijk aan te komen en dat gold niet voor hem. Hij was een realist. Hij wist hoe de wereld in elkaar zat.

Hij klom naar buiten en piste tegen de bejaarde stam van de den. Toen at en dronk hij van zijn schamele proviand, drukte met zijn handpalmen tegen zijn protesterende onderrug en rekte zich nogmaals uit om de stijfheid te verdrijven. De lucht werd helderder. Dit was het beste moment voor een oversteek van de grens. Genoeg licht om bij te zien, te vroeg voor gezelschap. Ideaal. Hij hoefde nog maar dertig kilometer, waarvan het grootste deel over een niet in kaart gebracht bospad, naar een punt iets minder dan vier kilometer ten noorden van de lijn. De transferzone, noemde hij dat. Voor hem het eindpunt, maar nog niet voor zijn vracht.
Hij klom weer achter het stuur en startte de motor. Hij liet de motor een minuut warmlopen en op toeren komen en controleerde ondertussen meters en wijzers. Hij schakelde in de eerste versnelling, ontspande de handrem, draaide aan het stuur en reed langzaam weg, stapvoets, schuddend en bonkend over het ruwe, met gras begroeide spoor.

Reacher hoorde geluid aan de andere kant van de hal. Een wc die werd doorgetrokken, stromend water uit een kraan, een deur die openging, een deur die dichtging. De dokter strompelde langs de eetkamer, stijf van het slapen en nog half verdoofd. Hij knikte toen hij Reacher passeerde, liep om de football-spelers heen en zette koers naar de keuken. Een minuut later hoorde Reacher het klokken en sissen van het koffiezetapparaat. De zon stond ondertussen al zo hoog dat hij werd gereflecteerd in het raam van de SUV. Bevroren spinnenwebben glinsterden en schitterden boven het akkerland.
De dokter liep de eetkamer in met twee bekers koffie. Hij had een trui aan over zijn pyjama. Zijn haar was ongekamd. Zijn gezicht was rood waardoor zijn verwondingen niet meer opvielen. Hij zette één beker voor Reacher neer, liep om de tafel en ging aan de andere kant zitten.
Hij zei: ‘Goedemorgen.’
Reacher zei niets.
De dokter vroeg: ‘Hoe gaat het met je neus?’
Reacher zei: ‘Geweldig.’
De dokter zei: ‘Er is iets wat je me nooit hebt verteld.’

Reacher zei: 'Er is heel veel wat ik je nooit heb verteld.'
'Je zei dat de rechercheur vijfentwintig jaar geleden heeft verzuimd om ergens te zoeken. Je zei misschien uit onnozelheid, misschien ook wel vanwege de chaos.'
Reacher knikte en nam een slok koffie.
De dokter vroeg: 'Ga je daar vanochtend naartoe?'
'Ja.'
'En vind je daar iets na vijfentwintig jaar?'
'Waarschijnlijk niet.'
'Waarom ga je er dan heen?'
'Omdat ik niet in geesten geloof.'
'Dat begrijp ik niet.'
'Ik hoop dat je dat nooit hoeft te begrijpen. Ik hoop dat ik ongelijk heb.'
'Waar ga je dan naartoe?'
'Mevrouw Coe heeft me verteld dat er vijftig jaar geleden twee boerderijen zijn verkocht voor een bouwproject dat nooit van de grond is gekomen. De bijgebouwen van een van die boerderijen staan er nog steeds. Een heel eind het land in. Een grote loods en een schuurtje.'
De dokter knikte. 'Ik weet waar het is.'
'De akkers worden er pal omheen bewerkt.'
'Ik weet het,' zei de dokter. 'Misschien zouden ze dat niet moeten doen, maar waarom zou je goede grond braak laten liggen. De verkaveling is nooit doorgegaan, en dat zal ook nooit meer gebeuren. Het is dus een godsgeschenk en dat kunnen ze hier wel gebruiken. Die opbrengst verdwijnt niet direct in hun hypotheek.'
'Dus wat zag rechercheur Carson toen hij hier vijfentwintig jaar geleden zijn werk deed? Midden in de zomer? Hij zag eindeloze hectares maïs die tot aan zijn middel kwam, en hij zag hier en daar huizen, en hij zag hier en daar een schuur en andere bijgebouwen. Hij ging alle huizen langs en alle bewoners zeiden dat ze hun bijgebouwen hadden doorzocht. Carson vertrok weer met lege handen en die oude loods en dat schuurtje kwamen nooit aan de beurt. Want Carson had alleen gevraagd of de mensen in hun éígen bijgebouwen hadden gezocht. Dat ja van al die mensen was waarschijnlijk een ja in alle eerlijkheid. Als Carson

die oude loods en dat schuurtje heeft gezien, heeft hij waarschijnlijk gedacht dat ze van iemand waren, en dat die dus waren doorzocht, zoals gezegd. Maar ze waren van niemand en ze zijn niet doorzocht.'

'Denk je dat het zich daar heeft afgespeeld?'

'Ik denk dat Carson die vraag vijfentwintig jaar geleden had moeten stellen.'

'Je vindt er niets. Onmogelijk. Die gebouwen staan op instorten, en dat was toen waarschijnlijk ook al zo. Ze staan midden in het land al vijftig jaar leeg en weg te rotten.'

'Is dat zo?'

'Natuurlijk. Dat zei je zelf. Ze zijn van niemand.'

'Waarom zijn er dan tractorsporen tot aan de deuren?'

'O?'

Reacher knikte. 'Ik heb daar de eerste nacht dat ik hier was een pick-up verborgen in het schuurtje. Geen enkel probleem om er te komen. Midden in New York heb ik wel slechtere wegen gezien.'

'Oude sporen of verse sporen?'

'Moeilijk te zeggen. Allebei waarschijnlijk. Door jarenlang gebruik, zou ik zeggen. Vrij diep, vrij duidelijk afgebakend. Geen onkruid. Niet veel verkeer waarschijnlijk, maar toch wel wat. Een soort regelmaat. Genoeg om die sporen intact te houden in ieder geval.'

'Ik begrijp het niet. Wie zou die schuren nu gebruiken? En waarvoor?'

Reacher zei niets. Hij keek uit het raam. Het licht won aan kracht. De akkers kleurden van grijs naar bruin. De pick-up buiten het hek leek in vuur en vlam te staan door een lage zonnestraal.

De dokter zei: 'Dus je denkt dat iemand dat kind heeft opgepikt en naar die loods heeft gereden?'

'Ik weet het niet zo heel zeker meer,' zei Reacher. 'Er werd op dat moment luzerne geoogst en er zal dus genoeg verkeer zijn geweest. En ik vermoed dat het hier allemaal wat vrolijker was in die tijd. Energieker. Mensen die van alles deden, die van hot naar haar moesten. Het was misschien wel wat drukker op de wegen. Misschien wel veel drukker. Misschien wat het wel een veel te

groot risico om op klaarlichte dag een kind tegen haar wil op te pikken langs de weg.'
'Wat denk je dan dat er met haar is gebeurd?'
Reacher gaf geen antwoord. Hij keek nog steeds uit het raam. Hij kon de noesten in het hout van het hek zien. Hij kon bosjes bevroren onkruid zien rondom de palen. Het gazon voor het huis was droog en bros van de kou.
Reacher zei: 'Je bent geen echte tuinier.'
'Geen talent,' zei de dokter. 'Geen tijd.'
'Zijn er wel mensen hier die tuinieren?'
'Niet echt. De mensen zijn te moe. En een boer die werkt, heeft bijna nooit een tuin. Die verbouwen spul om te verkopen, niet om naar te kijken.'
'Oké.'
'Waarom vraag je dat?'
'Ik zat me af te vragen waar ik naartoe zou gaan als ik een klein meisje was en een fiets had en van bloemen hield. Het zou bijvoorbeeld geen zin hebben om dan hier te komen. Waarschijnlijk geldt dat ook voor alle andere boerderijen. Of waar dan ook, want elke vierkante centimeter grond wordt omgeploegd om geld te verdienen. Ik kan me maar drie plekken voorstellen. Ik heb in het land twee grote rotsblokken gezien met braamstruiken eromheen. In de vroege zomer veel veldbloemen waarschijnlijk. Misschien zijn er nog wel meer van die plekken, maar dat maakt eigenlijk helemaal niet uit, want in de vroege zomer zou je er helemaal niet bij kunnen komen, omdat je dan eerst door kilometers maïs zou moeten waden. Maar ik heb nog ergens anders dezelfde braamstruiken gezien.'
'En waar was dat?'
'Rondom die oude loods. Waarschijnlijk uit zaad dat met de wind daarnaartoe is gewaaid. Ze ploegen er weliswaar heel dicht omheen, maar laten toch een strook vrij.'
'Denk je dat ze daar zelf heen is gefietst?'
'Het lijkt me niet onmogelijk. Misschien wist ze dat ze daar in ieder geval bloemen zou vinden. En misschien was er iemand die wist dat zij dat wist.'

51

De Duncans waren verhuisd naar de keuken van Jonas, omdat het met tape gerepareerde raam van de keuken van Jasper tochtte en de kleren in de oven stank en rook verspreidden. Ze hadden de whisky opgeborgen en zaten nu aan de koffie. De zon was op en de dag was al minstens veertig minuten oud. Jacob Duncan keek op de klok aan de muur en zei: 'De zon is ook op in Canada. Daar is het nu een minuut of tien dag. Ik wil wedden dat de vracht al onderweg is. Ik ken die jongen. Hij houdt ervan om vroeg aan de slag te gaan. Hij is goed. Hij verknoeit geen tijd. De overdracht zal niet lang meer op zich laten wachten.'

De weg naar het zuiden vanuit Medicine Hat liep dood na Pakowki Lake. Het asfalt hield met een rafelig einde op, ging over in een paar honderd meter puin, aan elkaar gekit met wat teer. Toen hield ook dat op bij een open plek in het bos zonder duidelijke voortgang. Maar de witte vrachtwagen reed tussen twee dennen door over wat laag kreupelhout, een karrenspoor op dat ooit breed was geweest, maar nu was verwaarloosd. Een oude brandgang die naar het zuiden liep, ooit aangelegd met in gedachten overslaande vlammen en westenwinden. De vrachtwagen reed langzaam, helde over naar links en naar rechts, de wielen veerden onafhankelijk van elkaar, alsof de vrachtwagen wandelde. Vooruit alleen maar bomen en heel veel verder het stadje Hogg Parish in Montana. Maar halverwege dat traject zou de vrachtwagen stoppen, iets meer dan drie kilometer van de grens, bij de noordgrens van de veilige zone, exact noordelijk van de vrachtwagen die waarschijnlijk al in Amerika stond te wachten, fris, energiek en klaar voor de laatste etappe van de reis.

De dokter liep naar de keuken en kwam terug met nieuwe koffie. Hij zei: 'Het kan ook een ongeluk zijn geweest. Misschien is ze die loods binnengegaan.'
Reacher zei: 'Met haar fiets?'
'Het kan. We weten niet genoeg van haar. Sommige kinderen zou-

den hun fiets gewoon ergens laten vallen, terwijl andere kinderen hem mee naar binnen zouden nemen. Kinderen zijn allemaal anders. En misschien heeft ze zich daarbinnen aan iets bezeerd. Of is ze vast komen te zitten. Die deur zit nu knel. Misschien klemde hij toen al wel. Misschien heeft ze zichzelf opgesloten. Niemand heeft haar horen schreeuwen.'

'En toen?'

'Een kind van acht, zonder water en voedsel, houdt het niet lang vol.'

'Geen plezierige gedachte,' zei Reacher.

'Maar te verkiezen boven een aantal andere mogelijkheden.'

'Misschien.'

'Of misschien is ze toen ze ernaartoe fietste, overreden door een vrachtwagen. Of een personenwagen. Je zei zelf al dat de wegen wel veel drukker kunnen zijn geweest. Misschien is de chauffeur wel in paniek geraakt en heeft hij het lichaam verstopt. En de fiets.'

'Waar?'

'Waar dan ook. In die loods. Of kilometers verderop. In een andere county. Een andere staat, misschien wel. Misschien hebben ze daarom nooit iets gevonden.'

'Misschien,' zei Reacher opnieuw.

De dokter viel stil.

Reacher zei: 'Nu is er iets wat jij mij niet vertelt.'

'We hebben nog tijd.'

'Hoeveel?'

'Een halfuur waarschijnlijk.'

'Een halfuur waarvoor?'

'Die drie andere Cornhuskers komen hier ontbijten. Hun maatjes zijn hier, dus hebben ze dit uitgekozen als tijdelijk hoofdkwartier. Dan dwingen ze mijn vrouw ontbijt voor hen te maken. Ze zijn dol op dergelijke feodale toestanden.'

'Dacht ik al,' zei Reacher. 'Ik zal zorgen dat ik klaar voor ze ben.'

'Een van hen heeft jouw neus gebroken.'

'Ik weet het.'

De dokter zei niets.

Reacher zei: 'Mag ik je iets vragen?'

'Wat?'
'Is jouw garage zoals je tv of zoals je tuin?'
'Meer zoals mijn tv.'
'Goed zo. Dan wil ik graag dat je je omdraait en de weg in de gaten houdt. Ik ben over tien minuten terug.' Reacher pakte de Remington en liep door de keuken en de bijkeuken. Hij deed de deur naar de garage open. Het was een grote ruimte. Leeg, omdat de Subaru nog steeds bij het motel stond, en schoon en netjes, met een aangeveegde vloer en nergens rommel. Aan één muur hingen planken vol met al die spullen die niet in de kelder waren. Tegen een andere muur stond een werkbank, goed uitgerust, ook netjes en schoon, met een bankschroef, en allerhande gereedschap op een bord erboven aan de muur, logisch gerangschikt.
Reacher ontlaadde de Remington, er vielen vijf patronen uit het magazijn en een uit het staartstuk. Hij hield het wapen op de kop en klemde het vast in de bankschroef. Hij zocht tot hij een decoupeerzaag vond en zette er een zaagblad voor hout in. Hij stak de stekker in een stopcontact, zette de machine aan, bracht het dansende zaagblad naar de kolf en zaagde die af, met een rechte snede over het smalste deel. Daarna zaagde hij langs een vloeiende lijn die de voorkant van een pistoolgreep voorstelde. Met nog twee zaagsneden schuinde hij de kanten af. Toen pakte hij een rasp en vijlde het geheel bij. De krullen walnotenhout rolden weg als snippers chocola. Hij werkte de klus af met een schuurblok. Hij blies het stof weg, wreef met zijn handpalm langs het resultaat en vond dat het geslaagd was.
Hij verving het zaagblad voor hout door een zaagblad voor metaal, een fijn getand blauw blad. Hij zette het tegen de loop, twee centimeter voor het voorhout. De zaag krijste, protesteerde en jankte, en toen viel de laatste dertig centimeter van de loop rinkelend op de grond. Met een vijl haalde hij de bramen van de nieuwe vuurmond, zowel aan de binnenkant als de buitenkant. Hij draaide de bankschroef open, tilde het geweer er uit, pompte twee keer, *kraak-kraak*, *kraak-kraak*, en laadde het wapen opnieuw, vijf patronen in het magazijn en een in het staartstuk. Een afgezaagd wapen met een pistoolgreep, niet veel langer dan zijn onderarm.

Terug in het huis vond hij de garderobekast met zijn parka. De Glock en het mes zaten nog steeds in zijn jaszakken, samen met de twee schroevendraaiers en de bahco. Met het springmes sneed hij de linkerzak van de jas aan de onderkant open, zodat het geweer er helemaal in paste. Hij trok de jas aan. Toen ontgrendelde hij de voordeur en liep terug naar de eetkamer om te wachten.

De Cornhuskers kwamen een voor een binnen. De eerste precies op tijd, dertig minuten nadat de dokter hun komst had aangekondigd, in een zwarte pick-up die hij op de weg liet staan. Hij liep op een sukkeldrafje de oprit op en stormde naar binnen alsof het zijn eigen huis was. Reacher schakelde hem uit met een gemene klap op zijn achterhoofd, met de bahco. De man zakte door zijn knieën en duikelde voorover op zijn gezicht. Reacher was er even mee bezig om hem aan de kant te slepen over de glanzende vloer en tapete hem toen slordig maar snel en stevig vast. Goed genoeg voor dat moment. De klap van de bahco, de bons van het vallende lichaam en het kreunen en grommen van Reacher, wekten de vrouw van de dokter en Dorothy Coe. Ze kwamen hun kamers uit in een badjas. De vrouw van de dokter keek naar de nieuwkomer op de vloer en zei: ‘Ze komen zeker voor het ontbijt.’

Reacher zei: ‘Maar vandaag krijgen ze niets.’

Dorothy Coe zei: ‘En morgen?’

‘Morgen is alles anders. Hoe goed kennen jullie Eleanor Duncan?’

‘Het is niet haar schuld wat er allemaal gebeurt.’

‘Zij gaat jullie oogst binnenhalen dit jaar. Zij neemt het transportbedrijf over.’

Dorothy Coe zei niets.

De vrouw van de dokter zei: ‘Moeten wij uit de buurt blijven?’

‘Dat is misschien wel zo veilig,’ zei Reacher. ‘Je moet er niet aan denken dat een van die kerels boven op je valt.’

‘Er komt er weer een aan,’ riep de dokter uit de eetkamer, zacht en dringend. De tweede werd op precies dezelfde manier uitgeschakeld als de eerste, op dezelfde plaats. Er was geen ruimte over

om hem naartoe te slepen. Reacher trok de benen van de man op, zodat de deur in ieder geval dicht kon en tapete hem vast.
De laatste die nog moest komen, was de man die Reachers neus had gebroken.
Hij kwam niet alleen.

52

Een witte SUV parkeerde op de weg buiten het hek. De man die Reachers neus had gebroken, kwam achter het stuur vandaan. Het portier aan de passagierskant ging open en het joch dat John heette, stapte uit. Ga naar bed, had Reacher tegen hem gezegd, maar hij was niet naar bed gegaan. Hij was blijven rondhangen tot hij had gehoord dat alles veilig was en nu was hij meegekomen om zijn aandeel in de lol op te eisen.
Dom, dom, dom.
De hal was bijna te vol om een poot te verzetten. Hij lag vol met football-spelers, vier stuks die als karkassen verspreid over de vloer lagen, als gestrande walvissen, getapete ledematen, krachteloos afhangende hoofden. Reacher slalomde tussen hen door en keek uit het raam. De twee football-spelers liepen langs de pick-up van Dorothy, langs Johns eigen Yukon. Ze haastten zich door de vochtige kou naar de voordeur, opgewekt en vrolijk.
Reacher deed de deur open en stapte naar buiten, hen tegemoet. Hij trok zijn afgezaagde geweer voor zijn lichaam langs, met een lang zwierig gebaar, zoals een filmpiraat zijn vuursteenpistool trekt, en richtte hem met zijn rechterhand, de elleboog gebogen, en een ontspannen houding, op de man die hem had geslagen. Hij keek John aan.
'Je stelt me teleur.'
Beide mannen stonden als door de bliksem getroffen stil en staarden hem doordringender aan dan hij toepasselijk vond, tot hij zich opeens herinnerde dat zijn gezicht was opgesierd met een strook zilverkleurige tape. Als oorlogsverf. Hij glimlachte en voel-

de hoe de tape aan zijn huid trok. Hij verplaatste zijn blik naar de man die hem had geslagen en zei: 'Fluitje van een cent om dat even weer recht te zetten. Maar ik weet niet of jij dat straks ook nog kunt zeggen.'
Geen van beide mannen zei iets. Reacher bleef de man die hem had geslagen aankijken en zei: 'Haal je autosleutels uit je zak en gooi ze naar mij.'
'Wat?' zei de man.
'De Yukon van John begint me te vervelen. Ik ga de rest van de dag jouw pick-up gebruiken.'
'Denk je?'
'Ik weet het wel zeker.'
Geen reactie.
Reacher zei: 'Het is tijd om besluiten te nemen, jongens. Je doet wat ik zeg of er wordt geschoten.'
De man stopte zijn hand in zijn zak en haalde hem weer tevoorschijn met een bos sleutels. Hij hield ze even omhoog, om te laten zien wat hij in zijn hand hield en gooide ze toen onderhands naar Reacher, die geen enkele poging deed om ze op te vangen. Ze kletsten tegen zijn jas en vielen op het grind. Reacher wilde zijn linkerhand vrijhouden en zich helemaal op één ding concentreren. Hij keek de man weer aan en vroeg: 'Hoe voelt je neus nu?'
De man zei: 'Hij voelt goed.'
'Hij ziet eruit alsof hij al eens eerder gebroken is geweest.'
De man zei: 'Twee keer.'
Reacher zei: 'Goed, ze zeggen, drie keer is scheepsrecht. En dat drie een geluksgetal is.'
Niemand zei iets.
Reacher zei: 'John, ga voorover op de grond liggen.'
John verroerde geen vin.
Reacher vuurde in het grind voor Johns voeten. Het wapen donderde en sloeg terug. Het geluid rolde weg over de akkers, luid en dof, als een explosie in een steengroeve. John jankte en danste. Hij was niet geraakt, maar geschrokken van het opspattende grind tegen zijn schenen. Reacher wachtte tot het weer rustig werd en vuurde, een enorm *kraak-kraak*, waarschijnlijk het meest in-

timiderende geluid op de hele wereld. De lege patroonhuls werd uit het wapen geworpen, vloog door de lucht, landde vlak bij de autosleutels en stuiterde weg.
John ging op de grond liggen. Hij liet zich eerst op zijn knieën zakken, onhandig, alsof hij in de kerk was. Toen spreidde hij zijn handen en liet zich verder zakken tot hij met zijn gezicht in het grind lag, met zichtbare tegenzin, alsof een trainer met een slecht humeur hem had opgedragen zich honderd keer op te drukken.
Reacher riep over zijn schouder: 'Dokter? Breng de tape eens hier, alsjeblieft?'
Uit het huis kwam geen reactie.
Reacher riep: 'Maak je geen zorgen, dokter. Ze komen niet meer terug. Nooit meer. Dit is hun laatste dag. Morgen wonen jullie hier allemaal weer als normale mensen. Deze jongens worden werkeloos, gaan terug naar huis, op zoek naar een andere baan.'
Er viel een lange, gespannen stilte. Toen kwam de dokter naar buiten met de tape. Hij keek niet naar de twee mannen. Hij hield zijn hoofd afgewend, met zijn blik op de grond gericht. Oude gewoonte. Hij gaf Reacher de rol en vluchtte weer naar binnen.
Reacher gooide de tape naar de man die hem had geslagen en zei: 'Tape je maatje eens zo dat hij zijn armen en benen niet meer kan bewegen. Anders moet ik daarvoor zorgen, maar dan waarschijnlijk niet zonder zijn ruggengraat te beschadigen.'
De man ving de rol tape en ging aan de slag. Hij wikkelde drie slagen in het patroon van een acht om Johns polsen, en toen sloeg hij nog eens een aantal slagen tussen beide polsen door. Plastic handboeien. Reacher had geen idee hoe de treksterkte van tape door techneuten in cijfers werd uitgedrukt, maar hij wist wel dat geen mens op de wereld in staat was om het in de lengte stuk te trekken. De man ging op dezelfde manier te werk bij Johns enkels, en Reacher zei: 'En nu klaar voor het spit. Plak zijn polsen maar aan zijn enkels.'
De man trok Johns voeten naar zijn achterwerk en wikkelde tape van de boeien om zijn polsen naar de boeien om zijn enkels, in vier slagen, steeds dertig centimeter in de rondte. Hij drukte het allemaal aan en stapte achteruit. Reacher pakte zijn bahco en hield hem omhoog. Er zat een beetje bloed en haren aan, van de

vorige twee slachtoffers. Hij liet hem achter zich op de grond vallen. Hij pakte zijn springmes en liet het achter zich op de grond vallen. Hij pakte zijn Glock en liet hem achter zich op de grond vallen. Hij draaide zich om en legde het afgezaagde geweer ernaast. Hij schudde zijn jas van zijn schouders en liet hem over de vier wapens heen vallen. Hij keek de man aan die hem had geslagen en zei: 'Eerlijk gevecht. Jij tegen mij. Bankzitter Nebraska football-speler tegen de U.S. Army. Met de blote vuist. Geen regels. Als je je langs mij weet te wurmen, mag je alles gebruiken wat onder die jas ligt.'

De man keek Reacher even met een lege blik aan. Toen grijnsde hij een beetje, alsof de zon was gaan schijnen, alsof zich plotseling een ongelooflijke toekomst voor hem openbaarde, alsof er een gat was gevallen in een hechte defensie, alsof hij plotseling zomaar rechtdoor kon naar de *end zone*. Hij ging op zijn tenen staan, dook iets in elkaar, hield zijn rechtervuist onder zijn kin en bereidde zich voor op een linkse directe.

Reacher grijnsde ook, een beetje. De man danste rond alsof hij een professionele bokser was. Hij moest eens weten. Hij had geen flauw idee van wat hem te wachten stond. Misschien was de laatste vechtpartij die hij had gezien er wel eentje uit de Rocky-films geweest. Hij was twee meter lang en woog honderdveertig kilo, een soort bekroonde os, groot, dom en glanzend, die het op moest nemen tegen een rioolrat.

Een rioolrat van honderdtien kilo.

De man stapte naar voren en maakte een tijdje schijnbewegingen, wiebelde op de bal van zijn voeten heen en weer, dook weg en ontweek, en verspilde een heleboel energie. Reacher bleef stilstaan en staarde hem aan, zijn ogen wijd open, de omgeving vanuit zijn ooghoeken in de gaten houdend, zich tegelijkertijd overal en nergens in het bijzonder op concentrerend. Hyperalert. Hij keek naar de ogen, handen en voeten van de man. Hij hoefde niet lang te wachten op de eerste stoot. De voor de hand liggende actie van een rechtshandige die dacht dat hij in een boksring stond. Een linkse stoot volgt hetzelfde traject als een linkse directe, maar met veel minder kracht, omdat hij alleen vanuit de arm komt, door het strekken van de elleboog, zonder dat de benen, het bovenli-

chaam of de schouders iets bijdragen aan het effect. Geen echte kracht. Reacher zag de grote roze knokkels dichterbij komen, en maakte toen als in een waas met zijn linkerhand een snelle wapperbeweging, als een man die achterovervallend met zijn armen naar een wesp zwaait, en sloeg tegen de binnenkant van de pols, hard genoeg om de stoot van richting te veranderen, zo hard dat die niet langer in de richting van zijn gezicht ging, maar zonder schade aan te richten over zijn bewegende schouder vloog.
Zijn schouder bewoog omdat hij zich al met kracht afzette met zijn achterste voet, toen met een ruk naar voren boog vanuit de heupen, zijn rechterelleboog in de richting van het gat slingerde dat ontstond omdat de man een paar centimeter linksom werd geslingerd, mikkend met zijn elleboog op de linkeroogkas, in de hoop dat hij de schedel langs de slaap kon kraken. Geen regels. De klap kwam aan met alle honderdtien kilo bewegende massa erachter, een enorme, doordringende dreun die Reacher tot in zijn tenen voelde. De man wankelde achteruit. Hij bleef op de been. Kennelijk was zijn schedel niet gebarsten, maar voelde hij wel dat er iets was gebeurd. Dat voelde hij behoorlijk. Zijn mond ging open om een gejank te laten horen. Reacher sloot hem de mond met een droge uppercut onder zijn kin, stuipachtig, verre van elegant, maar effectief. Het hoofd van de man klapte achterover in een nevel van bloed en veerde weer voorover vanaf de machtige deltaspier. Reacher deed een poging zijn andere oogkas te kraken met zijn linkerelleboog, een wilde ruk heen en terug vanuit de heup. Daarna ramde hij zijn onderarm tegen de adamsappel van de man, een zwaai waar je een homerun mee kon slaan. Hij plantte zijn knie in het kruis, danste om de man heen en trapte hem hard in zijn knieholten, een slepende beweging als een maaiende zeis. De man zakte door zijn knieën en viel met een dreun ruggelings op het pad. Zes klappen, drie seconden.
Geen regels.
Bankzitter Nebraska football-speler tegen de U.S. Army.
Maar de man was taai. Of bang. Hoe dan ook, hij gaf nog niet op. Hij begon rond te krabbelen op zijn rug, als een schildpad, in een poging overeind te komen. Hij produceerde vage sneeuwengelen in het grind en sloeg met zijn hoofd naar links en rechts.

Misschien zou het wel zo fatsoenlijk zijn geweest om hem acht tellen te gunnen, maar als je tegenstander op de grond ligt, opent de hemel zich voor een rioolrat, dat is het doel waarnaar hij streeft, dat is een kostbaar geschenk dat je nooit mag afwijzen. Reacher maakte korte metten met hem door een harde trap tegen zijn oor. Daarna stampte hij hard met zijn hak op het gezicht van de man, als een ontzette huiseigenaar die een kakkerlak vertrapt. Het kraken van de verbrijzelende neus van de man was duidelijk hoorbaar boven het gehijg en gegrom en gekreun.
Game over. Acht keer raken in zes seconden, afgrijselijk langzaam en inspannend voor Reachers doen, maar goed, de man was forsgebouwd, hij had de spierkracht en de snelheid van een atleet en hij was gewend aan een zekere mate van fysiek geweld. Hij had partij geboden, zij het amper. Bijna een wedstrijd. Het was nog niet het ergste wat Reacher ooit had meegemaakt. Vier jaar trainen als football-speler stond waarschijnlijk ongeveer gelijk aan vier dagen van de training die Reacher had gevolgd. Reacher had genoeg mensen gekend die de derde dag niet eens hadden gehaald.
Hij tapete de man in, plastic handboeien met vier slagen vastgeplakt om 's mans nek, en enkelboeien met vier slagen vastgeplakt om Johns nek. Hij liep weer naar binnen de hal in en maakt het haastige, slordige werk af bij de andere twee, die als eerste voor het ontbijt waren komen opdagen. Hij schoof hen rond over het glanzende parket en plakte hen met de ruggen aan elkaar vast, net als de twee over wie hij zich 's nachts had ontfermd. Hij stond op om op adem te komen.
Hij hoorde een telefoon rinkelen, ver weg en gedempt.

Die telefoon bleek de mobiel van Dorothy Coe te zijn. Hij klonk ver weg en gedempt omdat zij hem bij zich had, achter een gesloten deur, in de logeerkamer. Ze kwam naar buiten, met de telefoon in haar hand, keek van de telefoon naar de vier vastgetapete mannen op de vloer van de hal en begon te glimlachen, alsof er iets heel ironisch aan de hand was, alsof wat ze zag een bewijs was dat alles weer een beetje gewoon was op deze bizarre dag. Ze zei: 'Dat was Vincent. Hij wil graag dat ik kom werken vanochtend. Hij heeft gasten.'

Reacher vroeg: 'Wie?'
'Dat heeft hij niet gezegd.'
Reacher dacht even na, en zei: 'Oké.' Hij gaf de dokter opdracht een medisch oogje in het zeil te houden, liep naar buiten het grindpad op en trok zijn jas weer aan. Hij propte zijn geïmproviseerde arsenaal in zijn zakken, pakte de autosleutels van het grind en zette koers naar de witte SUV.

Eldridge Tyler bewoog, een beetje, net genoeg om niet te verstijven. Het was zijn tweede uur in het daglicht. Hij was een geduldig man. Hij hield zijn oog aan het telescoopvizier. Het vizier was nog steeds gericht op de schuifdeur van de loods, vijftien centimeter links van het kleine deurtje, vijftien centimeter omlaag. Het voorhout van het geweer lag nog steeds stevig op de zakken rijst. De lucht was vochtig en zwaar, maar de zon scheen helder en het zicht was goed.
De grote man met zijn bruine jas was niet komen opdagen.
Nog niet.
Misschien zou hij wel nooit komen opdagen, als de Duncans 's nachts succes hadden gehad. Tyler bleef niettemin uiterst alert, want hij was van nature een voorzichtig man en vatte zijn taken altijd serieus op, en misschien hadden de Duncans wel geen succes gehad de afgelopen nacht. In dat geval zou de grote man niet lang meer op zich laten wachten. Waarom zou hij? Het enige wat hij nodig had, was daglicht.
Tyler haalde zijn vinger van de trekker, strekte de spieren van zijn hand, één keer, twee keer, en legde zijn vinger toen weer om de trekker.

53

De witte SUV bleek een Chevy Tahoe te zijn, die in Reachers ongeschoolde blik als twee druppels water leek op de GMC Yukon. Zelfde cabine. Zelfde instrumenten. Zelfde meters en wijzers. Hij reed net als de Yukon, ruim, slordig en weinig precies, het hele eind terug naar de tweebaansweg, waar Reacher rechts afsloeg en naar het zuiden reed. Het was nevelig, maar de zon stond in het oosten al een eind boven de horizon. Het scheelde niet veel of de dag ging het derde uur in.

Hij remde af, liet de wagen uitlopen en parkeerde in de berm, tweehonderd meter voor het motel. Vanuit het noorden kon hij alleen de mast met het uithangbord in de vorm van een raket zien en de grote ronde lobby. Hij stapte uit de Tahoe en liep over het asfalt, langzaam en rustig. Zijn gezichtshoek veranderde met elke stap. Eerst zag hij de uitgebrande Ford. Die stond op de parkeerplaats, op de velgranden, zwart en onttakeld, twee gestalten achter raampjes waar het glas uit was, beiden glad gebrand en zo klein als zeehonden. Daarna zag hij de Subaru van de dokter, voor kamer zes, vernield en beschadigd, maar nog steeds een levend wezen vergeleken met de Ford.

Toen zag hij de donkerblauwe Chevrolet.

Hij stond achter de Subaru geparkeerd, voor kamer zeven, of acht, of allebei, slordig en scheef, aan het einde van vier diepe remsporen in het grind. Gefrustreerde mannen, moe en kwaad, die hard op de rem trappen en toe zijn aan rust.

Reacher liep van de weg het terrein op naar de ingang van de lobby, zo geruisloos als maar mogelijk was op de losse steenslag, langs de Ford. Die was nog steeds warm. De hitte van het vuur had fantastische krullen in het metaal gebrand. De deur naar de lobby was niet op slot. Reacher stapte naar binnen en zag Vincent achter de balie van de receptie. Hij legde net de hoorn van de telefoon op de haak. Hij maakte de beweging niet af en staarde naar Reachers tape-verband. Hij vroeg: 'Wat is er in hemelsnaam met jou gebeurd?'

'Een krasje,' zei Reacher. 'Wie had je daar aan de lijn?'

'Het ochtendtelefoontje. Zelfde als altijd. Daar kun je de klok op gelijk zetten.'

'De telefoonpiramide?' vroeg Reacher.

Vincent knikte.

'En?'

'Niets te melden. Er hebben de hele nacht drie Cornhuskers rond-

gereden, een beetje doelloos. Nu zijn ze ergens anders naartoe. Alle vier de Duncans zitten bij Jacob thuis.'
'Je hebt hier gasten,' zei Reacher.
'De Italianen,' zei Vincent. 'Ik heb ze in zeven en acht gestopt.'
'Hebben ze nog naar mij gevraagd?'
Vincent knikte. 'Ze vroegen of je hier was. Ze vroegen of ik je had gezien. Ze zijn absoluut naar je op zoek.'
'Wanneer zijn ze gekomen?'
'Om een uur of vijf vanochtend.'
Reacher knikte op zijn beurt. De hele nacht achter spoken aangejaagd, zonder succes, uiteindelijk bekaf, geen zin om een uur te rijden naar het Marriott, en dan later nog eens weer een uur terug, dus dan maar de lokale tent. Ze waren waarschijnlijk van plan geweest een paar uur te slapen en dan weer op pad te gaan, maar ze hadden zich verslapen. De menselijke natuur.
'Ze hebben me wakker gemaakt,' zei Vincent. 'Ze hadden een rothumeur. Ik vrees dat ze me niet zullen betalen.'
'Wie heeft die mannen in de Ford doodgeschoten?'
'Ik kan ze niet uit elkaar houden. De een schoot en de ander heeft de auto in de fik gestoken.'
'En dat heb je met eigen ogen gezien?'
'Ja.'
'Zou je dat ook voor een rechter herhalen?'
'Nee, want de Duncans hebben ermee te maken.'
'En als de Duncans er niets mee te maken hadden?'
'Zoveel verbeeldingskracht heb ik niet.'
'Je hebt het mij verteld.'
'Privé.'
'Vertel het nog eens.'
'De een schoot die mannen dood en de ander stak de auto in brand.'
'Oké,' zei Reacher. 'Goed genoeg.'
'Waarvoor?'
'Bel ze,' zei Reacher. 'Over een minuut. In hun kamer. Fluister. Zeg tegen hen dat ik op je parkeerplaats ben, pal voor je raam, en naar het wrak sta te kijken.'

'Ik kan me hier niet mee bemoeien.'
'Dit is de laatste dag,' zei Reacher. 'Morgen is alles anders.'
'Sorry, maar eerst zien, dan geloven.'
'Vanaf morgen zijn er hier drie soorten mensen,' zei Reacher. 'Doden, makke schapen en een paar met een beetje zelfrespect. Je moet zien dat je bij die laatste groep terechtkomt.'
Vincent zei niets.
'Ken je Eleanor Duncan?' vroeg Reacher.
'Die is oké,' zei Vincent. 'Ze heeft niets te maken met al dit gedoe.'
'Ze neemt de zaak over. Zij bekommert zich straks om het transport.'
Vincent zei niets.
'Bel de Italianen over een minuut,' zei Reacher. Hij liep weer naar buiten, de parkeerplaats op, naar de zilverkleurige bielzen, langs kamer één, langs kamer twee, langs kamer drie, vier, vijf en zes. Hij maakte een boog om kamer zeven en acht en kwam uit bij kamer negen. Hij stond in een nauwe doorgang in de vorm van een zandloper, de ronde vorm van kamer acht recht voor zich, zo dichtbij dat hij de wand kon aanraken, kamer zeven één kamer verderop, de Chevy en de Subaru en de uitgebrande Ford op één lijn bij hem vandaan, van zuid naar noord. Hij haalde de Glock van de dode Iraniër uit zijn zak en inspecteerde de kamer. Helemaal gereed.
Hij wachtte.
Hij hoorde de telefoons overgaan, eerst de ene, toen de andere, beide zwak hoorbaar achter muren en gesloten deuren. Hij zag mannen voor zich die over een bed rolden in de richting van een telefoon, die probeerden wakker te worden, rechtop gingen zitten, met hun ogen knipperden, om zich heen keken door het onbekende vertrek, eindelijk de telefoon vonden, het gesprek aannamen en luisterden naar Vincents gefluisterde boodschap.
Hij wachtte.
Hij wist wat er zou gebeuren. Wie van de twee dan ook als eerste zijn deur open zou trekken, zou op de drempel blijven staan wachten, half binnen, half buiten. Pistool getrokken, zich naar buiten buigend, de nek strekkend, tot zijn partner naar buiten

zou komen. Dan zouden ze overgaan tot gebarentaal, tekens, en voorzichtig gezamenlijk optrekken.
Hij wachtte.
De deur van kamer acht ging het eerst open. Reacher zag een hand op het kozijn, toen een pistool dat bijna loodrecht omhoogwees, toen een onderarm, een elleboog en een achterhoofd. Het pistool was een Colt Double Eagle. De onderarm en de elleboog staken in een verkreukelde overhemdsmouw. Op het hoofd groeide ongekamd zwart haar.
Reacher deed een stap achteruit en wachtte. Hij hoorde de deur van kamer zeven opengaan. Hij voelde het meer dan dat hij het hoorde, het ruisen van een gesteven katoenen overhemd, het woordeloze overleg, het wijzen en met de wijsvinger op de eigen borst tikken bij het verdelen van rollen, de geheven armen waarmee een richting werd aangegeven, de gespreide vingers voor het aftellen van minuten. Het lag voor de hand dat ze zouden besluiten dat de man van kamer acht voor zou gaan, achter kamer zes langs, om de lobby heen, langs de blinde kant om dan de parkeerplaats vanaf de noordkant te naderen. De man uit kamer zeven zou even wachten en dan de parkeerplaats direct vanuit het zuiden naderen. Daar hoefde je niet eens over na te denken.
Reacher hoorde de man van kamer zeven naar buiten stappen en wachten, en de man van kamer acht naar buiten stappen en op weg gaan. Acht stappen, dan zou de tweede de eerste passeren. Hij telde in gedachten en bij zes stapte hij tevoorschijn, bij zeven hief hij de Glock en bij acht schreeuwde hij: STA STIL STA STIL STA STIL, waarop beide mannen stilstonden, zich al overgaven, hun wapen laag naast hun dij hielden, moe, net wakker, verward en gedesoriënteerd. Reacher hield vast aan de overdonderingstactiek en schreeuwde: LAAT JE WAPEN VALLEN WAPEN OP DE GROND. Beide mannen gehoorzaamden onmiddellijk. De zware roestvrijstalen pistolen vielen als een tweeling op de grond. Reacher schreeuwde: AAN DE KANT AAN DE KANT AAN DE KANT. Beide mannen stapten aan de kant, de parkeerplaats op, geïsoleerd, ver van hun kamer, ver van hun auto.
Reacher haalde adem en keek van achteren naar hen. Beiden droegen een broek, een overhemd en schoenen. Geen jack, geen jas.

Reacher zei: 'Draai je om.'
Ze draaiden zich om.
De linker zei: 'Jij.'
Reacher zei: 'Eindelijk ontmoeten we elkaar dan eens. Hoe gaat het tot nu toe vandaag?'
Geen antwoord.
Reacher zei: 'De broekzakken binnenstebuiten graag. Helemaal. Trek de voering er maar uit.'
Ze gehoorzaamden. Kwartjes en dubbeltjes en splinternieuwe centen rinkelden omlaag, papieren zakdoekjes fladderden weg en mobiele telefoons vielen op de grond. En een autosleutel, met een grote bolle zwarte kop en een plastic sleutelhanger in de vorm van het cijfer één. Reacher zei: 'En nu achteruit. Blijf maar lopen tot ik ho zeg.'
Ze liepen achteruit en Reacher liep achter hen aan, in hetzelfde tempo, acht stappen, tien, tot Reacher bij de plek was waar hun colts waren gevallen. Hij zei: 'Ho.' Hij hurkte en pakte een van de twee wapens. Hij liet het magazijn eruit vallen en zag dat dat vol was. Hij pakte het andere wapen. In dat magazijn ontbrak één patroon.
'Van wie?' vroeg hij.
De man links zei: 'Die ander.'
'Welke ander?'
'De Iraniërs. Jij pakte de ene, wij de ander. We staan aan dezelfde kant.'
'Ik denk het niet,' zei Reacher. Hij liep naar het hoopje spullen uit de broekzakken en pakte de autosleutel op. Hij drukte op de knop in de bolle kop en hoorde dat de portieren van de Chevy zich ontgrendelden. Hij zei: 'Achterin.'
De man links zei: 'Weet je wie wij zijn?'
'Ja,' zei Reacher. 'Jullie zijn twee lulletjes die net de kous op de kop hebben gekregen.'
'Wij werken voor iemand in Las Vegas die Rossi heet. Hij heeft connecties. Hij is het soort man met wie je geen geintjes uithaalt.'
'Neem me niet kwalijk als ik niet gelijk flauwval van angst.'
'Hij heeft ook poen. Veel poen. Misschien kunnen we iets regelen.'

'Zoals?'

'Er worden hier zaken gedaan. We zouden je kunnen laten meedoen. Je rijk maken.'

'Ik ben al rijk.'

'Zo zie je er niet uit. Ik meen het. Heel veel geld.'

'Ik heb alles wat ik nodig heb. Dat is de definitie van welvaart.'

De man aarzelde even en begon toen opnieuw, als een vertegenwoordiger. Hij zei: 'Zeg eens wat ik je kan bieden om het de moeite waard te maken.'

'Je kunt op de achterbank van je auto gaan zitten.'

'Waarom?'

'Omdat ik spierpijn heb in mijn armen en ik geen zin heb om je erin te slepen.'

'Nee, waarom wil je ons in de auto hebben?'

'Omdat we een ritje gaan maken.'

'Waarheen?'

'Dat zal ik je vertellen als je bent ingestapt.'

De twee mannen keken naar een punt halverwege tussen hen in, durfden elkaar niet aan te kijken, durfden niet te geloven in zoveel mazzel. De kans. Zij, met zijn tweeën achterin, een chauffeur in zijn eentje voorin. Reacher liep met de Glock achter hen aan, het hele eind naar de auto. De een stapte aan de passagierskant in, de ander liep om de kofferbak heen. Reacher zag dat hij een blik over de weg wierp, in de richting van het akkerland, en toen zag Reacher dat hij de impuls om weg te rennen opgaf. Vlak akkerland, nergens een plek om je te verbergen, en een moderne negen millimeter, nauwkeurig tot op een meter of dertig. De man trok het portier aan zijn kant open en boog zijn hoofd, bukte zich en gleed naar binnen. De Impala was geen kleine auto, maar achterin was het ook bepaald geen limousine. Beide mannen zaten met hun voeten gevangen onder de voorstoelen en zelfs al waren ze niet echt forsgebouwd of lang, ze zaten toch verkrampt en dicht op elkaar gedrongen.

Reacher deed het portier aan de bestuurderskant open. Hij legde een knie op de zitting en leunde naar binnen. De man die tot nu toe het woord had gevoerd, vroeg: 'En waar gaan we nu heen?'

'Niet erg ver,' zei Reacher.

'Kun je het ons vertellen?'
'Ik zet de auto naast de Ford die jullie in brand hebben gestoken.'
'Hè, gewoon daar?'
'Ik zei al, niet ver.'
'En wat dan?'
'Dan steek ik deze auto in brand.'
De twee mannen keken elkaar aan, hun ogen vol onbegrip. Degene die tot nu toe het woord had gevoerd, zei: 'Je rijdt daarheen met ons achterin? Zo? Los?'
'Als je dat wilt, mag je je gordel omdoen. Maar het is nauwelijks de moeite waard. Het is niet zo ver. En ik rijd heel voorzichtig. Ik zal geen brokken maken.'
'Maar,' zei de man, en verder niets meer.
'Ik weet het,' zei Reacher. 'Ik zit met mijn rug naar jullie toe. Jullie zouden me kunnen overrompelen.'
'Nou, eh... ja.'
'Maar dat doen jullie niet.'
'Waarom niet?'
'Jullie doen het gewoon niet. Dat weet ik.'
'Waarom zouden we dat niet doen?'
'Omdat jullie dan al dood zijn,' zei Reacher. Hij schoot de eerste in zijn voorhoofd, daarna de tweede. Een energieke dubbele actie, zonder pauze, *bang bang*, bijna niet van elkaar te scheiden. De achterruit verbrijzelde en bloed, hersens en botsplinters kwakten tegen de resten van de ruit, vertraagd, langzamer dan de kogels. De beide mannen zakten iets in elkaar, nog langzamer, als een soort van trage echo, als oude mensen die in slaap vielen, maar met hun ogen wijd open en dikke druppels paars vocht dat opwelde uit keurige ronde gaatjes in hun voorhoofd, en overging in een traag omlaag sijpelend stroompje in de richting van de brug van hun neus.
Reacher kroop achteruit uit de auto, ging rechtop staan en keek naar het noorden. Een 9mm Parabellum. Prima munitie. De twee kogels zouden waarschijnlijk ongeveer op dat moment de grond raken, anderhalve kilometer verderop, en zich in de bevroren kluiten boren.

Reacher doorzocht kamer zeven en vond een portefeuille in een binnenzak. Er zat een rijbewijs uit Nevada in, op naam van Roberto Cassano, met een adres in Las Vegas. Er zaten vier creditcards in en iets meer dan negentig dollar contant geld. Reacher stopte er zestig van in zijn zak, stapte in de Impala, reed veertig meter en parkeerde de auto tegen de achterbumper van de Ford. In de lobby gaf hij de zestig dollar aan Vincent, twee kamers, één nacht, en leende oude vodden en lucifers. Zodra hij de lont had aangestoken, haastte hij zich terug naar de Tahoe die hij in de berm had laten staan. De eerste grote vlammen schoten omhoog toen hij erlangs reed. Ongeveer vierhonderd meter verder zag hij in de spiegel de benzinetank exploderen. Door de hoek waaronder hij dat zag en de manier waarop de vuurbal de lucht in schoot, leek het net of het uithangbord in de vorm van een raket eindelijk was begonnen aan zijn lang uitgestelde reis de onmetelijke ruimte in.

Eldridge Tyler hoorde de beide schoten. Twee zachte plopgeluiden, snel achter elkaar, ver weg, eigenlijk niet meer dan twee geluidsgaatjes in de doodse winterlucht. Geen geweer. Tyler wist alles van wapens en hij wist hoe het geluid van wapens zich door de lucht verplaatste. Een pistool, dacht hij, een kilometer of vijf, zes weg. Misschien was de jacht voorbij. Misschien hadden ze de grote man eindelijk te pakken. Hij bewoog opnieuw, ontspande een been, toen het andere, strekte een arm, toen de andere, rolde met zijn schouders en rolde met zijn hoofd over zijn nek. Hij haalde een fles water en een dubbele bruine boterham uit zijn canvas-boodschappentas. Hij legde beide onder handbereik. Hij tuurde naar buiten door de spleet van het ontbrekende latje en onderwierp alles wat hij kon zien aan een nauwgezette inspectie. Want misschien was de grote man nog niet gepakt. Tyler hield overal rekening mee. Hij was voorzichtig. Het was zijn taak om te wachten en te kijken, dus zou hij wachten en kijken totdat ze hem nieuwe instructies gaven.
Hij drukte zich omhoog op zijn handen en keek over zijn schouder. De zon was nu iets door het oosten naar het zuiden en er vielen lage, bijna horizontale zonnestralen op de ingang van het

schuurtje. Op de plastic isolatie van de struikeldraad had zich dauw afgezet die zacht glinsterde. Tien minuten, dacht Tyler, dan is dat opgedroogd en is die draad weer vrijwel onzichtbaar.
Hij keerde zich om, ging weer platliggen, installeerde zich achter zijn telescoopvizier en legde zijn vinger tegen de trekker.

54

Dorothy Coe douchte snel in de badkamer voor gasten en haastte zich om aan het werk te gaan in het motel. Ze dronk snel een kop koffie in de keuken bij de dokter en zijn vrouw, at een geroosterde boterham, en begon toen te aarzelen over haar bestemming. Ze vroeg: 'Waar is Reacher naartoe gegaan?'
De dokter zei: 'Dat weet ik niet precies.'
'Hij heeft toch wel iets gezegd?'
'Hij werkt aan een theorie.'
'Hij weet iets. Ik voel het.'
De dokter zei niets.
Dorothy Coe vroeg: 'Waar is hij heen?'
De dokter zei: 'Naar de oude loods.'
Dorothy Coe zei: 'Dan ga ik daar ook heen.'
De dokter zei: 'Niet doen.'

Reacher reed naar het zuiden over de tweebaansweg en liet de wagen een kilometer voorbij de loods uitrollen. De loods stond anderhalve kilometer naar het westen, dicht bij het kleinere schuurtje, scherp afgetekend in het ochtendlicht, iets ingezakt op één hoek, alsof de loods een knieval maakte. Reacher stapte uit, pakte de balk op het dak vast, ging op de stoel staan, trok zich omhoog en ging recht op het dak staan, zoals hij eerder op het dak van de Subaru van de dokter had gedaan. Dit keer stond hij hoger, omdat de Tahoe hoger was. Hij draaide langzaam rond, de ene kant op met de zon in de ogen, de andere kant uitkijkend over zijn eigen immense schaduw. Hij zag het motel in de verte

naar het noorden en de drie huizen van de Duncans in de verte in het zuiden. Verder niets. Geen mensen, geen auto's. Er bewoog niets.
Hij stapte omlaag op de motorkap en sprong op de grond. Hij negeerde de tractorsporen en liep dwars door het land, langs de kortste weg naar zijn doel. De ruimte tussen de grote loods en het kleine schuurtje.

Eldridge Tyler hoorde de SUV. Niet meer dan het fluisteren van banden op ruw asfalt een heel eind weg, het suizen van uitlaatgassen in een katalysator, het gedempte gerommel van in elkaar grijpende onderdelen, allemaal amper hoorbaar in de absolute stilte van het platteland. Hij hoorde dat de auto stopte. Hij hoorde dat de auto bleef staan waar hij was gestopt. Anderhalve kilometer, dacht hij. Het was niet een van de Duncans met een boodschap. Die zouden helemaal met de auto zijn doorgereden of hebben gebeld. Het was ook niet de vracht. Nog niet. De vracht was nog uren onderweg.
Hij rolde op zijn zij en keek om naar zijn struikeldraad. Hij nam in gedachten de bewegingen door als er iemand zou komen: het geweer terugzwaaien, op zijn heup rollen, gaan zitten, zich omdraaien en vuren. Geen enkel probleem.
Hij keek weer vooruit, legde zijn oog tegen het telescoopvizier en zijn vinger tegen de trekker.

Tien minuten later was Reacher halverwege de loods, schatte de situatie in en maakte een optelsom in zijn hoofd. Hij was alleen. Hij was de laatste die nog op twee benen stond. Alle tien de football-spelers waren uitgeschakeld, de Italianen waren uitgeschakeld, de Arabieren in de Ford waren uitgeschakeld, de overgebleven Iraniër was uitgeschakeld, en alle vier de Duncans hadden zich verschanst in een van hun huizen. Reacher had het gevoel dat hij dat laatste beetje informatie wel kon vertrouwen. De lokale telefoonpiramide leek een foutloos werkende inlichtingendienst. Het leger zoals Reacher het kende zou jaloers zijn geweest op zo'n soort waakzaamheid.
Hij liep verder, week iets af van zijn oorspronkelijke lijn zodat

hij midden tussen beide gebouwen uit zou komen. De grote loods was rechts, het kleine schuurtje links. De takken van de bramenstruiken rondom beide schuren leken met haastige streken aangebrachte schaduwpartijen op een potloodtekening. Nu, in de winter, alleen maar droge takken. In de zomer waarschijnlijk een overvloed van kleuren en bloemen. Waarschijnlijk een trekpleister. Met een kinderfiets kwam je wel langs die tractorsporen. Dikke banden, een stevig frame.
Hij liep verder.

Eldridge Tyler kalmeerde zijn ademhaling, concentreerde zich en probeerde alle geluiden op te vangen die maar te horen waren. Hij kende het land. De grond was altijd in beweging, warmde op, koelde af, trilde, onderging minieme trillingen en microscopische bevingen, perste stenen omhoog door vele dikke lagen ondergrond naar een gebarsten oppervlak, waar ze in de voren en scheuren lagen te wachten tot iemand op ze zou stappen, tegen ze aan zou trappen, onder voeten zouden knarsen of tegen elkaar tikken. Je kon niet geruisloos lopen over akkerland. Dat wist Tyler. Hij bleef door de telescoop kijken, hield zijn vinger aan de trekker en spitste zijn oren.

Reacher stopte met nog vijftig meter te gaan en bleef doodstil staan, keek naar de gebouwen voor zich en worstelde met gedachten die in vicieuze cirkels door zijn hoofd tolden. Zijn theorie deugde voor honderd procent, of was helemaal fout. De acht jaar oude Margaret Coe was op de bloemen afgekomen, maar ze was niet per ongeluk vast komen te zitten. Dat bewees de fiets. Een kind dat impulsief genoeg was om de fiets op het pad te laten vallen, was misschien naar binnen gestormd in een bouwvallige loods en had zich daar akelig bezeerd. Maar een kind dat zo serieus was dat het de fiets mee naar binnen nam, zou voorzichtig zijn en zich helemaal niet bezeren. De menselijke natuur. Logica. Als er een ongeluk was gebeurd, zou de fiets buiten zijn gevonden. De fiets was niet buiten gevonden, ergo er was geen ongeluk gebeurd.
Maar ook: ze was wel vrijwillig naar die loods gegaan, maar ze

was niet vrijwillig die loods binnengegaan. Waarom zou een kind dat op zoek was naar bloemen, een loods binnengaan? In schuren was voor boerenkinderen niets geheimzinnigs te zien. Geen mysteries. Een kind dat zich interesseerde voor kleuren, de natuur en frisheid zou zich niet aangetrokken hebben gevoeld tot een donkere, schemerige ruimte vol met de geur van verrotting en schimmel. Had die schuifdeur überhaupt nog wel gewerkt vijfentwintig jaar geleden? Had een kind die in beweging kunnen krijgen? De loods was honderd jaar oud en was in verval geraakt vanaf het moment dat de laatste spijker erin was geslagen. Die schuifdeur zat nu klem en had misschien toen al wel klem gezeten en hij was hoe dan ook zwaar. Je kon je ook afvragen of een kind van acht een fiets door het kleine deurtje had kunnen tillen. Een fiets met dikke banden en een stevig frame en pedalen die in de weg zaten en een stuur dat niet meewerkte?
Nee, dat had iemand anders voor haar gedaan.
De vijfde man.
Omdat de theorie niet klopte zonder vijfde man. De loods had geen betekenis zonder vijfde man. De bloemen betekenden helemaal niets zonder vijfde man. De Duncans hadden hun alibi, maar toch was Margaret Coe verdwenen. Dus was er iemand anders geweest, per ongeluk of doelbewust.
Of niet.
Cirkelredenering.
Helemaal juist of helemaal fout.
Als het van geen kanten klopte zou dat frustrerend zijn, maar verder niet echt belangrijk. Als de theorie klopte, bestond de vijfde man en moest hij daar rekening mee houden. Er zou een band bestaan tussen hem en de Duncans, het gemeenschappelijke doel, het verschrikkelijke gedeelde geheim, voor eeuwig en altijd. Je mocht ervan uitgaan dat hij meewerkte met de Duncans. Zijn loyaliteit en zijn diensten waren gegarandeerd, ofwel vanwege de gedeelde interesse, ofwel onder dwang. In noodgevallen zou hij bijspringen.
Reacher keek naar de loods, en naar het schuurtje.
Als zijn theorie klopte, zou de vijfde man daar zijn.
Als daar de vijfde man zat, klopte zijn theorie.

Cirkelredenering.

Reacher had de gebouwen twee keer eerder gezien. Eén keer 's nachts en één keer overdag. Hij had een goed ontwikkeld oog voor details. Hij had ooit zijn brood verdiend met het registreren van details. Hij leefde nog omdat geen detail hem ontging. Maar van een afstand van vijftig meter viel weinig te zien. Alleen de zijgevels van twee oude gebouwen. Het beste wat de vijfde man zou kunnen doen, was in de loods gaan zitten, een beetje uit het midden, een meter of twee vanaf de deur, op zijn gemak in een tuinstoel met een geweer dwars over zijn knieën, en dan maar wachten tot het slachtoffer binnen zou komen in een strook fel licht. Als tweede keus zou de man een plek kunnen hebben gezocht in het schuurtje honderdtwintig meter van de grote loods, liggend op het zoldertje met een telescoopvizier voor het oog, kijkend door de jaloezie voor het ventilatiegat dat Reacher was opgevallen bij zijn beide vorige bezoeken. Een moeilijker schot, maar misschien zag de vijfde man zichzelf meer als scherpschutter dan als straatvechter. Misschien was de loods zelf ook wel verboden terrein, heilig, niet toegankelijk voor buitenstaanders, zelfs niet voor mensen die op het punt stonden dood te gaan. Hoe dan ook, hij zou het schuurtje eerst moeten controleren, een kwestie van puur logisch nadenken.

Reacher liep naar links, recht op de lange oostgevel van het schuurtje af, niet snel, niet langzaam, meer in een ontspannen cadans die het midden hield tussen wandelen en marcheren, een manier van voortbewegen die uiteindelijk minder geluid produceerde dan zowel rennen als kruipen. Hij bleef twee meter van het schuurtje staan, daar waar de bramen begonnen, en dacht aan percentages. Redelijke kans dat de vijfde man in dienst had gezeten, of dat hij op zijn minst in aanraking was gekomen met de militaire cultuur via vrienden en bloedverwanten. De binnenlanden, het platteland, grote families, broers, neven. Waarschijnlijk geen gespecialiseerde scherpschutter, misschien zelfs niet eens infanterie, maar mogelijk was hij vertrouwd met de basiskennis, om te beginnen dat je, wanneer je op je buik gaat liggen en vooruitkijkt, in toenemende mate paranoïde wordt en je je gaat afvragen wat er achter je gebeurt. De menselijke natuur. Niet tegen te houden. Daarom opereerden sluipschutters in teams van twee man, de sluipschutter en de spotter. Het was de bedoeling dat spotters een doelwit zouden opzoeken, de afstand zouden berekenen en de invloed van de wind, maar hun grootste waarde was het tweede paar ogen en de rugdekking. Als je alles bij elkaar optelde, waren de prestaties van een sluipschutter heel erg afhankelijk van zijn hartslag en zijn ademhaling, en alles wat eraan bijdroeg om die rustig te houden, was van onschatbare waarde.

Zou de vijfde man zijn eigen spotter hebben meegenomen? Een zesde man? Waarschijnlijk niet, want er reed al een zesde man in een grijze vrachtwagen, wat van de zesde man de zevende man zou maken. Zeven was een groot en onhandig aantal mensen voor een lokaal complot. De vijfde man was dus waarschijnlijk alleen en had waarschijnlijk een minimaal waarschuwingssysteem opgezet. Extra grind of gebroken glas op de toegangspaden, of een struikeldraad aan de open kant van de schuur, iets wat lawaai maakte, iets duidelijks, iets waarbij hij zich kon ontspannen.

Reacher liep een paar passen bij de braamstruiken vandaan en ging in de richting van de open kant van de schuur. Een halve meter voor de hoek bleef hij stilstaan en luisterde ingespannen, maar hoorde niets. Hij ademde de lucht in, in de hoop dat hij een zwak chemisch spoor zou bespeuren dat de aanwezigheid van een auto zou verraden. Benzenen en koude koolwaterstoffen die meeliftten met de meer organische geuren van de grond en oud hout, maar zijn gebroken neus zat dicht met klodders geronnen bloed en hij rook niets. Helemaal niets. Hij pakte het afgezaagde geweer met zijn rechter- en de Glock met zijn linkerhand, liep voetje voor voetje verder en keek naar rechts.

En zag de struikeldraad.

Het was een stuk elektriciteitssnoer, voor lage voltages, van het soort dat een radioamateur bij een elektronicawinkel koopt, geïsoleerd met een zwarte plastic mantel, strakgespannen op scheenbeenhoogte voor de open zijde van het schuurtje langs. Er lag een film over van gedeeltelijk opgedroogde dauw, wat betekende dat het er al minstens twee uur had gezeten, van voor dat het licht werd, wat op zijn beurt betekende dat de vijfde man een behoedzaam man was, geduldig en toegewijd en iemand om rekening mee te houden, iemand die hier met al zijn ziel en zaligheid bij betrokken was. Het betekende ook dat hij de vorige dag al was benaderd, door de Duncans, aan het einde van de middag misschien, als voorzorgsmaatregel, wat uiteindelijk bevestigde dat de loods belangrijk was.

Reacher glimlachte.

De theorie klopte helemaal.

Hij ontweek de wirwar van bramenranken en liep er geruisloos met een overdreven boog omheen. Hij ging uit van de veronderstelling dat hij zich links van de man moest bevinden voordat die hem gewaar zou worden. Dat zou een langere en onhandige draai voor het geweer betekenen naar het nieuwe doelwit. Hij inspecteerde de grond voor zijn voeten en zag niets wat lawaai zou maken. Diep weg in de schuur zag hij een pick-up, half onder het vlierinkje geparkeerd. De achterklep hing open, de vuile witte verf op de rand lichtte bleek op in de schemer. Hij liep tot op vijftien centimeter van de struikeldraad en bleef toen doodstil staan om zijn ogen de kans te geven aan het zwakke licht te wennen. Het was binnen in de schuur donker, op scherp afgetekende stroken zonlicht na die door de kieren tussen de kromgetrokken planken naar binnen vielen. De pick-up stond stil en bewegingloos. Een Chevy Silverado. Daarboven, een flinke stap omhoog vanaf het dak van de dubbele cabine, was het vloertje. En op dat vloertje een bolle vorm, achterwerk en benen en rug en ellebogen, voorafgegaan door de zolen van een paar laarzen, allemaal strak omlijnd door het tegenlicht dat door de jaloezie naar binnen viel. De vijfde man, liggend met zijn geweer.

Reacher stapte over de struikeldraad, linkervoet, rechtervoet, hoog en voorzichtig en glipte de schaduw in. Voetje voor voetje schuifelde hij langs het linker bandenspoor, waar de aarde glad aangestampt was. Het was net koorddansen, langzaam en voorzichtig. Hij hield zijn adem in. Hij bereikte de achterkant van de pick-up. Vanaf die plek kon hij de voeten van de man zien, maar verder niets. Hij had behoefte aan een betere gezichtshoek. Hij moest in de laadbak van die pick-up staan en dat betekende dat een geruisloze nadering niet langer mogelijk was. De metalen be-

plating zou protesteren en de vering zou kraken en vanaf dat moment zou de ochtend verbazend snel een verbazend lawaaiig karakter krijgen.
Hij haalde diep adem, door zijn mond, in en uit.

55

Eldridge Tyler hoorde niets tot plotseling een oorverdovend lawaai nog geen drie meter achter hem en tweeënhalve meter onder hem losbarstte. Er werd met een of ander zwaar metalen voorwerp tegen de zijkant van zijn pick-up aan geslagen. Toen klonken er voetstappen in de laadbak terwijl een luide, nasale stem schreeuwde: VERROER JE NIET VERROER JE NIET. In het dak boven zijn rug werd met een beangstigende klap in de kleine ruimte een geweer afgevuurd. De stem schreeuwde opnieuw: VERROER JE NIET VERROER JE NIET en het geweer werd gereedgemaakt voor een volgend salvo, *kraak-kraak*. Hete hagelkorrels regenden op hem neer, droog houtmeel van houtworm zweefde omlaag uit de kapotgeschoten planken boven zijn hoofd en bedekte alles om hem heen als een vers laagje bruingele poedersneeuw.
Toen keerde de stilte terug.
De stem zei: ‘Haal je handen van je geweer, of ik schiet je in je achterwerk.’
Tyler haalde zijn rechterwijsvinger van de trekker en schoof zijn linkerhand langzaam onder de loop vandaan. De stem kwam van links achter hem. Hij drukte zich op op zijn handen en draaide zich half om, met een holle rug en gestrekte nek. Hij zag een grote man, minstens een meter vijfennegentig, meer dan honderd kilo, die een bruine parka droeg en een wollen muts. Hij stond er wat onhandig bij, alsof hij overal spierpijn had. Alsof hij pijn had, precies zoals was aangekondigd, met uitzondering van een stuk tape op zijn gezicht. Daar hadden ze het niet over gehad. Hij hield een afgezaagd geweer in zijn ene hand en een grote bahco in de andere. Hij was rechtshandig. Hij had brede schouders. Het mid-

delpunt van zijn voorhoofd bevond zich op een hoogte van een meter vijfentachtig boven de vloer van de laadbak, allemaal precies zoals hij het had ingeschat.
Tyler sloot zijn ogen.

Reacher zag een man van ruwweg tussen de zestig en zeventig jaar oud, breedgeschouderd, niet bijzonder groot, met dun grijs haar en een gegroefd, verweerd gezicht. Hij droeg meerdere lagen kleren met als buitenste laag een oud flanellen hemd en een wollen broek. Achter en onder hem glom walnoot en wapenstaal. Een duur jachtgeweer waarvan de loop rustte op wat eruitzag als opgestapelde zakken rijst. Naast de rijst lagen een fles water en een dubbele bruine boterham.
'Prima struikeldraad, hè?'
De man zei niets.
Reacher vroeg: 'Hoe heet je?'
De man gaf geen antwoord.
Reacher zei: 'Klim maar eens naar beneden. Laat je geweer maar liggen.'
De man verroerde geen vin. Hij had zijn ogen gesloten. Hij dacht na. Reacher zag hem dezelfde elementaire berekening maken die iedereen maakt die wordt betrapt: Hoeveel weten ze?
Reacher vertelde het hem: 'Ik weet praktisch alles. Er ontbreken alleen nog een paar details.'
De man zei niets.
Reacher zei: 'Vijfentwintig jaar geleden kwam hier een klein meisje bloemen zoeken. Waarschijnlijk kwam ze elke zondag. Op een zekere zondag was jij hier ook. Ik wil weten of je hier doelbewust was, of per ongeluk.'
De man deed zijn ogen open, maar zei niets.
Reacher zei: 'Ik ga er voor het gemak maar van uit dat je hier doelbewust was.'
De man gaf geen antwoord.
Reacher zei: 'Het was in het begin van de zomer. Ik weet niet zoveel van bloemen. Misschien bloeiden ze nog niet zo lang. Wat ik wil weten is hoe snel de Duncans het patroon in de gaten kregen. Na twee weken, drie?'

De man bewoog iets. Zijn hoofd bleef waar het was, maar zijn handen kropen terug naar het geweer. Reacher zei: 'Ik waarschuw je. Ik schiet je dood als die vuurmond mijn kant op komt.'
De man bewoog niet meer, maar trok evenmin zijn handen terug.
Reacher zei: 'Ik ga voor het gemak maar uit van twee weken. Ze hebben haar de eerste zondag gezien, keken de tweede zondag naar haar uit en hadden jou op je plek voor de derde zondag.'
Geen reactie.
Reacher zei: 'Ik wil dat je het voor me bevestigt. Ik wil weten wanneer de Duncans jou hebben gebeld. Ik wil weten wanneer ze die jongens hebben gebeld om dat hek voor hen te bouwen. Ik wil alles horen over het plan.'
Geen reactie.
Reacher zei: 'Je wilt toch niet zeggen dat je geen flauw idee hebt waarover ik praat?'
Geen antwoord.
'Oké,' zei Reacher. 'Ik ga er voor het gemak maar van uit dat je weet waarover ik het heb.'
Geen commentaar.
Reacher zei: 'Ik wil weten waar je de Duncans sowieso van kent. Een kwestie van gedeelde interesses? Waren jullie allemaal lid van hetzelfde smerige clubje?'
De man gaf geen antwoord.
Reacher vroeg: 'Had je het al wel eens eerder ergens gedaan?'
Geen antwoord.
'Of was het jouw eerste keer?'
Geen antwoord.
Reacher zei: 'Je zult toch moeten praten. Dat is de enige manier om in leven te blijven.'
De man zei niets. Hij sloot opnieuw zijn ogen en zijn handen begonnen weer onder zijn lichaam te kruipen, op de tast, verkrampt en onhandig. Hij had zich opgericht op zijn elleboog en zijn heup, half omgedraaid, de onderkant van zijn ribbenkast naar Reacher gekeerd als een open emmer. De vuurmond van het geweer bewoog iets. De man had zijn hand op het voorhout. Hij wilde niet blijven leven. Hij wilde zelfmoord plegen, niet met het geweer,

maar met de beweging van het geweer. Reacher herkende de signalen. Zelfmoord door politievuur. Niet ongebruikelijk na arrestaties voor bepaalde delicten.
Reacher zei: 'Er moest een keer een einde aan komen, toch?'
De man knikte. Een minuscule beweging van zijn hoofd, vrijwel niet waarneembaar. Het geweer bleef bewegen, steeds een plotse centimeter, en dan weer een, rukkerig en moeizaam, gevangen tussen de vloerplanken en de kleren van de man.
Reacher zei: 'Doe je ogen open. Ik wil dat je ziet wanneer het gebeurt.'
De man deed zijn ogen open. Reacher liet hem knoeien met het geweer tot hij het dwars had en toen schoot hij hem met het afgezaagde geweer in zijn buik, weer een geweldige knal kaliber 12 in de stilte, onder een hoek die de kleine stalen hagelkogels omhoogjoeg door de buik van de man tot diep in zijn borstkas. Hij was vrijwel op slag dood, een voorrecht dat de kleine Margaret Coe niet vergund was geweest, vermoedde Reacher.

Reacher wachtte even en klom toen op de cabine van de Silverado en vandaar op de vliering, waar hij naast de dode man neerhurkte. Hij rolde hem van het geweer af en klom met het geweer naar beneden. Het was een mooi stukje speelgoed, op maat gemaakt op basis van een standaard Winchester grendelgeweer. Waarschijnlijk heel duur, maar wat dat betreft een manier van geld verspillen die niet erger was dan allerlei andere manieren om het uit te geven. Er zat een .338 Magnum in het staartstuk en nog eens vijf in het magazijn. Reacher vond een .338 een kwestie van overkill voor een menselijk doelwit op honderdtwintig meter, maar hij vermoedde dat hij die vuurkracht wel kon gebruiken.
Hij liep met het geweer naar de open wand van de schuur, stapte weer over de struikeldraad en bleef staan met de koude zon op zijn gezicht. Toen maakte hij een bocht en liep naar de grote loods.

Het deurtje sloeg naar buiten open en was uitgerust met een slot dat je normaal gesproken zou verwachten in de voordeur van een huis in een buitenwijk. Een verroeste sleutelplaat van messing ter grootte van een espressokopje. Daarachter zat ongetwijfeld een stalen schoot die in een slotplaat van gewalst staal viel die met twee schroeven verdiept in het kozijn was aangebracht. Het kozijn was in feite de grote schuifdeur zelf, een stevig geval. Reacher richtte het fraaie geweer van een halve meter afstand op het slot en schoot twee keer op de plek waar hij vermoedde dat die schroeven zouden zitten, en toen nog twee keer vanuit een iets andere hoek. De Magnums deden wat ze moesten doen. Het deurtje zakte een centimeter naar beneden voordat het bleef hangen op versplinterd hout. Reacher drukte zijn vingertoppen in de kier en rukte aan de deur. Een splinter hout zo lang als zijn arm brak ervan af en viel op de grond. Het deurtje zwaaide open. Reacher klapte het deurtje helemaal terug tegen de grote schuifdeur, stond een moment stil in de zon en stapte toen naar binnen.

56

Elf minuten later stapte Reacher weer naar buiten. Hij zag de pick-up van Dorothy Coe over de tractorsporen aan komen rijden. Er zaten drie mensen in de cabine. Dorothy zat zelf aan het stuur, de dokter zat op de passagiersstoel en de vrouw van de dokter zat tussen hen in geklemd. Reacher stond stokstijf stil, volledig verdoofd, knipperend tegen het zonlicht, het buitgemaakte geweer in zijn ene hand, zijn andere hand slaphangend langs zijn lichaam. Dorothy remde af, stopte en wachtte tien meter bij hem vandaan, een voorzichtige afstand, alsof ze het al wist.

Een lange minuut later gingen de portieren van de pick-up open. De dokter klom uit de cabine. Zijn vrouw gleed opzij over het vinyl en ging naast hem staan. Toen klom Dorothy Coe aan haar kant omlaag. Ze stond stil bij het geopende portier, een hand ertegenaan. Reacher knipperde nog een laatste keer, haalde zijn lege hand over zijn getapete gezicht en liep naar haar toe. Even bleef ze stil, toen begon ze twee keer aan dezelfde vraag, hield

twee keer halverwege op, voordat ze hem bij de derde poging kon afmaken.
Ze vroeg: 'Is ze daarbinnen?'
Reacher zei: 'Ja.'
'Weet je het zeker?'
'Haar fiets is daar.'
'Nog steeds? Na al die jaren? Weet je zeker dat het die van haar is?'
'Hij ziet eruit zoals hij is beschreven in het proces verbaal.'
'Hij moet helemaal verroest zijn.'
'Een beetje. Het is droog daarbinnen.'
Dorothy Coe viel stil. Ze staarde naar de horizon in het westen, een paar graden zuidelijker dan de loods, alsof ze er niet rechtstreeks naar kon kijken. Ze bleef doodstil, maar haar hand klemde zich hard om de rand van het portier. Haar knokkels waren wit.
Ze vroeg: 'Kun je me vertellen wat er met haar is gebeurd?'
Reacher zei: 'Nee.' Dat was technisch gezien waar. Hij was geen patholoog-anatoom. Maar hij was jarenlang politieman geweest, en hij wist wel het een en ander en hij kon er wel naar raden.
Ze zei: 'Ik zou moeten gaan kijken.'
Hij zei: 'Niet doen.'
'Ik moet.'
'Niet echt.'
'Ik wil het.'
'Het is beter van niet.'
'Je kunt me niet tegenhouden.'
'Ik weet het.'
'Je hebt het recht niet me tegen te houden.'
'Ik vraag het je. Meer niet. Ga alsjeblieft niet kijken.'
'Ik moet.'
'Beter van niet.'
'Ik hoef niet naar jou te luisteren.'
'Luister dan maar naar haar. Luister naar Margaret. Beeld je in dat ze is opgegroeid. Stel je voor wat ze zou zijn geworden. Ze was geen advocaat geworden of wetenschapper. Ze hield van bloemen. Ze hield van kleuren en vormen. Ze zou schilder of

dichter zijn geworden. Kunstenaar. Slim en creatief. Iemand die hield van het leven, en van gezond verstand, en zich om jou zou hebben bekommerd, en wijs zou zijn geweest. Ze zou je hebben aangekeken en hebben geglimlacht en haar hoofd hebben geschud en gezegd: kom op, mam, doe alsjeblieft wat die man zegt.'
'Denk je?'
'Ze zou hebben gezegd, mam, je moet me vertrouwen.'
'Maar ik moet het zien. Na al die jaren van onwetendheid.'
'Het is beter van niet.'
'Het zijn alleen maar haar botten.'
'Het zijn niet alleen maar haar botten.'
'Wat kan er nog meer van haar over zijn?'
'Nee,' zei Reacher. 'Ik bedoel, het zijn niet alleen maar háár botten.'

In het noorden, bij de 49e breedtegraad, verliep de overdracht volgens plan. De witte vrachtwagen was langzaam naar het zuiden gereden, door het laatste stukje Canada en was voor de laatste keer tot stilstand gekomen op een open plek iets meer dan drie kilometer ten noorden van de grens. De chauffeur was uitgestapt, had zich uitgerekt, had een lange opgerolde bos touw gepakt die voor de passagiersstoel lag en was ermee naar de achterkant van het busje gelopen. Hij had de deuren opengeslagen en dringende gebaren gemaakt waarop de vrouwen en meisjes onmiddellijk naar buiten waren geklommen, zonder aarzeling, zonder ook maar enige tegenzin, want de grens oversteken naar Amerika was wat ze wilden, was waarvan ze hadden gedroomd, en waarvoor ze hadden betaald.
Ze waren met zestien vrouwen, allemaal van het platteland van Thailand, zes vrouwen en tien meisjes, gemiddeld een kilo of veertig, in totaal een vracht van bijna zeshonderd kilo. De vrouwen waren slank en aantrekkelijk. De meisjes waren acht jaar of jonger. Ze stonden te knipperen tegen het ochtendlicht en keken om zich heen en omhoog naar de hoge bomen en schuifelden wat met hun voeten, stijfjes en een beetje moe, maar opgewonden en vol verwondering.
De chauffeur gebaarde hun in een halve cirkel te gaan staan. Hij

sprak geen Thai en zij begrepen geen Engels, dus voerde hij een woordeloze act op die hij al vele malen eerder had opgevoerd. Het ging waarschijnlijk sowieso sneller dan praten. Eerst hief hij zijn hand om hen te kalmeren en hun aandacht te vangen. Toen legde hij zijn wijsvinger tegen zijn lippen en draaide naar links en naar rechts, keek de volledige halve cirkel voor hem langs, een groteske, overdreven pantomime, zodat ze het allemaal zouden hebben gezien, zodat ze allemaal zouden begrijpen dat ze stil moesten zijn. Hij wees naar een plek op de grond en hield toen zijn hand achter zijn oorschelp. Er zijn sensors. De aarde luistert mee. De vrouwen knikten, eerbiedig, erop gebrand hem te laten merken dat ze hem begrepen. Hij wees naar zichzelf, toen naar hen allemaal, toen naar het zuiden, en wriemelde met zijn vingers. We moeten nu lopen. De vrouwen knikten weer. Ze wisten het. Het was hun in het begin verteld. Hij gebruikte beide handen, eerst de ene, daarna de andere, met de handpalmen omlaag, stappend door de lucht, zacht en voorzichtig. Hij bleef de danspassen met zijn handen uitvoeren terwijl hij de halve cirkel met vrouwen langs keek en oogcontact zocht met elk van hen. We moeten heel zacht lopen en heel stil zijn. De vrouwen knikten geestdriftig en de meisjes keken hem verlegen aan vanachter hun haar.

De chauffeur rolde het touw af, mat een lengte af van twee meter en knoopte het touw om de pols van de eerste vrouw. Hij mat nog eens twee meter af en knoopte het touw om de pols van het eerste meisje, daarna het volgende meisje, toen de tweede vrouw, enzovoort, tot hij hen alle zestien veilig aan één lijn had. Het touw was een richtsnoer, meer niet, geen dwangmiddel. Een mobiele handrail. Het zorgde ervoor dat ze allemaal met hetzelfde tempo dezelfde kant op liepen en het voorkwam dat iemand zich van de groep zou verwijderen en verdwaald zou raken. De oversteek door het bos was gevaarlijk genoeg zonder extra uitstapjes en rondbanjeren om achterblijvers er weer bij te halen.

De chauffeur pakte het losse eind van het touw en wikkelde dat om zijn hand. Toen leidde hij hen het bos in, als een trein, tussen het struikgewas en de bomen door. Hij liep langzaam en zacht en was voortdurend bedacht op commotie achter zich. Maar zoals gewoonlijk gebeurde er niets bijzonders. Aziaten wisten hoe je stil moest zijn, vooral illegale Aziaten, vooral vrouwen en meisjes.

Hoe stil ze ook waren, twintig minuten later werden ze heel duidelijk gehoord op twee verschillende plaatsen, beide meer dan duizend kilometer verder weg, eerst in Fargo, North Dakota, daarna in Winnipeg, Manitoba. Of om precies te zijn, ze werden op beide plaatsen gezien in de vorm van seismografische wijzers die even opflikkerden toen ze over een verborgen sensor liepen. Maar de uitslag was gering, kwam amper boven de achtergrondruis uit. In Fargo keek een werknemer van Homeland Security een tweede keer naar de registratie en dacht: herten. Misschien witstaartherten. Misschien wel een hele groep. Zijn collega in Canada bekeek zijn eigen registratie een tweede keer en dacht: een windvlaag waardoor brokken sneeuw van de takken vallen.

Ze liepen verder, langzaam en voorzichtig, licht stappend, geduldig het derde deel van de vier delen omvattende reis ondergaand. Eerst was er de scheepscontainer geweest, daarna de witte vrachtwagen. Nu kwam de voettocht en tot slot zou er weer een vrachtwagen zijn. Alles was van tevoren uitgelegd, tot in het kleinste detail, in een klein kantoortje van een scheepsbevrachter boven een winkel in een stad in de buurt van waar ze vandaan kwamen. Er waren veel van zulke kantoren, en veel van die bedrijven die zich hiermee bezighielden, maar het bedrijf waar zij hadden aangeklopt, werd over het algemeen beschouwd als het beste. De prijs was hoog, maar de faciliteiten waren uitstekend. Hun contactpersoon had hun verzekerd dat zijn enige zorg was hen in prima conditie in Amerika te krijgen, als versgeplukte bloemen. Om die reden was de scheepscontainer waarin ze het grootste deel van hun reis zouden doorbrengen, voorzien van alle gemakken. Er waren daglichtlampen, aangesloten op accu's. Er waren matrassen en dekens. Er was voldoende voedsel en water en er waren chemische toiletten. Er waren medicijnen. Er waren ventilatiesleuven die waren gecamoufleerd als roestgaten, en als dat niet genoeg was, was er een ventilator die op dezelfde accu's werkte als het licht en er waren zuurstoftanks die ze een klein beetje open konden zetten als de lucht bedompt werd. Er stond een hometrainer zodat ze zich in conditie konden houden voor de voettocht van zes kilometer. Ze konden zich wassen, er waren lotions, vocht inbrengende crèmes voor hun huid. Er was hun verteld dat de vrachtwagens op dezelfde manier waren uitgerust, zij het in mindere mate omdat de reis over de weg korter was dan de reis over zee.

Een uitstekende organisatie, die overal aan dacht.

En het mooiste was dat ze niet moeilijk deden over gezinnen met jonge dochters. Sommige organisaties wilden alleen volwassenen smokkelen, omdat volwassenen meteen aan het werk konden; andere organisaties accepteerden wel kinderen, maar dan alleen wat oudere jongens, omdat die ook meteen aan het werk konden, maar deze organisatie verwelkomde meisjes en keek niet eens raar op als ze nog heel jong waren, wat werd beschouwd als een erg humane houding. Het enige vervelende was dat de beide seksen altijd apart moesten reizen, omwille van de betamelijkheid, dus werden vaders gescheiden van moeders, en broers van zusters, en bij dit transport hoorden ze op het allerlaatste moment dat het schip waarmee de mannen en jongens zouden vertrekken, vertraging had om de een of andere reden, zodat de vrouwen en de meisjes genoodzaakt waren alvast te vertrekken. Dat zou geen problemen opleveren, werd gezegd, er zou goed voor hen worden gezorgd op de plaats van bestemming zolang het tweede schip nog niet was gearriveerd.

Ze waren gewaarschuwd dat die zes kilometer te voet door het bos het zwaarste deel van de reis zou zijn, maar dat was het eigenlijk helemaal niet. Het was fijn om in de buitenlucht te zijn, om te kunnen bewegen. Het was koud, maar ze waren wel gewend aan kou, want de winter in Thailand was ook koud en ze droegen warme kleren. Het beste moment brak aan toen hun gids stilstond en opnieuw zijn wijsvinger tegen zijn lippen legde en toen met zijn vinger een denkbeeldige streep op de grond trok. Hij wees erachter en zei geluidloos: ‘Amerika.’ Ze liepen verder, stapten een voor een over de lijn, glimlachten gelukkig en trokken opgewekt verder, eindelijk op Amerikaans grondgebied, langzaam en voorzichtig, als balletdanseressen.

De chauffeur van de Duncans in de grijze vrachtwagen aan de zuidkant van de grens, in Montana, zag hen aankomen op honderd meter afstand. Zoals altijd leidde zijn Canadese collega de optocht, bepaalde hij het tempo, hield hij het touw in zijn hand. Achter hem stroomde de vracht, ogenschijnlijk gewichtloos, buigend en meanderend tussen de bomen door. De chauffeur van de Duncans opende de achterdeuren en stond klaar om hen op te vangen. De Canadees overhandigde hem het touw, zoals altijd, als het stokje in een estafette, keerde zich om, liep terug het bos in en verdween uit het zicht. De chauffeur van de Duncans gebaarde naar de vrachtwagen, maar steeds voordat de volgende passagier instapte, keek hij die aan, glimlachte en schudde handen, zodat zijn passagiers de indruk kregen dat hij hen formeel welkom heette in hun nieuwe vaderland. In feite was de chauffeur van de Duncans een gokker, die probeerde uit te maken welk kind de Duncans voor zichzelf zouden houden. De vrouwen gingen rechtstreeks naar de escortservices in Las Vegas en negen van de tien meisjes zouden ook ergens verderop belanden, maar een van hen zou hier blijven, in de county, in ieder geval een tijdje, of in feite altijd, technisch gezien. Tien kopen en negen verkopen, zo deden de Duncans dat, en de chauffeur bekeek graag de handel om uit te maken wie de gelukkige zou zijn. Hij zag er vier die in aanmerking kwamen, maar zijn hart maakte een sprongetje van opwinding bij een vijfde, al zou ze niet echt meer herkenbaar zijn tegen de tijd dat ze bij hem terecht zou komen.

Dorothy Coe stond tien volle minuten achter de deur van haar pick-up. Reacher stond voor haar, keek haar aan, hoopte dat hij haar het zicht op de loods ontnam en was bereid daar te blijven staan zo lang het maar nodig was, tien uur of tien dagen of tien jaar of voorgoed, om te voorkomen dat ze de loods in zou lopen. Ze staarde naar iets duizenden kilometers ver weg en haar lippen bewogen licht alsof ze haar argumenten beproefde in een discussie met iemand, kijken of niet kijken, weten of niet weten.
Uiteindelijk vroeg ze: ‘Hoeveel zijn het daarbinnen?’
Reacher zei: ‘Ongeveer zestig.’

'O, mijn God.'
'Twee of drie per jaar, waarschijnlijk,' zei Reacher. 'Ze raakten eraan verslaafd. Er zijn geen geesten. Er bestaan geen geesten. Wat die blowende jongen van tijd tot tijd hoorde, was echt.'
'Wie waren het allemaal?'
'Ik denk Aziatische meisjes.'
'Kun je dat aan de beenderen zien?'
'De laatste is nog niet zover.'
'Waar kwamen ze allemaal vandaan?'
'Immigranten waarschijnlijk. Illegalen, vrijwel zeker, het land in gesmokkeld voor de sekshandel. Daar waren de Duncans mee bezig. Daarmee verdienden ze hun geld.'
'Waren ze allemaal jong?'
'Een jaar of acht.'
'Zijn ze begraven?'
Reacher zei: 'Nee.'
'Zijn ze daar gewoon ergens neergegooid?'
'Nee,' zei Reacher. 'Ze zijn uitgestald. Het lijkt wel een mausoleum.'
Het bleef heel, heel lang stil.
Dorothy Coe zei: 'Ik zou moeten kijken.'
'Niet doen.'
'Waarom niet?'
'Er hangen foto's. Als een soort tentoonstelling. Herinneringen. In zilverkleurige lijsten.'
'Ik zou moeten kijken.'
'Je zult er spijt van krijgen. Ik zou willen dat ik het niet had gezien.'
Dorothy Coe viel opnieuw stil. Ze ademde in, en weer uit, en keek naar de horizon. 'Wat moeten we nu doen?'
Reacher zei: 'Ik ga naar de Duncans toe. Ze zitten daar allemaal, gezellig om de tafel, en denken dat alles naar wens verloopt. Het is hoog tijd dat ze ontdekken dat dat maar schijn is.'
Dorothy Coe zei: 'Ik wil mee.'
Reacher zei: 'Dat is geen goed idee.'
'Ik moet.'
'Het zou wel eens gevaarlijk kunnen zijn.'

‘Dat hoop ik. Het is de moeite waard om te sterven op de dag der vergelding.’
De vrouw van de dokter zei: ‘Wij gaan ook mee. Allebei. Nu.’

57

Dorothy Coe kroop achter het stuur van haar pick-up en de dokter en zijn vrouw namen naast haar plaats. Reacher reed mee in de laadbak, met het buitgemaakte geweer, hield zich stevig vast bij de tocht over de tractorsporen, anderhalve trage kilometer lang, tot waar hij de witte Tahoe had achtergelaten, die hij had buitgemaakt op de football-speler die zijn neus had gebroken. Hij stond er nog steeds, in alle rust en ongemoeid. Reacher stapte in en reed weg. De andere drie reden achter hem aan. Ze reden naar het zuiden over de tweebaansweg, lieten de wagens uitrollen en stonden een kleine kilometer voor het erf van de Duncans stil. Vandaar hadden ze goed zicht. Reacher schroefde de Leica-telescoop van het geweer en gebruikte hem als miniatuurverrekijker. Alle drie de huizen waren duidelijk te zien. Er stonden vijf auto’s geparkeerd, drie oude pick-ups, de zwarte Cadillac van Seth en de rode Mazda van Eleanor Duncan. Ze stonden allemaal keurig op een rijtje op het erf, links van het meest zuidelijke huis, het huis van Jacob. Alle auto’s waren koud en bewegingloos en met dauw bedekt, alsof ze er al een hele tijd stonden, wat betekende dat de Duncans zich hadden ingegraven en geïsoleerd waren, precies wat Reacher wilde.
Hij klom uit de Tahoe en liep langs de pick-up naar achteren, naar de anderen. Hij haalde het afgezaagde geweer uit zijn zak en gaf het aan Dorothy Coe. Hij zei: ‘Ga met z’n drieën terug naar huis en verzamel de autosleutels van de football-spelers. Kom dan weer hierheen met nog twee auto’s. Zoek maar de auto’s uit die nog de meeste benzine in de tank hebben. Kom zo snel mogelijk terug.’
Dorothy Coe reed een meter achteruit, keerde de pick-up en reed

weg naar het noorden. Reacher stapte weer in de Tahoe en wachtte.

Drie geïsoleerde huizen. Winter. Overal rondom vlak land. Nergens beschutting. Een klassiek tactisch probleem. Standaarddoctrine bij de infanterie zou zijn om achterover te leunen en assistentie in te roepen van de artillerie of een vlucht bommenwerpers. Guerrilla's zouden zich opsplitsen en van vier kanten tegelijkertijd aanvallen met raketwerpers, de hoofdmacht vanuit het noorden, waar de gevels de minste ramen hadden.

Maar voor Reacher viel er niets op te splitsen. Hij had geen granaten, artillerie of ondersteuning door de lucht. Hij was alleen, met ondersteuning van een alcoholist van middelbare leeftijd en twee vrouwen van middelbare leeftijd, van wie er een in shock verkeerde. Hun wapenarsenaal bestond uit een grendelgeweer met twee kogels, een Glock 9mm pistool met zestien kogels, een afgezaagd kaliber 12 geweer met drie patronen, een springmes, een bahco en twee schroevendraaiers. En een boekje lucifers. Nou niet bepaald overweldigende vuurkracht.

Maar de tijd werkte in hun voordeel. Ze hadden de hele dag de tijd. En ze hadden het terrein mee. Ze hadden vijftienduizend kale hectares. En ze hadden het hek van de Duncans mee. Dat hek dat vijfentwintig jaar eerder door de Duncans was gebouwd, en dat nog steeds sterk en stevig was. De wet van onbedoelde gevolgen. Dat hek had de Duncans ooit een alibi verschaft en het zou hun nu mores leren.

Reacher pakte de Leica. Er gebeurde niets op het erf. Het was rustig en doodstil. Niets bewoog op een sliertje rook na uit de schoorstenen van het eerste en het laatste huis. De rook krulde naar het zuiden. Een briesje, je kon het geen wind noemen, lucht in beweging.

Reacher wachtte.

Een kwartier later, toen Reacher in zijn spiegel keek, zag hij een klein konvooi zijn kant op komen. Voorop reed Dorothy Coe in haar pick-up, dan kwam de goudkleurige Yukon die Reacher had buitgemaakt op het jochie John. De dokter zat achter het stuur.

Achteraan reed de vrouw van de dokter, in de zwarte pick-up waarin de eerste Cornhusker die ochtend was gearriveerd. Ze remden af en parkeerden op een rijtje achter de Tahoe. Ze keken allemaal naar links en vermeden angstvallig om naar het erf van de Duncans te kijken. Oude gewoonte. Reacher klom uit de Tahoe en de andere drie kwamen om hem heen staan. Hij vertelde hun wat ze moesten doen. Hij liet Dorothy Coe het afgezaagde geweer houden, gaf de Leica-telescoop aan de vrouw van de dokter in ruil voor haar sjaal en mobiele telefoon. Zodra ze hadden begrepen wat er van hen werd verwacht, wuifde hij hen op weg. Ze stapten met z'n drieën in de pick-up van Dorothy Coe en reden naar het zuiden. Reacher bleef alleen achter in de berm van de weg, met de witte Tahoe, de goudkleurige Yukon en de zwarte pick-up, de sleutels van alle drie de wagens in de zak. Hij telde tot tien en ging aan de slag.

De zwarte pick-up was de langste van de drie wagens, bijna een halve meter langer dan de andere twee. Reacher besloot om die als tweede te gebruiken. De tank van de witte Tahoe zat het volst. Reacher besloot die als eerste te gebruiken. Dat betekende automatisch dat hij de Yukon als derde zou gebruiken. Daar had hij vrede mee, want hij wist dat de Yukon een goede auto was.
Hij liep langs de rij auto's, startte bij alle drie de motor en liet die stationair draaien. Toen reed hij ze in etappes verder naar de oprit van de Duncans, om de beurt steeds honderd meter, zette ze in de juiste volgorde en hoopte dat hij zo lang mogelijk onopgemerkt zou blijven. Zonder de Leica kon hij veel minder details op het erf onderscheiden, maar het zag er nog steeds rustig uit. Hij zette de zwarte pick-up op vijftig meter van de oprit, zette de goudkleurige Yukon er pal achter, draafde toen terug naar de witte Tahoe en zette die helemaal vooraan. Hij reed hem het begin van de oprit op, draaide het stuur recht en liet hem uitlopen.
Hij gleed van zijn stoel, hurkte en klemde de bek van de bahco op het gaspedaal. Hij corrigeerde de stand van de steel zodanig dat die boven de horizontale lijn uitstak en draaide toen het wormwiel vast aan. Hij haastte zich naar de achterkant van de wagen, draaide de dop van de tank en propte de sjaal met behulp

van de lange schroevendraaier in de tankopening. Met zijn lucifers stak hij de sjaal aan. Hij rende terug naar de bestuurderskant van de auto, leunde naar binnen en zette de automaat in *Drive*. De wagen begon langzaam te rijden op het stationaire toerental. Reacher liep mee en drukte met zijn vinger op de knop voor het elektrisch verplaatsen van de bestuurdersstoel. De zitting schoof langzaam naar voren, centimeter voor centimeter, voorbij het punt dat een man van gemiddelde lengte comfortabel zou vinden, voorbij het punt dat een klein mannetje comfortabel zou vinden. Toen duwde de voorkant van de zitting tegen het uiteinde van de bahco en begon de wagen iets harder te rijden. Reacher bleef meelopen en hield zijn vinger op de knop, de stoel schoof verder naar voren en de wagen begon langzaam maar zeker te versnellen. Reacher moest hardlopen om hem bij te houden tot de stoel het einde van de slede had bereikt. Reacher stapte opzij en liet de wagen alleen verder rijden. De snelheid was misschien een kilometer of vijftien, misschien nog wel minder, helemaal niet hard, maar hard genoeg om vooruit te komen op het losse grind. De sporen op de oprit hielden hem op koers. De sjaal in de tankopening brandde behoorlijk fel.

Reacher keerde zich om en rende terug naar de weg, naar de zwarte pick-up, stapte in en reed hem de oprit op, stopte tussen de hekken, reed iets achteruit, al kerend, en parkeerde de auto tussen beide hekken, zaagde net zo lang heen en weer tot hij exact dwars op de oprit stond met voor en achter misschien nog een meter tot aan het hek. De witte Tahoe rolde gestaag verder en was inmiddels halverwege het doelwit. Hij volgde de sporen als een tram de tramrails, gevolgd door een heldere vuurpluim. Reacher trok de sleutel van de zwarte pick-up uit het contactslot en draafde terug naar de weg. Hij leunde op de motorkap van de goudkleurige Yukon en keek toe.

De witte Tahoe stond in brand. Hij legde de laatste twintig meter af, stompzinnig en vastberaden, botste tegen de voorgevel van het middelste huis en bleef abrupt stilstaan. Twee ton, aardig wat massa in beweging, maar geen geweldige klap. Planken kraakten en versplinterden. De voorgevel deukte iets in en het glas viel uit een raam op de begane grond, maar dat was alles.

Wel genoeg overigens.
De vlammen aan de achterkant van de wagen zwaaiden naar voren, zwaaiden weer overeind en vonden nieuwe brandstof. Ze kronkelden in de lucht en proefden horizontaal aan de onderkant van vensterbanken en klommen tegen deuren op. Vlammen lekten uit de wielkasten van de achterwielen en dikke kolommen zwarte rook stegen op van de banden. De rook kolkte omhoog, werd gevangen door de bries en dreef weg naar het zuidwesten.
Reacher boog zich naar binnen in de Yukon en pakte het geweer van de stoel. De vlammen kropen verder naar de voorkant van de Tahoe, langzaam maar onweerstaanbaar, gedreven, zoekend naar bevrijding, omhoog en wegkrullend. De achterbanden begonnen te branden en de voorbanden begonnen te roken. Kennelijk begaf de benzineleiding het, want er schoot een waaier van vlammen door de lucht, een heel andere kleur, een woeste, dwarse nevel die tegen de voorgevel van het huis sloeg, overal rondom de motorkap van de Tahoe, naar links en rechts uitwaaierde, de planken likte, deed ontbranden, de verf in blazen deed opbollen in een grote zwarte halvemaan. Toen joegen vlammen de opborrelende verf achterna, eerst kleine vlammetjes, toen grotere, alsof het een plattegrond was waarop zich een animatie afspeelde van legereenheden die een overwonnen vijand najoegen op het slagveld. Beurtelings werden zuurstof en afvalgassen door het vernielde raam naar binnen gezogen en uitgespuwd. De vlammen lekten langs het kozijn.
Reacher koos een nummer op zijn geleende mobiel.
Hij zei: 'Het middelste huis staat in brand.'
Dorothy Coe reageerde vanaf haar plaats bijna een kilometer verder naar het westen, op het akkerland.
Ze zei: 'Dat is het huis van Jonas. We zien de rook.'
'Zie je ook al mensen bewegen?'
'Nog niet.' Toen zei ze: 'Wacht. Jonas komt naar buiten door de achterdeur. Hij gaat naar links. Hij loopt om het huis naar de voorkant.'
'Weet je zeker dat hij het is?'
'Honderd procent. We gebruiken de telescoop.'

'Oké,' zei Reacher. 'Blijf aan de lijn.'

Hij legde de mobiele telefoon op de motorkap van de Yukon en pakte het geweer. Het had een vizier net voor het bevestigingspunt van de telescoop en een korrel op het einde van de loop. Reacher legde zijn wang tegen het geweer, leunde met beide ellebogen op de motorkap en richtte op de kloof tussen het middelste en het meest zuidelijke huis. De afstand was misschien honderdveertig meter.

Hij wachtte.

Hij zag een gedrongen figuur achter het huis tevoorschijn komen in de kloof. Een man, klein en breed, een jaar of zestig of ouder. Rond, rood gezicht, dun grijs haar. Voor het eerst dat Reacher een Duncan in levenden lijve zag. De man haastte zich stijf tussen beide huizen door naar voren, bereikte de hoek van het huis en bleef stokstijf staan. Hij staarde naar de brandende Tahoe, deed een paar passen in die richting en bleef opnieuw staan. Hij keerde zich om en staarde naar de pick-up die dwars op de oprit geparkeerd stond.

Reacher richtte de korrel op de borstkas van de man en haalde de trekker over.

58

De .338 raakte hem hoog, ongeveer vijfentwintig centimeter boven zijn middenrif, ergens halverwege zijn onderlip en het puntje van zijn kin. De kogel baande zich een weg door zijn onderkaak, door de wortels van zijn snijtanden, door het zachte weefsel van zijn mond en keel, door zijn derde halswervel, door zijn ruggenmerg, door het vet in zijn nek en eindigde even later in de zijgevel van het huis van Jacob Duncan. Jonas zakte verticaal in elkaar, een willoze prooi voor de zwaartekracht, zijn houten-klazenlichaam plotseling zo slap als een vaatdoek, en hij belandde op de grond in een groteske wirwar van armen en benen, zijn gezicht omhooggekeerd, zijn ogen open, en toen het laatste zuurstofrijke bloed dat bestemd was voor zijn hersenen, was weggelekt uit de wonden, stierf hij.

Reacher trok aan de grendel van het geweer. De lege huls stuiterde rinkelend over de motorkap van de Yukon, rolde eraf en viel op de grond. Reacher pakte de mobiele telefoon en zei: 'Jonas is uitgeschakeld.'

Dorothy Coe zei: 'We hoorden het schot.'

'Beweegt er iets?'

'Nog niet.'

Reacher hield de telefoon tegen zijn oor. Het huis van Jonas brandde lekker. De hele voorgevel stond in brand. Binnen waren vlammen zichtbaar, een oranje schijnsel en diepe flakkerende schaduwen, vlammen die nijdig omkrulden bij de zoldering, vochtig glanzend achter vensterglas dat nog intact was, naar buiten lekkend door ramen waarvan het glas geknapt was, zich vrolijk voegend bij het pandemonium aan vuur op de voorgevel. Rook dreef nog steeds in zuidelijke richting, hitte ook, naar het huis dat daar stond.

De stem van Dorothy Coe klonk in zijn oor: 'Jasper is nu buiten. Hij heeft een wapen. Een lang wapen. Hij ziet ons. Hij kijkt naar ons.'

Reacher vroeg: 'Hoe ver weg zijn jullie?'

'Ongeveer zeshonderd meter.'

'Blijf waar je bent. Als hij schiet, mist hij.'

'We denken dat het een geweer is.'

'Nog beter. Dan haalt het schot jullie niet eens.'

'Hij rent. Hij is nu voorbij het huis van Jonas. Hij is op weg naar het huis van Jacob.'

Reacher zag hem voorbijflitsen door de nauwe kloof tussen de huizen van Jonas en Jacob, een kleine, brede man die erg veel op zijn broer leek. Over de telefoon zei Dorothy Coe: 'Hij is naar binnen gegaan. We zien hem in de keuken van Jacob. Door het raam. Jacob en Seth zijn daar ook.'

Reacher wachtte. De brand in het huis van Jonas was volledig onbeheersbaar geworden. Voor het huis was de witte Tahoe een zwart wrak in een bal van vuur. Glas knapte uit de ramen van het huis, onmiddellijk gevolgd door vlammen die horizontaal naar buiten spoten als armen en vuisten, voordat ze omhoogkrulden. Het dak stond in brand. Toen klonk er een luide knal en leek de lucht in het huis te schudden en te proesten, en ontsnapte een hijgende blauwe waas uit het binnenste van het huis, als een ademstoot, duidelijk zichtbaar, als een kracht die langzaam opsteeg, één seconde, twee, drie en daarna wakkerden de vlammen nog feller aan.

Dorothy Coe zei: 'Er is net iets geëxplodeerd in de keuken van Jonas. De propaantank of zo. De achtergevel staat in lichterlaaie.'

Reacher wachtte.

Toen brandde de vloer van de begane grond door en de lucht schudde en proestte nog een keer toen brandende balken omlaag tuimelden in de kelder. De linkerzijgevel zakte scheef naar binnen en de rechterzijgevel zakte naar buiten, boven de ruimte die het huis scheidde van dat van Jacob. Vonken spatten in het rond, werden gevangen in de thermiek en spoten dertig meter omhoog. De rechterzijgevel begaf het volledig, stortte in en de brokken stapelden zich hoog op tegen de zijgevel van het huis van Jasper. Aangezogen windvlagen met verse zuurstof reikten uit naar nieuw blootgelegde brandstof en felle, nieuwe vlammen lekten omhoog.

Reacher zei: 'Dit verloopt uitstekend.'

Toen stortte de verdiepingsvloer van het huis van Jonas in een regen van vonken in. De linkerzijgevel raakte zijn verankering kwijt, klapte keurig halverwege dubbel. Het bovenste deel viel in het brandende huis, het onderste deel zakte naar buiten toe weg en kwam leunend tegen de zijgevel van Jacobs huis tot rust. Brandende balken braken af, gloeiende brokken hout braken af en zogen zuurstof aan, en nieuwe geweldige vlammen braken omhoog en opzij uit. Zelfs het onkruid in het grind brandde.

Reacher zei: 'Ik denk dat we drie uit drie te pakken hebben. Volgens mij hebben we ze allemaal.'

Dorothy Coe zei: 'Jasper is weer naar buiten gekomen. Hij is op weg naar zijn pick-up.'

Reacher keek door het vizier over de korrel. Hij zag Jasper naar de rij pick-ups rennen. Zag hem een witte pick-up in glijden. Zag dat hij startte en achteruitreed. Hij bleef staan, keerde en zette rechtstreeks koers naar de oprit. Hij reed door een vonkenregen, vlak langs het lichaam van Jonas en nam de kortste route naar de tweebaansweg, de kortste weg naar Reacher. De kortste weg naar de geparkeerde pick-up. Hij remde hard en bleef er vlak voor stilstaan. Jasper duikelde uit de cabine. Hij opende het portier aan de passagierskant en dook naar binnen.

Een seconde later kwam hij weer tevoorschijn.

Geen sleutel.

Reacher had de sleutel in zijn zak.

Reacher legde de telefoon op de motorkap van de Yukon.

Jasper Duncan stond stil, even besluiteloos. De afstand was misschien een meter of veertig. In feite was dat helemaal geen afstand.

Reacher schoot hem door het hoofd en hij zakte net zo in elkaar als zijn broer even eerder, met een klein roze wolkje in de lucht boven zijn hoofd, samengesteld uit bloed en verbrijzeld bot, dat even op de plaats bleef zweven en toen verwaaide met de ochtendbries.

Reacher pakte de telefoon en zei: 'Jasper is uitgeschakeld.'

Hij liet het lege geweer op de weg vallen en klom in de Yukon. Gebrek aan munitie betekende dat de eerste fase van de strijd voorbij was en dat fase twee op het punt van aanbreken stond.

59

Reacher reed met de Yukon honderd meter voorbij de oprit en ging toen naar rechts, de akker op. Kluiten en stenen knarsten onder zijn banden. Hij reed in een wijde boog zo ver het land in dat hij op dezelfde afstand van de weg was verwijderd als het erf met de huizen. Daar stopte hij met de neus van de auto naar de huizen gekeerd, met stationair draaiende motor, zijn voet op de rem. Vanaf dit nieuwe standpunt zag hij dat de zuidgevel van Jacobs huis tot nog toe gespaard was gebleven, maar dat te oordelen naar de achtergrond van rook en vlammen, de noordgevel

brandde. Ver weg, meer naar links zag hij de pick-up van Dorothy Coe, zeshonderd meter de akker op, net als zijn eigen wagen, met de neus naar het erf gekeerd, afwachtend, gespannen als een hijgende jachthond.
Hij hield de telefoon bij zijn oor en zei: 'Ik sta nu op de akker ter hoogte van het huis. Wat zien jullie?'
Dorothy Coe zei: 'Het huis van Jonas is vrijwel uitgebrand. Het enige wat er nog staat is de schoorsteen, eigenlijk. De bakstenen zijn roodgloeiend. Het huis van Jasper gaat snel. Zijn propaantank is net ontploft.'
'En dat van Jacob?'
'Het brandt van noord naar zuid. Vrij fel. Het moet daarbinnen langzamerhand warm worden.'
'Blijf opletten dan. Het kan nu niet lang meer duren.'

Het duurde minder dan een minuut. Dorothy Coe zei: 'Ze zijn buiten.' Een seconde daarna zag Reacher Jacob en Seth Duncan om de hoek van het huis komen. Ze renden voorovergebogen, zigzaggend, bang voor het geweer, dat daar nog steeds ergens buiten op hen wachtte, dachten ze. Ze bereikten een van de resterende pick-ups. Reacher zag hen gebukt de portieren opentrekken, naar binnen schieten en zich zo klein mogelijk maken. Achter hen zwol de noordgevel van Jacobs huis op, bolde naar buiten en stortte in, heel traag en gracieus, in een uitwaaierende vonkenregen, met over elkaar tuimelende en wegrollende brandende balken, als lava uit een vulkaankrater, bijna tot aan het hek, een verticale massa omgezet in een horizontale massa. Toen viel de zuidgevel van het huis langzaam achterover in het vuur, zodat alleen de schoorsteen overeind bleef staan.
Reacher vroeg: 'Hoe ziet het eruit?'
Dorothy Coe zei: 'Precies zoals jij hebt voorspeld.'
Reacher zag Jacob Duncan aan het stuur van de pick-up, kleiner en breder dan Seth naast hem. De spalk was nog steeds over Seths gezicht getapet. De pick-up reed tien meter achteruit, bijna tot in het vuur erachter, trok toen op en raakte het hek, stootte ertegenaan in een poging erdoorheen te breken. De voorbumper van de pick-up verboog, de motorkap verkreukelde iets, het hek

schudde en klapperde, maar het hield stand. Diepe gaten voor de palen, stevig balkhout, zware planken. Een geweldig product. De wet van onbedoelde gevolgen.

Jasper Duncan probeerde het nog een keer. Hij reed achteruit, veel minder dan tien meter dit keer omdat het vuur achter hem zich verspreidde, en hij schoot opnieuw naar voren. De pick-up raakte het hek en Seth en hij dansten in de cabine als marionetten, maar het hek gaf geen krimp. Reacher zag Jacob over zijn schouder kijken. Er was geen ruimte voor een langere aanloop, onmogelijk gemaakt door het vuur en de krappe ruimte binnen het hek.

Jacob koos voor een andere tactiek. Hij manoeuvreerde tot de neus van de pick-up midden tussen twee palen van het hek gericht stond, en reed toen langzaam naar het hek, in een lage versnelling, zette de grille stevig tegen de planken, en trapte toen langzaam het gaspedaal in, steeds harder en harder, in de hoop dat voortdurende druk zou bewerkstelligen wat hij met een harde knal niet had kunnen bereiken.

Dat gebeurde niet. De planken bogen door en trilden, maar hielden stand. Toen verloren de achterbanden van de pick-up hun greep, begonnen wild rond te tollen en de planken veerden de pick-up tien centimeter achteruit.

De portieren vlogen open, Jacob en Seth tuimelden uit de pick-up en renden naar de Cadillac om het daarmee te proberen. Een zwaardere auto. Meer torsie, meer vermogen. Maar minder geschikte banden. Banden gemaakt voor een rustige, comfortabele rit op een asfaltweg, niet voor veel tractie op open terrein. Seth reed een klein stukje vooruit omdat hij bang was dat hij zijn benzinetank zou blootstellen aan het vuur achter zich. Na anderhalve meter raakte zijn grille het hek. De banden begonnen vrijwel meteen door te draaien.

Game over.

'Nu komen ze,' zei Reacher.

Achter hen begaf de laatste ondersteuning van de constructie het en de brandende bult zakte langzaam en geleidelijk uit tot een lagere, grotere vorm, waaruit vlagen brandend gas en vonkenregens ontsnapten. Grote, gekromde vlammen dansten omhoog,

verbrandden de lucht zelf, verwrongen, gespleten, en oplossend hoger in de lucht. De hitte vervormde de lucht en vuurstralen schoten dertig meter hoog de lucht in. Jacob en Seth deinsden achteruit, beschermden hun gezicht met hun armen en doken weg.
Ze klommen over het hek.
Ze lieten zich op het akkerland vallen.
Ze begonnen te rennen.

60

Jacob en Seth Duncan renden dertig meter, in een rechte lijn weg van het vuur, uit puur dierlijk instinct, bleven toen staan en keken om en draaiden een slag om hun as, eenzaam en onbeduidend op de kale akkers. Ze staarden in verwarring naar de geparkeerde Yukon alsof ze hem voor het eerst van hun leven zagen want het was een van hun eigen wagens, waarin een van hun eigen jongens zat, die het verdomde om hen te helpen. Toen zagen ze de pick-up van Dorothy Coe, ver weg de andere kant op. Ze keken nog een keer naar de Yukon en toen drong het tot hen door. Ze keken elkaar nog een laatste keer aan en renden toen weg, Jacob de ene kant op, Seth de andere kant.
Reacher pakte de telefoon.
Hij zei: 'Als ik op negen uur sta op een klok en jij op twaalf, dan gaat Jacob naar tien uur en Seth naar zeven. Ik neem Seth. Jij Jacob.'
Dorothy Coe zei: 'Begrepen.'
Reacher haalde zijn voet van het rempedaal, stuurde eenhandig door een bocht met de wijzers van de klok mee, hobbelend over het akkerland, zo oneffen als een wasbord. Hij voelde de hitte van de vuurzee op het glas naast zich. Voor hem strompelde Seth over de akker, in de richting van de weg, met nog zeventig meter te gaan voor hij die zou bereiken. Reacher zag iets in zijn rechterhand en hoorde op hetzelfde moment de stem van Dorothy

Coe door de telefoon: 'Jacob heeft een wapen.'
Reacher vroeg: 'Wat voor wapen?'
'Een handwapen. Een revolver, denk ik. We kunnen het niet goed zien. We hobbelen te veel op en neer.'
'Neem gas terug zodat je goed kunt kijken.'
Tien seconden later zei Dorothy Coe: 'We denken dat het een reguliere revolver is.'
'Heeft hij er al mee geschoten?'
'Nee.'
'Oké, houd afstand, maar verlies hem niet uit het oog. Hij kan nergens naartoe. Laat hem maar moe worden.'
'Begrepen.'
Reacher legde de telefoon op de stoel naast zich en volgde Seth naar het zuiden, dertig meter achter hem. De man deed echt zijn best. Hij maaide met zijn armen. Reacher had geen telescoop maar hij wilde wedden dat het ding dat Seth in zijn rechterhand hield ook een revolver was, waarschijnlijk de tweede van een bij elkaar horend paar waarvan zijn vader de eerste bij zich had.
Reacher stuurde, trok op en verkleinde de afstand tot ongeveer twintig meter. Seth rende, zijn knieën stampten op en neer, zijn armen maaiden in het rond en hij had zijn hoofd in de nek. Het ding dat hij in zijn handen hield, was absoluut een wapen. De loop was kort, niet langer dan een vinger. Het was nog veertig meter naar de tweebaansweg. Reacher had geen flauw idee waarom Seth daarnaartoe wilde. Dat was niet logisch. De weg was niet meer dan een smal lint van asfalt zonder verkeer, met alleen maar akkers aan de andere kant. Misschien had het iets met generaties te maken. Misschien dacht de jongste van de Duncans wel dat verstedelijkte structuren hem konden redden van de ondergang op het platteland. Of misschien was hij wel op weg naar huis. Misschien had hij thuis meer wapens. Hij ging ruwweg de goede kant op. In dat geval was hij echt dodelijk wanhopig of de grootste optimist van de wereld. Hij moest nog meer dan drie kilometer en hij werd achtervolgd door een auto.
Reacher hield een afstand van twintig meter aan en keek toe. Ver weg achter zijn linkerschouder vloog een laatste propaantank met een doffe dreun de lucht in. De spiegel van de Yukon vulde zich

met een vonkenregen. Voor hem bleef Seth Duncan verder rennen.
Toen hield hij op met rennen, wervelde hij rond en plantte hij beide voeten stevig op de grond. Hij hief de revolver met twee handen op ooghoogte, voor de aluminium spalk. Zijn borst zwoegde. Alle vier zijn ledematen trilden en ondanks de dubbelhandige greep bewoog de vuurmond van de revolver in een gebied ter grootte van een basketbal. Reacher remde af, schakelde in de achteruit en reed terug tot de afstand was vergroot tot dertig meter. Hij voelde zich veilig genoeg. Tussen zichzelf en het wapen wist hij een zwaar motorblok van een v-8, en bovendien was de kans praktisch nihil dat een ongeoefend schutter op een afstand van dertig meter zelfs maar de SUV zou raken met een wapen met een korte loop. De kans dat hij door de voorruit heen iemand in het hoofd zou raken, was kleiner dan nul. Je zou erover kunnen redetwisten of hij überhaupt iets in hetzelfde postcodegebied zou kunnen raken.
Seth vuurde drie keer, met tussenpozen, een krampachtige vinger aan de trekker, een loop die door de terugslag omhoogklom en geen enkele controle in zijwaartse richting. Reacher knipperde zelfs niet eens met zijn ogen. Hij bekeek drie keer met professionele interesse het vuur uit de loop en probeerde het wapen thuis te brengen, maar dat lukte hem niet van die afstand. Te ver weg. Hij wist dat er revolvers bestonden met zeven en acht patronen, maar die waren niet erg gangbaar, dus nam hij aan dat het een traditionele *six-shooter* was, nu met nog drie kogels in de cilinder. Naast hem kwam opgewonden geluid uit de telefoon. Hij pakte hem op en Dorothy Coe vroeg: 'Is alles oké? We hoorden schoten.'
'Niks aan de hand met mij,' zei Reacher. 'Bij jullie alles goed? De kans dat hij jullie raakt is net zo groot als de kans dat hij mij raakt. Waar je maar bent.'
'Hier is alles in orde.'
'Waar is Jacob?'
'Nog steeds op weg naar het zuidwesten. Hij gaat langzamer nu.'
'Blijf bij hem,' zei Reacher. Hij legde de telefoon weer op de stoel. Hij hield zijn Glock in zijn zak. Het probleem voor een rechts-

handige in een auto met het stuur links, was dat hij om te vuren er eerst de voorruit uit zou moeten slaan. Dat was makkelijk genoeg destijds toen de ruiten nog van verbrijzelend veiligheidsglas waren gemaakt, maar de ruiten van moderne auto's waren taai. Ze waren gelamineerd met sterke lagen plastic. Bovendien had hij zijn bahco opgeofferd in de Tahoe. Die was ondertussen waarschijnlijk weer omgesmolten tot ijzererts.

Seth probeerde op adem te komen, voorovergebogen vanuit de heupen, zijn hoofd bijna ter hoogte van zijn scheenbenen. Hij perste lucht in zijn longen, haalde een keer diep adem, nog een keer, strekte zich toen weer, hield zijn adem in en richtte opnieuw, dit keer geconcentreerder en met veel meer controle. De vuurmond bewoog nu in een gebied ter grootte van een honkbal. Reacher draaide aan het stuur, trapte hard op het gaspedaal en trok op naar rechts, in een korte strakke bocht. Toen maakte hij een schijnbeweging alsof hij van plan was weer terug te keren naar zijn oorspronkelijke koers, maar hij trok aan het stuur en manoeuvreerde de auto in een achtvormige figuur. Seths schot doorkliefde een lege ruimte. Hij richtte opnieuw en vuurde nog een keer. Een kogel boorde zich in de stalen balk rond de voorruit, anderhalve meter van Reachers hoofd.

Nog één kogel, dacht Reacher.

Maar er waren geen kogels meer over. Reacher zag Seth de trekker overhalen en de cilinder van de revolver ronddraaien en ronddraaien, maar zonder enig effect. Het was of een revolver met een cilinder voor zes kogels die niet volledig geladen was geweest, of het was een revolver met een cilinder voor vijf kogels. Misschien een Smith 60, dacht Reacher. Uiteindelijk gaf Seth het op, hij keek wanhopig naar links en naar rechts en smeet toen het leeggeschoten wapen naar de Yukon. Eindelijk een keer goed gemikt. Hij had er beter aan gedaan als hij vanaf het begin was gaan gooien met stenen. De revolver raakte de voorruit precies voor Reachers gezicht. Reacher kromp automatisch in elkaar en dook weg met zijn hoofd. De revolver ketste af op het glas en gleed over de motorkap weg. Seth keerde zich om en begon weer te rennen. Daarna werd het gemakkelijk.

Reacher trapte op het gaspedaal, trok op, stuurde de Yukon recht achter Seth en raakte Seth in de rug met een snelheid van bijna zestig kilometer per uur. Met een gewone auto had hij hem misschien geschept en in de lucht gegooid en was hij met radslagen over de motorkap en het dak van de auto heen geslingerd, maar de Yukon was geen gewone auto. Het was een grote SUV met een hoge, stompe neus. Ongeveer zo subtiel als een voorhamer. Hij raakte Seth van achteren, van zijn knieën tot zijn schouders, als een soort ploertendoder van twee ton. Reacher voelde de klap. Seths hoofd schoot uit het zicht, zomaar ineens, alsof het omlaag was gezogen door een plotse gigantische zwaartekracht, de SUV bokte een keer alsof er iets onder het linkerachterwiel terecht was gekomen en daarna reed de auto weer zo ongehinderd verder als de oneffen grond maar toestond.

Reacher remde af, maakte een ruime bocht en reed terug om te kijken of hij er verder nog aandacht aan moest besteden. Dat was niet nodig. Geen enkele twijfel. Reacher had heel wat doden gezien, en daarbij vergeleken was Seth Duncan doder dan de meesten.

Reacher pakte de telefoon van de stoel naast zich en zei: 'Seth is uitgeschakeld.' Hij draaide aan het stuur en reed snel weg over de hobbelige akker, in de richting van het zuidwesten.

61

Jacob Duncan was niet verder gekomen dan een meter of tweehonderd van zijn huis. Meer niet. Reacher zag hem van een afstandje, helemaal alleen op het uitgestrekte akkerland, niets dan weids landschap rondom. Nog honderd meter verder zag hij de pick-up van Dorothy Coe, een flink eind naar het noordwesten voorbij de dravende man. Hij reed in een ruime bocht om de man, als een waakzame schaapshond, als een destroyer die een corridor op zee bewaakt.

Door de telefoon zei Dorothy: 'Ik maak me zorgen over dat wapen.'

Reacher zei: 'Seth was een waardeloze schutter.'
'Dat zegt nog niets over Jacob.'
'Oké,' zei Reacher. 'Stop maar en wacht maar op mij. Dan doen we het samen.'
Hij verbrak de verbinding, verlegde zijn koers, kruiste het pad van Jacob honderd meter achter diens rug en reed naar Dorothy Coe. Toen hij haar bereikte, stapte ze uit haar pick-up en wilde ze naar de passagierskant van de Yukon lopen. Reacher liet zijn raam zakken en zei: 'Nee, ik wil dat jij rijdt. Ik word bijrijder met het geweer.'
Hij stapte uit, liep om de Yukon heen naar haar toe en ze bleven staan bij de ingedeukte motorkap. Geen van beiden zei iets. Dorothy had een vastberaden trek om haar mond. Haar houding hield het midden tussen kalmte en nervositeit. Ze ging op de bestuurdersstoel zitten, schoof hem naar voren en controleerde de stand van de spiegel, alsof het een doorsnee ochtend was en ze alleen maar naar de winkel ging om melk te kopen. Reacher nam de plaats naast haar in en haalde de Glock uit zijn zak.
Ze zei: 'Vertel eens wat er op die foto's met die verzilverde lijsten stond.'
'Dat wil ik niet,' zei Reacher.
'Nee, ik bedoel, ik moet weten dat er geen twijfel over bestaat dat de Duncans erbij betrokken waren. Jacob met name. Als bewijs. Dat moet je me vertellen. Voordat we dit doen.'
'Geen twijfel,' zei Reacher. 'Geen enkele twijfel.'
Dorothy Coe knikte en zei niets. Ze frommelde wat met de versnelling, schakelde en reed weg, langzaam, hobbelend en schuddend. Ze zei: 'We waren aan het praten over wat er nu gaat gebeuren.'
Reacher zei: 'Bel maar een transportbedrijf uit een andere county. Of doe zaken met Eleanor Duncan.'
'Nee, ik bedoel met de loods. De dokter vindt dat we hem zouden moeten afbranden. Maar ik weet niet zo goed of ik dat wel wil.'
'Het is aan jou om dat te beslissen, denk ik.'
'Wat zou jij doen?'
'Daar heb ik geen stem in.'

‘Wat vind je?’
Reacher zei: ‘Ik zou dat deurtje dichtspijkeren en ik zou het met rust laten en er nooit meer naartoe gaan. Ik zou de bloemen eroverheen laten groeien.’

Ze zeiden verder niets meer tot ze Jacob Duncan tot op vijftig meter waren genaderd, en gingen toen over op een soort snelle telegramstijl van praten. Jacob probeerde nog steeds te rennen, maar het ging niet snel meer. Hij was zo ongeveer aan het einde van zijn Latijn. Hij struikelde en wankelde, een kleine brede man, beperkt in zijn bewegingen door slechte longen, stijve benen en de pijntjes en kwalen die de ouderdom met zich meebrengt. Hij hield een revolver in zijn hand van hetzelfde doffe roestvrij staal en met dezelfde korte loop als het wapen van Seth. Waarschijnlijk ook een Smith 60, en waarschijnlijk even ineffectief als ermee werd geschoten door een man die piepend en naar adem snakkend probeerde lucht in zijn longen te krijgen en stond te trillen van vermoeidheid.
Dorothy Coe vroeg: ‘Hoe moet ik dit doen?’
Reacher zei: ‘Rij links langs hem. Eens kijken of hij blijft staan om het uit te vechten.’
Dat deed hij niet. Reacher zoemde zijn raam omlaag en liet de Glock buiten in de bries hangen, terwijl Dorothy een snelle manoeuvre dicht langs Jacobs linkerzijkant maakte, maar hij keerde zich niet naar hen toe en schoot niet. Hij dook alleen maar in elkaar en strompelde verder, op een koers een tweetal graden meer naar rechts dan eerder.
Reacher zei: ‘Maak nu een grote bocht en mik dan op hem recht van achteren.’
‘Oké,’ zei Dorothy. ‘Voor Margaret.’
Ze maakte een ruime, lange bocht naar links tot ze uiteindelijk weer terug was op haar oorspronkelijke koers. Ze liet de wagen even uitlopen en rechtte haar rug. Ze trapte het gaspedaal diep in en de Yukon schoot vooruit, tien meter, twintig, dertig. Jacob keek met afschuw in zijn ogen om en sprong naar links. Dorothy week automatisch uit naar rechts, een burger met veertig jaar veilig rijgedrag achter zich. Ze schampte Jacob met de linker-

koplamp, hard tegen zijn rug en hard tegen zijn rechterschouder. De revolver vloog uit zijn hand en hij struikelde, tolde om zijn as, en werd tegen de grond gesmeten.

'Snel terug,' zei Reacher.

Maar Jacob Duncan krabbelde niet overeind. Hij lag op zijn rug. Een van zijn benen trappelde als de poot van een dromende hond, een hand graaide doelloos in de grond, zijn hoofd rukte heen en weer, zijn ogen waren open en draaiden in hun kassen. Zijn revolver lag drie meter verderop.

Dorothy Coe reed terug en bleef stilstaan op tien meter afstand. Ze vroeg: 'En nu?'

Reacher zei: 'Ik zou hem hier laten liggen. Ik denk dat je zijn rug hebt gebroken. Zo gaat hij langzaam dood.'

'Hoe lang duurt dat?'

'Een uur. Twee misschien.'

'Ik weet het niet.'

Reacher gaf haar de Glock. 'Je kunt hem ook door het hoofd schieten. Dat zou een vorm van genade zijn die hij niet verdient.'

'Wil jij dat doen?'

'Met genoegen. Maar ik vind dat jij het zou moeten doen. Dat heb je vijfentwintig jaar gewild.'

Ze knikte traag. Ze staarde naar de Glock, die plat als een open boek op haar beide handen lag, alsof ze zo'n ding nog nooit eerder had gezien. Ze vroeg: 'Heeft hij een veiligheidspal?'

Reacher schudde zijn hoofd.

'Een Glock heeft geen veiligheidspal,' zei hij.

Ze opende het portier. Ze klom naar buiten, en stapte via de treeplank op de grond. Ze keek om naar Reacher.

'Voor Margaret,' zei ze opnieuw.

'En de anderen,' zei Reacher.

'En voor Artie,' zei ze. 'Mijn man.'

Ze stapte opzij achter het geopende portier weg, raakte het met één hand aan, voorzichtig, aarzelend, en liep toen over de akker, met kleine, afgemeten pasjes over de winterse grond, tien stappen, twaalf, maakte van een korte afstand een lange reis. Jacob Duncan bewoog niet meer en zag haar komen. Ze ging dicht bij hem staan en richtte het wapen recht omlaag aan één kant en hield het iets van zich af, alsof het niet bij haar hoorde, sprak toen een paar woorden die Reacher niet kon verstaan en haalde de trekker over, één keer, twee keer, drie, vier, vijf, zes keer. Toen liep ze weg.

62

De dokter en zijn vrouw zaten in de cabine van de pick-up van Dorothy te wachten, op de tweebaansweg. Reacher en Dorothy parkeerden voor hen en ze stapten alle vier uit en gingen bij elkaar staan. Het erf van de Duncans was gereduceerd tot drie kale schoorstenen en een uitgestrekte vlakke puinhoop van met grijze as bedekte balken die nog gestaag door brandden, maar niet fel meer. Rook steeg omhoog en vormde een dikke kolom die eindeloos leek op te stijgen. Het was het enige wat bewoog. De zon stond op zijn hoogste punt. De rest van de lucht was blauw.

Reacher zei: 'Jullie hebben genoeg te doen. Laat iedereen maar meehelpen met shovels en tractors met laadschoppen om een paar grote gaten te graven. Echt grote gaten, daar schuif je alles in. Maar houd nog een beetje ruimte over voor later. Hun vrachtwagen arriveert vroeg of laat en de chauffeur daarvan is even schuldig als al die anderen.'

De dokter zei: 'Moeten we hem doden?'

'Wat mij betreft begraaf je hem levend.'

'Jij gaat nu weg?'

Reacher knikte.

'Ik ga naar Virginia,' zei hij.

'Kun je niet nog een paar dagen blijven?'

'Jullie zijn nu met zijn allen de baas, ik niet.'

'En de football-spelers bij ons thuis?'

'Laat ze maar vrij en zeg maar dat ze moeten opdonderen. Dat zullen ze met plezier doen. Ze hebben hier niets meer te zoeken.'

De dokter zei: 'Maar misschien vertellen ze het verhaal aan iemand. Of misschien heeft iemand de rook gezien. Van ver weg. Misschien komt de politie wel.'

Reacher zei: 'Als ze komen, geef je mij de schuld maar van alles. Geef hun mijn naam maar. Tegen de tijd dat ze hebben uitgevogeld waar ik ben, ben ik allang weer vertrokken.'

Dorothy Coe gaf Reacher het eerste stuk een lift. Ze stapten weer in de Yukon en keken op de brandstofmeter. Er zat nog net genoeg in de tank voor een kilometer of honderd. Ze spraken af dat ze vijftig kilometer naar het zuiden zou rijden. Dan zou ze dezelfde vijftig kilometer terugrijden en vanaf dat moment zou het jochie dat John heette maar weer moeten zien hoe hij de tank vol kreeg. De eerst vijftien kilometer zaten ze zwijgend naast elkaar. Toen passeerden ze het verlaten wegrestaurant. De tweebaansweg lag eindeloos en leeg voor hen uitgerold. Toen vroeg Dorothy: 'Wat zoek je in Virginia?'
'Een vrouw,' zei Reacher.
'Je vriendin?'
'Iemand met wie ik aan de telefoon heb gepraat, meer niet. Ik wilde haar in het echt ontmoeten. Maar nu weet ik dat niet zo zeker meer. Niet nu, denk ik. Zoals ik eruitzie.'
'Wat mankeert er aan hoe jij eruitziet?'
'Mijn neus,' zei Reacher. Hij raakte de tape aan en streek die met twee handen glad. Hij zei: 'Het duurt wel een paar weken voordat dat weer een beetje presentabel is.'
'Hoe heet ze, die vrouw in Virginia?'
'Susan.'
'Ik vind dat je gewoon moet gaan. Als het die Susan niet bevalt hoe je eruitziet, is ze de moeite niet eens waard.'

Ze stopten op een willekeurig punt langs de weg. Het moest ergens halverwege de Apollo Inn en de Cell Block Bar zijn. Reacher opende zijn portier en Dorothy Coe vroeg hem: 'Kun je je redden vanaf hier?'
Hij knikte.
Hij zei: 'Ik red me altijd overal waar ik maar ben. Kun jij je redden als je straks weer thuis bent?'
'Ik weet het niet,' zei ze, 'maar ik zal me in ieder geval beter voelen dan eerst.'

Ze zat aan het stuur, een stevige, stabiele vrouw van een jaar of zestig, misschien nog wel iets ouder, blank, plomp, onbehouwen, blond haar dat langzaam vervaagde tot geel en grijs, maar met meer vitaliteit dan daarvoor. Reacher zei niets meer, klom uit de Yukon omlaag naar de berm en sloot het portier. Ze keek hem nog een keer aan, door het raam, keek weg, keerde over de volle breedte van de weg en reed toen naar het noorden. Reacher trok zijn capuchon over zijn oren, stak zijn handen diep in zijn zakken tegen de kou en wachtte tot hij een lift zou krijgen.

Hij moest heel lang wachten. Gedurende het eerste uur kwam er helemaal niets voorbij. Toen verscheen er een voertuig aan de horizon. Een minuut later was het zoveel dichterbij dat hij details kon onderscheiden. Het was een buitenlands autootje, waarschijnlijk Japans, een Toyota of een Honda, oud, blauwe lak, vaal van ouderdom. Een zesdehands auto. Reacher ging staan en stak zijn duim op. De auto remde af, wat op zich nog niet zoveel te betekenen had. Pure reflex. De ogen van de chauffeur dwalen naar rechts en in reactie daarop haalt hij automatisch zijn voet van het gaspedaal. In dit geval was de chauffeur een vrouw, waarschijnlijk een studente. Ze had lang, blond haar. Haar auto was volgestouwd met allerlei spullen.
Ze keek minder dan een seconde naar Reacher, gaf toen gas, reed door met honderd kilometer per uur en liet Reacher achter in een slipstream van koude lucht, rondtollend grit en het gegier van banden. Reacher keek haar na. Waarschijnlijk een goede beslissing. Vrouwen alleen moeten niet midden op de eenzame vlakte stoppen voor reusachtige vreemdelingen die er verwaarloosd uitzien en stroken tape over hun gezicht hebben geplakt.
Hij ging weer in de berm zitten. Hij was moe. Hij was de ochtend ervoor vroeg gewekt in de motelkamer bij Vincent, toen Dorothy Coe binnenkwam om de kamer te doen. Sindsdien had hij niet meer geslapen. Hij trok zijn capuchon omhoog over zijn muts en ging op de grond liggen. Hij kruiste zijn enkels en sloeg zijn armen over zijn borst en viel in slaap.

Het werd al donker toen hij weer wakker werd. De zon was ondergegaan en de bleke resten van een winterse zonsondergang waren het enige wat de lucht nog deed oplichten. Hij kwam overeind en stond op. Geen verkeer, maar hij was een geduldig man. Hij kon goed wachten.

Reacher wachtte nog eens tien minuten en zag toen een tweede voertuig verschijnen aan de horizon. Het had licht aan vanwege de schemering. Hij schoof de capuchon van zijn hoofd om minder imposant over te komen en ging ontspannen staan, met zijn ene voet in de berm, en de andere op het asfalt, en stak zijn duim op. Het voertuig dat dichterbij kwam, was groter dan een personenwagen. Dat kon hij zien aan de afstand tussen de koplampen. De wagen was hoog en betrekkelijk smal. Een grote voorruit. Het was een kleine vrachtwagen.

Het was een kleine grijze vrachtwagen.

Het was net zo'n vrachtwagen als de twee vrachtwagens die hij bij het depot van de Duncans had gezien.

Met nog honderd meter te gaan remde de chauffeur af, in automatische reflex. Hij bleef afremmen en stopte toen pal naast Reacher. De chauffeur boog zich opzij en opende het portier aan de passagierskant, waarop een binnenlicht aanfloepte.

Eleanor Duncan zat achter het stuur.

Ze droeg een zwarte spijkerbroek en een parka met voering. De parka was een en al ritsen en zakken, en glinsterde en glom in het lamplicht. Het materiaal waarvan hij was gemaakt had niets te maken met een levend iets, plant noch beest.

Ze zei: 'Hallo.'

Reacher gaf geen antwoord. Hij keek naar de vrachtwagen. De binnenkant en de buitenkant. Hij zag eruit alsof hij een lange reis achter de rug had. Hij zat onder het zout en het vuil, streperig en opgedroogd en stoffig. Hij kwam van ver.

Hij zei: 'Dit was de vracht, toch? Dit is de vrachtwagen die ze hebben gebruikt.'

Eleanor Duncan knikte.

Hij vroeg: 'Wie zaten erin?'

Eleanor Duncan zei: 'Zes jonge vrouwen en tien jonge meisjes. Uit Thailand.'

'Was alles goed met ze?'
'Prima. Niet verbazingwekkend. Het lijkt erop dat er alles aan is gedaan om de handelswaar in topconditie op zijn bestemming te krijgen.'
'Wat heb je met ze gedaan?'
'Niets.'
'Waar zijn ze dan?'
'Achterin.'
'Wat?'
'We wisten niet wat we met hen aan moesten. Ze zijn hiernaartoe gelokt onder valse voorwendselen. Ze zijn gescheiden van hun familie. We hebben besloten dat we ze weer thuis moeten zien te krijgen.'
'En hoe gaan jullie dat doen?'
'Ik breng hen naar Denver.'
'Wat is er in Denver?'
'Daar zijn Thaise restaurants.'
'Is dat jullie oplossing? Thaise restaurants?'
'Dat is minder dom dan het lijkt. Denk eens na, Reacher. We kunnen niet naar de politie. De vrouwen zijn hier illegaal. Ze worden maanden vastgezet, in een federale gevangenis. Dat zou vreselijk voor hen zijn. We dachten dat we hen in ieder geval in contact moeten brengen met mensen die hun taal spreken. Als een soort ondersteunende gemeenschap. En de arbeiders in restaurants onderhouden contact met elkaar, toch? Een aantal van hen is zelf illegaal het land in gesmokkeld. We dachten dat ze misschien met behulp van dezelfde organisaties de reis in omgekeerde richting konden maken.'
'Wie heeft dit bedacht?'
'Wij allemaal. We hebben het er de hele dag over gehad en toen hebben we gestemd.'
'Fantastisch.'
'Heb je een beter idee?'
Reacher zei niets. Hij keek naar de grijze zijkant van de vrachtwagen, naar de vlekken van wegenzout, opgedroogd in lange, geveerde aerodynamische patronen. Hij legde zijn hand tegen het koude metaal.

Eleanor Duncan zei: 'Wil je hen zien?'
Reacher zei: 'Nee.'
'Je hebt hen gered.'
Reacher zei: 'Ze zijn gered door geluk en mazzel. Daarom wil ik ze niet zien. Ik wil hun gezichten niet zien, omdat ik dan ga denken aan wat er gebeurd zou zijn als geluk en mazzel niet toevallig hun pad hadden gekruist.'
Het bleef lange tijd stil. De motor van de vrachtwagen draaide stationair, het briesje waaide, de lucht werd donkerder en het werd kouder.
Toen vroeg Eleanor Duncan: 'Wil je dan op zijn minst een lift naar de snelweg?'
Reacher knikte en stapte in.

Dertig kilometer lang zeiden ze geen van beiden iets. Toen reden ze langs de Cell Block. Reacher zei: 'Jij wist het, toch?'
Eleanor Duncan zei: 'Nee.' Toen zei ze: 'Ja.' Toen zei ze: 'Ik dacht dat ik precies het tegenovergestelde wist. Echt. Ik dacht dat ik het absoluut zeker wist. Ik wist het zo zeker dat ik uiteindelijk besefte dat ik gewoon alleen bezig was mezelf te overtuigen.'
'Je wist waar Seth vandaan kwam.'
'Ik heb je verteld dat ik het niet wist. Net voordat je zijn auto stal.'
'En ik geloofde je niet. Tot aan dat punt had je op veertien vragen achter elkaar antwoord gegeven zonder een enkele aarzeling. Toen vroeg ik naar Seth en begon je een beetje te draaien. Je bood ons iets te drinken aan. Je was ontwijkend. Je probeerde tijd te rekken om na te denken.'
'Weet jij waar Seth vandaan kwam?'
'Ik heb het uiteindelijk beredeneerd.'
Ze zei: 'Vertel me dan jouw versie eens.'
Reacher zei: 'De Duncans hielden van kleine meisjes. Dat was altijd al zo. Dat was hun hele leven lang hun grote hobby. Dat soort mensen zoekt elkaar op. Voor de uitvinding van internet ging het via de post en clandestiene ontmoetingen. Foto's uitwisselen en zo. Misschien wel bijeenkomsten. Misschien wel gastdeelnemers. Er waren verbanden tussen groepen met vrijwel gelijk gerichte in-

teresses. Ik vermoed dat er een groep was die van kleine jongetjes hield en die het een beetje te heet onder de voeten werd. Ze doken onder. Ze brachten het bewijs onder bij hun vriendjes. Dat was maar voor tijdelijk, maar toen de druk afnam, kwam er niemand voor Seth opdagen. De man is waarschijnlijk doodgemept in de gevangenis. Of door de politie in een achterkamertje. Dus zaten de Duncans met hem opgescheept. Maar dat vonden ze niet erg. Misschien vonden ze het zelfs wel grappig, een zoon zonder dat er een volwassen vrouw aan te pas kwam. Dus hielden ze hem. Jacob adopteerde hem.'

Eleanor Duncan knikte. 'Seth vertelde me dat hij was gered. Lang geleden toen we nog praatten met elkaar. Hij zei dat hij werd misbruikt en dat Jacob hem had gered uit naastenliefde, voor het goede doel. En uit principe. Ik geloofde hem. In de loop van de jaren kreeg ik het gevoel dat de Duncans met iets verschrikkelijks bezig waren, maar wat uiteindelijk de waarheid bleek te zijn, stond in mijn gedachten altijd onderaan op de lijst. Altijd, dat meen ik echt. Omdat ik dacht dat ze fel tegen dergelijke dingen waren. Ik dacht dat het redden van Seth dat had bewezen. Ik ben heel lang ziende blind geweest. Ik dacht dat ze iets anders transporteerden, drugs of wapens, of misschien zelfs wel bommen.'

'Wat veranderde er?'

'Dingen die ik hoorde. Flarden. Het werd langzamerhand duidelijk dat ze mensen transporteerden. Zelfs toen dacht ik nog dat het om gewone illegalen ging. Mensen voor restaurants en dergelijke.'

'Totdat?'

'Totdat niks. Tot vandaag heb ik het nooit zeker geweten. Echt. Maar mijn wantrouwen groeide wel steeds meer. Er was te veel geld. En ze waren zo opgewonden dat ze bijna liepen te kwijlen. Zelfs toen geloofde ik het nog niet. Vooral niet van Seth. Ik dacht dat hij zoiets volstrekt weerzinwekkend zou vinden, omdat hij het zelf had ondergaan. Ik wilde er niet aan denken dat zoiets ook de andere kant op kan doorslaan. Maar ik vermoed dat dat wel zo was. Ik vermoed dat dat uiteindelijk het enige was wat hij kende. En waar hij van genoot.'

Reacher zei: 'Ik ben ook geen psycholoog.'

'Ik schaam me heel erg,' zei Eleanor. 'Ik ga niet terug. Dat denken ze wel, maar dat doe ik niet. Ik kan hen niet meer in de ogen kijken. Ik kan daar nooit meer terugkomen.'
'Wat ga je dan doen?'
'Ik geef deze vrachtwagen aan degene die de mensen die erin zitten helpt. Als een gift. Om ze om te kopen. En dan ga ik ergens anders heen. Misschien wel naar Californië.'
'Hoe?'
'Ik ga liften, net als jij. En dan begin ik helemaal opnieuw.'
'Wees voorzichtig langs de weg. Het kan er gevaarlijk zijn.'
'Ik weet het. Maar dat interesseert me niet. Ik heb het gevoel dat ik verdien wat me overkomt.'
'Wees niet al te hardvochtig in je oordeel over jezelf. Je hebt in ieder geval de politie gebeld.'
Ze zei: 'Maar die zijn nooit gekomen.'
Reacher gaf geen antwoord.
Ze vroeg: 'Hoe weet je dat ik de politie heb gebeld?'
'Omdat ze wel kwamen,' zei Reacher. 'In zekere zin. Dat is het enige wat niemand me ooit heeft gevraagd. Niemand heeft één en één bij elkaar opgeteld. Iedereen wist dat ik aan het liften was, maar niemand vroeg zich af waarom ik was uitgestapt bij een kruising met een dwarsweg die nergens naartoe leidde. Waarom zou een chauffeur daar stoppen? Hij zou daar nooit zijn gekomen, of hij zou op zijn minst honderd kilometer zijn doorgereden.'
'En wie was dat dan wel?'
'Een politieman,' zei Reacher. 'State Police, in een burgerauto. Dat zei hij niet, maar het was volstrekt duidelijk. Heel aardige kerel. Hij pikte me een heel eind verder naar het noorden op. Bijna in Zuid-Dakota. Hij zei dat hij me zo ongeveer aan het einde van de wereld zou afzetten, want hij zou alleen maar die kant op rijden en dan meteen weer terug. We hebben het niet gehad over het waarom, en ik had ook niet door dat hij het zo letterlijk meende. Maar het was precies wat hij deed. Hij stopte langs de kant van de weg, liet mij eruit en twee seconden later keerde hij en was hij weer weg, dezelfde kant op waar hij vandaan was gekomen.'

'Waarom zou hij zoiets doen?'
'Gps en politiek,' zei Reacher. 'Dat is het eerste wat ik dacht. In een grote staat als Nebraska zou volgens mij wel het nodige geharrewar ontstaan over welke delen aandacht krijgen, en welke delen niet. Dus ik dacht dat ze zich misschien wel van tevoren indekten. Dat ze met stills van hun gps wilden kunnen aantonen dat ze uiteindelijk overal in de staat waren geweest. In alle politiewagens is tegenwoordig volgapparatuur geïnstalleerd, en al dat spul kan worden gedagvaard als ze voor de een of andere commissie moeten verschijnen. Maar later heb ik me bedacht. Ik vroeg me af of ze misschien niet waren gebeld door zo iemand die altijd wel iets te zeiken heeft, en dat ze wisten dat ze daar niets aan konden doen, maar dat ze zich in ieder geval wilden indekken door te kunnen laten zien dat ze er waren geweest. En nog weer later bedacht ik dat het misschien toch geen telefoontje was geweest van iemand die altijd iets te zeiken heeft, maar dat jij had gebeld.'
'Ik had gebeld. Vier dagen geleden. En het was geen gezeik. Ik heb ze alles verteld wat ik vermoedde. Waarom is die vent zelfs niet eens uitgestapt?'
'Vooroordeel en kennis van de lokale omstandigheden,' zei Reacher. 'Ik wil wedden dat je hebt verteld dat Seth je sloeg.'
'Ja natuurlijk heb ik dat gedaan. Want dat was ook zo.'
'Daarom hebben ze de rest van wat je hebt verteld genegeerd. Dat hebben ze op het conto geschreven van een verongelijkte echtgenote die dingen verzint om haar man in diskrediet te brengen. Zo gaat dat soms bij de politie. Dat deugt niet, maar het gebeurt. En ze zullen zich zeker niet gaan bemoeien met huiselijke aangelegenheden. Niet tegen de Duncans. Dat is de kennis van lokale omstandigheden. Dorothy Coe heeft me verteld dat een aantal van de jongens hier uit de buurt bij de State Police gaat werken. Die hebben ze vragen gesteld, of het verhaal was al op een andere manier rondgegaan, maar hoe dan ook, de boodschap bleef dezelfde: in die hoek van de county blijf je met je handen van de Duncans af.'
'Ik geloof het niet.'
'Je hebt het geprobeerd,' zei Reacher. 'Dat moet je goed onthouden. Je hebt geprobeerd te doen wat je moest doen.'

Ze reden verder en reden in een vloek en een zucht door wat het centrum van het stadje moest voorstellen, voorbij het billboard van de kamer van koophandel, voorbij de aluminium diner, voorbij het benzinestation met het Texaco-bord en de garage, voorbij de winkel in huishoudelijke artikelen en de slijter, de bank, de bandenshop, het agentschap van John Deere, de kruidenier, de apotheker, voorbij de watertoren, voorbij McNally Street, voorbij de wegwijzer naar het ziekenhuis, naar een gebied waar Reacher nog nooit was geweest. De motor van de vrachtwagen gromde geruststellend, de banden zoemden, en van tijd tot tijd dacht Reacher dat hij geluiden hoorde uit de laadruimte achter zich, dat hij mensen hoorde die zich verplaatsten, die iets tegen elkaar zeiden, en zelfs lachten. Naast hem concentreerde Eleanor Duncan zich op de donkere weg. Hij bekeek haar vanuit een ooghoek. Een uur en honderd kilometer verder doemden de felle natriumlampen op bij het klaverblad van de Interstate, en grote groene borden die naar het oosten en het westen wezen. Eleanor remde af en stopte. Reacher stapte uit en wuifde haar na. Ze reed de eerste oprit op, naar het westen, naar Denver en Salt Lake City. Hij liep onder het viaduct door en zocht een plekje langs de oprit naar het oosten, één voet in de berm, één voet op het asfalt. Hij stak zijn duim op, glimlachte en probeerde er vriendelijk uit te zien.